"NOSOTROS SOMOS AHORA LOS VERDADEROS ESPAÑOLES"

La transición de la Nueva España de un reino de la monarquía española a la República Federal Mexicana, 1808-1824

"NOSOTROS SOMOS AHORA LOS VERDADEROS ESPAÑOLES"

LA TRANSICIÓN DE LA NUEVA ESPAÑA DE UN REINO DE LA MONARQUÍA ESPAÑOLA A LA REPÚBLICA FEDERAL MEXICANA, 1808-1824

Volumen I

Jaime E. Rodríguez O.

Para
Alejandra
distinguida colega
y
buena amiga
con el
aprecio
de
Jaime

El Colegio de Michoacán

Instituto Mora

972.04
ROD-n Rodríguez O., Jaime E.
Nosotros somos ahora los verdaderos españoles: la transición de la Nueva España de un reino de la Monarquía Española a la República Federal Mexicana, 1808-1824 / Jaime E. Rodríguez O.-- Zamora, Mich. : El Colegio de Michoacán : Instituto Mora, 2009
V 1 (447 p.: il.); 23 cm.-- (Colección Investigaciones)

ISBN 978-607-7764-30-4

1. Monarquía Española
2. México – Historia Guerra de Independencia, 1810-1821
3. México – Historia – Federalismo, 1824-1935
I.t

Ilustración de portada: *Alegoría de las autoridades españolas e indígenas*, Patricio Zuarez de Peredo, 1808. Óleo sobre tela, 163 x 122 cm. Museo Nacional de Historia, Conaculta, INAH. Núm. de inventario 10-152247.

Centro Público de Investigación
Conacyt
Martínez de Navarrete 505
Las Fuentes
59699 Zamora, Michoacán
publica@colmich.edu.mx

Plaza Valentín Gómez Farías 12
Col. San Juan Mixcoac
Del. Benito Juárez
03730 México, D.F.

Impreso y hecho en México
Printed and made in México

ISBN 978-607-7764-29-8 Obra completa
ISBN 978-607-7764-30-4 Volumen I

A
Linda,
mi mejor amiga

ÍNDICE

Volumen I

Volumen II

ESTADOS UNIDOS MEXICANOS

Nosotros somos ahora los verdaderos Españoles, los enemigos jurados de Napoleón y sus secuaces, los que sucedemos legítimamente en todos los derechos de los subyugados [peninsulares] que ni vencieron ni murieron por Fernando [VII]

El Despertador Americano
Correo político económico de Guadalaxara
(Jueves 20 de diciembre de 1810)

La idea de independencia de un país respecto de otro es fácilmente conocida y apetecida hasta del más ignorante de sus habitantes; mas la idea de *libertad civil* no está igualmente al alcance de todos. De aquí nace que muchos se alucinan con la idea brillante de la independencia, sin detenerse a examinar si al conseguir ésta aseguran aquélla, *sin la cual nada importa la independencia*. Iturbide ha lanzado el grito de la independencia, aún no sabemos los resultados de su empresa; yo espero que no morirá fusilado como tantos héroes que le han precedido.

José Miguel Ramos Arizpe. Madrid, 6 de junio de 1821

Los Estados Unidos no se constituyeron hasta concluida la guerra con la Gran Bretaña... ¿Y con qué se rigieron mientras? Con las máximas heredadas de sus padres: y aun la Constitución que después dieron no es más que una colección de ellas... ¿Y mientras con qué nos gobernamos? con lo mismo que hasta aquí, con la *Constitución española*, las leyes que sobran en nuestros códigos no derogados, los decretos de las *Cortes Españolas* hasta el año 1820 y las del Congreso que ha ido e irá modificando todo esto conforme al sistema actual y a nuestras circunstancias.

Servando Teresa de Mier. México, 11 de diciembre de 1823

PRÓLOGO

Este volumen tiene una larga historia. Hace más de cuarenta años, en mayo de 1968, visité la ciudad de México por vez primera para comenzar una investigación de tesis doctoral que más tarde se convertiría en mi primer libro, titulado *The Emergence of Spanish America: Vicente Rocafuerte and Spanish Americanism, 1808-1832* (Berkeley: University of California Press, 1975) [El volumen apareció en español como *El nacimiento de Hispanoamérica: Vicente Rocafuerte y el hispanoamericanismo, 1808-1832* (México: Fondo de Cultura Económica, 1980), y tuvo una segunda edición (Quito: Universidad Andina Simón Bolívar y Corporación Editora Nacional, 2007)] En dicha obra, examiné algunos aspectos del periodo de independencia. El capítulo 1, "La herencia hispánica", abordaba las reformas borbónicas y las Cortes de Cádiz; el capítulo 2 trataba sobre "La Constitución hispánica restaurada". En aquel volumen sostuve que en 1808 comenzó una gran revolución política dentro del mundo hispánico y que, en un inicio, los hispanoamericanos que participaron en dicha transformación se mostraron en favor de la creación de una comunidad constitucional hispánica. Sin embargo, el posterior fracaso de las Cortes hispánicas (1810-1814 y 1820-1823) los obligó a buscar la independencia.

Desde aquel entonces me intrigó el proceso de construcción de naciones y los factores que estimulan o demoran la consolidación de un Estado. Una pregunta me desconcertaba: ¿por qué una antigua colonia como Estados Unidos había logrado establecer un gobierno estable y una economía floreciente, mientras que otras antiguas colonias –los países hispanoamericanos– tuvieron que padecer el caos político y la decadencia económica? Durante las últimas tres décadas he dirigido mi investigación a dos regiones: Ecuador –el antiguo Reino de Quito– y México –el antiguo Virreinato de Nueva España–. Que ambas tierras fueran radicalmente distintas en tamaño, recursos, ubicación, etcétera, me brindó mayor comprensión del efecto que tuvieron las condiciones regionales en su transición de reinos de la monarquía española a naciones independientes.

En 1986 comencé a trabajar en un volumen sobre la primera república federal de México. Sin embargo, conforme fui revisando las fuentes secundarias sentí que los estudiosos carecían de un entendimiento genuino de las causas, los procesos y las consecuencias de los movimientos que llevaron a la independencia y a la formación de una nueva nación. Cuando el Comité Mexicano de Ciencias Históricas me invitó a presentar una ponencia sobre la historiografía de la primera república federal en un simposio de historiografía mexicana organizado en Oaxtepec, Morelos, en octubre de 1988, mi opinión se vio reforzada. Mientras preparaba aquella ponencia quedé convencido de que, puesto que no entendíamos el proceso de independencia, "todos los que trabajamos los inicios del periodo nacional no sólo estamos confundidos, sino totalmente perdidos en el pantano que es esa época".[1]

Por ende, regresé a los archivos de México, España y Ecuador para reexaminar el periodo de independencia. También comencé a dialogar con colegas ocupados en investigaciones similares o relacionadas. Entre 1987 y 2008 organicé una serie de simposios dedicados a diversos aspectos de esta temática. Para mí fueron muchos los beneficios de estos debates profundos, de años, con los colegas de México, Colombia, Ecuador, Perú, Brasil, Estados Unidos, Canadá, España, Francia, Reino Unido e Italia que participaron en aquellas reuniones. Las ponencias, replanteadas como resultado de nuestras discusiones, fueron publicadas en los siguientes volúmenes: *The Independence of Mexico and the Creation of the New Nation* (Los Ángeles: UCLA Latin American Center, 1989); *The Revolutionary Process in Mexico: Essays in Social and Political Change, 1880-1940* (Los Ángeles: UCLA Latin American Center, 1990); *Patterns of Contention in Mexican History* (Wilmington, Delaware: Scholarly Resources, 1992); *The Evolution of the Mexican Political System* (Wilmington, Delaware: Scholarly Resources, 1993); *Mexico in the Age of Democratic Revolutions, 1750-1850* (Boulder: Lynne Rienner Publishers, 1994); *The Divine Charter: Constitutionalism and Liberalism*

1. Jaime E. Rodríguez O., "La historiografía de la Primera República", en *Memorias del Simposio de Historiografía Mexicanista* (México: Comité Mexicano de Ciencias Históricas, 1990), pp. 147-159, cita 147.

in Nineteenth-Century Mexico (Boulder: Rowman & Littlefield Publishers, 2005); *Revolución, independencia y las nuevas naciones de América* (Madrid: Fundación Mapfre-Tavera, 2005); y *Las Nuevas Naciones: España y México* (Madrid: Fundación Mapfre-Instituto de Cultura, 2008). Actualmente preparo la publicación de las ponencias del simposio de 2008, que llevó por título "Hispanic Political Theory and Practice, XVI-XIX Centuries". Los simposios suscitaron más preguntas que respuestas, pero mostraron ser excepcionalmente útiles para abrir nuevos caminos de investigación. Entre más aprendía, más me daba cuenta de que sería crucial comprender la naturaleza de la monarquía española y su cultura política.

El presente volumen, que examina el complejo proceso de transición que llevó a Nueva España de reino de la monarquía española a la primera república federal de México, está fundado en dos décadas de investigación. Durante los primeros diez años trabajé en los archivos y repositorios de la ciudad de México; la segunda década la he pasado investigando en los estados de Puebla, Veracruz, Oaxaca, Yucatán, Jalisco, Michoacán y Zacatecas, en México, así como en los archivos españoles de Madrid y Sevilla.

Durante los últimos veinte años he publicado numerosos artículos y capítulos de libros sobre aspectos específicos del periodo de independencia en general y particularmente en México, así como sobre otros aspectos de la cultura política hispánica. Además, he publicado tres volúmenes sobre la independencia. El primero es una reinterpretación general y lleva por título *La independencia de la América española* (México: Fondo de Cultura Económica, Fideicomiso de Historia de las Américas, y El Colegio de México, 1996). El libro se hizo merecedor de una edición corregida y aumentada en inglés –*The Independence of Spanish America* (Cambridge: Cambridge University Press, 1998)–, así como de una segunda edición corregida y aumentada en español (2005). Este volumen fue bien recibido. John Lynch, autor del texto clásico *The Spanish American Revolutions, 1808-1826* (Nueva York: Norton, 1973), quien escribiera una reseña de mi libro, afirmó: "Jaime E. Rodríguez es un intérprete distinguido de las tendencias modernas, y su último libro, que mezcla un conocimiento firme con una revaloración radical, resultará atractivo para los especialistas y para los estudiantes por igual".[2] El segundo volumen es una monografía titulada *"Rey, religión, yndependencia y union". El proceso político de la independencia de Guadalajara* (México: Instituto Mora, 2003). El tercero es una obra titulada: *La revolución política durante la época de la independencia. El Reino de Quito, 1808-1822* (Quito: Universidad Andina Simón Bolívar y Corporación Editora Nacional, 2006). Asimismo, durante estas dos décadas llevé a cabo una lectura extensiva. Para comprender mejor el proceso que llevó a la independencia en México, y para ubicarlo en el contexto más amplio de su época, no sólo estudié la literatura sobre ese país, España e Hispanoamérica, sino que analicé obras sobre la independencia de Estados Unidos y también sobre las revoluciones francesa y haitiana.[3]

Las deudas intelectuales que he contraído al preparar esta obra son cuantiosas. En primer lugar, debo reconocer la influencia de mi maestra, Nettie Lee Benson. Sus estudios pioneros sobre la cultura y las instituciones políticas españolas y mexicanas durante el periodo de independencia iluminaron mi camino. Cuando llegué a la ciudad de México en el verano de 1968, tuve la gran fortuna de contar con el apoyo de Daniel Cosío Villegas, quien había sido distinguido profesor invitado en la Universidad de Texas, Austin, el año anterior y a cuyo seminario sobre el México del siglo XIX tuve el privilegio de asistir. También fui bien recibido por Ernesto de la Torre, el entonces director de la Biblioteca Nacional de México, así como por J. Ignacio Rubio Mañé, a la sazón director del Archivo General de México. Además, tuve la suerte de encontrar a dos compañeros de carrera de la Universidad de Texas, Austin, que me revelaron los intricados caminos de la investigación en México: Romeo Flores Caballero, entonces profesor de El Colegio de México, y Paul Vanderwood, quien también investigaba para su trabajo de tesis. A esto se suma que, a lo largo de los años, he tenido el privilegio de confrontar ideas con varios historiadores distinguidos: Roberto

2. John Lynch, "Reseña de Jaime E. Rodríguez O., *The Independence of Spanish America* (Cambridge: Cambridge University Press, 1998)", en *Journal of Latin American Studies*, vol. 32, núm. 3 (octubre de 2000), pp. 825-826.
3. Véase, por ejemplo, mi artículo "La independencia de la América española: Una reinterpretación", en *Historia mexicana*, 42, núm. 167 (enero-marzo, 1993), pp. 571-620; o mi trabajo "La Revolución francesa y la Independencia de México", en Alberro Solange, Alicia Hernández Chávez y Elías Trabulse (eds.), *La Revolución francesa en México* (México: El Colegio de México, 1992), pp. 137-153; y "La emancipación de América", en *Secuencia: Revista de Historia y Ciencias Sociales*, 49 (enero-abril, 2001), pp. 42-69.

Moreno de los Arcos, María del Refugio González, Virginia Guedea, Miguel León-Portilla, John Womack, Josefina Vázquez, Manuel Miño Grijalva, Alicia Hernández Chávez, Marcello Carmagnani, William F. Sater, Colin MacLachlan, Christon I. Archer, John TePaske, Hugh M. Hamill, hijo, Eric Van Young, Mark Burkholder, José Hernández Palomo, Pedro Pérez Herrera, Andrés Lira, Rosa Camelo, Felipe Castro Gutiérrez, Carmen Vázquez Mantecón, Juan A. Ortega y Medina, Carmen Yuste López, Cecilia Noriega Elío, Hira de Gortari, Javier Garcíadiego, Romana Falcón, Leonor Ludlow, Carmen Castañeda García y José María Muriá. Durante las últimas dos décadas he tenido la oportunidad de conocer a varios historiadores que han mostrado gran interés en mi trabajo y que, por medio de comentarios y preguntas, así como de sus propias investigaciones, me han ayudado a entender mejor la compleja historia del proceso de la independencia: Manuel Chust Calero, José Antonio Serrano, Marta Terán, Mónica Quijada, Marta Irurozqui, Víctor Peralta Ruiz, Ivana Frasquet, Brian F. Connaughton, Sonia Pérez Toledo, Jorge Cañizares Esguerra, Juan Ortiz Escamilla, Johanna von Grafenstein, Luis Jáuregui, José Ortiz Monasterio, Mariana Terán Fuentes, Peter Guardino, Richard Warren, Jordana Dym, Alicia Tecuanhuey, Verónica Zárate Toscano, Antonio Ibarra, Tamar Herzog, Miriam Galante y Armando Martínez Garnica. Además, agradezco a René García Castro por permitirme consultar su obra aún no publicada sobre La nueva geografía del poder en México: Provincias y ayuntamientos constitucionales, 1812-1814 (México, 1994), y por enviarme gentilmente también otros trabajos suyos. Finalmente, agradezco a Hira de Gortari y Jimena Gortari Ludlow su consentimiento para la reproducción de su mapa: "Pronunciamientos y demostraciones de fidelidad a la monarquía, 1808", así como al cartógrafo Darin Jenson por preparar rápidamente y con sumo cuidado y precisión los demás mapas.

Christon I. Archer, Manuel Miño Grijalva, José Antonio Serrano, Colin M. MacLachlan, Felipe Castro Gutiérrez, Mariana Terán Fuentes, Marco Antonio Landavazo, Alicia Tecuanhuey, John Tutino, William F. Sater, Paul Vanderwood, Mónica Quijada y Miriam Galante leyeron el manuscrito total o parcialmente. Les quedo agradecido, así como a los dos dictaminadores anónimos, por sus valiosas sugerencias para mejorarlo; no siempre seguí sus consejos, pero los consideré con seriedad. Desde luego, estos generosos académicos no tienen responsabilidad alguna sobre los errores fácticos o de interpretación que quizás haya cometido. A decir verdad, muchos de ellos están en desacuerdo con algunas de mis interpretaciones.

Tal como lo ha hecho durante más de cuatro décadas, mi colega, amiga y esposa –Linda Alexander Rodríguez– leyó el manuscrito en todas sus versiones y me brindó valiosas críticas, agudas sugerencias y mucho apoyo. Le estoy enormemente agradecido por su apoyo intelectual y por la empresa académica conjunta de la que hemos disfrutado por muchos años. Por éstas y muchas otras razones, le dedico este trabajo con todo cariño.

El presente volumen forma parte de mis esfuerzos por comprender el proceso mediante el cual los reinos americanos de la monarquía española se transformaron en estados-nación independientes. Algunas secciones de este libro aparecieron en versiones anteriores. Para esta edición, esos textos han sido corregidos, ampliados y reestructurados. Gran parte del material que constituye el volumen es nuevo. Durante los años en que trabajé sobre el tema tuve la fortuna de contar con el apoyo financiero del Comité del Senado Académico para la Investigación, de la Universidad de California, Irvine, del Instituto para México y Estados Unidos de la Universidad de California (UC MEXUS), de la Fundación Fulbright, que me otorgó dos becas durante este periodo, y del presidente de la Universidad de California, en la forma de una beca, La President's Humanities Fellowship. Asimismo, quisiera agradecer a la Fundación Rockefeller por su invitación a residir cinco semanas en su Centro de Estudios y Conferencias en Bellagio, Italia, lo que me brindó la oportunidad de leer, pensar y debatir con Linda Alexander Rodríguez, Christon I. Archer y Virginia Guedea, así como con otros estudiosos residentes del centro, mis ideas y las suyas.

Le estoy particularmente agradecido a Leonor Ortiz Monasterio, directora del Archivo General de la Nación de México de 1983 a 1994, y a todo su personal, por su cortesía durante esos años. También quiero expresar mi gratitud a los directores y al personal de la Biblioteca Nacional de México, el Centro de Estudios de Historia de México de la Fundación Cultural de Condumex (México, DF), el Archivo General de la Secretaría de Relaciones Exteriores de México, el Archivo Histórico del Ayuntamiento de Jalapa, el Archivo Histórico Municipal de la Ciudad de Veracruz, el Archivo del Ayuntamiento de Oaxaca, la Biblioteca del Estado de Oaxaca, el Archivo del Congreso de Jalisco (Guadalajara), el Archivo Municipal de Guadalajara, el Archivo Histórico del Ayuntamiento de Puebla, el Archivo Histórico de Zacatecas, el Centro de Apoyo a la Investigación Histórica de Yucatán (Mérida), el Archivo del Congreso de Michoacán (Morelia), el Archivo Histórico Municipal de Morelia, el Archivo del Congreso de Diputados de las Cortes (Madrid), el Archivo Histórico Nacional (Madrid), el Archivo General de Indias (Sevilla), la Biblioteca Británica (Londres), la Colección Latinoamericana Nettie Lee Benson (Austin), la Biblioteca Pública de Nueva York, la Biblioteca Bancroft (Berkeley), la Biblioteca de Investigación de la Universidad de California, Los Ángeles, y la Biblioteca de la Universidad de California, Irvine.

Agradezco a Marianela Santoveña Rodríguez su rápida, excelente y sensible traducción de esta obra. Finalmente, expreso mi agradecimiento a José Antonio Serrano y Luis Jáuregui por apoyar la publicación de este volumen y a El Colegio de Michoacán y el Instituto de Investigaciones José María Luis Mora por incluir esta obra en su distinguida colección de publicaciones. Por último, doy las gracias a Patricia Delgado González, quien condujo este volumen a buen puerto por las peligrosas aguas del proceso editorial con gran cuidado y habilidad.

Jaime E. Rodríguez O.
Los Ángeles, California
12 de abril de 2009

INTRODUCCIÓN

El título de este volumen, *Nosotros somos ahora los verdaderos españoles*, apareció en el primer número del primer periódico insurgente *El Despertador Americano*, publicado en Guadalajara el 20 de diciembre de 1810, cuando Miguel Hidalgo ocupó la ciudad. Muchos se preguntarán por qué los insurgentes, que buscaban la independencia, harían tal declaración. La respuesta es que no buscaban la independencia. Los insurgentes fueron leales al rey Fernando VII y estaban decididos a mantener la *independencia* respecto de los franceses que habían invadido España. Aquellos hombres buscaban un gobierno propio, *autonomía*, y no separarse de la monarquía española. El primer número de *El Despertador Americano* estuvo dedicado a criticar el fracaso de los peninsulares en la defensa de la nación contra los franceses, a acusarlos de cobardía y traición. Los insurgentes declararon ser "ahora los verdaderos Españoles, los enemigos jurados de Napoleón y sus secuaces, los que sucedemos legítimamente en todos los derechos de los [españoles] subyugados que ni vencieron [en la guerra,] ni murieron por Fernando [VII]".[1]

La experiencia de México fue única entre las naciones del mundo hispánico. No por sus grandes insurgencias sino porque sólo éste entre todos los reinos de la monarquía española, incluida España misma, se mantuvo fiel a la cultura jurídica y política hispánica.[2] A decir verdad, la Constitución

1. "Número uno de *El Despertador Americano. Correo político económico de Guadalaxara del Jueves 20 de Diciembre de 1810*", en J. E. Hernández y Dávalos (ed.), *Colección de Documentos para la Historia de la Guerra de Independencia en México*, 6 vols. (México: José María Sandoval, 1877), II, pp. 311-312 (las cursivas son mías).
2. Esta lealtad a la cultura hispánica no debe sorprendernos. Los españoles, los novohispanos y más adelante los mexicanos compartían la misma fe, el mismo lenguaje, las mismas instituciones, las mismas leyes y las mismas tradiciones sociales, literarias y culturales. Las actitudes antihispánicas crecieron en las décadas de 1830 y 1840, cuando los mexicanos buscaron una explicación a sus fracasos posteriores a la independencia. Estados

de la república federal mexicana, la Constitución de 1824, es la culminación de la gran revolución hispánica que estalló en 1808.

Este libro estudia el complejo proceso que derivó en la independencia de México y la formación de los Estados Unidos Mexicanos. Se trata de un nuevo enfoque respecto de la mayor parte de la literatura especializada sobre el tema, que considera la revuelta que estalló en 1810 y las insurgencias posteriores como la revolución que obtuvo la independencia en 1821. La presente obra desafía esta perspectiva. En ella se demuestra que la transformación política en la monarquía española universal –que se aceleró tras la invasión francesa a España en 1808 y que culminó en la Constitución hispánica de 1812, promulgada por las Cortes de Cádiz, y con las instituciones de gobierno autónomo que dicha Carta estableció– constituyó la revolución fundamental. El estudio que se presenta en las páginas siguientes demuestra que las insurgencias fueron una serie de movimientos desarticulados paralelos al proceso político que dio forma al Estado mexicano moderno.

El resultado del proceso multifacético que culminó en la creación de una república federal en México en 1824 no era inevitable. Antes bien, la creación de una república federal fue la consecuencia de decisiones que los individuos y los grupos de España y Nueva España tomaron durante el periodo de 1808 a 1824. Sin embargo, la mayor parte de la literatura especializada sobre la época es determinista y muestra la emancipación como un proceso razonable y predecible. Estas suposiciones sobre la independencia han llevado a los estudiosos a subestimar la complejidad de las decisiones a las que se enfrentaron los españoles y los novohispanos durante los años que van de 1808 a 1824, y también a desestimar los intensos procesos políticos que caracterizaron y dieron forma al periodo en cuestión. Los novohispanos políticamente activos de todas las clases y todos los grupos étnicos adoptaron una amplia gama de posturas. Empero, eran pocos los que abogaban por la independencia. La mayor parte creía que la monarquía española agregada (*composite Spanish Monarchy*) les proporcionaba importantes beneficios.

Unidos nunca rechazó su herencia inglesa. Por el contrario, aún hoy la sigue enalteciendo. El hecho de que la federación del norte haya sido extraordinariamente exitosa sin duda reforzó su creencia en que su legado inglés fue positivo, mientras que los mexicanos llegaron a creer que su legado hispánico era negativo porque no tuvieron un éxito similar.

Los líderes novohispanos más destacados preferían y discutieron a menudo sobre el establecimiento de un sistema de monarquías hispánicas federadas al estilo de lo que sería más tarde la *Commonwealth* o Comunidad británica. Los diputados novohispanos a las Cortes hispánicas propusieron dicho sistema como la solución al conflicto incluso en 1821, trece años después de la caída de la monarquía española a consecuencia de la ocupación francesa de la península ibérica en 1808. Si gran parte de los habitantes de Nueva España hubiera estado dispuesta a liberarse, podrían haber logrado su meta con facilidad. Nueva España era un vasto territorio con una población de cerca de seis millones de personas, incluidos casi 15 000 españoles europeos aproximadamente, y defendida por un pequeño ejército real compuesto básicamente por novohispanos. El hecho de que éstos no se separaran de la monarquía española indica que la abrumadora mayoría creía que, pese a su oposición a algunas de las políticas y decisiones del gobierno real, sus vínculos religiosos, sociales, económicos y políticos con la monarquía agregada hacían de la unión una vía preferible a la separación.

La independencia del virreinato de Nueva España y la formación de los Estados Unidos Mexicanos tuvieron lugar dentro del contexto más amplio de transformaciones que surcaron el mundo occidental. La guerra de los Siete Años (1756-1763), una guerra mundial cuyo campo de batalla fue Europa, América –en el norte y en el sur– y Asia, cambió el equilibrio de poder en el Nuevo Mundo. Francia se retiró de Norteamérica en 1763 y dejó a las monarquías española y británica como los principales contendientes por el control de la región. Ambas monarquías instauraron nuevas regulaciones y estructuras diseñadas para permitirles ejercer mayor control sobre sus vastos y distantes territorios. Como era de esperarse, tanto los americanos españoles como los americanos británicos se opusieron al nuevo imperialismo. Aun cuando las dos sociedades eran diferentes, los procesos que culminaron en la independencia de Estados Unidos y de México comenzaron como una respuesta a las amenazas que las metrópolis representaban para sus intereses propios y para su sentido de ser componentes integrales e importantes de las monarquías. Los líderes de los movimientos por la independencia se consideraban a sí mismos como británicos o españoles leales que defendían sus derechos en tanto británicos o españoles. La revolución británica en

Norteamérica fue resultado de "la incapacidad de los contendientes para llegar a un acuerdo sobre la naturaleza del Imperio británico".[3] Los americanos británicos optaron por la independencia porque la monarquía británica, al igual que sucedería más adelante con la española, no se mostró dispuesta a aceptar un arreglo comparable al de la futura comunidad británica. Los reinos españoles en América no siguieron el ejemplo de sus hermanos del norte. Aunque se oponían a ciertos aspectos de las reformas borbónicas, en ocasiones con violencia, no buscaban separarse de la monarquía española. Sólo cuando la monarquía cayó en 1808 como resultado de la invasión francesa a la Península ibérica –32 años después de que los americanos británicos se rebelaran–, los americanos españoles pugnaron por un gobierno autónomo.

La presente obra sostiene que la independencia de México no fue el resultado de una lucha anticolonial; antes bien, fue la consecuencia de una gran *revolución política* que culminó en la *disolución* de un sistema político mundial. La ruptura fue parte integral del proceso más amplio que estaba transformando las sociedades del antiguo régimen en estados nacionales modernos y liberales. Para comprender el proceso que llevó a la independencia de México y a la creación de una nueva nación, debemos reexaminar la naturaleza de la monarquía española y evaluar la separación de Nueva España en el contexto más amplio del mundo atlántico.

La transformación tuvo lugar tras varias décadas de cambios institucionales, económicos, políticos e ideológicos. Aunque las ideas, estructuras y prácticas políticas cambiaron con rapidez vertiginosa dentro de la monarquía española después de 1808, mucho del antiguo régimen aún estaba presente. La naturaleza de las relaciones sociales, económicas e institucionales se modificó con lentitud; los nuevos procesos e instituciones liberales requerían tiempo para afianzarse. Durante el periodo de transición, las nuevas instituciones y los procesos liberales a menudo se mezclaron con los patrones y las prácticas tradicionales. Cambiaron conceptos como "autoridad", "soberanía", "legitimidad",

3. Jaime E. Rodríguez O., "La emancipación de América," *Secuencia: Revista de historia y ciencias sociales*, 49 (enero-abril, 2001), pp. 42-69. Véase también: Jack P. Greene, "La primera revolución atlántica: Resistencia, rebelión y construcción de la nación en los Estados Unidos", en María Teresa Calderón y Clément Thibaud (coords.), *Las revoluciones en el mundo atlántico* (Bogotá: Taurus, 2006), pp. 19-54.

"ciudadanía", "pueblo", "representación" e "independencia", pero las definiciones no eran claras y aún contenían elementos del antiguo régimen.[4]

Esta obra se concentra en la política y los procesos políticos, es decir, en "lo político" tal como lo denomina la *Nouvelle Histoire Politique*.[5] Aquí se busca comprender el proceso que derivó en la creación de la nueva nación mexicana dentro del contexto más amplio de la revolución política que buscó un gobierno representativo dentro del mundo hispánico. Si bien se presta atención a lo que se llama la "alta política", no se asume la inexistencia de la "baja política". Las clases bajas urbanas y rurales tenían sus propios intereses y preocupaciones. Algunos de éstos, sobre todo en los grupos rurales, han sido estudiados. Pero los especialistas generalmente suponen que los campesinos, así como los desposeídos urbanos, no sabían, no comprendían o no se interesaban por los temas políticos urgentes del día. Esto es incorrecto. Los grupos populares rurales y urbanos no sólo sabían y comprendían las ventajas y desventajas de lo que ha sido llamado el "pacto social" de la monarquía, sino que también estaban muy al tanto de la revolución política emprendida por las Cortes hispánicas. La evidencia indica que la gente pobre, ya fuera en las urbes o en el campo, no sólo se vio afectada por la alta política, sino que también estaba consciente de sus intereses particulares y emprendió acciones para defenderlos: esto es, se involucraron en la política. Algunos participaron en los movimientos autonomistas e insurgentes. Otros aprovecharon los levantamientos para paliar sus propias preocupaciones. Muchos otros se unieron a los miembros de las clases urbanas altas y medias que permanecieron fieles a la corona.[6] Su férrea defensa de la monarquía española continuó

4. Para distinciones entre los conceptos corporativos del antiguo régimen y los conceptos del liberalismo, véase: Annick Lempériere, "Reflexiones sobre la terminología política del liberalismo", en Brian Connaughton, Carlos Illades y Sonia Pérez Toledo (eds.), *Construcción de la legitimidad política en México* (Zamora y México: El Colegio de Michoacán/Universidad Autónoma Metropolitana/Universidad Nacional Autónoma de México/El Colegio de México, 1999), pp. 35-56.
5. René Rémond (ed.), *Pour une histoire politique* (París: Seuil, 1988).
6. Sobre la naturaleza de la participación política masiva en el México rural, véanse Antonio Escobar Ohmstede, "Del gobierno indígena al Ayuntamiento constitucional en las Huastecas hidalguense y veracruzana, 1780-1853", en *Mexican Studies/Estudios Mexicanos*, 12:1 (invierno de 1996), pp. 1-26; Michael Ducey, "Village, Nation and Constitution: Insurgent Politics in Papantla, Veracruz, 1810-1821", en *Hispanic American Historical Review*, LXXIX, 3 (agosto de 1999), pp. 463-493; Claudia Guarisco, *Los indios del valle de México y la construcción de una nueva sociabilidad política, 1770-1835* (Toluca: El Colegio Mexiquense, 2003), pp.

hasta la independencia, trece años después de desatada la crisis por la caída de la monarquía en 1808.

Los esfuerzos de los novohispanos por obtener el gobierno autónomo dentro de la monarquía española constituyen parte crucial de la política del periodo. El discurso de estos hombres se basaba en la creencia de que los reinos americanos no eran colonias sino partes integrales e iguales de la monarquía española. La ley, la teoría y la práctica hispánicas confirmaban la creencia de los novohispanos de que su reino era un par de los reinos de la península ibérica. Éste fue un principio en el que insistieron los líderes de Nueva España durante el periodo que siguió a la crisis de la monarquía española de 1808. De hecho, la mayor parte de esos líderes exigía *igualdad* antes que *independencia*. Ellos querían un *gobierno autónomo* y no la *separación* respecto de la monarquía española. Esta distinción es toral, ya que cuando los documentos de la época utilizan la palabra "independencia", por lo general se refieren a la "autonomía". Sólo cuando el gobierno de España denegó su demanda de *autonomía*, la mayor parte de los novohispanos optó por la *separación*.

Los mexicanos recién independizados no rechazaban las leyes y las prácticas políticas hispánicas, y no basaban su gobierno en modelos extranjeros. La tradición liberal establecida en la revolución de Cádiz fue crucial para las transformaciones posteriores a la independencia. Puesto que los novohispanos jugaron un papel central en el desarrollo del sistema constitucional hispánico y puesto que éste se instauró de manera más plena en Nueva España antes que en cualquier otra parte de la monarquía española, incluida España misma, resulta comprensible que los políticos mexicanos basaran su Constitución de 1824 en la de Cádiz de 1812.

129-190; Peter Guardino, *Peasants, Politics, and the Formation of Mexico's National State: Guerrero, 1800-1857* (Stanford: Stanford University Press, 1996) y de él mismo, *The Time of Liberty: Popular Political Culture in Oaxaca, 1750-1850* (Durham: Duke University Press, 2005); y Karen D. Caplan, "The Legal Revolution in Town Politics: Oaxaca and Yucatán, 1812-1825", en *Hispanic American Historical Review*, vol. 83, núm. 2 (2003), pp. 255-293. En torno al mismo proceso en el México urbano, véase: Virginia Guedea, "El pueblo de México y la política capitalina, 1808-1812", en *Mexican Studies/Estudios Mexicanos*, vol. 10, núm. 1 (invierno de 1994), pp. 27-61; y Richard A. Warren, *Vagrants and Citizens: Politics and the Masses in Mexico City from Colony to Republic* (Wilmington: SR Books, 2001). Para una interpretación distinta, véase la obra magistral de Eric Van Young: *The Other Rebellion: Popular Violence, Ideology, and the Mexican Struggle for Independence, 1810-1821* (Stanford: Stanford University Press, 2001).

Este volumen se concentra en dos aspectos complejos del proceso que llevó a la formación de la primera república federal: la revolución política y la insurgencia. El Capítulo 1 muestra el escenario y demuestra que la monarquía española formaba parte de la cultura occidental en evolución y que no era un sistema autoritario retrógrada. Dicho capítulo se divide en cuatro secciones que examinan las características del antiguo régimen, la naturaleza de la representación dentro de la monarquía española agregada, la formación de la identidad americana y las reformas borbónicas del siglo XVIII cuyos objetivos eran centralizar y mejorar la administración de la monarquía española universal. El Capítulo 2 sitúa la invasión francesa a España de 1808 dentro del contexto más amplio de los conflictos internacionales entre las potencias europeas durante el siglo XVIII y la importante transformación del mundo atlántico en la segunda mitad de dicho siglo. Ahí se examina el efecto de la crisis política ocasionada por la invasión francesa a la península ibérica en 1808 y la destrucción de la monarquía española. También se analizan las reacciones similares de España y Nueva España ante la crisis, los intentos de los novohispanos por establecer un gobierno autónomo en nombre del rey, y el golpe de Estado de los españoles europeos, destinado a evitar la formación de un congreso de ciudades en el virreinato de Nueva España. El Capítulo 3 explora, asimismo, el surgimiento del gobierno representativo en la monarquía española, la elección del diputado novohispano a la Junta Central Suprema y Gubernativa, las instrucciones proporcionadas a este representante por las ciudades de Nueva España, y la conspiración de Valladolid, que buscaba, una vez más, convocar a un congreso de ciudades en el reino de la América Septentrional.

Las dos revoluciones, la política y la insurgente, son abordadas en el Capítulo 4. Estas transformaciones radicales que se extendieron por Nueva España en 1810 tuvieron lugar casi simultáneamente. La revolución política buscaba transformar la monarquía española universal en un Estado nación moderno con un gobierno representativo para todas las partes de la *Nación española*, como se llamaba ahora a la monarquía. Los ayuntamientos organizaron elecciones para diputados a las Cortes en toda Nueva España. No obstante, antes de que los diputados novohispanos pudiesen partir hacia las Cortes, que se reunieron en Cádiz, una gran insurgencia estalló en el Bajío, una insurgencia que, al tiempo que abogaba por la creación de un congreso de ciudades para gobernar Nueva España en nombre del rey, recurría a la fuerza para asegurar la autonomía local o el autogobierno. Estos dos procesos simultáneos –que una vez desencadenados no podían ser detenidos– influyeron y se alteraron entre sí de diversas maneras durante más de una década. Ninguno puede ser comprendido de forma aislada.

Los capítulos 5 y 6 continúan el análisis de ambas revoluciones. El primero de ellos, que considera la gran revolución política, se concentra en la escritura de la Constitución de 1812, en el papel que los diputados americanos, en particular novohispanos, jugaron en la creación de la Carta de Cádiz durante las Cortes Generales y Extraordinarias de la monarquía española, y en la forma en que forzaron a dicho organismo a abordar asuntos de importancia para los americanos españoles, así como en las primeras elecciones constitucionales de Nueva España. Este capítulo también demuestra que, contrariamente a la creencia general, se llevaron a cabo elecciones en todo el reino y cientos de miles de novohispanos participaron en la elección de 41 diputados a las Cortes ordinarias de 1813-1814, de cinco diputaciones provinciales y de más de mil ayuntamientos constitucionales en toda Nueva España. Para terminar, se aborda ahí la caída del sistema constitucional en 1814. El Capítulo 6 examina la insurgencia fragmentada que se extendió por Nueva España de 1811 hasta 1821. Aun cuando algunos líderes insurgentes intentaron formar un gobierno alternativo y redactaron la Constitución de Apatzingán, no fueron capaces de mantener una autoridad gubernativa y de proporcionar una dirección central a la insurgencia. La revuelta de una década tuvo costos humanos, sociales y económicos pasmosos. La violencia que caracterizó al movimiento inicial y la igualmente violenta reacción realista se tomaron en la norma durante los años siguientes. Las condiciones locales a menudo determinaban el tipo de individuos que apoyaban la rebelión y el tiempo durante el cual se mantenían fieles a ella. La mayor parte de los grupos insurgentes tenía sus bases en una sola región y éstos eran más eficaces en su propio territorio. Y aunque los realistas no fueron capaces de poner fin a la insurgencia, los rebeldes tampoco pudieron derrotar a las fuerzas realistas.

Los capítulos 7, 8 y 9 se ocupan de la separación de Nueva España respecto de la monarquía española y del establecimiento de un Estado-nación independiente. El Capítulo 7 analiza los esfuerzos de los autonomistas novohispanos por obtener el autogobierno, ya fuera mediante la creación de reinos autónomos en América, gobernados por el rey o por los príncipes españoles con la Constitución de 1812, o por medio del Plan de Iguala, que declaraba la independencia, reconocía la Constitución de Cádiz como la ley del territorio, e invitaba al rey o a un príncipe a gobernar. Estas propuestas de una comunidad similar a la futura comunidad británica resultaban aceptables para los novohispanos porque, con la Constitución de 1812, la legislatura era el poder dominante de gobierno. En última instancia, quienes secundaban el Plan de Iguala, que proponía la creación de un reino autónomo en Nueva España, establecieron el imperio mexicano independiente, ya que el gobierno en España rechazó la primera propuesta. El Capítulo 8 analiza el conflicto entre Agustín de Iturbide, que creía que él y su ejército habían logrado la independencia, y los legisladores, que estaban convencidos de que ellos representaban la soberanía nacional. Aun cuando Iturbide forzó a las Cortes mexicanas a nombrarlo emperador, abdicó pocos meses después, cuando las provincias se rebelaron contra su gobierno autoritario. Finalmente, el Capítulo 9 examina la manera en que México, haciendo uso de las instituciones establecidas por la Constitución de Cádiz, formó una república federada en 1824. La Constitución mexicana de ese año se basaba en la Constitución hispánica de 1812, pues distinguidos novohispanos que habían participado en la redacción de la Carta de Cádiz redactaron también la Constitución Federal Mexicana. México instrumentó las instituciones creadas por la Constitución de 1812 de manera más plena que cualquier otra nación del mundo hispánico, incluida España misma. En realidad, la mayor parte de los líderes mexicanos consideraba la Carta de Cádiz como su primera Constitución.

Los acontecimientos suscitados en México, en particular la afirmación de los derechos estatales por parte de las antiguas provincias, obligaron al Congreso a redactar una Constitución que atendiera a las circunstancias singulares de la nación. Las principales innovaciones –el republicanismo, el federalismo y una presidencia– fueron adoptadas para atender la nueva realidad de México. La monarquía fue abolida porque tanto el rey español como el emperador mexicano habían fracasado como líderes políticos, y no porque los mexicanos hubiesen imitado la Constitución de Estados Unidos, como se aduce con frecuencia. El federalismo surgió naturalmente de la experiencia previa de México. Las diputaciones provinciales creadas por la Constitución de Cádiz simplemente se convirtieron en gobiernos estatales. Los distinguidos novohispanos que habían adquirido un papel central durante la era constitucional hispánica, continuaron defendiendo sus posturas en la nueva nación mexicana que estaban construyendo.

I
UNA CULTURA POLÍTICA COMPARTIDA

Para comprender la formación de las nuevas naciones de América, entre ellas México, es necesario examinar la naturaleza del Antiguo Régimen. Muchos han creído equivocadamente que la monarquía española era muy centralizada, y confunden el régimen absoluto con el autocrático, además de que equiparan el concepto moderno de colonia con las prácticas de gobierno anteriores al siglo XIX. Estos errores han resultado en la suposición generalizada y errónea de que las estructuras políticas representativas del periodo posterior a la independencia fueron sistemas ajenos importados desde Gran Bretaña, Estados Unidos y Francia. Esto no es correcto. Si se quiere comprender la naturaleza de la cultura política en Nueva España a finales del siglo XVIII, es preciso disipar las concepciones imprecisas sobre el sistema político de la monarquía española y sobre la naturaleza de la teoría y la práctica políticas hispánicas.[1] Los siguientes apartados abordan, por tanto, las características del Antiguo Régimen, la naturaleza de la representación, la formación de la identidad americana y las reformas del siglo XVIII.

El Antiguo Régimen

Durante toda su historia, las posesiones españolas en América formaron parte de la monarquía española universal –una confederación de reinos y

1. Véanse, por ejemplo, Claudio Véliz, *The Centralist Tradition in Latin America* (Princeton: Princeton University Press, 1980); y Frank Safford, "Politics, ideology, and society in post-Independence Spanish America", en Leslie Bethel (ed.), *The Cambridge History of Latin America*, 8 Vols. (Cambridge: Cambridge University Press, 1984-1992), III, pp. 347-421.

territorios dispares que incluía partes de Europa, África, América y Asia–.[2] Baltasar Gracián reconocía esta realidad ya en 1640, cuando comparaba la monarquía francesa con la española:

> Ay también grande distancia de fundar un Reino especial, y homogéneo, dentro de una Provincial a[l] componer un Imperio universal de diversas Provincias, y Naciones. Allí la uniformidad de leyes, semejanza de costumbres, una lengua, y un Clima al passo, que lo unen en si, lo separan de los estraños. Los mismos mares, los montes, y los ríos le son a Francia término connatural, y muralla para su conservación. Pero en la Monarquía de España donde las Provincias son muchas, las naciones diferentes, las lenguas varias, las inclinaciones opuestas, los climas encontrados, assi como es menester gran capacidad para conservar, assi mucha para unir.[3]

La fe católica constituyó un elemento fundamental para la cohesión de la monarquía española. Los habitantes de los diversos reinos conservaron su lengua, sus leyes y sus costumbres, pero todos hubieron de ser católicos. La "única fe verdadera" definía a la sociedad hispánica. Después de que el último reino musulmán fuera derrotado en Granada y tras la expulsión de los judíos en 1492, fue imposible para los no católicos residir en las tierras regidas por los gobernantes españoles,[4] quienes a partir de Isabel y Fernando se llamaron a sí mismos "Reyes Católicos". El gran teórico político Juan de Mariana reconocía esta realidad al declarar: "Es pues la religión un vínculo de la sociedad humana, y por ella quedan sancionadas y santificadas las alianzas, los contratos y hasta la misma sociedad que constituyen".[5] Además, como lo indica Tamar Herzog, el hecho de que la comunidad hispánica "fuera por

2. Historiadores de tiempo atrás, como Roger B. Merriman, pensaban en el Imperio español en términos del Viejo y el Nuevo mundo, como lo indica el título de su gran obra: *The Rise of the Spanish Empire in the Old World and the New*, 4 vols. (Nueva York: The Macmillan Co., 1918-1934). En fechas más recientes, Henry Kamen ha reafirmado esta postura con un estilo "moderno", véase: *Empire: How Spain Became a World Power, 1492-1763* (Nueva York: Harper Collins Publishers, 2003).
3. Citado en Mónica Quijada, "Sobre 'Nación', 'Pueblo', 'Soberanía' y otros ejes de la modernidad en el mundo hispánico", en Jaime E. Rodríguez O. (coord.), *La nuevas naciones: España y México, 1800-1850* (Madrid: Instituto de Cultura-Fundación Mapfre, 2008), pp. 19-51.
4. Hubo una excepción importante: a los musulmanes derrotados se les permitió mantener su religión hasta principios del siglo XVII, cuando también ellos debieron convertirse o partir.
5. Citado en Tamar Herzog, *Defining Nations: Immigrants and Citizens in Early Modern Spain and Spanish America* (New Haven: Yale University Press, 2003), p. 247, nota 6.

definición una comunidad católica rara vez se ponía en cuestión. Resultaba tan obvio para los contemporáneos y tenía una naturaleza tan consensuada que no había necesidad de hacerlo explícito".[6] No obstante, es importante recordar que en el mundo hispánico la Iglesia católica no era autónoma. La Iglesia estaba subordinada a los monarcas españoles, quienes obtuvieron el control administrativo sobre la institución –el "patronato real"– a raíz de la donación papal de 1493 y de las bulas de 1501 y 1508.

Como sucedía en otras regiones católicas, protestantes y musulmanas, la religión impregnaba todos los aspectos de la vida cotidiana. Pero, aunque las ceremonias religiosas y el tañido de las campanas estructuraban la vida diaria de los hispánicos, pocos vivían en un mundo dominado por las plegarias. Los individuos dentro de la Iglesia católica tenían, al igual que sus contrapartes seculares, múltiples papeles e intereses sociales, económicos y políticos. De ahí que no resulte sorprendente que miembros del clero participaran con frecuencia en actividades seculares, incluidas las políticas, y que en ocasiones sostuvieran opiniones contrarias a la política oficial de la Iglesia. A eso se suma que la Iglesia católica en la monarquía española no era una institución monolítica controlada por el papa. Lejos de ello, estaba muy fragmentada y descentralizada. En términos generales, la Iglesia estaba dividida en clero secular y órdenes regulares. El clero secular, como su nombre lo indica, atendía las necesidades del laicado. Organizado geográficamente, el clero secular se dividía en áreas administradas por arzobispos y obispos elegidos por el rey. Éstas, a su vez, se subdividían en parroquias administradas por curas. Eran éstos los "magistrados de lo sagrado" que predicaban ante sus parroquianos y tenían el mayor contacto con la sociedad en pleno. Las órdenes regulares estaban organizadas verticalmente y no respondían al arzobispo o al obispo sino a sus propias autoridades y, en última instancia, al papa. No obstante, dentro de la monarquía española, las órdenes regulares también estaban administradas por el rey. Órdenes como los franciscanos, los dominicos y los jesuitas desempeñaron un papel importante en la aculturación y la conversión de los pueblos no católicos en Iberia y, más tarde, en las Indias. Sin embargo, la política de la monarquía española consistió en tomar la auto-

6. *Ibid.*, 121.

ridad sobre las nuevas regiones de manera expedita, poniendo dichas zonas en la jurisdicción del clero secular.

Básicamente, la Iglesia hispánica estaba subordinada al rey y se convirtió en uno de los pilares de la monarquía. Los hombres de la Iglesia ocuparon numerosos puestos, incluido el de virrey. La práctica de nombrar a los clérigos, funcionarios del gobierno, era tan común en 1665, que el quiteño Fray Gaspar de Villarroel se refería a la Iglesia hispánica como una de los "dos cuchillos" del monarca.[7] En su calidad de funcionarios del gobierno, los hombres de la Iglesia representaban al rey, y no al papa. El clero, en particular los miembros de las órdenes religiosas, también dominaba la esfera de la educación superior y proporcionaba la mayor parte de los servicios asistenciales. No se trataba de "sacerdotes ignorantes y fanáticos", como John Adams y otros prominentes protestantes creían.[8] Por el contrario, muchos eran distinguidos estudiosos y científicos abocados a temas que hoy se consideran seculares. Además, muchos clérigos eran abogados que ejercían en tribunales tanto civiles como eclesiásticos. Cuando los clérigos desempeñaban sus funciones no eclesiásticas, por lo general era imposible distinguirlos de sus contrapartes seculares, ya que estudiaban las mismas materias en las mismas instituciones. El gran estudioso constitucional Francisco Martínez Marina, por ejemplo, fue un hombre de la Iglesia. Además, el jesuita Juan de Mariana propuso ideas políticas radicales entre las que se contaba el principio del tiranicidio.[9]

La teoría política hispánica evolucionó de forma paralela al pensamiento político de los países protestantes y de Francia. En tanto un sector importante de la civilización occidental, el mundo hispánico abrevó de una

7. Gaspar de Villarroel, *Gobierno eclesiástico pacífico: y unión de los dos cuchillos, pontificio y regio*, 2 vols. (Madrid: Domingo García Morrás, 1656-1657).

8. John Adams, *The Works of John Adams*, 10 vols. (Boston: Little, Brown, and Company, 1950), X, p. 145.

9. Mónica Quijada, "From Spain to New Spain: Revisiting the *Potestas Populi* in Hispanic Political Thought", en *Mexican Studies/Estudios Mexicanos*, vol. 24, núm. 2 (verano, 2008), pp. 185-219. De entre la vasta literatura sobre la Iglesia católica en el mundo hispánico, véanse: Pablo Fernández Albaladejo, "Católicos antes que ciudadanos: Gestación de una 'política española' en los comienzos de la edad moderna", en *La imagen de la diversidad: El mundo urbano en la corona de Castilla (siglos XVI-XVII)* (Santander: Universidad de Cantabria, 1997), pp. 103-127; Arturo Morgado García, *Ser clérigo en la España del Antiguo Régimen* (Cádiz: Universidad de Cádiz, 2000); Stanley G. Payne, *Spanish Catholicism: An Historical Overview* (Madison: University of Wisconsin Press, 1984); W. Eugene Fields, *King and Church: The Rise and Fall of Patronato Real* (Chicago: Loyola University Press, 1961); y William B. Taylor, *Magistrates of the Sacred: Priests and Parishioners in Eighteenth-Century Mexico* (Stanford: Stanford University Press, 1996).

cultura europea occidental compartida. Los intelectuales de la monarquía española basaban sus ideas políticas en el antiguo pensamiento clásico, en teorías católicas, y en los escritos de un grupo de pensadores hispánicos de los siglos XVI y XVII –Francisco de Vitoria, Diego de Covarrubias, Domingo de Soto, Luis de Molina, Juan de Mariana, Francisco Suárez y, el más importante de todos, Fernando Vázquez de Menchaca–. Como ha señalado Quentin Skinner, estos teóricos políticos hispánicos "ayudaron a echar los cimientos de las así llamadas teorías del 'contrato social' del siglo XVII [... Más aún, el] jesuita Mariana [... propuso] una teoría de la soberanía popular que, aunque escolástica en sus orígenes y calvinista en sus desarrollos posteriores, era en esencia independiente del credo religioso, y por ende, podía ser usada por ambos bandos...".[10] Algunas ideas de los teóricos políticos hispánicos, en particular las de Vitoria, Cobarrubias y Vázquez de Menchaca, pasaron al pensamiento político inglés y francés por medio de las obras de Johannes Althusius y Hugo Grotius.[11]

Los intelectuales hispánicos, como sus contrapartes en otros lugares de Europa, creían en el ideal de una *res publicae* o un gobierno mixto. Basado en la cultura política de la antigua Grecia, Roma y los estados del Renacimiento italiano, el gobierno mixto constituía un régimen en el que el uno –el gobernante–, los pocos –los prelados y nobles– y los muchos –el pueblo–, compartían la soberanía. Los gobiernos mixtos eran considerados como los mejores y los más duraderos porque establecían estrictas limitaciones al poder arbitrario o tiránico del rey, los nobles y el pueblo.[12] También el pensamiento

10. Quentin Skinner: *The Foundations of Modern Political Thought*, 2 vols. (Cambridge: Cambridge University Press, 1978), II, pp. 159, 347.

11. Desde la perspectiva de Anthony Pagden: "Pese a no estar presente en la mayor parte de los estudios contemporáneos, el *Controversiarum ilustrium* [de Fernando Vázquez de Menchaca] habría de tener una influencia enorme y constante sobre Grotius —cuyo ataque al universalismo es poco más que un resumen de las conclusiones de Vázquez— y, a través de Grotius, sobre muchos de los debates posteriores en torno a las bases jurídicas de las relaciones entre los estados". *Lords of all the Word: Ideologies of Empire in Spain, Britain, and France c.1500-c.1800* (New Haven: Yale University Press, 1995), p. 56. Annabel S. Brett analiza el pensamiento de Vázquez de Menchaca en *Nature, Rights, and Liberty: Individual Rights in Later Scholastic Thought* (Cambridge: Cambridge University Press, 1997), pp. 165-204. Brett concluye así: "La construcción política de Vázquez, fundada sobre la noción legal de una libertad natural absoluta original... está detrás de toda una tradición de pensamiento jurídico político radical cuyo principio suele reconocerse en Grotius, para quien Vázquez fuera una fuente capital" (p. 204).

12. José Antonio Maravall, *La philosophie politique espagnole au XVIIé siècle dans ses rapports avec l'esprit de la contre-réforme* (París: J. Vrin, 1955), pp. 137-141.

de Nicolás Maquiavelo ejerció influencia significativa sobre el concepto del gobierno mixto en Inglaterra y otros lugares del mundo atlántico, como lo ha demostrado John Pocock.[13] A ambos lados del Atlántico, los habitantes cultos del mundo hispánico recurrieron a Aristóteles, Polibio y Maquiavelo para comprender la naturaleza del republicanismo clásico.

Durante la última parte del siglo XVIII, los nacionalistas de la península reinterpretaron la historia para crear un nuevo mito nacional. Los españoles ilustrados sostenían que los antiguos visigodos habían disfrutado de una forma de democracia tribal. Supuestamente, estos ancestros germánicos forjaron la primera Constitución hispánica. Más tarde, en el siglo XII, España instauraría el primer parlamento de Europa: las Cortes.[14] Según esta interpretación de la historia, la España medieval había forjado así la democracia sólo para verla destruida por los despóticos reyes de la casa de Habsburgo. Si bien las Cortes anteriores representaban a reinos individuales, como Aragón y Castilla, y no a la nación entera, los reformadores del siglo XVIII tenían en mente un organismo unificado cuando hablaban de reconvocar a las Cortes. Sus ideas culminaron en las obras del más destacado historiador del derecho en España, Francisco Martínez Marina, cuya imponente *Teoría de las Cortes* implicaba que la restauración de un organismo representativo nacional era necesaria para revitalizar al país.[15]

Las ideas de aquellos teóricos hispánicos fueron reinterpretadas en las universidades y los colegios de España y América y proporcionaron los

13. John G.A. Pocock, *The Machiavellian Moment: Florentine Political Thought and the Atlantic Republican Tradition* (Princeton: Princeton University Press, 1975), pp. 628-631. Sobre el mismo tema, véase también: Maurizio Viroli, *For Love of Country: An Essay on Patriotism and Nationalism* (Nueva York: Oxford University Press, 1995), pp. 18-94.

14. Resulta interesante señalar que John Adams, quien tildaba a la cultura castellana de atrasada, autoritaria y dominada por el clero católico oscurantista, también pensaba que la antigua Constitución de la mítica república vasca era un elemento importante para su defensa de la Constitución de Estados Unidos de 1787. Véase: "A Defense of the Constitution of the Government of the United States", en John Adams, *The Works of John Adams*, 10 Vols. (Boston: Little, Brown and Company, 1850), V, pp. 3-490.

15. Richard Herr, *The Eighteenth Century Revolution in Spain* (Princeton: Princeton University Press, 1958), pp. 337-347. Francisco Martínez Marina, *Teoría de las Cortes*, 2 vols., Biblioteca de Autores Españoles (Madrid: Atlas, 1968-1969). Su introducción crítica a las *Siete Partidas* ha sido reeditada junto con un excelente estudio de su pensamiento como el volumen 194 de la Biblioteca de Autores Españoles (Madrid: Atlas, 1966). Sobre la evolución de las Cortes, véase Salustiano de Dios, "Corporación y nación. De las Cortes de Castilla a las Cortes de España", en Francisco Tomás y Valiente (coord.), *De la ilustración al liberalismo* (Madrid: Centro de Estudios Constitucionales, 1995), pp. 197-298.

fundamentos para el pensamiento político hispánico moderno durante la última parte del siglo XVIII y principios del XIX. De entre los conceptos propuestos por los comentaristas jurídicos de los siglos XVI y XVII, como Vázquez de Menchaca y Suárez, dos cobrarían relevancia a principios del siglo XIX: la noción de un contrato (*pactum translationis*) entre el pueblo y el rey, y la idea de la soberanía popular.[16] Las teorías del derecho natural sobre el gobierno también estaban ampliamente difundidas en el mundo hispánico. Joaquín Marín y Mendoza, designado por el rey Carlos III para la cátedra de Derecho en San Isidro, por ejemplo, publicó su *Historia del derecho natural y de gentes* en 1776. Él y otros profesores de derecho introdujeron a sus estudiantes a varios autores europeos que desarrollaron teorías de gobierno a partir del derecho natural o bien contractuales, entre ellos, Gaetano Filangieri, Christian Wolf, Emmerich de Vattel y, sobre todo, Samuel Pufendorf. Estos autores menos conocidos, antes que el renombrado Jean-Jacques Rousseau prepararon a varias generaciones de estudiantes hispánicos para reinterpretar las relaciones entre el pueblo y el gobierno.[17]

En la década de 1780, la Universidad de Salamanca se convirtió en un centro del liberalismo y sus egresados llegarían a ser más adelante líderes revolucionarios en las Cortes de Cádiz. Estos egresados habían sido influidos por el Sínodo de Pistoia y por otros dos importantes teólogos: Pietro Tamburini y Giuseppe Zola, quienes abogaban por una Iglesia menos centralizada y mayor autoridad episcopal. Políticamente, estos conceptos se traducían en un gobierno representativo con un ejecutivo débil.[18] Las ideas de los intelectuales

16. Francisco Suárez, *Tratado de las leyes y de Dios legislador*, traducción de Jaime Torrubiano Ripoll (Madrid: Reus, 1918). Véase también O. Carlos Stoetzer, *The Scholastic Roots of the Spanish American Revolution* (Nueva York: Fordham University Press, 1979) y los importantes trabajos de Mónica Quijada: "Las 'dos tradiciones'. Soberanía popular e imaginarios compartidos en el mundo hispánico en la época de las grandes revoluciones atlánticas", en Jaime E. Rodríguez O. (coord.), *Revolución, independencia y las nuevas naciones de América* (Madrid: Fundación Mapfre-Tavera, 2005), pp. 61-86; "Sobre 'nación', 'pueblo', 'soberanía' y otros ejes de la modernidad en el mundo hispánico", en Jaime E. Rodríguez O. (coord.), *La nuevas naciones. España y México, 1800-1850* (Fundación Mapfre, 2008), pp. 19-51; y "From Spain to New Spain: Revisiting the *Potestas Populi* in Hispanic Political Thought", en *Mexican Studies/Estudios Mexicanos*, vol. 24, núm. 2 (verano 2008), pp. 185-219.
17. Herr, *The Eighteenth-Century Revolution in Spain*, pp. 172-183; José Carlos Chiaramonte, "Fundamentos iusnaturalistas de los movimientos de independencia", en Marta Terán y José Antonio Serrano Ortega (eds.), *Las guerras de independencia en la América española* (Zamora: El Colegio de Michoacán, 2002), pp. 99-122.
18. Juan Marichal, "From Pistoia to Cádiz: A Generation's Itinerary, 1786-1812", en A. Owen Aldridge (ed.), *The Ibero-American Enlightenment* (Urbana: University of Illinois Press, 1971), pp. 97-110.

de lengua inglesa de Inglaterra, Escocia y Estados Unidos –entre ellos John Locke, Adam Smith, Adam Ferguson y Benjamín Franklin– también fueron ampliamente discutidas. Este intercambio intelectual era la continuación de un diálogo constante que comenzara en el siglo XVI. Las ideas británicas ejemplificadas por la Constitución inglesa no escrita, en particular el principio del gobierno mixto, se fundieron sin problema con el pensamiento español, pues teóricos hispánicos como Vázquez de Menchaca habían ejercido influencia sobre pensadores británicos anteriores, como Thomas Hobbes.[19]

El pensamiento científico de la Ilustración no transformó súbitamente el clima intelectual neoescolástico de la España y la América de los Habsburgo. El cambio había iniciado ya en las décadas de 1670 y 1680, cuando algunos estudiosos comenzaron a cuestionar aspectos de la escolástica. A finales del siglo XVII y durante las primeras décadas del siglo XVIII estos individuos, conocidos como *eclécticos*, introdujeron la *filosofía moderna*, como habría de ser conocida, al mundo hispánico.[20] El nuevo enfoque crítico se difundió ampliamente por medio de los escritos de Benito Jerónimo de Feijóo, quien buscaba introducir y popularizar los logros teóricos y científicos de la época. Feijóo insistía en que la monarquía española requería la ciencia moderna, que no contradecía la religión. Comenzando en 1739 con su *Teatro crítico universal* en nueve volúmenes, Feijóo abordó temas como el arte, la literatura, la filosofía, la teología, las matemáticas, las ciencias naturales, la geografía, la economía y la historia. Más adelante publicó otros cinco volúmenes de ensayos titulados *Cartas eruditas*. Su enfoque era crítico y en sus textos exponía la falibilidad de los médicos, los falsos santos y los milagros, y pugnaba consistentemente por la causa del pensamiento analítico moderno. Feijóo, como ha señalado Richard Herr, "nunca cuestionó la grandeza de las figuras intelectuales precedentes en España ni expresó ninguna opinión que

19. John H. R. Polt, *Jovellanos and His English Sources, Economic, Philosophical, and Political Writings* (Philadelphia: Transactions of the American Philosophical Society, 1964); Manuel Moreno Alonso, *La forja del liberalismo en España. Los amigos españoles de Lord Holland, 1793-1840* (Madrid: Publicaciones del Congreso de Diputados, 1997). Sobre la influencia que ejerció Vázquez de Menchaca sobre Hobbes, véase: Brett, *Nature, Rights, and Liberty*, capítulos 5 y 6.

20. Olga Victoria Quiroz-Martínez, *La introducción de la filosofía moderna en España* (Mexico: El Colegio de México, 1949). Véase también: Bernabé Navarro, *La introducción de la filosofía moderna en México* (México: El Colegio de México, 1948).

considerara opuesta en lo más mínimo a la religión católica".[21] Sin embargo, defendió el método experimental de la ciencia inglesa protestante y rechazó los sistemas sumamente teoréticos y la filosofía materialista de algunos autores franceses.[22] Si bien las publicaciones de Feijóo suscitaron gran controversia, sus obras adquirieron gran popularidad y aparecerían en innumerables ediciones durante las décadas siguientes. A decir verdad, fueron los *best sellers* de la época, superadas sólo por el *Don Quijote* de Cervantes. Las obras de Feijóo han sido halladas en la mayor parte de las bibliotecas de la América española, en particular en Nueva España. En 1750, el rey Fernando VI expidió un decreto real prohibiendo la crítica a Feijóo porque sus escritos "eran [merecedores] del real agrado".[23]

Los intelectuales españoles también estaban al tanto del pensamiento económico en plena evolución. Los defensores británicos de la economía de libre mercado a finales del siglo XVII,[24] ejercieron influencia sobre los tratadistas hispánicos. Durante la segunda mitad del siglo XVIII, las sociedades para la promoción del conocimiento útil se convirtieron en vehículos para la diseminación de las ideas económicas. La Sociedad Vascongada de Amigos del País, una organización inspirada en la Real Sociedad de Londres, la Sociedad de Dublín y las academias reales de París, Berlín y San Petersburgo, fue fundada en la ciudad provincial de Vergara en 1764 para apoyar la educación en la región. La Sociedad Vascongada se convirtió en un núcleo importante de discusión de toda clase de conocimiento útil, incluida la ciencia y la tecnología. Así, atrajo a los hombres más importantes de las Provincias Vascas como sus miembros. Pronto, la Sociedad admitió a otros prominentes españoles y distinguidos extranjeros. Conforme ganó influencia, amplió su membresía para incluir a americanos. Para 1773 la Sociedad Vascongada había admitido a numerosos miembros de ultramar, la gran mayoría de Nueva España: 120 en

21. Herr, *The Eighteenth-Century Revolution in Spain*, p. 39.
22. José Antonio Pérez-Rioja, *Proyección y actualidad de Feijóo (ensayo de interpretación)* (Madrid: Instituto de Estudios Políticos, 1965), pp. 40-41, 163.
23. Herr, *The Eighteenth-Century Revolution in Spain*, p. 39.
24. Sobre los comentaristas británicos del siglo XVII, véanse: Joyce Appleby, *Economic Thought and Ideology in 17th Century England* (Princeton: Princeton University Press, 1978). Sobre España, véase Herr, *The Eighteenth-Century Revolution*, p. 52; y Marcelo Bitar Letayf, *Los economistas españoles del siglo XVII y sus ideas sobre el comercio con las Indias* (México: Instituto Mexicano de Comercio Exterior, 1975).

la ciudad de México, cinco en Querétaro y cinco en San Luis Potosí, cuatro en Oaxaca, tres en Valladolid, dos en Zacatecas y uno en Guadalajara y Veracruz, respectivamente. Más adelante se establecerían otras sociedades de amigos del país tanto en España como en América. Era inevitable que las sociedades discutieran cuestiones económicas y debatieran sobre las teorías económicas más actuales. Por medio de sus discusiones y publicaciones, estos organismos difundieron las obras de exponentes de la economía del *laissez-faire*.[25]

Durante el reinado de Carlos III, varios distinguidos reformadores aplicaron la nueva filosofía y la nueva teoría económica a la monarquía española. Su trabajo culminó en las actividades del gran economista y estadista Gaspar Melchor Jovellanos, quien, como Feijóo, era admirador del pensamiento británico. En 1774, incluso antes de que Adam Smith publicara *La riqueza de las naciones*, Jovellanos emitió una opinión jurídica que apoyaba el libre mercado: "Quisiéramos restituir del todo la libertad, que es el alma del Comercio, la que da a las cosas comerciales aquella estimación que corresponde a su abundancia o escasez, y la que fija la justicia natural de los precios con respecto a la estimación de las cosas...". Tanto en sus acciones políticas como en sus obras publicadas posteriormente, Jovellanos buscaba eliminar el privilegio y fomentar la libertad económica y política. El estadista afirmaba: "[El] primer principio político... aconseja dejar a los hombres la mayor libertad posible, a cuya sombra crecerán la industria, el comercio, la población y la riqueza".[26] Durante su larga y destacada carrera, Jovellanos abogó por el libre comercio y atacó el privilegio. Se opuso a la interferencia del gobierno en la economía y defendió el derecho a la propiedad individual y a actuar según el interés propio. Desde su punto de vista, el papel del gobierno era fomentar la libertad económica protegiendo la propiedad y los intereses privados, así como promover el desarrollo económico proporcionando infraestructura social y económica, esto es, educación, caminos, canales, irrigación, puertos y otras facilidades. Para obtener los recursos que permitieran al gobierno

25. Robert J. Shafer, *The Economic Societies in the Spanish World, 1763-1821* (Syracuse: Syracuse University Press, 1958); y Josefina María Cristina Torales Pacheco, *Ilustrados en la Nueva España: Los socios de la Real Sociedad Bascongada de los amigos del país* (México: Universidad Iberoamericana, 2001); Robert Sidney Smith, "The *Wealth of Nations* in Spain and Hispanic America, 1780-1830", en *The Journal of Political Economy*, 65:2 (abril de 1957), pp. 104-125.

26. Citado en Polt, *Jovellanos and His English Sources*, p. 25.

cumplir estas metas, Jovellanos abogó por la imposición de un sistema tributario progresivo, o simplemente de impuestos que todos –sin excepción– debían pagar según sus capacidades.[27]

Los grupos cultos de América conocían los conceptos económicos, jurídicos y políticos europeos. Durante finales del siglo XVIII y principios del XIX, los estudiosos de derecho en el Nuevo Mundo –en especial los profesores de las facultades de derecho en las universidades del continente– reinterpretaron la teoría del pacto de Vázquez de Menchaca y Suárez para defender sus propios intereses.[28] Los americanos, como los españoles, basaban sus mitos nacionales en una Constitución histórica. Según esta interpretación, los derechos de los americanos derivaban de dos fuentes: de sus progenitores indígenas, que poseían la tierra originalmente, y de sus ancestros españoles, que al conquistar el Nuevo Mundo obtuvieron privilegios de la corona, incluido el derecho a convocar a sus propias Cortes. Empero, este contrato primero no se daba entre América y España, sino entre cada reino del Nuevo Mundo y el monarca. Las leyes de Indias fijaban así el estatuto especial de los americanos dentro de la monarquía española. Desde el siglo XVI, los estudiosos de derecho europeos y de América habían comentado sobre la naturaleza única del derecho indiano. La publicación de la gran *Recopilación de leyes de los Reynos de las Indias* en 1680 fue motor de nuevas largas interpretaciones nuevas sobre la naturaleza de los derechos americanos. Durante la segunda mitad del siglo XVIII, varios juristas publicaron nuevas colecciones de leyes expedidas en América.[29] Estas obras contribuyeron a alimentar la noción de que el Nuevo

27. *Ibid.*: 15-43.

28. Virginia Guedea, "Criollos y peninsulares en 1808: Dos puntos de vista sobre lo español" (tesis de licenciatura Universidad Iberoamericana, 1964), y José Castán, *La influencia de la literatura jurídica española en las codificaciones americanas* (Madrid: Instituto de Estudios Jurídicos, 1984).

29. Las recopilaciones de leyes, como la *Recopilación sumaria de los autos acordados de la Real Audiencia y Sala del Crimen de esta Nueva España*, 2 vols., María del Refugio González (ed.) (México: Universidad Nacional Autónoma de México, 1981), de Eusebio Ventura Beleño dieron a los americanos un sentido de su propia identidad única. El papel de los juristas en la transmisión de la cultura política, tan importante, no ha sido bien estudiado. Charles R. Cutter ha señalado que, aunque las periferias en Nueva España carecieran de juristas, este gremio estaba bien representado en las grandes ciudades. Cutter interpreta un informe de 1802 de la siguiente manera: "La Audiencia de Guadalajara, la sede judicial para la frontera norte, informó que la ciudad de Guadalajara contaba con 31 abogados (...) la Provincia de Zacatecas presumía de cinco abogados con preparación, Durango de tres y un puñado más de asentamientos contaban con uno. La situación dentro de la Audiencia de México era parecida –entre los 210 abogados practicantes, más de la mitad vivían en la

Mundo poseía su propia "Constitución no escrita". Y todas estas ideas, por supuesto, provenían directamente de Soto, Suárez y Vázquez de Menchaca.[30]

El gran monarca ilustrado, Carlos III, presidió una importante transformación del mundo hispánico. Durante su gobierno, la Ilustración se extendió por todos los reinos. La variante hispánica no era radical ni anticristiana, como en Francia. Pero como la Ilustración en cualquier otro lugar, el movimiento español de las Luces admiraba la antigüedad clásica, prefería la ciencia y la razón sobre la autoridad, y el conocimiento útil sobre la teoría. Como José Miranda indicaba, "No fue la Ilustración una teoría ni una doctrina sino un nuevo modo de ver las cosas y concebir la vida... Tuvo, eso sí, la Ilustración un principio común a la multitud de ideas que brotaron en su seno: el de la libertad o autonomía de la razón".[31] Si bien la Ilustración hispánica no desafió ni la autoridad de la Iglesia ni la de la corona, su acento en la ciencia y la razón generó el clima intelectual que en última instancia llevaría a algunos hombres a asumir nuevas ideas políticas. Aunque había quienes se oponían a ciertos aspectos del nuevo sistema de pensamiento, en particular dentro de la Iglesia, las preocupaciones fueron acalladas gracias al apoyo que el monarca brindó al movimiento.[32]

Las publicaciones periódicas, llamadas gacetas, jugaron un papel central en la difusión de "un nuevo modo de ver las cosas y de concebir la vida" en el mundo hispánico. La *Gazeta de Madrid*, que apareció en 1701, y la *Gazeta de México* (1722, 1728-1730, 1784-1809), tuvieron como propósito registrar sucesos políticos y culturales importantes, así como otros acontecimientos de interés, incluidos los descubrimientos más significativos en los campos médico

---

Ciudad de México". *The Legal Culture of New Spain, 1700-1810* (Albuquerque: University of New Mexico Press, 1995), p. 4. En 1804, el Colegio de los Abogados de México, registraba a 261 miembros vivos y a 24 que habían muerto en los tres años anteriores en la inmensa Audiencia de México. *Lista de los abogados que se hallan matriculados en el Ilustre y Real Colegio de México* (México: Mariano Joseph de Zuñiga y Ontiveros, 1804). Muchos de los miembros del colegio pertenecían también al clero.

30. Véase: Quijada, "Las 'dos tradiciones'. Soberanía popular e imaginarios compartidos en el mundo hispánico", en Rodríguez O. (ed.), *Revolución, independencia y las nuevas naciones de América*, pp. 61-86. Estas cuestiones son abordadas de manera diferente, pero con mayor amplitud en: Stoetzer, *The Scholastic Roots of the Spanish American Revolution.*

31. José Miranda, *Humboldt y México* (México: Universidad Nacional Autónoma de México, 1962), p. 11.

32. Varios aspectos de la Ilustración se abordan en: Jorge Cañizares-Esguerra, *How to Write the History of the New World: Historiographies, Epistemologies, and Identities in the Eighteenth-Century Atlantic World* (Stanford: Stanford University Press, 2001).

y científico. El *Diario de Madrid*, fundado en 1758, se convirtió en el primer periódico publicado diariamente en Europa. El ritmo de publicación se aceleró en la década de 1780, cuando España y América vieron aparecer gran número de periódicos que abordaban temas diversos. Madrid y la ciudad de México se convirtieron en los principales centros de publicación. Entre los periódicos madrileños importantes se contaban el *Semanario El Erudito* (1781-1791), *El Observador* (1781-1887), *El Correo Literario de Europa* (1781-1791), *El Mercurio de España* (1784-1830), *El Gabinete de la Lectura Española* (1787-1791) y el *Espíritu de los Mejores Diarios* (1787-1791), un compendio de las principales publicaciones europeas que circulaba ampliamente en América y en España. Las publicaciones influyentes de la ciudad de México incluían el *Diario literario de México* (1768), el *Mercurio Volante* (1772-1773) y la *Gazeta de Literatura de México* (1788-1795). Al terminar el siglo, la prensa floreció tanto en la capital de Nueva España como en importantes ciudades de provincia como Veracruz.[33] El *Diario de México*, fundado en 1805, pronto se convirtió en uno de los comentadores más importantes de los acontecimientos culturales, políticos, económicos y sociales que tenían lugar en Nueva España y Europa.[34]

Los periódicos también informaban a sus lectores sobre historia, arte, literatura, filosofía y acontecimientos relevantes. Las obras de los principales escritores de la época, incluidos los *philosophes* ingleses y franceses, eran tradu-

33. Herr, *The Eighteenth-Century Revolution*, pp. 183-200; Virginia Guedea, *Las gacetas de México y la medicina: Un índice* (Mexico: Universidad Nacional Autónoma de México, 1991); Ruth Wold, *Diario de México: Primer cotidiano de Nueva España* (Madrid: Gredós, 1970); Ignacio Bartolache, *Mercurio Volante*, Roberto Moreno (ed.) (México: Universidad Nacional Autónoma de México, 1979); José Antonio Alzate, *Obras*, vol. I, *Periódicos*, Roberto Moreno (ed.) (México: Universidad Nacional Autónoma de México, 1980).

34. El *Diario de México*, por ejemplo, publicó un breve ensayo sobre el lamentable "Estado de las mugeres en Inglaterra", cuya intención era claramente comparar –por implicación– su estatus superior en el mundo hispánico. En el ensayo se leía: "Las leyes inglesas no son muy favorables á las mugeres, pues las tienen por una propiedad del marido, el qual debe responder de sus acciones. Segun la ley, la muger no tiene voluntad propia; el marido ha de pagar sus deudas, aunque las contraiga sin su permiso, y aun tambien las que contraxo antes de casarse; pero el marido puede disponer libremente de los bienes de su muger. En las herencias se prefiere siempre el varon á la hembra: á falta de varones se dividen los vienes entre las mugeres...
Aun hay otra ley mas deshonrosa, y la qual se observa, y es la que permite al marido vender á su muger; pero para ello es menester que ésta dé su consentimiento, y que la lleve el marido al Mercado atada con una soga, qual si fuese una vaca, ó una borrega. Por lo comun el comprador es el amante de la muger, ó alguno que quiere liberarla de la tiranía del marido...". *Diario de México* (24 de enero de 1811), núm. 10940, Tomo XIV, pp. 95-96. Véase también: Susana María Delgado Carranco, *Libertad de imprenta, política y educación: Su planteamiento y discusión en el Diario de México, 1810-1817* (México: Instituto José María Luis Mora, 2006).

cidas o presentadas de forma abreviada. En algunos casos, los periódicos informaban que ciertas obras, como la *Historia de la decadencia y ruina del Imperio romano*, de Edward Gibbon, habían sido prohibidas "por contener doctrinas erróneas, heréticas, impías, injuriosas a la religión católica".[35] Pero otros escritos, como los de Thomas Paine, fueron traducidos o parafraseados sin mayores comentarios. Además, los acontecimientos que podrían haber tenido implicaciones revolucionarias fueron divulgados abiertamente; por ejemplo, los periódicos de Madrid incluían crónicas de la lucha de Estados Unidos por su independencia. Más adelante se publicaría una edición en español de la Constitución de 1787 de Estados Unidos.[36] Algo parecido sucedía con periódicos como *La Gazeta de México*, que abordaba aspectos de la revolución francesa al tiempo que defendía la fe católica y la monarquía española.[37]

Las nuevas ideas se difundieron ampliamente. Los periódicos y los folletos, que cobraron más y más popularidad tras la revolución francesa, alcanzaron a un público importante, aunque limitado, en España y América. Empero, no debe suponerse, como muchos hacen a menudo, que los índices de alfabetización eran menores en comparación con los de otros países en la misma época.[38] Como señala François-Xavier Guerra, "el *Diario de México* del 4 de noviembre de 1811 hace tres ediciones ese día, con una tirada total que sobrepasa los 7 000 ejemplares, cifra enorme para una ciudad que tenía

35. *Diario de México* (24 de septiembre de 1809), II, núm. 1454.

36. La *Gazeta de Madrid* (del 7 de mayo de 1776) y el *Mercurio histórico y político* (de julio de 1776), por ejemplo, señalan la aparición del libro *El sentido común*, de Thomas Paine. Respecto de la independencia de Estados Unidos, véase: José de Covarruvias, *Memorias históricas de la última guerra con la Gran Bretaña, desde el año de 1774: Estados Unidos de América* (Madrid: Imprenta de Antonio Ramírez, 1783). Véase también: Luis Ángel García Melero, *La independencia de los Estados Unidos de Norteamérica a través de la prensa española* (Madrid: Ministerio de Asuntos Exteriores, 1977); y Mario Rodríguez, *La revolución Americana de 1776 y el mundo hispánico: ensayos y documentos* (Madrid: Tecnos, 1976).

37. Carlos Herrejón Peredo, "México: Luces de Hidalgo y de Abad y Queipo", en *CARAVELLE: Cahièrs du Monde Hispanique el Luso-Brasilien*, 54 (1990), pp. 107-135.

38. Eric Van Young, por ejemplo, afirma: "el índice de alfabetización popular [en Nueva España] quizás fuera extremadamente bajo (un 10 por ciento, por poner una cifra) y la alfabetización en las zonas rurales debió ser aún más baja", "In the Gloomy Caverns of Paganism: Popular Culture, Insurgency, and Nation-Building in México, 1800-1821", en Christon I. Archer (ed.), *The Birth of Modern Mexico, 1780-1824* (Wilmington: SR Books, 2033), p. 49. No obstante, en 1822, Joel R. Poinsett señalaba que en México "La mayoría de la gente en las ciudades puede leer y escribir. No debe entenderse que incluyo a los 'léperos', pero a menudo he reparado en hombres que visten ropas de extrema pobreza leyendo gacetas en las calles". *Notes on Mexico made in the Autum of 1822* (Philadelphia: H. C. Carey y Lea, 1824), pp. 277-278.

entonces alrededor de 140 000 personas, lo que da un periódico para cada 20 habitantes (niños incluidos)".[39]

La comunicación oral en los espacios públicos, concepto popularizado por Jürgen Habermas,[40] jugó un papel central en la difusión de ideas para un público más amplio. Las tertulias, que originalmente eran reuniones familiares informales en las que hombres y mujeres se reunían con amigos y conocidos, se difundieron en la segunda mitad del siglo XVIII hasta convertirse en reuniones sociales para discutir sobre literatura, filosofía, ciencia y acontecimientos recientes. En España y en América las tertulias reunieron a las elites –nobles y no nobles–, los comerciantes, los funcionarios, el clero, los profesionistas y otros individuos con instrucción para abordar temas diversos. A finales de la década de 1770 se hizo más común que algunas tertulias fueran organizadas en los salones privados de las posadas. Hacia finales de la década siguiente, los cafés y las tabernas se convirtieron en nuevas arenas para el discurso social. Al iniciar el nuevo siglo, distinguidas mujeres nobles de las grandes ciudades capitales como Madrid y México organizaban en sus casas elegantes tertulias que atraían a los personajes principales de la región.[41]

Los cafés pasaron de ser lugares donde se iba a merendar a centros donde la sociedad se enfrascaba en animadas discusiones. Era común que los suscriptores de periódicos los leyeran en voz alta en los cafés, y para los patrones era cotidiano hablar durante horas sobre asuntos de relevancia. Como ha señalado Antonio Alcalá Galiano, "En los pobres cafés [de Madrid] de aquel tiempo... era costumbre leer la *Gazeta* [en voz alta] al lado del bracero de sartén en invierno, y cerca de la ventana en verano... Tocándome, como solía tocarme, el papel de lector entre los concurrentes".[42] La ciudad de México también tenía

39. François-Xavier Guerra, *Modernidad e independencias; Ensayos sobre las revoluciones hispánicas* (Madrid: Mapfre, 1992), p. 281.

40. Jürgen Habermas, *The Structural Transformation of the Public Sphere. An Inquiry into a Bourgeois Category* (Cambridge: MIT Press, 1989).

41. Sobre el papel de las mujeres, véase: Alfonso E. Pérez Sánchez y Eleanor A. Sayre, *Goya and the Spirit of the Enlightenment* (Boston: Little, Brown, 1989). En la ciudad de México, por ejemplo, María Ignacia Rodríguez de Velasco, conocida popularmente como *la Güera Rodríguez*, fue anfitriona de una de las tertulias más notables durante el periodo de la independencia. Jaime E. Rodríguez O., "La transición de colonia a nación: Nueva España. 1820-1821", en *Historia mexicana*, 43, núm. 170 (septiembre-diciembre, 1993), pp. 221-292. Sobre las tertulias y las reuniones populares, véase: Virginia Guedea, *En busca de un gobierno alterno: Los Guadalupes de México* (Mexico: Universidad Nacional Autónoma de México, 1992).

42. Citado en Guerra, *Modernidad e independencias*, p. 292.

cafés que para la década de 1780 se habían convertido en lugares donde las personas leían gacetas y discutían los acontecimientos actuales, además de historia, arte y filosofía. Como lo comentaba un escritor: "En los cafés concurre el público, y cuando no se cultiven las ciencias, se puede enriquecer nuestra lengua española, y se exercita el raciocinio, al mismo tiempo que cada uno desenvuelve las ideas que le asisten". Algo parecido sucedió en las capitales de provincia, que se convirtieron en centros activos de la vida pública.[43]

Mientras que las tertulias y los cafés apelaban a los sectores pudientes de la sociedad, las tabernas, los parques y otros lugares públicos se convirtieron en centros de discusión para el gran público. Los sectores populares de la sociedad –artesanos, pequeños tenderos, empleados de bajo nivel, arrieros, y a menudo desempleados– se reunían a hablar sobre los sucesos del día. Como contaba el *Diario de México*, "Aunque la gente ruda y grosera no lea los diarios y demás papeles públicos, ignorando acaso hasta su existencia, las útiles instrucciones que ellos pueden comunicar, pasan insensiblemente por medio de las personas ilustradas. Así se difunden poco a poco las luces".[44] Al existir un interés tan amplio y abierto por las ideas y los acontecimientos recientes, era sencillamente natural que las autoridades en España y América comenzaran a preocuparse por la posible inquietud que las discusiones acaso fomentaran. Los funcionarios del gobierno estaban particularmente preocupados por las tabernas, ya que las veían como lugares donde el descontento popular podía estallar. En 1791, el radicalismo de la revolución francesa atemorizó al primer ministro, el conde de Floridablanca, quien impuso la censura en un esfuerzo por aislar al mundo español de la propaganda revolucionaria. Pero al año siguiente, su sucesor, el francófilo conde de Aranda, relajó la censura y permitió que las noticias circularan libremente. No obstante, las autoridades reales permanecieron alertas, pues se sentían amedrentadas por la naturaleza subversiva de la propaganda francesa. En 1809, en la ciudad de México, por ejemplo, "Fue denunciado Dn. Nicolás Calero, Agente de negocios, de

43. *Diario de México*, XII, núm. 1616 (5 de marzo de 1810); Isabel Olmos Sánchez, *La sociedad mexicana en vísperas de la independencia (1787-1821)* (Murcia: Universidad de Murcia, 1989), pp. 277-278.
44. *Diario de México*, II, núm. 105 (13 de enero de 1806).

haber llevado al Café Medina un papel anónimo, que se leyó en alta voz y que [contenía afirmaciones contra el gobierno]".[45]

Las numerosas universidades y los colegios de España y América también se convirtieron en centros de fomento intelectual durante la última parte del siglo XVIII. Aunque los jesuitas y los franciscanos habían sido activos divulgadores de la filosofía moderna, la transformación más importante ocurrió en 1771 con la reforma que modernizó el programa de estudios de la Universidad de Salamanca, la institución más distinguida de España y el modelo de las universidades americanas. De ahí en adelante, y pese a la oposición conservadora, las posturas científicas modernas fueron enseñadas en las instituciones de educación superior del mundo hispánico. El nuevo programa de estudios tuvo un profundo efecto. Serían los egresados de las universidades españolas y americanas de las décadas de 1780 y 1790 quienes habrían de encabezar la gran revolución política del mundo hispánico después de 1808.[46]

Para finales del siglo XVIII, Nueva España contaba con una de las redes más extensas y diversas de instituciones educativas y científicas en Occidente. Su capital, la ciudad de México, la ciudad más grande del hemisferio occidental, estaba dotada de una gran universidad –la más antigua del continente–, de la Real Escuela de Cirugía, El Colegio de Minería –la segunda institución de este tipo fundada en el mundo después de la de París–, los jardines botánicos, la Academia de Arte de San Carlos, diversos colegios importantes y varios seminarios. Según Alexander von Humboldt, "ninguna ciudad del nuevo continente, sin exceptuar a Estados Unidos, posee establecimientos científicos tan grandes y sólidos como los de la capital de México".[47] Guadalajara –capital de la segunda audiencia del reino– también contaba con una universidad, con colegios y seminarios. Además, algunas capitales como

45. Citado en Guerra, *Modernidad e independencias*, p. 292. Sobre el tema de las tabernas, véase: Virginia Guedea, "México en 1812: Control político y bebidas prohibidas", en *Estudios de Historia Moderna y Contemporánea de México*, núm. 8 (1980), pp. 23-65.

46. George M. Addy, *The Enlightenment in the University of Salamanca* (Durham: Duke University Press, 1966). Véase también: Batia B. Siebzehner, *La universidad Americana y la ilustración: Autoridad y conocimiento en Nueva España y el Río de la Plata* (Madrid: Mapfre, 1992).

47. Citado en Guerra, *Modernidad e independencias*, p. 277.

Valladolid, Puebla, Zacatecas, tenían colegios y seminarios distinguidos.[48] Estas instituciones educaban entonces a los hombres que encabezarían la revolución política. A lo largo y ancho del virreinato circulaban libros entre la elite secular y clerical.[49] Las grandes bibliotecas de la ciudad de México son bien conocidas.[50] Puebla, la segunda ciudad más importante de Nueva España, poseía la gran Biblioteca Palafoxiana, que aún existe. En los últimos años, los estudiosos han examinado algunas de las grandes bibliotecas de Guadalajara, Puebla, Oaxaca y Zacatecas, por nombrar tan sólo algunas de las capitales provinciales con bibliotecas importantes.[51] La instrucción no estaba restringida a la educación superior. Se podían encontrar innumerables escuelas primarias en todas las ciudades del reino y más de mil escuelas se localizaban en pueblos y aldeas, muchas de ellas en repúblicas de Indios.

48. Sobre la educación superior véanse: Carmen Castañeda, *La educación en Guadalajara durante la colonia, 1552-1821* (Mexico: El Colegio de México, 1984). Ignacio Osorio Romero, *Colegios y profesores jesuitas que enseñaron Latin en Nueva España (1572-1767)* (México: Universidad Nacional Autónoma de México, 1979).
49. Según Elías Trabulse: "A lo largo de los años han salido a luz diversos registros históricos que catalogan con varios fines el contenido de muchas de esas bibliotecas... Para la historia de la ciencia novohispana es interesante saber que la mayoría de los libros científicos que llegaron a México ... provenían de países como Francia, Bélgica, Austria, Portugal, Italia y, por supuesto, en su gran mayoría de España. En menor medida lograron librar la barrera inquisitorial libros ingleses, holandeses y de otros estados protestantes... Sin embargo, un hecho caracteriza la cultura libresca de nuestros científicos: *nunca carecieron de información* acerca de los avances de la ciencia europea", "Los libros científicos en la Nueva España, 1550-1630", en Alicia Hernández Chávez y Manuel Miño Grijalva (coords.), *Cincuenta años de historia en México*, 2 vols. (México: El Colegio de México, 1991), II, pp. 8-9. (Las cursivas son mías.)
50. Véase, por ejemplo, Cristina Gómez Álvarez e Iván Escamilla González, "La cultura ilustrada en una biblioteca de la elite eclesiástica novohispana: El Marqués de Castañiza (1816)", en Brian Connaughton, Carlos Illades y Sonia Pérez Toledo (coords.), *Construcción de la legitimidad política en México* (Zamora y México: El Colegio de Michoacán/Universidad Autónoma Metropolitana/UNAM/El Colegio de México, 1999), pp. 57-88. Véase también: María Agüeda Méndez, Fernando Delmar, Ana María Morales y Marxa de la Rosa (comps.), *Catálogo de Textos Marginados Novohispanos. Inquisición: Siglos XVIII y XIX* (México: Archivo General de la Nación, El Colegio de México/UNAM, 1992).
51. Véanse: Carmen Castañeda, "Los usos del libro en Guadalajara, 1793-1821", en Hernández Chávez y Miño Grijalva (coords.), *Cincuenta años de historia en México*, II, pp. 39-68; Cristina Gómez Álvarez y Francisco Téllez Guerrero, *Un hombre de Estado y sus libros: El obispo Campillo, 1740-1813* (Puebla: Benemérita Universidad Autónoma de Puebla, 1997); Cristina Gómez Álvarez y Francisco Téllez Guerrero, *Una biblioteca obispal: Antonio Bergosa y Jordán, 1802-1813* (Puebla: Benemérita Universidad Autónoma de Puebla, 1997); y Mercedes de Vega, "Bibliografías básicas y cohesión cultural: La biblioteca del Colegio de Guadalupe en Zacatecas", en Virginia Guedea, *La independencia de México y el proceso autonomista novohispano, 1808-1824* (México: UNAM/Instituto José María Luis Mora, 2001), pp. 409-428.

De hecho, Guerra considera que el sistema educativo de Nueva España era "análog[o al] de España o la Francia [en aquella época]".[52]

Los novohispanos cultos, como sus contrapartes en España, eran individuos modernos, ilustrados, preparados para enfrentarse a los complejos problemas de su época. Esos individuos eran versados en el pensamiento político contemporáneo, que hacía hincapié en la libertad, la igualdad, los derechos civiles, el imperio de la ley, el gobierno representativo constitucional y la economía de libre mercado. Muchos de ellos eran *liberales* incluso antes de que el término se acuñara en 1810 en las Cortes de Cádiz; es decir, habían hecho suya la nueva ideología. Estos individuos estaban comprometidos en el proceso de transformar la monarquía española en un estado liberal moderno. Este cambio no habría sido fácil ni rápido, pues los grupos de interés importantes defendían el *status quo*. Sin embargo, la invasión francesa a España y la caída de la monarquía en 1808 proporcionaron a la minoría liberal una oportunidad sin precedentes para instrumentar sus designios.

La naturaleza de la representación en Nueva España

Los novohispanos consideraban que el origen de su derecho a la representación se remontaba a su herencia hispánica y a la singular relación de gobierno que se desarrolló durante el asentamiento español en Nueva España. Las ciudades o pueblos y las Cortes fueron las principales instancias de representación de la política castellana durante el periodo de conquista y de asentamiento en el Nuevo Mundo. Dichas instancias emergieron como actores políticos relevantes ya en el siglo XII, cuando los gobernantes ibéricos buscaban recursos para expulsar a los invasores musulmanes. Las ciudades y los pueblos ganaron poder e influencia en Castilla-León porque sus recursos físicos y financieros, en particular las milicias, resultaron cruciales para la corona durante la reconquista. El poder político de estas entidades alcanzó su cenit durante el reinado de los reyes católicos, quienes acudieron a ellas para

52. Sobre la educación primaria véase: Dorothy Tanck de Estrada, *La educación ilustrada (1786-1836)* (México: El Colegio de México, 1977) y *Pueblos de indios y educación en el México colonial, 1750-1821* (México: El Colegio de México, 1999). Sobre Guadalajara: Castañeda, *La educación en Guadalajara durante la colonia.*

pacificar y unir el reino.[53] Como retribución por su apoyo, los pueblos conseguían fueros o libertades que les garantizaban el derecho a administrar tanto los asentamientos urbanos como su gran periferia rural. Así, obtenían una forma de autonomía y gobierno propio comparable al de las ciudades-Estado del norte de Italia. Para finales del siglo XIV, la corona comenzó a nombrar corregidores en las ciudades y pueblos que contaban con ayuntamientos. De esta manera, esas localidades eran atraídas a la esfera de poder del rey y liberadas de los prelados y nobles.[54] La relación entre el rey y los pueblos, en particular dentro de la figura de las Cortes, constituía una forma de gobierno mixto. Los teóricos políticos identificaban esta forma de gobierno con la Constitución mixta de las antiguas Grecia y Roma y con las bandas de guerreros germánicos, o *comitatus*, que elegían a sus gobernantes.[55]

Los primeros conquistadores y pobladores de las Américas establecieron ciudades y pueblos con sus propios gobiernos en las islas de las Antillas, ya que, dentro del sistema ibérico, dichas instituciones les proporcionaban soberanía y, por ende, autoridad. En 1518, el gobernador de la isla La Española convocó a una junta de procuradores de las ciudades y pueblos que estuviesen autorizados por sus ayuntamientos "a ejecutar lo que tuvieren conveniente para los intereses generales... De allí pasó la institución a Cuba, en cuya ciudad de Santiago se reunía la asamblea todos los años, para informar al rey 'de lo que mejor cumple a su servicio' y para 'le avisar de las cosas que esta isla tiene mayor necesidad y para suplicarle mande proveer en ellas'".[56] Más tarde, la corona ratificó estas acciones. Según José Betancourt, el Ayuntamiento de la villa de Puerto Príncipe recibió una carta con fecha del 20 de abril de 1532 en la que se declaraba: "Manda V. Mgd. que todos los años en tiempo vayan a Santiago [de Cuba] los Procurado-

53. Véanse: Joseph F. O'Callaghan, *The Cortes of Castile-León, 1188-1350* (Philadelphia: University of Pennsylvania Press, 1989); Luis González Antón, *Las Cortes en la España del Antiguo Régimen* (Madrid: Siglo XXI, 1989); Manuel María de Artaza, *Rey, reino y representación: La Junta General del Reino de Galicia* (Madrid: Consejo Superior de Investigaciones Científicas, 1998); y De Dios, "Corporación y nación. De las Cortes de Castilla a las Cortes de España", pp. 197-298.

54. Sobre las ciudades y pueblos, véase: Helen Nader, *Liberty in Absolutist Spain: The Habsburg Sale of Towns, 1516-1700* (Baltimore: The Johns Hopkins University Press, 1990).

55. James M. Blythe, *Ideal Government and the Mixed Constitution in the Middle Ages* (Princeton: Princeton University Press, 1992).

56. Rafael Altamira, *Historia de España y de la civilización española*, 4 vols. (Barcelona: J. Gili, 1900-1911), III, p. 316.

res de las villas, y justamente con los de dicha ciudad informen a V. Mgd. de lo que mejor cumple a su servicio...".[57] Las ciudades y los pueblos también enviaron procuradores a la corte para representar sus intereses. Así, desde un inicio, el principio de representación quedó establecido en las Indias.

La conquista de México proporciona un ejemplo clásico de la aplicación tanto de las teorías políticas hispánicas tradicionales como de la autoridad y la soberanía de la municipalidad castellana. Hernán Cortés lanzó su expedición desafiando al gobernador de Cuba, Diego de Velásquez, pero resguardó la autoridad de sus acciones al establecer un pueblo. Sus hombres asumieron el papel de vecinos y fundaron un cabildo en Villa Rica de Vera Cruz. Así, justificaban sus acciones argumentando que Velásquez se había vuelto un tirano, pues intentaba evitar que se expandieran las posesiones del rey en el Nuevo Mundo. En tales circunstancias, de acuerdo con la teoría política tradicional, la soberanía recaía en el pueblo. Así que el pueblo soberano de Vera Cruz nombró a Cortés "Justicia y Alcalde Mayor y Capitán de todos, a quien todos acatemos...", y autorizó la conquista de la tierra para el rey.[58]

Tras la conquista, los primeros pobladores fundaron varias ciudades y pueblos, entre los que destacaba México. Como había ocurrido antes en las islas, los procuradores de las villas de Veracruz, Espíritu Santo, Colima y San Luis se reunieron en la ciudad de México en mayo de 1529 "para platicar e acordar lo que a servicio de Dios e de S. M., e bien e perpetuidad de esta tierra convenga". El organismo nombró procuradores para viajar a la corte y proteger los intereses "de esta Nueva España". Al siguiente mes, los representantes se reunieron de nuevo para aprobar los salarios de los procuradores. También comisionaron al doctor Ojeda "que procure y negocie con S. M., que esta ciudad de México, en nombre de la Nueva España, tenga voz y voto en las Cortes que S. M. mande hacer e los reyes sus sucesores".[59] Desde el inicio, los pobladores

57. Citado en Guillermo Lohmann Villena, "Las Cortes en Indias", en *Anuario de Historia del Derecho español,* tomo XVIII (1947), p. 650.

58. Citado en Manuel Gimenéz Fernández, "Hernán Cortés y su revolución comunera en la Nueva España", en *Anuario de Estudios Americanos,* V (1948), p. 91. Véase también: Silvio Zavala, "Hernán Cortés ante la justificación de su conquista de Tenochtitlán", en *Revista de la Universidad de Yucatán,* 26 (enero/marzo, 1984), pp. 39-61.

59. Lucas Alamán, *Disertaciones sobre la historia de la República Mejicana,* 3 vols. (México: Jus, 1942), II, pp. 269-270.

de Nueva España insistieron no sólo en tener representación en la corte, sino en el parlamento de Castilla. La solicitud resulta tanto más impresionante si se considera que en ella se pedía que la ciudad de México se convirtiera en cabecera de su región, de la misma forma en que Burgos y Toledo eran cabeceras de sus regiones en Castilla. Según Lucas Alamán, esta solicitud fue concedida.

La naturaleza y la historia de estas asambleas del Nuevo Mundo han sido materia de muchas desavenencias. Algunos historiadores han argumentado que estas juntas o congresos de ciudades funcionaban como verdaderas Cortes. Otros, como Alfonso García Gallo, sostienen que eran "meros *Congresos de ciudades*, en los que se contemplaban asuntos de interés común... sin aspirar a intervenir en la alta política estatal".[60] En cualquier caso, estas asambleas constituían sin duda organismos representativos y, por ende, prueban el tesón con que los primeros pobladores insistieron en su derecho a la representación y en la Constitución mixta.

La historia posterior de estos congresos es oscura. José Betancourt, Rafael Altamira y Jesús E. Casariego sostienen que estas Cortes indianas continuaron reuniéndose durante los siglos XVI y XVII. Los dos primeros afirman que hasta 40 congresos de esta clase se reunieron durante dicho periodo, mientras que Casariego eleva el número "hasta cerca de medio centenar de veces...".[61] Desafortunadamente, estos estudiosos no proporcionan referencias documentales precisas. En lugar de ello, Betancourt declara que "en el Archivo de Simancas existen minutas de las materias contempladas en las sesiones". Guillermo Lohmann Villena cuestiona estas afirmaciones argumentando que nadie más ha "recogido noticias sobre tan importantes acontecimientos, que es regular hubiesen dejado huella en algún otro documento".[62]

El 25 de junio de 1530, el "Emperador D. Carlos y la Emperatriz Gobernadora" expidieron la siguiente cédula: "En atención a la grandeza y nobleza de la Ciudad de México... mandamos que tenga el primer voto de las Ciudades y Villas de la Nueva España, y el primer lugar, después de la Justicia,

60. Lohmann Villena, "Las Cortes en Indias", p. 656.

61. José Ramón Betancourt, "Orígenes españoles del régimen autonómico", *Boletín de la Institución Libre de Enseñanza,* VII, núm. 164 (diciembre de 1983), pp. 360-362; Altamira, *Historia de España,* III, p. 316; Jesús E. Casariego, *El municipio y las Cortes en el Imperio español de Indias* (Madrid: Talleres Gráficos Marsiega, 1946), p. 100.

62. Lohmann Villena, "Las Cortes en Indias", p. 655.

en los Congresos que se hicieren por nuestro mandato, porque sin él no es nuestra intención, ni voluntad, que se puedan juntar las Ciudades, y Villas de las Indias".[63] La cédula establecía claramente la posibilidad de que unas verdaderas Cortes –es decir, un parlamento convocado por el rey– se reunieran en Nueva España. También afirmaba con claridad que dicho organismo se reuniría sólo si el monarca lo convocaba. Puesto que Carlos I disminuyó las funciones de las Cortes de Castilla tras la derrota de los comuneros en Villalar en 1521, era poco probable que permitiera a los vecinos de Nueva España desarrollar un parlamento potencialmente autónomo.[64] Además, en dos ocasiones, en 1567 y en 1635, la corona había propuesto conceder a Nueva España la representación en las Cortes de Castilla. En ambos casos, las ciudades y villas de ese reino no estuvieron dispuestas a pagar los elevados impuestos requeridos para participar en dicho parlamento.[65] No obstante, el derecho de la ciudad de México a votar primero en un congreso de ciudades en Nueva España habría de convertirse en una inspiración poderosa en los años venideros.

El derecho a la representación contravenía el concepto de poder absoluto del rey que surgió en Europa en el siglo XVI. Algunos historiadores, como Mario Góngora, han sostenido que el concepto de "poderío real absoluto" nunca fue aceptado del todo en las Indias. Esto sin duda era cierto en Nueva España, por ejemplo, donde en 1680 Carlos de Sigüenza y Góngora subrayó la primacía del pueblo sobre el gobernante, apoyando sus argumentos en la afirmación de Fernando Vázquez de Menchaca según la cual "Las leyes de un reino, aun las positivas, no están sometidas a la voluntad

63. Libro III, Título VIII, Ley ij, *Recopilación de leyes de los Reynos de las Indias mandadas imprimir y publicar por la Magestad Católica del Rey Don Cárlos II, Nuestro Señor*, 3 vols. (Madrid: Consejo de la Hispanidad, 1943), II, 25.

64. Sobre la importancia política de los Comuneros, véase: Quijada "Las 'dos tradiciones'. Soberanía popular e imaginarios compartidos en el mundo hispánico", pp. 71-78. José Antonio Maravall la considera la "primera revolución moderna", como lo indica el subtítulo de su obra clásica: *Las Comunidades de Castilla. Una primera revolución moderna* (Madrid: *Revista de Occidente*, 1963).

65. José Miranda, *Las ideas y las instituciones políticas mexicanas*, 2ª ed. (México: Universidad Nacional Autónoma de México, 1978), pp. 139-141; y Demetrio Ramos, "Las ciudades de Indias y su asiento en Cortes de Castilla", en *Revista del Instituto de Historia del Derecho Ricardo Levene*, 18 (1967), pp. 179-180. Empero, Guillermo Lohmann Villena se mostraba escéptico; véase: "Notas sobre la presencia de la Nueva España en las Cortes metropolitanas y de Cortes en la Nueva España en los siglos XVI y XVII", en *Historia Mexicana*, Vol. XXXIX, núm. 1 (julio-septiembre, 1989), pp. 33-40.

del príncipe, y por tanto no tendrá poder para cambiarlas sin el consentimiento del pueblo; porque no es el príncipe señor absoluto de las leyes, sino guardián, servidor y ejecutor de ellas, y como tal se le considera".[66] La ley castellana reforzó esta creencia, como también lo hizo la admonición de la corona para que las autoridades se rehusaran a instrumentar leyes contrarias a los intereses de la comunidad. Desde 1379, la fórmula: "se obedece pero no se cumple", expresaba este hecho.[67] En 1528, Carlos I expidió un decreto que declaraba: "los ministros y jueces obedezcan y no cumplan nuestras cédulas y despachos en que intervinieron los vicios de obrepción y subrepción, y en la primera ocasión nos avisen de la causa por que no lo hicieron".[68] Además, los pobladores de las Indias insistieron en su derecho a resistirse a leyes injustas, en particular a los impuestos.

La resistencia a la autoridad real, que era en efecto resistencia civil, proliferó durante el siglo XVI. En 1592-1593, por ejemplo, el ayuntamiento encabezó la revuelta de las alcabalas en la ciudad de Quito, declarando que ya había hecho las suficientes contribuciones a la monarquía y que los nuevos impuestos no tenían razón de ser.[69] Los habitantes de las Indias afirmaban tener derechos que ni siquiera el rey podía limitar.

Si bien la Constitución mixta y la representación formaban parte de la experiencia de los primeros pobladores y sus descendientes, la exigencia de representación ante las Cortes no llegó a más. Antes bien, a finales del siglo XVI y principios del XVII, las elites abandonaron, en apariencia, sus esfuerzos

66. Citado en Manuel Torres, "La sumisión del soberano a la ley en Vitoria, Vázquez de Menchaca y Suárez", en *Anuario de la Asociación Francisco de Vitoria*, IV (1932), p. 146. Véase también: Annabel S. Brett, *Liberty, Right and Nature: Individual Rights in Later Scholastic Thought* (Cambridge: Cambridge University Press, 1997), pp. 176-186; Mario Góngora, *El Estado en el derecho indiano* (Santiago: Universidad de Chile, 1951); y Colin MacLachlan, *Spain's Empire in the New World: the Role of Ideas in Institutional and Social Change* (Berkeley: University of California Press, 1988), pp. 21-44.
67. José Manuel Pérez Prendes y Muñoz de Arracó, *La Monarquía Indiana y el Estado de derecho* (Valencia: Gráficas Moverte, El Puig, 1989), pp. 167-168.
68. *Ibid.* Según Pérez Prendes y Muñoz de Arracó, Carlos I expidió el decreto. La edición de la *Recopilación de leyes de los Reynos de las Indias* que he consultado, la del Consejo de la Hispanidad, Madrid, 1943, I, p. 223, tiene dicho decreto en Libro II, título I, ley xxij expedida por D. Felipe III en Madrid a 3 de junio de 1620. Este hecho no quiere decir que Carlos I no expidiera el decreto en 1528. Como es bien conocido, *La Recopilación* no incluía todos los decretos expedidos por la corona. Más bien, aquellos decretos que los compiladores consideraron importantes. Es probable que Carlos I hubiera expedido el decreto original en 1528 y que Felipe III lo hubiera expedido de nuevo en 1620.
69. Bernard Lavallé, *Quito y la crisis de la alcabala, 1580-1600* (Quito: Instituto Francés de Estudios Andinos y Corporación Editora Nacional, 1997).

por obtener unas Cortes locales. En lugar de ello, las ciudades se convirtieron en los principales representantes de los intereses de cada región, y la venta de cargos se volvió un importante mecanismo de gobierno local que suprimió el deseo de representación ante las Cortes. Los criollos, que controlaban los ayuntamientos y los cabildos de las capitales virreinales, las capitales de las audiencias y las capitales de las regiones de la frontera, asumieron la responsabilidad y el derecho de representar a sus regiones. Como ha señalado John Elliott, esas tierras "se estaban convirtiendo en Estados criollos".[70]

Los ayuntamientos se volvieron centros de poder. Debido a que carecemos de análisis cuidadosos sobre estos gobiernos municipales, algunos historiadores los han desestimado considerándolos como núcleos irrelevantes de dominio elitista. Otros estudiosos han afirmado que dichos ayuntamientos estaban preocupados casi completamente por la pompa y la ceremonia, mas no por la administración de sus territorios. Por ende, afirman, las autoridades reales eran quienes en verdad gobernaban. Estas posturas contradicen la cultura política de la época, que hacía hincapié sobre el ideal de una *res publicae* o gobierno mixto. No obstante, el concepto de *república* no significaba una forma de gobierno sin rey. Más bien se refería a un sistema de gobierno en el que la virtud cívica aseguraba la libertad y la estabilidad. El verdadero ciudadano republicano ponía el bien común de la *res publicae*, o la comunidad, por encima de su propio bien.[71]

Había dos clases de repúblicas en las Indias: la república de españoles y la República de Indios. Ambas tenían sistemas de representación y gozaban de autonomía. Aunque las ciudades capitales de las repúblicas de españoles reivindicaban para sí la representación de sus regiones enteras, los individuos

70. John H. Elliott, "Empire and State in British and Spanish America"; y Antonio Annino, "Comentario", en Serge Gruzinski y Nathan Wachtel, *Le Nouveau Monde, Mondes Nouveaux: L'expérience américaine* (París: Recherche sur les Civilisations y de l'École des Hautes Études en Sciences Sociales, 1996), pp. 365-382 y 445-456.

71. Véanse, por ejemplo, John Preston Moore, *The Cabildo in Peru under the Bourbons: A Study in the Decline and Resurgence of Local Government in the Audiencia of Lima, 1700-1824* (Durham: Duke University Press, 1966). Roger L. Cunniff lleva a cabo un revisión de los estudios sobre los cabildos en Nueva España en: "Mexican Municipal Electoral Reform, 1810-1822", en Nettie Lee Benson (ed.), *Mexico and the Spanish Cortes, 1810-1822* (Austin: University of Texas Press, 1966), 59-60. Un excelente estudio reciente dedicado a una ciudad es el de Gabriela Tío Vallejo, *Antiguo Régimen y liberalismo: Tucumán, 1770-1830* (Tucumán: Universidad Nacional de Tucumán, Facultad de Filosofía y Letras, 2001).

y los grupos, incluidas las repúblicas de Indios, también defendían sus intereses. Al comenzar el siglo XVI, las repúblicas de indios enviaron procuradores a la península. Varios estudios, en particular el análisis realizado por Woodrow Borah sobre el Juzgado General de los Indios, demuestran que los indígenas defendían con éxito sus intereses, tanto en el Nuevo Mundo como en el Viejo. Además, Brian P. Owensby ha demostrado que los indígenas acudían con gran frecuencia al sistema judicial para que éste les brindara protección frente a otros grupos de Nueva España, y el sistema judicial atendía hasta un grado sorprendente sus demandas.[72]

Estudios recientes demuestran que todos los grupos se defendían contra gran diversidad de ofensas, reales o supuestas. Sus reclamos y representaciones no se dirigían solamente al rey y a las autoridades superiores. Los residentes de pequeños pueblos, así como de grandes ciudades en ambas repúblicas, a menudo desafiaban las acciones de los funcionarios reales, los jueces, los regidores, los alcaldes e incluso sus propios vecinos. En ocasiones perdían, pero con la misma frecuencia ganaban sus demandas. Aunque los habitantes de los poblados a veces se sublevaban o emprendían otras formas de acción directa, por lo general preferían dar su voto de confianza al sistema judicial para resolver sus inquietudes.[73] Su proceder demuestra claramente que confiaban en la Constitución mixta y que se creían con derecho a influir sobre la naturaleza de su gobierno.

Los habitantes del Nuevo Mundo también exigían el derecho a ejercer la autoridad en sus territorios. A decir verdad, reclamaban un virtual monopolio sobre los cargos. Esta idea, extraída del derecho castellano, era respaldada por muchos tratadistas. Quizás el exponente más distinguido fuese el eminente jurista castellano y funcionario real, Juan de Solórzano Pereira,

72. Woodrow Borah, *Justice by Insurance: The General Indian Court of Colonial Mexico and the Legal Aides of the Half-Real* (Berkeley: University of California Press, 1983). Véase también: Brian P. Owensby, *Empire of Law and Indian Justice in Colonial Mexico* (Stanford: Stanford University Press, 2008).

73. William B. Taylor, *Drinking, Homicide and Rebellion in Colonial Mexican Villages* (Stanford: Stanford University Press, 1979), pp. 113-182; y Manuel Miño Grijalva, "Acceso a la justicia y conflictos en el Valle de Toluca (Nueva España) durante el siglo XVIII. Una estimación cuantitativa" en *Mexican Studies/ Estudios Mexicanos*, vol. 23, núm. 1 (invierno 2007), pp. 1-31. Véase también: Margarita Garrido, *Reclamos y representaciones: Variaciones sobre la política en el Nuevo Reino de Granada, 1770-1815* (Bogotá: Banco de la República, 1993).

Doctor don Servando Teresa de Mier

DOCTOR DON SERVANDO TERESA DE MIER

quien insistía en que los nacidos en el Nuevo Mundo debían tener preferencia en los nombramientos no sólo para los cargos civiles, sino también para los eclesiásticos. La *Política indiana* de Solórzano Pereira, publicada en 1649, tras casi dos décadas de experiencia en las Indias, sostenía que las instancias de gobierno del Nuevo Mundo eran reinos de la monarquía española y que "se han de regir y gobernar como si el rey que los tiene juntos lo fuera solamente de cada uno de ellos".[74] Se trataba de una postura que los americanos del siglo XVIII adoptarían y repetirían con frecuencia.

El surgimiento de la identidad americana

Algunos habitantes del Nuevo Mundo adquirieron plena conciencia de su singular identidad dentro de la monarquía española. Como sus contrapartes en la península, los españoles americanos se identificaban con su localidad y con su historia. Varios mestizos y criollos cultos defendían una modalidad de mestizaje cultural. No sólo escribían sobre la conquista y sobre la expansión de la cristiandad, sino que también hacían suyo el pasado indígena. En Nueva España, Fernando de Alva Ixtlilxóchitl, un mestizo descendiente de los conquistadores y de la nobleza de Texcoco, escribió una serie de obras que exaltaban a los indígenas del México central, en particular Texcoco y su gran filósofo, el rey Nezahualcóyotl. Como Alva Ixtlilxóchitl explicaba en su dedicatoria: "Desde mi adolescencia tuve siempre gran deseo de saber las cosas acaecidas en este Nuevo Mundo, que no fueron menos que las de los romanos, griegos, medos y otras repúblicas gentilicias que tuvieron fama en el universo".[75] Los novohispanos apuntalaban sus argumentos con una singular interpretación religiosa de su historia. A partir de Alva Ixtlilxóchitl, varios estudiosos del virreinato del norte identificarían al héroe de la cultura indígena prehispánica, Quetzalcóatl, con el apóstol Santo Tomás. Este enfoque culminó a principios del

74. Citado en Elliott, "Empire and State", p. 369. Véase también: David Brading, *The First America: The Spanish Monarchy, Creole Patriots and the Liberal State, 1492-1867* (Cambridge: Cambridge University Press, 1991), pp. 215-227.

75. Fernando de Alva Ixtlilxóchitl, *Obras históricas*, 2 vols., Edmundo O'Gorman (ed.) (México: UNAM, 1975-1977), I, p. 525.

siglo XIX con la afirmación de Servando Teresa de Mier según la cual Santo Tomás-Quetzalcóatl habría convertido a los indígenas a la verdadera fe, de manera que los antiguos mexicanos eran, de hecho, cristianos.[76]

En algunos casos, los españoles también contribuyeron a crear esa conciencia americana. Fray Juan de Torquemada, un español que había sido llevado a la ciudad de México cuando niño, publicó en 1615 su monumental obra *Monarquía indiana*, una serie de volúmenes en que registraba la crónica del ascenso de los mexicas.[77] En los años y décadas que siguieron, muchos estudiosos americanos escribieron tratados sobre sus patrias que ayudaron a conformar la historia de sus regiones.[78]

Fue la Ilustración, empero, la que generó una clara conciencia de sí americana. Varios estudiosos europeos, *philosophes* que encarnaban las Luces, afirmaban que el Nuevo Mundo y sus habitantes eran inherentemente inferiores al Viejo Mundo y sus gentes. Los prejuicios antiamericanos de los autores ilustrados del Viejo Mundo socavaron la autoridad del pensamiento europeo, ocasionando que algunos intelectuales del Nuevo Mundo se replantearan los supuestos de la supremacía del Viejo Mundo, que antes habían dado por sentada. El sabio francés George-Louis Leclerc Buffon sostenía en su *Histoire natural* (1747) que América era una tierra nueva llena de lagos, ríos, y pantanos, más fría y más húmeda que Europa. En consecuencia, sus animales eran más pequeños y menos numerosos que en el Viejo Mundo. Los seres humanos del nuevo continente, como sus plantas y sus animales, eran de naturaleza degenerada. Los hombres eran pequeños, débiles, lampiños, carecían de pasión sexual y poseían poca inteligencia o espíritu. Además, los hombres, animales y plantas europeos decaían sólo con estar en territorio americano.

Corneille de Pauw amplió los argumentos de Buffon en su *Recherches philosophiques sur les Américains* (1768). De Pauw llevó la noción de la degeneración al absurdo cuando afirmó que los perros del Nuevo Mundo

76. Servando Teresa de Mier, "Carta de despedida a los mexicanos", en *Obras completas de Servando Teresa de Mier*, vol. 4, *La formación de un republicano*, Jaime E. Rodríguez O. (ed.) (México: UNAM, 1988), pp. 107-114.

77. Juan de Torquemada, *Monarquía indiana*, 7 vols. Miguel León-Portilla (ed.) (México: UNAM, 1975-1983). La obra de Torquemada se encuentra en los primeros seis volúmenes; el séptimo contiene una serie de análisis críticos de la obra.

78. Véanse, por ejemplo, Brading, *The First America*, pp. 255-292; y Enrique Florescano, *Memoria mexicana. Ensayo sobre la reconstrucción del pasado: Época prehispánica-1821* (México: Mortiz, 1987), pp. 143-246.

no podían ladrar y que los habitantes del continente americano eran impotentes y cobardes. La *Histoire philosophique et politique des établissements et du comerse des Européens dans les deux Indes*, del Abate Guillaume-Thomas Raynal, que apareció en casi 50 ediciones entre 1770 y finales del siglo, cada una más radical que las anteriores, extendió la noción de la naturaleza degenerada de América y los americanos. La *Histoire* de Raynal, compuesta por unos doce *philosophes*, incluidos importantes individuos como Dennis Diderot, constituía la destilación del pensamiento ilustrado sobre el tema. "Ahí, los hombres –afirmaba la *Histoire*–, son menos fuertes, menos valientes, sin barba y sin pelo: degenerados en todos los signos de masculinidad... La indiferencia de los varones hacia ese otro sexo al que la naturaleza ha confiado el lugar de la reproducción sugiere una imperfección orgánica, una suerte de infancia de las gentes de América similar a la de los individuos en nuestro continente que no han alcanzado la edad de la pubertad".

La crónica más exitosa y popular sobre el Nuevo Mundo, la *History of America* de William Robertson, apareció en 1777 y fue traducida rápidamente a varios idiomas. La obra del historiador escocés recibió una amplia aceptación en Europa en virtud de que se sustentaba en un extenso aparato crítico y porque apoyaba las nociones "filosóficas" de la degeneración americana. Puesto que también alababa el régimen de Carlos III, la obra de Robertson fue bien recibida en la península. La Real Academia Española de Historia lo eligió para formar parte de sus filas y patrocinó la traducción de su obra al castellano. Aunque menos hostil hacia el Nuevo Mundo que otros autores europeos ilustrados, Robertson también señalaba las afectaciones degenerativas de ese continente: "La naturaleza no sólo era menos prolífica en el Nuevo Mundo, sino que aparentemente también era menos vigorosa en sus producciones. Los animales que originalmente pertenecían a este cuarto del globo parecen ser de una raza inferior, ni tan robustos ni tan fieros como los del otro continente". Tristemente, desde su punto de vista, la naturaleza en América no era menos dañina para los seres humanos y su sociedad.

Estos ataques al Nuevo Mundo no quedaron sin respuesta. Aunque muchos españoles aceptaron con gusto la condena de sus hermanos americanos, algunos salieron en su defensa. La voz más preclara pertenecía a Fray Benito

Jerónimo de Feijóo, que no sólo alababa a los americanos, sino que también argumentaba que algunos de sus logros superaban a los de los europeos.[79]

Los novohispanos salieron prestos en defensa de su patria y su cultura. En respuesta al renombrado sabio Manuel Martí, Deán de Alicante, quien aconsejó a un amigo no visitar América porque era un "desierto intelectual" sin libros ni bibliotecas, una tierra apropiada sólo para los indígenas, mas no para la gente "civilizada", Juan José de Eguiara y Eguren, rector de la Universidad de México y canon de la Catedral, publicó la extensa obra *Bibliotheca mexicana* (1755), donde demostraba los amplios logros eruditos de sus compatriotas. En Berlín, Juan Vicente de Güemes Pacheco y Padilla, el hijo criollo del antiguo virrey de Nueva España, el primer conde de Revillagigedo, y más tarde virrey él mismo, defendió públicamente a América de los ataques de De Pauw. El joven Revillagigedo declaró a De Pauw equivocado en casi todos los casos. Según Revillagigedo, los hombres del Nuevo Mundo "eran en extremo inclinados al ayuntamiento sexual" y de ninguna manera afeminados. En el mismo sentido, argumentaba que los frutos y los animales de América eran superiores a los de Europa.[80]

Pero los defensores más apasionados del Nuevo Mundo fueron los jesuitas americanos exiliados. Lejos de casa, inmersos en una Europa hostil, escribieron las historias de sus patrias. Los jesuitas contribuyeron sustancialmente al crecimiento del patriotismo en el Nuevo Mundo porque sus obras, al tiempo que defendían a América como un todo, se concentraban en sus tierras individuales, ya fueran Nueva España, Quito o Chile.

El novohispano Francisco Javier Clavijero publicó la *Storia antica del Messico* (1780-1781) en cuatro volúmenes, la expresión más erudita del patriotismo americano, así como una refutación directa de De Pauw y otros críticos europeos del Nuevo Mundo. Clavijero declaró su intención al escribir la obra: "Para servir del mejor modo posible a mi patria, para restituir a su esplendor la verdad ofuscada por una turba increíble de escritores moder-

79. La obra clásica sobre el conflicto entre el Viejo y el Nuevo Mundo es la de Antonello Gerbi, *The Dispute of the New World: The History of a Polemic, 1750-1900*, edición corregida y aumentada (Pittsburgh: University of Pittsburgh Press, 1973). Véase también: Jorge Cañizares-Esguerra, *How to Write the History of the New World. Histories, Epistemologies, and Identities in the Eighteenth-Century Atlantic World* (Stanford: Stanford University Press, 2001).

80. Gerbi, *The Dispute of the New World*, pp. 194-195.

nos". En tanto estudioso ilustrado, Clavijero presentó un relato coherente y "moderno" de la historia de los antiguos mexicanos, comparándolos a ellos y sus logros con el mundo clásico. "Texcoco era, por decirse así, la Atenas del Anáhuac y Nezahualcóyotl el Solón de aquellos pueblos". En el proceso de equiparar a los mexicas con los romanos, Clavijero demostraba que no eran un pueblo inferior, que su cultura, aunque no cristiana, no era la obra del demonio, como algunos cronistas españoles habían sostenido antes, y que los novohispanos del siglo XVIII eran herederos de los antiguos mexicanos. El cuarto volumen de la *Storia antica* contenía nueve disertaciones sobre la tierra, las plantas, los animales y los habitantes de Nueva España; la obra refutaba cuidadosa, crítica y sistemáticamente a De Pauw, Buffon, Raynal y Robertson.[81]

La *Storia antica del Messico* de Clavijero se convirtió en un éxito instantáneo y fue traducida a varios idiomas. Su efecto fue sin duda más fuerte en Nueva España, ya que, al leerla los criollos y los mestizos cultos, descubrieron un pasado glorioso que podían hacer suyo. El hecho de que el libro de Clavijero fuese "una historia de México escrito por un mexicano",[82] y de que fuese "un testimonio de mi sincerísimo amor a la patria", fortaleció el deseo de muchos novohispanos de reclamar derechos equitativos dentro del mundo hispánico. La *Historia antigua de México* no sólo simbolizaba el orgullo de los novohispanos por su tierra, sino que también servía como justificación para su deseo de gobernarla por sí mismos. Nueva España se consideraba a sí misma uno de los reinos de la monarquía española y deseaba ser reconocida como un igual ante el rey.

Otras publicaciones contribuyeron también al creciente sentimiento de identidad americano. El erudito criollo Antonio de León y Gama escribió un estudio notable, su *Descripción histórica y cronológica de dos piedras*, que aplicaba los nuevos métodos científicos al pasado indígena de su país, integrando así la historia prehispánica a las tendencias universales de la Ilustración.

81. *Ibid.*, pp. 196-208; Brading, *The First America*, pp. 450-462. Véase también: Charles E. Ronan, S.J., *Francisco Javier Clavijero, S.J. (1731-1787), Figure of the Mexican Enlightenment: His Life and Works* (Roma: Institutum Historicum, S.I., 1977).

82. Aquí se hace referencia a los mexicas y a un nacido en la ciudad de México. Ninguno de los dos términos se refiere a todo el virreinato de Nueva España, que estaba poblado por varias sociedades indígenas distintas a los mexicas y que no se consideraban a sí mismas "mexicanas".

Egresados novohispanos, los jesuitas exiliados Andrés Cavo y Francisco Javier Alegre contribuyeron al patriotismo americano con historias del virreinato y de la orden jesuita en Nueva España. Obras como éstas permitieron a los grupos urbanos cultos de Nueva España fundar su patriotismo en la ciencia.[83]

Irónicamente, la expulsión de los jesuitas de América en 1767 también contribuyó a que el Nuevo Mundo forjara una conciencia de sí, pues abrió las puertas a una nueva generación de intelectuales. Los jesuitas, que controlaban muchas instituciones académicas, se habían abocado a introducir el pensamiento "moderno" en los reinos americanos. Cuando fueron desterrados, sus discípulos y colaboradores ganaron en muchos casos el control de las antiguas instituciones dominadas por la orden. Estos discípulos se convirtieron en los profesores de los antiguos colegios jesuitas y asumieron importantes cargos detentados anteriormente por miembros de la Compañía de Jesús. Así, una generación más joven y un tanto más secular de americanos tomó el control sobre las instituciones culturales del continente. Los miembros de la nueva generación aprovecharon sus nuevos cargos y las nuevas oportunidades para estudiar las características especiales de sus patrias. José Antonio Alzate, Juan Ignacio Bartolache y otros estudiosos novohispanos publicaron importantes periódicos como la *Gaceta de literatura de México* y el *Mercurio volante*, para demostrar que Nueva España no sólo era rica, sino culta. El conocimiento que impartieron por medio de estas publicaciones contribuyó al patriotismo. Lo que es más: los escritores americanos fomentaron abiertamente el nacionalismo al referirse a la "patria", a la "nación" o a "nuestra América".

Las reformas borbónicas

La monarquía española no sólo era representativa y descentralizada, sino que también se mantenía atenta a las necesidades de muchos de sus miembros.[84]

83. Andrés Cavo, *Los tres siglos de Méjico durante el gobierno español* (México: Imprenta de J. R. Navarro, 1852). Cañizares-Esguerra, *How to Write the History of the New World*, pp. 268-291.

84. Como John L. Phelan señala: "La Monarquía española era absoluta sólo en el sentido original del Medioevo. El rey no reconocía a ningún superior dentro o fuera de sus reinos. Él era la fuente última de toda justicia y de toda ley. La frase medieval tardía rezaba: 'El rey es emperador en su reino' [Cabe señalar aquí que el verbo castellano *imperar* significaba *gobernar*.] Las leyes que portaban la firma real, empero, no eran la expresión

Sólo mucho después, durante el reinado de Carlos III (1759-1788), la corona intentó centralizar la monarquía y crear un imperio moderno con la península como su metrópoli. Este proyecto, conocido con el nombre de Reformas Borbónicas, aún no había sido instrumentado en su totalidad para 1808. Los americanos de todas las regiones, o bien objetaban o bien se oponían a dichas innovaciones, y modificaron muchas de ellas para que obedecieran a sus propios intereses. En el albor de la independencia, los líderes del Nuevo Mundo mantenían alto grado de autonomía y control sobre sus regiones.[85]

El creciente sentido de identidad americana a finales del siglo XVIII se estrelló contra la decisión de los gobernantes españoles de reducir el Nuevo Mundo al estatus de colonia. El proceso dio inicio con el advenimiento de una nueva dinastía. La victoria de Felipe V en la guerra de sucesión española (1700-1713) permitió al nuevo monarca Borbón emprender una serie de transformaciones diseñadas para centralizar el gobierno en España, vigorizar las finanzas públicas y reorganizar las fuerzas armadas. Los reformadores españoles como José Patiño y José del Campillo reavivaron la economía española aplicando políticas mercantilistas. Entre las transformaciones más importantes se contaba el establecimiento de un sistema de administración por intendencias en la península. El intendente era un administrador provincial con autoridad financiera, económica y judicial. Este nuevo funcionario, responsable directamente ante el rey, tenía instrucciones de reducir el regionalismo y fortalecer el gobierno nacional.

---

arbitraria de los deseos personales del rey. La legislación, y el grado en que se hacía cumplir, reflejaban las aspiraciones complejas y diversas de todos, o por lo menos varios grupos de esa sociedad corporativa y multiétnica. La monarquía era representativa y descentralizada hasta un punto que rara vez se sospecha. Aunque no había asambleas representativas formales o Cortes en las Indias, cada una de las corporaciones importantes, como [las repúblicas –los gobiernos indígenas–] los cabildos, los diversos grupos eclesiásticos, las universidades, y los gremios de artesanos, todas las cuales gozaban en gran medida de un gobierno autónomo, podían y de hecho hablaban en nombre de sus respectivos constituyentes. Sus opiniones llegaban al rey y al Consejo de Indias, transmitidas directamente por sus representantes acreditados a través de los virreyes y las audiencias, y sus aspiraciones conformaban el carácter de las decisiones finales". John L. Phelan, *The People and the King: The Comunero Revolution in Colombia, 1781* (Madison: University of Wisconsin Press, 1978), p. 82. Véase también: *Alejandra Irigoin y Regina Grafe* "Bargaining for Absolutism: A Spanish Path to Nation-State and Empire Building" en *Hispanic American Historical Review,* 88: 2 (mayo 2008), pp. 173- 209.

85. Sobre este punto véase: Jaime E. Rodríguez O., *La independencia de la América española* (México: Fondo de Cultura Económica, 1996), pp. 43-54.

Durante el reinado de Carlos III, estos empeñosos funcionarios aplicados en crear una sociedad racional más eficiente, reestructuraron la administración, la educación, la agricultura, la industria, el comercio y el transporte. Estos hombres de la Ilustración querían un gobierno mejor y más eficiente. Así pues, rechazaban el concepto de reinos "confederados" de la dinastía Habsburgo e insistían en que hubiese un gobierno unido y centralizado en España para las posesiones de ultramar.[86]

Si bien el programa de regeneración de los borbón comenzó en España, José del Campillo se concentró en los territorios de ultramar en un estudio realizado en 1743 y que lleva por título *Nuevo sistema de gobierno económico para la América*. Campillo proponía a la corona realizar una inspección general del Nuevo Mundo para recabar información precisa. Después, sobre la base de esa información, el gobierno real podría instituir reformas. Además de esto, Campillo sugería que la introducción de intendencias y el establecimiento del "libre comercio" dentro de la monarquía debían ser las piedras de toque de la reforma americana. Poco se logró, empero, antes de que la guerra de los siete años (1756-1763) llegara a su fin.[87]

Al tiempo que la guerra demostraba a todas luces que la monarquía española necesitaba controlar sus posesiones americanas si es que quería reivindicar su lugar como potencia mundial, las condiciones en el Nuevo Mundo contribuían a alimentar cierta sensación de urgencia. Como ha apuntado John Lynch:

> Había facetas del gobierno americano que ofuscaban a los Borbones. Las instituciones no funcionaban automáticamente, expidiendo leyes que fueran obedecidas. El instinto normal de los súbditos coloniales era cuestionar, evadir y modificar las leyes, y sólo como último recurso, obedecerlas... La burocracia colonial llegó a adoptar un papel de mediador entre la Corona y los súbditos que podría denominarse un consenso colonial.[88]

86. Colin M. MacLachlan, *Spain's Empire in the New World: The Role of Ideas in Institutional and Social Change* (Berkeley: University of California Press, 1988).
87. Miguel Artola, "Campillo y las reformas de Carlos III", en *Revista de Indias*, XII (1952), pp. 687-690. Aunque el estudio de Campillo no se publicó sino hasta 1762 como parte del *Proyecto económico* de Bernardo Ward, y de manera independiente en 1787, ya había circulado ampliamente en la forma de manuscrito.
88. John Lynch, *Bourbon Spain, 1700-1808* (Oxford: Basil Blackwell, 1989), pp. 329, 333.

Comandancia General de las Provincias Internas

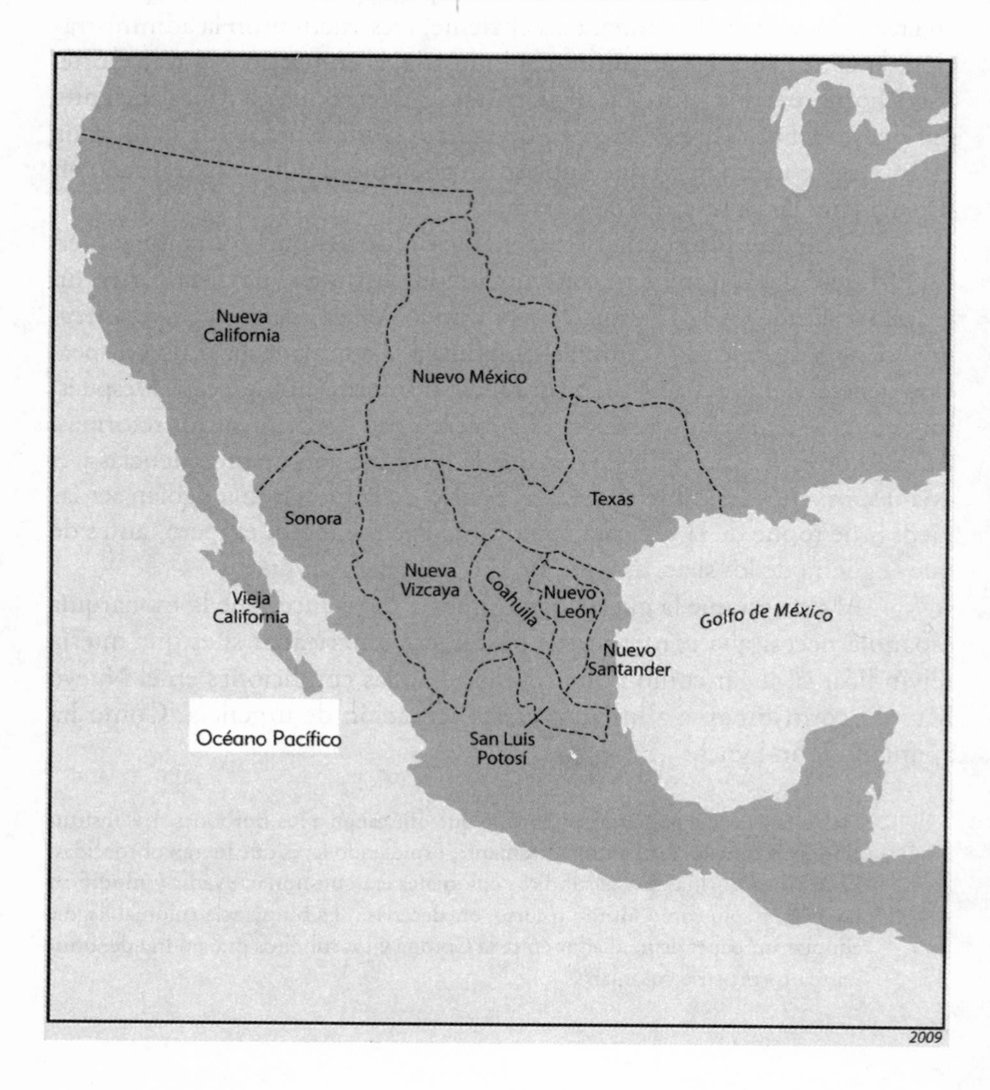

Para los reformadores borbónicos, el aspecto más inquietante de la situación en el Nuevo Mundo era el hecho de que los americanos ejercían un control nada despreciable sobre sus propios asuntos. Esto era resultado de la política que la corona había aplicado anteriormente. Las elites locales de los diversos reinos o regiones del hemisferio occidental tenían un poder económico considerable. Eran ellas quienes dominaban la economía doméstica, incluidas la agricultura comercial, la minería, la industria y los servicios. Los españoles nacidos en Europa dominaban el gran monopolio del comercio entre España y América, mientras que los criollos y mestizos a menudo estaban inmersos en el comercio extensivo interno o interamericano. Este poderío económico de los americanos se traducía en notable influencia política.

Teóricamente, los funcionarios reales que gobernaban la zona no tenían vínculos con los grupos locales. Pero la administración real en América era débil y sus representantes se veían forzados a colaborar con las elites de la región para gobernar con cierta eficacia. Los notables locales cooptaban a los burócratas reales por medio de la amistad, el matrimonio, las sociedades de negocios y los sobornos.[89] Se pensaba que los alcaldes mayores y los corregidores, funcionarios de medio nivel que operaban en el ámbito local, eran particularmente propensos a la cooptación y la corrupción debido a que no obtenían sus ingresos de un salario sino del comercio. Estos funcionarios percibían fondos de los comerciantes y empresarios locales y luego dotaban a los pequeños agricultores e indígenas dentro de su jurisdicción de dinero, equipo y provisiones del repartimiento de comercio.[90]

Los americanos contendían con éxito por los cargos públicos en sus patrias. Querían gobernarse a sí mismos de la misma manera en que los reinos peninsulares, como Cataluña, lo habían hecho durante el siglo

89. Véase, por ejemplo, John L. Phelan, *The Kingdom of Quito in the Seventeenth Century: Bureaucratic Politics in the Spanish Empire* (Madison: University of Wisconsin Press, 1967).

90. Para una reconsideración de la importancia del repartimiento, véanse: Colin M. MacLachlan y Jaime E. Rodríguez O., *The Forging of the Cosmic Race: A Reinterpretation of Colonial Mexico* (Berkeley: University of California Press, 1980), pp. 111-112, 299; y Jeremy Baskes, "Coerced or Voluntary? The Repartimiento and Market Participation of Peasants in Late Colonial Oaxaca", en *Journal of Latin American Studies*, 28:1 (febrero, 1996), pp. 1-28; e *Indians, Merchants, and Markets: A Reinterpretation of the Repartimiento and Spanish-Indian Economic Relations in Colonial Oaxaca, 1750-1821* (Stanford: Stanford University Press, 2000).

XVII.[91] Los americanos no sólo deseaban ocupar la mayoría de los cargos en el Nuevo Mundo; querían servir a sus patrias. En este sentido, los criollos de otras regiones eran vistos como forasteros, al igual que los peninsulares. Ocupar un cargo se hizo posible a mediados del siglo XVII, cuando la corona, desesperada por obtener fondos, comenzó a venderlos. El resultado fue que los americanos ocuparon cargos en corregimientos, ayuntamientos, audiencias y, en una ocasión, el cargo de virrey.[92] Así, los reinos del Nuevo Mundo llegaron a ser relativamente autónomos.

Durante el periodo que va de 1687 a 1750 los americanos controlaron las audiencias de sus regiones. Aunque fueron los Habsburgo quienes iniciaron esta práctica, los primeros reyes Borbón, Felipe V y Fernando VI, aceleraron el proceso. Durante la primera mitad del siglo XVIII, 108 criollos fueron nombrados a 136 cargos de las audiencias. La demanda financiera que entrañaban las guerras en Europa derivó en mayores ventas de cargos de oidor. La monarquía vendió la mayor parte de los puestos de oidores de audiencia en zonas seguras como Guadalajara, Quito, Lima, Charcas y Santiago de Chile, mientras que en aquellas audiencias susceptibles de ser atacadas por los británicos, como Santo Domingo, Santa Fe de Bogotá y México, vendió un número escaso de cargos de oidor. Preocupada por el creciente poder de los americanos, la corona dejó de vender cargos en 1750. Pero eran tantos los americanos que se habían hecho de un puesto, que mantuvieron su mayoría en las audiencias de México, Lima y Santiago hasta la década de 1770.[93]

Los americanos buscaban los puestos gubernamentales con ahínco porque creían que al controlar el gobierno local podrían determinar su propio destino. Para ellos, sus patrias eran reinos de la monarquía española universal, y no colonias, como las de Francia o Gran Bretaña. Estaban convencidos

91. Véase: J. H. Elliott, *The Revolt of the Catalans* (Cambridge: Cambridge University Press, 1963).
92. John H. Parry, The *Sale of Public Office in the Spanish Indies under the Habsburgs* (Berkeley: University of California Press, 1963); Fernando Muro, "El 'beneficio' de oficios públicos en Indias", en *Anuario de Estudios Americanos*, 35 (1978), pp. 1-67; Alfredo Moreno Cebrián, "Venta y beneficios de los corregimientos peruanos", en *Revista de Indias*, 36, núm. 143-144 (enero-junio, 1976), pp. 213-246; Kenneth J. Andrien, "The Sale of Fiscal Offices and the Decline of Royal Authority in the Viceroyalty of Peru, 1633-1700", en *Hispanic American Historical Review* (en adelante HAHR), 62:1 (1982), pp. 49-71.
93. Mark A. Burkholder y D. S. Chandler, *From Impotence to Authority: The Spanish Crown and the American Audiencias, 1687-1808* (Columbia: University of Missouri Press, 1977). David A. Brading, *Miners & Merchants in Bourbon Mexico, 1763-1810* (Cambridge: Cambridge University Press, 1971), pp. 40-44.

de que una "Constitución no escrita" requería "que las decisiones básicas se alcanzaran a través de la consulta informal entre la burocracia real y los súbditos... del rey [en el Nuevo Mundo.] Por lo general ahí surgía un acuerdo viable entre lo que las autoridades centrales querían idealmente y lo que las condiciones y las presiones locales podían tolerar en términos realistas".[94]

Empero, los reformadores borbónicos creían en un Estado central, y no en un Estado fundado en el consenso. Además, rechazaban la dependencia de los Habsburgo respecto de la Iglesia y favorecían una administración secular operada por burócratas civiles y militares. Como los reformadores del siglo XX, los hombres de la Ilustración del siglo XVIII creían que el Estado era la institución más adecuada para promover la prosperidad y el bienestar de la monarquía. Aunque se enfrentaron a una enorme oposición local, los reformadores actuaron con decisión, pues contaban con el apoyo del monarca.

Tras la guerra de los siete años, Cuba se convirtió en la locación de un experimento reformista. Los Borbón comenzaron por realizar una visita o inspección durante los años 1763 y 1764. Después establecieron una intendencia, un nuevo ejército permanente e instauraron un comercio más libre dentro de la monarquía. El resultado fue positivo desde el punto de vista de los reformadores –los americanos fueron eliminados poco a poco de los cargos públicos, la recolección de impuestos aumentó, y el nuevo ejército parecía funcionar con relativa eficacia–. Sin embargo, los borbones no esperaron a conocer los resultados de las transformaciones en Cuba antes de decidir que las reformas serían instauradas en toda América.

Nueva España fue testigo del primer intento por introducir las transformaciones en gran escala, y todo comenzó por la visita general de José de Gálvez, de 1765 a 1771. El visitador general, antiamericano en extremo, fijó el patrón que habría de seguir la reforma real. Sin ningún reparo, Gálvez atacó el antiguo orden, poniendo en cuestión el concepto del virreinato, que era el núcleo de la estructura de gobierno con los Habsburgo. El enfoque agresivo de Gálvez y sus acciones decididas para remediar los problemas que identificaba, ofendieron a los novohispanos, quienes consideraban los actos del visitador como un abuso de autoridad. Acostumbrados al consenso

94. Phelan, *The People and the King*, xviii.

político, a los novohispanos les era difícil aceptar las transformaciones. José de Gálvez pretendía reemplazar el virreinato por un sistema de comandancias generales y de poderosas intendencias de segundo nivel que, en su opinión, incrementarían la recolección de impuestos y mantendrían el orden con mayor eficiencia. Gálvez también propuso eliminar el repartimiento de comercio y reemplazar a los alcaldes mayores y corregidores por funcionarios asalariados. La audiencia, en tanto elemento importante de la estructura tradicional, también fue blanco de los ataques del visitador. Gálvez redujo la jurisdicción de los oidores concediendo fueros, es decir, la facultad de juzgar a sus propios subordinados, a muchas instancias como el servicio postal, los monopolios de pólvora, tabaco y naipes, y los organismos fiscales.

La reforma ganó terreno en 1776 cuando Gálvez fue nombrado ministro de las Indias. Pese a la oposición con que se había topado en Nueva España, Gálvez estaba decidido introducir las reformas en toda América. Ese mismo año, Antonio de Areche, uno de los lugartenientes más cercanos a Gálvez en Nueva España, comenzó una visita general a Perú, que se prolongaría hasta 1784. Areche ya había mostrado una actitud violentamente antiamericana en Nueva España, a la que caracterizaba casi como un desierto con cuatro o cinco ciudades de pobre disposición. Sus condenas más hirientes, empero, se dirigían al proceso de mestizaje y al carácter moral de los novohispanos.[95]

Los esfuerzos de los reformadores por transformar la administración, abolir los acuerdos de larga data e incrementar los impuestos se toparon con una oposición masiva en América. En toda la región, quienes resultaron afectados por los cambios recurrieron a todos los remedios legales para obstaculizar o modificar el nuevo sistema. En algunas zonas, la población optó por la resistencia armada para exigir solución a sus problemas. En 1766 varias regiones de Nueva España fueron asaltadas por tumultos –San Luis Potosí, Guanajuato, Michoacán y otras zonas del norte–. Las revueltas en Nueva España se multiplicaron cuando los jesuitas, casi todos ellos nacidos en América, fueron expulsados al año siguiente. Las masas atacaron los monopolios

95. Las opiniones de Areche son tratadas en Christon I. Archer, "What Goes Around Comes Around: Political Change and Continuity in Mexico, 1750-1850", en *Mexico in the Age of Democratic Revolution, 1750-1850,* Jaime E. Rodríguez O. (ed.) (Boulder: Lynne Rienner 1994), pp. 264-266.

de tabaco y pólvora, saquearon las tiendas y las oficinas del tesoro real, liberaron a los prisioneros de las cárceles, tomaron por asalto a quienes se acusaba de haber expulsado a los jesuitas y obligaron a los funcionarios militares y reales a emprender la huida.[96]

La pieza clave de la reforma americana, la intendencia, suscitó una oposición local considerable. Introducida por vez primera en Cuba, en 1764, la reforma había mejorado la administración, en particular la recolección de impuestos, pero había escandalizado de tal forma a la elite de la isla que el capitán general solicitó que la ordenanza fuese revocada. Aunque la corona se negó a ello, la reacción de Cuba retrasó la instrumentación de otras intendencias en otros lugares de América. El visitador general Gálvez propuso establecer intendencias en Nueva España en su Plan de intendencias de 1768. Pero la reforma quedó archivada hasta 1776, cuando Gálvez mismo se convirtió en ministro de las Indias. Debido a la oposición de la elite americana y a la obstrucción de los burócratas reales, Gálvez comenzó a introducir reformas en zonas periféricas de la monarquía. En 1776 se estableció la Comandancia General de las Provincias Internas, al norte de Nueva España, como una forma de dar cohesión a la zona y de brindar protección a los habitantes. Ese mismo año, Venezuela fue reorganizada como una capitanía general y se instauró una intendencia en Caracas. El virreinato del Río de la Plata se creó en 1776, pero no recibió intendencias sino hasta 1782. Dos años más tarde, el sistema fue instaurado en Perú y en 1786 en Nueva España.[97]

Si bien el sistema de intendencias logró mejorar el gobierno provincial, aumentar la recaudación de impuestos y promover el desarrollo económico

96. Véanse, por ejemplo, Felipe Castro Gutiérrez, *Movimientos populares en Nueva España: Michoacán, 1766-1767* (México: UNAM, 1990); y *Nueva Ley y Nuevo Rey: Reformas borbónicas y rebelión popular en Nueva España* (Zamora y México: El Colegio de Michoacán/UNAM, 1996).

97. Lillian E. Fisher, *The Intendant System in Spanish America* (Berkeley: University of California Press, 1929); Luis Navarro García, *Intendencias en Indias* (Sevilla: Escuela de Estudios Hispanoamericanos, 1956); John Lynch, *Spanish Colonial Administration, 1772-1810* (Londres: The Athlone Press, 1958); John R. Fisher, *Government and Society in Colonial Peru: The Intendant System, 1784-1814* (Londres: The Athlone Press, 1970); Herbert Priestley, *José de Gálvez, Visitor-General of New Spain, 1765-1771* (Berkeley: University of California Press, 1916); Ricardo Rees Jones, *El despotismo ilustrado y los intendentes de la Nueva España* (México: UNAM, 1979); Horst Pietschmann, *Las reformas borbónicas y el sistema de intendentes en Nueva España* (México: Fondo de Cultura Económica, 1996); Ignacio del Río, *La aplicación regional de las reformas borbónicas en Nueva España: Sonora y Sinaloa, 1768-1787* (México: UNAM, 1995); y María del Carmen Velásquez, *Establecimiento y pérdida del septentrión de Nueva España* (México: El Colegio de México, 1974).

regional, su legado político fue, en última instancia, el regionalismo.[98] Los nuevos funcionarios, que tenían mucho poder, trastornaron las redes políticas y económicas existentes, que vinculaban a las elites locales con sus contrapartes en las capitales del virreinato, y que brindaban oportunidades para la movilidad económica y social en el ámbito provincial. El mejoramiento de los caminos, las obras públicas, del sistema de sanidad y de suministro de agua, y otros servicios públicos alimentaban el orgullo civil. Puesto que la introducción de funcionarios fuertes, prestigiosos y bien pagados fortalecía el estatus de las capitales de provincias, los intendentes y las elites locales cooperaron para lograr mayores influencia y autoridad en sus regiones. El resultado fue que los nuevos funcionarios no sólo contribuyeron sin darse cuenta al regionalismo, sino que también se encontraron a sí mismos inmersos en la política local.

Los funcionarios de segundo nivel, los subdelegados que reemplazaron a los corregidores y alcaldes mayores, no tuvieron un mejor final. Sin los ingresos ni el prestigio de los intendentes, los subdelegados se vieron incapacitados para brindar una buena administración y justicia en el campo. Muchos sucumbieron pronto a las exigencias de restauración del repartimiento de comercio. En algunos casos, las elites locales insistieron en que el repartimiento era necesario para obligar a las comunidades indígenas a participar en el comercio. En otros, la población local exigió que se restaurara dicha institución porque el repartimiento de comercio era el único sistema de crédito disponible para los pequeños agricultores y para las comunidades indígenas.[99]

98. Sin embargo, Manuel Miño Grijalva ha argumentado que Nueva España estaba conformada por una serie de ciudades interrelacionadas en la que la ciudad de México era dominante. Véavse: *El mundo novohispano. Población, ciudades y economía, siglos XVII y XVIII* (México: Fondo de Cultura Económica, 2001); y "La Ciudad de México. De la articulación colonial a la unidad nacional, o los orígenes de la 'centralización federalista'", en Jaime E. Rodríguez O. (coord.), *Revolución, independencia y las nuevas naciones de América* (Madrid: Mapfre-Tavera, 2005), pp. 161-192.

99. Margarita Menegus Bornemann, "Economía y comunidades indígenas. El efecto de la supresión del sistema de reparto de mercancías en la intendencia de México, 1786-1810", en *Mexican Studies/Estudios Mexicanos* [en adelante *MS/EM*] 5:2 (verano, 1989), pp. 201-219. Para una evaluación cuidadosa y reciente sobre el repartimiento en Nueva España, véase: Arij Ouweneel, *Shadows over Anáhuac: An Ecological Interpretation of Crisis and Development in Central Mexico, 1730-1800* (Albuquerque: University of New Mexico Press, 1996), pp. 159-209. Véase también: Stanley J. Stein, "Bureaucracy and Business in the Spanish Empire, 1759-1804: Failure of a Bourbon Reform in Mexico and Peru", en *HAHR*, 61:1 (febrero, 1981), pp. 2-28; Jacques A. Barbier y Mark A. Burkholder, "Critique of Stanley J. Stein's 'Bureaucracy...'" y Stanley J. Stein, "Reply", en *HAHR*, 62:3 (agosto, 1982), pp. 460-469, 469-477.

La reforma municipal fue un aspecto importante de las Reformas Borbónicas. En la década de 1760, la corona instituyó las reformas municipales, primero en España y después en Nueva España. Uno de los principales objetivos era lograr mayor control sobre las finanzas municipales. Una auditoria realizada por la corona a los registros de los ayuntamientos en la península concluyó que los fondos públicos no eran bien manejados. De ahí que la monarquía introdujera un organismo regulador, la Contaduría General de Propios y Arbitrios, para revisar anualmente los gastos de las ciudades. Más tarde, durante su visita general, José de Gálvez llevó a cabo una auditoria del ayuntamiento de finanzas en Nueva España. Tras examinar las cuentas de la ciudad de México, acusó a los regidores de corruptos y de favorecer a sus parientes y amigos.[100] Gálvez y otros reformadores sostenían que la venta de cargos contribuía sustancialmente a la corrupción y a los fallos administrativos. Por eso recomendó la introducción de una Contaduría General de Propios y Arbitrios en Nueva España, recomendación que la corona aprobó.

Como en el caso de las finanzas públicas, el monarca recurrió a un mecanismo que había sido aplicado previamente en las municipalidades de la península para introducir después una reforma urbana en Nueva España. En 1766, Carlos III expidió la "Instrucción de Diputados y Personeros", con el fin de reformar el gobierno municipal en España. La Instrucción declaraba que: "Deseando evitar a los pueblos todas las vexaciones que por mala administración o régimen de Concejales padezcan... y que todo del vecindario sepa como se manejan [los fondos del pueblo] y pueda discurrir en el modo más útil...; mandamos"[101] que esta reforma fuese instrumentada. La introducción de diputados del común y personeros ha sido interpretada por lo general como un esfuerzo de la corona por imponer mayor control al gobierno municipal socavando el poder de los regidores perpetuos. Pero quizá sin intención alguna la reforma amplió la participación política local. Los vecinos votaban en el ámbito parroquial por los compromisarios que, a su vez, elegían a los diputados del común y los síndicos personeros. Entre

100. Las acciones de José de Gálvez pueden considerarse hipócritas, pues su preferencia por sus parientes, paisanos y amigos era flagrante, en particular cuando llegó al poder en España.

101. María Dolores Rubio Fernández, *Elecciones en el Antiguo Régimen* (Alicante: Universidad de Alicante, 1989), p. 46.

quienes tenían derecho a votar no sólo se encontraban nobles, profesionales y comerciantes, sino artesanos y campesinos, siempre y cuando tuvieran "un empleo o profesión decente". La composición social de cada ciudad o pueblo determinaba quién podría o no votar.

En Nueva España, las elecciones para los regidores honorarios y síndicos procuradores del común se organizaron durante la década de 1770. El número de funcionarios dependía del tamaño de la ciudad. México, por ejemplo, podía elegir a seis regidores honorarios y dos síndicos, mientras que Puebla podía elegir a cuatro regidores honorarios y dos síndicos. El número de elecciones organizadas con este nuevo sistema aún no es seguro. Según Reinhard Liehr, se llevaron a cabo elecciones en México, Guadalajara, Veracruz, Jalapa, Querétaro "y evidentemente en San Luis Potosí, Zacatecas y en otras ciudades del virreinato".[102] Según François-Xavier Guerra, "en Nueva España muchos de [los ayuntamientos] contaban con diputados y síndicos personeros del común, instaurados por las reformas municipales de Carlos III y elegidos, por tanto, por todos los vecinos".[103] Mientras investigaba sobre otro tema, y de manera más bien accidental, encontré un acta electoral en el Archivo General de la Nación, en México, para el pequeño pueblo de Yxtlahuaca, con un elevado sufragio que incluía al clero secular, los propietarios, los mercaderes, los artesanos, los carpinteros y los indígenas.[104] Esto sugiere que la reforma municipal expandió la participación política local en Nueva España y que fue tal vez una reforma instrumentada extensivamente, a todo lo largo y ancho del virreinato.

Ante estas reformas, los novohispanos volvieron enarbolar el principio del gobierno mixto y su derecho a la representación. En mayo de 1771, la Muy Noble, Muy Leal, Insigne, e Imperial Ciudad de México envió una representación al rey Carlos III que comenzaba así: "Para asuntos de el interés de toda la América Septentrional ha querido V. M. que no tenga otra voz,

102. Reinhard Liehr, *Ayuntamiento y oligarquía en Puebla, 1787-1810*, 2 vols. (México: Sep-Setentas, 1971), I, p. 100.

103. François-Xavier Guerra, *Modernidad e independencias. Ensayos sobre las revoluciones hispánicas* (Madrid: Mapfre, 1992), p. 192. En la nota 48 de esa misma página, afirma: "Encontramos al síndico personero del común en Querétaro, Puebla, Zacatecas, Guanajuato, San Luis, Veracruz y también la Ciudad de México".

104. "Lista de los Vecinos que compusieron la Junta I votaron para Síndico Personero de esta Villa de Yxtlahuaca", AGN: Ayuntamientos, vol. 141.

sino la de esta Nobilísima Ciudad, como Cabeza, y Corte de toda ella".[105] "La Representación no era una muestra del protonacionalismo [como algunos han afirmado] sino un alegato de derechos jurídicamente bien armado e inatacable según los criterios del ideario monárquico más ortodoxo".[106] El ayuntamiento recordaba al rey las numerosas contribuciones que había hecho a la monarquía y los títulos, derechos y privilegios importantes de que se había hecho acreedor a lo largo de los años. Este organismo sostenía en su larga Representación que era un reino autónomo dentro de la monarquía española y que sus naturales poseían el derecho a la mayoría de los cargos, tanto civiles como eclesiásticos.

Aunque Carlos III no aceptó las reivindicaciones de la ciudad de México para que los naturales del virreinato mantuvieran el derecho a la mayoría en los puestos civiles y eclesiásticos de Nueva España, tampoco rechazó el principio de la representación. Como ha señalado Annick Lempérière: "la Corona española desplegó bastante imaginación para librarse del marco estrecho de la representación urbana, la cual, [estaba] apegada a la defensa de privilegios y (...) de patrimonios (...) Es así como inventó, apoyándose en las tradiciones corporativas más aprobadas, ingeniosos mecanismos de representación al mismo tiempo gremial y territorial".[107]

La reforma económica era una plataforma importante del programa Borbón para reestablecer la autoridad de la corona y aumentar sus ingresos. El fortalecimiento del Consulado de México, que durante largo tiempo fuera rival del ayuntamiento capitalino, así como la instauración de nuevos consulados, uno en Veracruz y otro en Guadalajara, son ejemplos de las instituciones en que la corona se apoyaba para incrementar la recaudación. Una de las innovaciones más interesantes fue el Cuerpo y Tribunal de Minería, fundado con

105. "Representación que hizo la ciudad de México al rey D. Carlos III en 1771 sobre que los criollos deben ser preferidos a los Europeos en la distribución de empleos y beneficios de estos reinos", en J. E. Hernández y Dávalos (eds.), *Colección de Documentos para la Historia de la Guerra de Independencia en México*, 6 vols. (México: José María Sandoval, 1877), I, p. 427. Para una interpretación diferente, véase: Salvador Bernabeau Albert, "Introducción", en *El criollo como voluntad y representación* (Madrid: Mapfre-Instituto de Cultura y Doce Calles, 2006), pp. 13-75.

106. Annick Lempérière, "La representación política en el Imperio español a finales del Antiguo Régimen", en Marco Bellingeri (coord.), *Dinámicas del Antiguo Régimen y orden constitucional* (Torino: Otto, 2000), p. 63.

107. *Ibid.*, p. 65.

la intención de revitalizar la industria minera. Una larga huelga en Real del Monte en 1766 confirmó la postura de los reformadores de que la producción había declinado debido al desorden en la industria.[108] Los dueños de minas en Nueva España tomaron la iniciativa en la conformación de la respuesta gubernamental. En 1774 comisionaron al sabio novohispano Joaquín Velásquez de León para redactar una Representación que enviaron al rey. En ella proponían establecer un gremio minero, un banco de avíos y un seminario o colegio de minería. Dos años más tarde, la corona aprobó la propuesta con algunas modificaciones. El Cuerpo y Tribunal de Minería instauró una nueva y amplia forma de representación. Casi todos los reales de minas estaban autorizados a establecer una diputación compuesta por diputados que serían elegidos por los mineros locales para resolver problemas. Las minas también enviaban representantes al tribunal en la ciudad de México para abordar los asuntos generales de la minería y para supervisar la administración del Banco de Avíos y el seminario. Velásquez de León se convirtió en el primer director del tribunal.[109] Por primera vez en su historia, Nueva España poseía un organismo que representaba a todas las regiones y que se reunía en la capital. Aunque no se tratara de una asamblea representativa de toda la gente del virreinato y aunque no se ocupara del gobierno en general de Nueva España era un paso importante en el desarrollo de un gobierno representativo moderno.

Tal como esperaba la corona, las nuevas instituciones aumentaron las rentas públicas y contribuyeron al crecimiento económico. A cambio de una Constitución escrita –sus ordenanzas– y del derecho a la representación y el gobierno propio, los nuevos organismos, en particular los consulados y el Cuerpo y Tribunal de Minería, recabaron sumas de dinero sin precedentes

108. Doris M. Ladd, *The Making of a Strike: Mexican Silver Workers's Struggle in Real del Monte, 1766-1775* (Lincoln: University of Nebraska Press, 1988).

109. Roberto Moreno (con el apoyo de María del Refugio González), "Instituciones de la industria minera novohispana", en Miguel León-Portilla, *et al.*, *La minería en México* (México: UNAM, 1978), pp. 69-164; Roberto Moreno, "Régimen de trabajo en la minería del siglo XVIII", en Elsa Cecilia Frost, *et al.*, *El trabajo y los trabajadores en la historia de México* (México y Tucson: El Colegio de México / University of Arizona Press, 1979), pp. 242-267. Véase también: María del Refugio González (ed.), *Título décimo quinto. De los Jueces y Diputados de los Reales de Minas, Ordenanzas de la Minería de la Nueva España formadas y propuestas por su Real Tribunal* (México: UNAM, 1996).

para apoyar a la corona. En un momento de conflictos internacionales crecientes, la monarquía española necesitaba esos recursos.[110]

La corona veía el libre comercio dentro de la monarquía como un rasgo central del programa de reformas económicas. Como explicaba el ilustrado virrey de Nueva España, Juan Vicente Güemes de Pacheco y Padilla, segundo conde de Revillagigedo, a su sucesor:

> No debe perderse de vista que esta es una colonia que debe depender de su matriz, la España, y debe corresponder a ella con algunas utilidades, por los beneficios que recibe de su protección, y así se necesita gran tino para combinar esta dependencia y que se haga mutuo y recíproco el interés lo cual cesaría en el momento que no se necesitase aquí de las manufacturas europeas y sus frutos.[111]

En un intento por dominar el comercio del Nuevo Mundo, en 1778 los reformadores borbónicos formularon ciertas regulaciones que llamaban el "comercio libre y protegido", y que fueron formuladas con la intención de reducir a los americanos al papel de proveedores coloniales de la plata y materias primas, y al de consumidores para los productos manufacturados en España. A partir de 1765, las autoridades españolas abolieron el monopolio de Cádiz, abriendo el comercio primero en el Caribe a ocho puertos más en la península y, más tarde, Louisiana en 1768, Campeche y Mérida en 1770, y Perú, Chile y Río de la Plata en 1778. Aunque luego, ese mismo año, la corona expidiera el *Reglamento de comercio libre y protegido*, Venezuela y Nueva España fueron excluidas por otra década, ya que la primera estaba controlada por la Compañía de Caracas y las autoridades temían que la vasta economía de la segunda abrumara a las economías de las regiones más pobres de América. Más tarde, en 1788, Venezuela fue incluida en el sistema, y Nueva España le seguiría al año siguiente. Aunque puso fin al monopolio

110. Sobre el estatus de la economía novohispana a finales del siglo, véase: Miño Grijalva, *El mundo novohispano*, pp. 381-410. Sobre las contribuciones financieras a la monarquía, véase: Carlos Marichal, *La bancarrota del virreinato. Nueva España y las finanzas del Imperio español, 1780-1810* (México: Fondo de Cultura Económica, 1999).

111. Citado en Catalina Sierra, *El nacimiento de México*, 2ª ed. (Mexico: Porrúa, 1984), p. 177.

de Cádiz, el comercio libre restringía la movilidad comercial americana a los puertos españoles e hispanoamericanos. El comercio con los extranjeros estaba prohibido, ya que la intención era reducir el Nuevo Mundo al estatus de una colonia. Puesto que la industria española no podía satisfacer todas las necesidades de la monarquía, los americanos seguían produciendo un importante sector de los bienes manufacturados, y los extranjeros seguían participando en el comercio hispanoamericano reembarcando sus bienes vía la península y por medio del contrabando.[112]

El libre comercio multiplicó las transacciones con España, pues los puertos vascos, catalanes y gallegos empezaron a comerciar abiertamente con América. Entre 1778 y 1796, el periodo en que el comercio libre funcionó antes de que colapsara en 1797 como resultado de la alianza entre España y la Francia revolucionaria, los cargamentos peninsulares al Nuevo Mundo se cuadruplicaron y las exportaciones de América a España aumentaron diez veces. Aunque Barcelona, el centro de la industria española, enviaba bienes manufacturados, la mayoría de las exportaciones españolas a América era de productos agrícolas. El reembarque de bienes extranjeros también creció. Mientras que la plata siguió siendo la principal exportación americana, los productos agrícolas como el tabaco, el cacao, el azúcar, la cochinilla, el índigo y las pieles, constituyeron 44 por ciento del total de exportaciones durante el periodo de 1778 a 1796. Nueva España se mantenía en primer lugar en materia de importaciones y exportaciones, no sólo porque era el mayor productor de plata, sino también porque era la región más acaudalada, más desarrollada y más poblada de América.[113]

Los reformadores borbónicos veían a la Iglesia como un obstáculo para su plan de modernización de la monarquía. Así pues, enfrentaron el problema desde cuatro frentes: redujeron el número de miembros del clero, pues consideraban a los hombres de la Iglesia como parásitos improductivos que representaban una carga para la sociedad, retiraron al clero de la burocracia y

112. John Fisher, *Commercial Relations between Spain and Spanish America in the Era of Free Trade, 1778-1796* (Liverpool: University of Liverpool, 1985).

113. Javier Ortiz de la Tabla, *Comercio exterior de Veracruz, 1778-1821* (Sevilla: Escuela de Estudios Hispanoamericanos, 1978).

lo reemplazaron con funcionarios seculares, expulsaron a los jesuitas que dominaban la educación en las Américas y expropiaron las propiedades de la Iglesia. La Iglesia no sólo detentaba gran influencia, también poseía una enorme riqueza en dicha Península. Desde el punto de vista de los reformadores, al ser esas tierras de "manos muertas" y al retener una propiedad productiva fuera del alcance de la sociedad, la Iglesia privaba al Estado de ingresos. El conde de Campomanes, por ejemplo, sugirió que podría requerirse la expropiación para remediar el desequilibrio entre una Iglesia rica y un Estado necesitado.

Los reformadores también querían disminuir el poder de la Iglesia en el campo de la educación. En España, la Iglesia, y en particular la Compañía de Jesús, controlaba la educación superior en más de un sentido. La Compañía controlaba los colegios mayores, residencias originalmente destinadas a los estudiantes más pobres, pero que habían sido tomadas por los hijos de las familias terratenientes. Los colegiales, producto de los colegios mayores, dominaban el clero y tenían gran influencia en la administración real. Los hijos de la baja nobleza, excluidos de los colegios mayores y desdeñosamente conocidos como manteístas, por las largas capas –o mantas– que debían usar, luchaban por obtener educación. Su privación relativa les dotó de una predisposición anticlerical que se reafirmó durante el reinado de Carlos III; muchos de sus funcionarios reformistas eran manteístas. Como éstos se oponían al poder de la Iglesia, eran considerados por sus oponentes como "jansenistas". Se formaron entonces dos grupos con posturas opuestas en torno al papel apropiado de la Iglesia: los ultramontanos –los colegiales–, que se identificaban con los jesuitas y favorecían el orden tradicional, y los reformistas –manteístas–, que deseaban acabar con el poder jesuita sobre la sociedad hispánica. La oportunidad de imponer un cambio llegó en marzo de 1766, cuando un motín que se oponía a las reformas del ministro de Carlos III nacido en Italia, el marqués de Esquilache, tuvo lugar en Madrid.

Aunque el motín de Esquilache fue producto de una compleja serie de factores, como las malas cosechas, el aumento de impuestos y los fracasos de España en la guerra de los siete años, los funcionarios reales culparon del alzamiento a las maquinaciones de los jesuitas, a los colegiales y a otros oponentes a las reformas. Cuando se restauró el orden, una comisión determinó, tras una investigación secreta, que los jesuitas habían promovido el motín.

En consecuencia, el 27 de febrero de 1767 el rey ordenó que éstos fueran expulsados de España y de todos sus dominios.[114]

La expulsión de unos 2 500 jesuitas de la monarquía española afectó a América. Muchos eran naturales del Nuevo Mundo, donde los miembros de la Compañía de Jesús jugaron un papel importante como educadores y consejeros de la elite local. Los jesuitas dominaban los colegios y universidades del continente, poseían varias haciendas y obrajes, administraban hospitales, orfanatos y otras caridades, y atendían las misiones del extremo norte y el extremo sur, y que en Paraguay funcionaban como enclaves casi totalmente autónomos. Los reformadores borbones veían a la Compañía de Jesús como el ejemplo extremo del poder casi independiente de la Iglesia en la América española.[115]

En un inicio, los americanos reaccionaron con gran encono ante la expulsión, que veían como un acto inexplicable. En algunas zonas, en particular en Nueva España, la población se sublevó. A lo largo y ancho del Nuevo Mundo, la elite criticó el proceder real que desterró a sus parientes, maestros y consejeros. Empero, con el tiempo, se tranquilizaron los ánimos, pues el gobierno vendió las propiedades jesuitas expropiadas a aquellos individuos que contaban con crédito y estatus. Así, otros asumieron el control de los colegios, misiones y caridades jesuitas, incluidas las demás órdenes regulares. Aunque la transferencia de propiedades, instituciones e influencia jesuitas encontró postores en América, los jesuitas se llevaron consigo un poderoso activo: el patriotismo americano, que –como hemos visto– más adelante daría forma a sus escritos y ejercería influencia sobre las actitudes de los líderes del Nuevo Mundo.

114. Constancio Eguía Ruiz, *Los jesuitas y el motín de Esquilache* (Madrid: Consejo Superior de Investigaciones Científicas, 1947); Vicente Rodríguez Casado, *La política y los políticos en el reinado de Carlos III* (Madrid: Rialp, 1962); Laura Rodríguez, "The Riots of 1766 in Madrid", en *European Studies Review*, 3:3 (1973), pp. 223-242; y de ella misma, "The Spanish Riots of 1766", en *Past and Present*, 59 (1973), pp. 117-146; así como Stanley J. Stein y Barbara Stein, *The Apogee of Empire: Spain and New Spain in the Age of Charles III, 1759-1789* (Baltimore: The John Hopkins University Press, 2003), pp. 81-115.

115. Sobre el tema de los jesuitas, véanse: Ignacio Osorio Romero, *Colegios y profesores Jesuitas que enseñaron latín en Nueva España, 1572-1767* (México: UNAM, 1979); Magnus Mörner, *The Expulsion of the Jesuits from Latin America* (Nueva York: Knopf, 1965); Alberto Francisco Pradeau, *La expulsión de los Jesuitas de las Provincias de Sonora, Ostimuri y Sinaloa en 1767* (México: Antigua Librería Robredo de Porrúa, 1959); y Herman W. Konrad, *A Jesuit Hacienda in Colonial Mexico: Santa Lucía, 1576-1767* (Stanford: Stanford University Press, 1980).

La redefinición de la jurisdicción legal del Estado sobre los asuntos del clero se convirtió en el punto más importante de controversia entre los reformadores y la Iglesia. Los fueros eclesiásticos permitían a las Cortes diocesanas reivindicar para sí una jurisdicción exclusiva sobre ciertas ofensas cometidas por el clero. Al tiempo que los hombres de la Iglesia disfrutaban de inmunidad personal respecto de las autoridades civiles, reclamaban el derecho a interferir en una sociedad secular. En el caso del asilo, la Iglesia mantuvo un papel mediador entre el pueblo y la justicia del rey. La corona intentó excluir a ciertos tipos de criminales del derecho al asilo y declaró algunas iglesias como "iglesias frías" que no podían ofrecer esta asistencia. Parte importante de la nueva política estatal hacia la Iglesia era declarar temporal toda propiedad. Esta decisión transfirió a las Cortes seculares la jurisdicción sobre los títulos de tierra y otros tipos de propiedad. Las reformas también restringían la inmunidad personal del clero, de manera que los eclesiásticos podían ser acusados y arrestados por funcionarios seculares. Para finales del siglo XVIII, las Cortes criminales de las audiencias estaban juzgando a infractores del clero. Si bien varios jerarcas aceptaron muchas de las reformas como necesarias, la mayoría de los hombres del clero, en particular del bajo clero, se opuso con rencor y albergó resentimiento por la pérdida de inmunidad eclesiástica. Fue éste un asunto que pesaría aún a muchos curas durante la posterior lucha por el autogobierno.[116]

El ejército, a diferencia de la Iglesia, ganó poder e influencia en América. Tras la guerra de los Siete Años, Gran Bretaña y España se convirtieron en los principales competidores por el control del Nuevo Mundo. Ambas potencias militarizaron el continente estableciendo ejércitos permanentes. La corona decidió defender América con un ejército construido alrededor de un núcleo de tropas regulares españolas y una milicia local entrenada. Los

116. Nancy M. Farriss, *Crown and Clergy in Colonial Mexico, 1759-1821: The Crisis of Ecclesiastical Privilege* (Londres: The Athlone Press, 1968). Véanse también: David A. Brading, *Church and State in Bourbon Mexico: The Diocese of Michoacán, 1749-1810* (Cambridge: Cambridge University Press, 1994); Juvenal Jaramillo Magaña, *Hacia una Iglesia beligerante* (Zamora: El Colegio de Michoacán, 1996); y William Taylor, *Magistrates of the Sacred: Priests and Parishioners in Eighteenth-Century Mexico* (Stanford: Stanford University Press, 1996). Véase también: Patricia Seed, *To Love, Honor, and Obey in Colonial Mexico: Conflicts over Marriage Choice, 1574-1821* (Stanford: Stanford University Press, 1988), pp. 195-225 en torno al elecho de las reformas sobre la jurisdicción eclesiástica sobre el matrimonio y la propiedad.

americanos pagaron por las nuevas fuerzas armadas con un aumento de la alcabala de 2% a 6%. El ejército regular de América pronto se convirtió en un ejército americano; para finales del siglo, los americanos constituían 60% de los cuerpos de oficiales y 80% de los efectivos. Las milicias eran casi enteramente americanas. Para promover la participación en las fuerzas armadas, el nuevo ejército y la milicia recibieron fuero militar, privilegio que en cierta medida se hizo extensivo incluso a pardos y castas, y que proporcionaba la protección de los tribunales militares y cierto grado de exención fiscal.[117]

El fuero militar y otras distinciones apelaban al deseo de reconocimiento de los americanos. En algunas regiones, en especial en aquellas con importante población de origen africano, el ejército y la milicia proporcionaban una vía de movilidad social. Las elites también se beneficiaban de la nueva estructura. Contar con un cargo de oficial reforzaba cada vez en mayor medida el propio estatus socioeconómico. Además, los oficiales del ejército a menudo eran agentes de cambio y modernización, ya que se abocaban a la construcción de caminos, al trazado de mapas de las regiones, a la medición de recursos y al estudio de volcanes y otros fenómenos naturales. No obstante, muchos americanos carecían de entusiasmo por el servicio militar, pues los alejaba de sus hogares. Para los oficiales de la milicia, las maniobras significaban un desajuste en sus actividades comerciales, y para los soldados el deber militar a menudo resultaba en privaciones extremas para ellos mismos y para sus familias. Aunque la reforma militar era necesaria, a las autoridades españolas en el Nuevo Mundo les preocupaba la americanización de las fuerzas armadas. Sus miedos eran fundados. Más adelante, los oficiales de milicia encabezarían unidades insurgentes durante la lucha por la autonomía.

117. La reforma militar es la transformación borbónica estudiada más a fondo. Véanse, por ejemplo: María del Carmen Velázquez, *El estado de Guerra en Nueva España* (México: El Colegio de México, 1950); Lyle McAlister, *The "Fuero Militar" in New Spain, 1674-1800* (Gainesville: University of Florida Press, 1957); Christon I. Archer, *The Army in Bourbon Mexico, 1760-1810* (Albuquerque: University of New Mexico Press, 1977); Ben Vinson III, *Bearing Arms for His Majesty: The Free-Colored Militia in Colonial Mexico* (Stanford; Stanford University Press, 2001); Allan J. Kuethe, *Cuba, 1753-1815: Crown, Military, and Society* (Knoxville: University of Tennessee Press, 1986), y de él mismo, *Military Reform and Society in New Granada, 1773-1808* (Gainesville: University of Florida Press, 1978); Leon G. Campbell, *Military and Society in Colonial Peru, 1750-1810* (Philadelphia: American Philosophical Society, 1978); y Juan Marchena Fernández, *Oficiales y soldados en el ejército de América* (Sevilla: Escuela de Estudios Hispanoamericanos, 1983).

Descritas como "una revolución en el gobierno" por David Brading y como "la segunda conquista" por John Lynch, las reformas borbónicas no constituyeron un plan de acción orquestado cuidadosamente, con determinación y ejecución impecables. Antes bien, fueron intentos de la corona por idear métodos más eficientes para obtener los recursos financieros necesarios con el fin de competir en una arena internacional cada vez más hostil. Las reformas no fueron del todo exitosas. Si bien las fuerzas armadas del Nuevo Mundo fueron puestas a punto después de 1763, experimentaron un cambio sustancial con el paso de los años. Las reformas comerciales, las transformaciones administrativas, e incluso los intentos por evitar que los americanos ocuparan puestos en sus patrias eran inciertas, vacilantes e inconsistentes. El sistema de intendencias fue introducido sin orden ni concierto en algunas zonas a lo largo de varios años, mientras que otras, como Nueva Granada, jamás supieron lo que era esa institución. Algo similar ocurrió en Nueva España, el reino más rico, más desarrollado y más productivo de América, que esperó durante décadas antes de poder disfrutar de los beneficios del libre comercio.

Aunque en principio las reformas borbónicas afectaron a algunos grupos y áreas mientras beneficiaban a otros, la corona española sin duda habría llegado a acuerdos con sus súbditos americanos. Sin embargo, los acontecimientos en Europa al finalizar el siglo XVIII evitaron un reajuste ordenado. El comienzo de la revolución francesa desencadenó 25 años de guerra en los que España se convirtió en un participante involuntario. Fue así que, a principios del siglo XIX, la monarquía española se enfrentó a la mayor crisis de su historia.

II
LA CAÍDA DE LA MONARQUÍA HISPÁNICA

Al comenzar el siglo XVIII se suscitó una pugna por el control del mundo atlántico que enfrentó a la monarquía británica con las monarquías hispánica y francesa. El conflicto inició cuando Carlos II de España murió sin dejar herederos, lo que desencadenó la guerra de Sucesión española (1700-1713). El Tratado de Utrecht que puso fin a dicha guerra instauró un nuevo orden en el mundo europeo occidental al reconocer al nieto de Luis XIV de Francia, Felipe de Borbón, como el rey Felipe V de la monarquía hispánica. A partir de ese momento, los pactos formales e informales en la familia Borbón unieron a las monarquías francesa y española en contra de Gran Bretaña. Las repercusiones de estos cambios se vieron acentuadas por la gran transformación del mundo atlántico durante la segunda mitad del siglo XVIII y los comienzos del XIX. Este proceso abarcó diversos cambios relacionados entre sí: expansión demográfica, surgimiento de la burguesía o la clase media, crecimiento de las economías de la región, reestructuración de las monarquías británica, francesa e ibéricas, ascenso de Gran Bretaña como la primera gran potencia comercial e industrial, triunfo de un sistema moderno de pensamiento conocido como Ilustración, así como transformación de los sistemas políticos occidentales, incluida la ampliación del gobierno representativo en Gran Bretaña, la independencia de Estados Unidos, la revolución francesa, el nuevo imperialismo francés, y las guerras europeas a las que este último dio pie. Estos cambios culminaron en una profunda revolución política dentro del mundo hispánico.

La crisis de la monarquía hispánica

Durante el siglo XVIII, Gran Bretaña libró una guerra total contra la Monarquía hispánica por el control del comercio en los océanos Atlántico y Pacífico y por la obtención de nuevos territorios en América. En el Tratado de Utrecht, que puso fin a la guerra de sucesión española, Gran Bretaña adquirió Gibraltar, la isla de Menorca, derechos comerciales mínimos en Panamá, y el asiento, es decir, el derecho a proveer de esclavos negros a la América española. Pero los británicos no estaban satisfechos con estas concesiones, y no tardaron en dedicarse al contrabando. Uno de ellos, el capitán Robert Jenkins, perdió una oreja en 1731 cuando peleó contra los oficiales españoles de la guardia costera que inspeccionaban su barco. Más adelante, en 1738, el Parlamento inglés utilizó el incidente como excusa para declarar la llamada "guerra de la oreja de Jenkins" (1739-1740) y obligar a la monarquía hispánica a ceder aún más privilegios comerciales. Los británicos también enviaron al Pacífico un escuadrón de 1 955 hombres al mando del capitán George Anson para atacar posesiones españolas. La invasión, aunque fue un fracaso –sólo sobrevivieron 155 hombres que volvieron a Inglaterra–, terminó con el monopolio español sobre el Pacífico, que había sido considerado durante largo tiempo como "el lago español". La Paz de Aix-la-Chapelle, de 1748, que puso fin a la guerra de sucesión austriaca en la que Gran Bretaña y España se enfrentaron, fue, como señala Christon Archer: "poco más que una tregua temporal".[1]

Aunque el rey Fernando VI permaneció neutral al estallar la guerra de los Siete Años (1756-1763), su sucesor Carlos III entró al conflicto en 1762. Los resultados fueron desastrosos. Los británicos tomaron Canadá y las Floridas y ocuparon La Habana. Si bien el Tratado de París de 1763 devolvió La Habana a España, y si bien Francia le cedió Louisiana en compensación por la pérdida de Florida, la monarquía hispánica se enfrentaba ahora a los británicos en América del Norte. Ante el efecto que ocasionó la captura británica de La Habana, tras el cese de las hostilidades la monarquía hispánica adoptó políticas destinadas a reforzar su autoridad sobre los reinos ultramarinos. Las transformaciones emprendidas para tal efecto, conocidas como reformas Borbónicas, fueron diseñadas para fortalecer las defensas del Nuevo

1. Christon I. Archer, "Reflexiones de una edad de guerra total: el impacto de la defensa marítima de Nueva España en la época revolucionaria entre 1789 y 1810", en Juan Marchena y Manuel Chust (eds.), *Por la fuerza de las armas: Ejército e independencias en Iberoamérica* (Castelló de la Plana: Publicaciones de la Universitat Jaume I, Castellón, 2008), pp. 239-275. Véase también: Alan Frost, "The Spanish Yoke: British Schemes to Revolutionse Spanish America, 1739-1807," en Alan Frost y Jane Samson (eds.), *Pacific Empires: Essays in Honor of Glynwr Williams* (Melbourne: Melbourne University Press, 1999), pp. 33-52.

Mundo mediante el establecimiento del primer ejército regular en la América española y para mejorar el gobierno real por medio de la introducción de reformas administrativas. Asimismo, la corona incrementó los impuestos para cubrir los costos de la administración y la defensa. Cuando las colonias norteamericanas de Gran Bretaña se rebelaron en 1776, las monarquías francesa y española aprovecharon la oportunidad para vengar sus derrotas en la guerra de los Siete Años. Ambas atacaron a Gran Bretaña por tierra y por mar, ayudando así a los insurgentes británico-americanos. El Tratado de París de 1783, que puso fin al conflicto, reconocía la independencia de Estados Unidos y restituía algunos de los territorios perdidos, como las Floridas, a la corona hispánica. Sin embargo, las monarquías española y francesa aún tenían grandes deudas y necesitaban defender sus posiciones ultramarinas ante los británicos, quienes seguían tomando por asalto las costas de Nueva España aun cuando esas dos monarquías estaban supuestamente en paz.[2]

La América española apenas se ajustaba al efecto económico y político de las reformas borbónicas cuando la revolución francesa de 1789 hundió a Europa en 25 años de guerra. Los desafíos políticos y económicos suscitados por dicho acontecimiento precipitaron la crisis de la monarquía hispánica. Esta época turbulenta requería gobernantes fuertes, de grandes miras y mucha experiencia, pero desafortunadamente España hubo de afrontar la pérdida del monarca reformista, Carlos III, en diciembre de 1788. Su hijo y sucesor, Carlos IV, era débil, vacilante e ineficaz. Al principio, el nuevo monarca dio continuidad a las políticas de su padre manteniendo al conde de Floridablanca como primer ministro. Pero el radicalismo de la revolución francesa atemorizó a Floridablanca, quien impuso la censura a la prensa en un intento por cerrar el mundo hispánico a la propaganda francesa. Cuando esta táctica fue insuficiente, el primer ministro instrumentó otras acciones más represivas, incluida la suspensión de la prensa independiente en 1791 y la reactivación del Santo Oficio para buscar libros peligrosos y subversivos potenciales.

2. *Ibid.* Véase también: Johanna von Grafenstein Gareis, *Nueva España en el Circuncaribe, 1779-1808: Revolución, competencia imperial y vínculos intercoloniales* (México: UNAM, 1997), pp. 113-167; y Thomas E. Chávez, *Spain and the Independence of the United States* (Albuquerque: University of New Mexico Press, 2002).

Estas acciones generaron una fuerte oposición en España y pusieron en peligro al primo de Carlos, Luis XVI de Francia, que había jurado defender la Constitución francesa y requería la comprensión de sus pares si deseaba permanecer en el trono. Para apaciguar el país y para reducir las tensiones entre España y Francia, Carlos IV reemplazó a Floridablanca por el francófilo conde de Aranda en febrero de 1792. El nuevo ministro relajó la censura, permitiendo así que las noticias y la propaganda revolucionaria fluyeran desde Francia hacia España. Aquellos cuyos intereses se vieron amenazados por los cambios políticos se convirtieron en los críticos más estridentes del ministro. Conforme el radicalismo francés fue en aumento, las intrigas de palacio contra el primer ministro ganaron adeptos. El viejo Aranda fue expulsado el 15 de noviembre de 1792 y fue reemplazado por un favorito de la familia real: Manuel Godoy, un oficial de la guardia, de 25 años de edad.

El nuevo ministro gobernó la monarquía hispánica durante la mayor parte del periodo que va de 1793 a 1808, un periodo que habría puesto a prueba el talento de cualquier estadista respetado y con experiencia. Por desgracia Godoy no tenía ni amplia educación ni experiencia política o administrativa. Este hombre se granjeó un poder sin precedentes porque disfrutaba de la confianza y el apoyo del rey y la reina. Godoy, que se consideraba un hombre de la Ilustración, intentó dar continuidad a las políticas reformistas de Carlos III. Esta táctica no le atrajo mucho apoyo de los viejos burócratas e intelectuales, que lo consideraban un advenedizo autocrático. El populacho también vio con desagrado la influencia de Godoy y su ascenso rápido e inmerecido al poder. Las críticas describían la administración de Godoy como extremadamente corrupta, así es que muchos de los funcionarios nombrados durante su larga estadía en el cargo resultaron desacreditados. Cuando el rey otorgaba títulos y favores a su primer ministro, la hostilidad hacia Godoy crecía. La falta de experiencia de Godoy y su relación con la familia real hicieron del ministro un blanco fácil para sus detractores. Circulaban rumores de que era amante de la reina y de que cualquiera podía comprarle favores. Estas historias opacaron la reputación de la familia real y de la monarquía en un momento en que la grave situación internacional generaba divisiones en el interior del gobierno.[3]

3. Richard Herr, *Eighteenth-Century Revolution in Spain* (Princeton: Princeton University Press, 1958), pp. 239-375; Miguel Artola, *Los orígenes de la España contemporánea*, 2 vols. (Madrid: Instituto de Estudios

La monarquía hispánica, como la mayoría de las potencias europeas, se opuso al creciente radicalismo de la revolución francesa. El régimen jacobino del terror y la ejecución de Luis XVI turbaron al mundo hispánico en su totalidad. La decisión de Carlos IV de unirse a la declaración de guerra de las otras monarquías europeas contra la república francesa regicida y la subsiguiente derrota española tuvieron profundas consecuencias políticas y económicas en la península y en América. Cuando la guerra comenzó en 1793, las finanzas de la corona eran sanas y la economía estaba en plena expansión. Empero, para finales de ese año, la situación se había deteriorado drásticamente, obligando a la corona a aumentar los impuestos, e incluso a imponer el primer gravamen directo a la nobleza. Cuando la recaudación ya no fue suficiente, el gobierno comenzó a expedir vales reales y ordenó la expropiación de los bienes de la Iglesia. Estas medidas, que no resolvieron la crisis fiscal ni pusieron un alto al deterioro de la economía, sí lograron socavar el apoyo popular al gobierno. El humillante tratado de paz que puso fin al conflicto en julio de 1795, hizo que la monarquía hispánica quedara subordinada a Francia, lo que la convirtió en un enemigo de Gran Bretaña.

El nuevo orden internacional obligó a la monarquía hispánica a participar en una serie de guerras contra Gran Bretaña y sus aliados, lo que generó nuevas presiones sobre la economía hispánica. En 1796 la armada Británica bloqueó los puertos españoles, aislando a la península de sus posesiones ultramarinas. El comercio español prácticamente desapareció. En marzo de 1797, las autoridades cubanas abrieron el puerto de La Habana al tránsito neutral. En un esfuerzo tardío por mantener cierto control sobre el comercio americano, la monarquía hispánica autorizó al tránsito marítimo neutral la transportación de bienes al Nuevo Mundo, en particular azogue y pólvora para las minas de plata de Nueva España. Con esta medida, la monarquía hispánica admitía que era incapaz de pretender siquiera conservar el monopolio del comercio con sus reinos americanos. La Paz de Amiens (1802) puso fin a las hostilidades entre Gran Bretaña y Francia, lo que dio a la península española un breve respiro económico. El comercio con América aumentó y la

Políticos, 1959), I, pp. 103-146; Gabriel Lovett, *Napoleon and the Birth of Modern Spain*, 2 vols. (Nueva York: New York University Press, 1965), pp. 85-132; y John Lynch, *Bourbon Spain, 1700-1808* (Oxford: Basil Blackwell, 1989), pp. 376-403.

producción en la Península Ibérica se recuperó; el gobierno incluso comenzó a retirar sus vales reales de la circulación. Sin embargo, para 1804 Francia y la monarquía hispánica se encontraban de nuevo en guerra contra Gran Bretaña. Al siguiente año, el desastre naval de Trafalgar destruyó la armada española y aisló a España de América. El bloqueo francés de 1806 –el "sistema continental" de Napoleón– devastó la economía peninsular. En 1807 ni un solo barco español llegó a La Habana y la península no recibió un solo cargamento de plata. Una vez más, la corona se vio obligada a recurrir al tránsito neutral. Estos desastres no sólo paralizaron el comercio con la América española, sino que trajeron consigo el desempleo masivo y una severa inflación en la península ibérica, además de la virtual bancarrota del gobierno. Entre la gente, las desgracias económicas y políticas de la monarquía hispánica fueron atribuidas a la influencia maligna de Godoy.[4]

Muchos de quienes se vieron abatidos por la decadencia de la corona hispánica y de quienes anhelaban devolver a la monarquía su antigua prosperidad, deseaban coronar a su paladín, el príncipe Fernando, ya que él se oponía a Godoy y detestaba que sus padres dependieran del favorito. En marzo de 1808 los seguidores del príncipe obligaron a Carlos IV a abdicar en favor de su hijo, quien se convirtió en Fernando VII. La querella entre los miembros de la familia real coincidió con la entrada de las tropas francesas a la península ibérica. En 1807 Napoleón había obtenido permiso para cruzar España y ocupar Portugal. Una vez que sus tropas estuvieron dentro de la península, el emperador francés decidió reemplazar a los Borbón de España. Usando como pretexto la disputa en torno a la corona, Bonaparte atrajo a la familia real y a Godoy a Francia, donde los obligó a abdicar en su favor. Entonces entregó la monarquía hispánica a su hermano José.

Este acto, a diferencia de cualquier otro acontecimiento en la historia de la monarquía, creó un vacío en el corazón de dicha entidad política mun-

4. Richard Herr, "Hacia el derrumbe del antiguo régimen: crisis fiscal y desamortización bajo Carlos IV", *Moneda y Crédito*, 118 (septiembre, 1971), pp. 37-100; John Lynch, *Bourbon Spain*, pp. 404-417; Jacques A. Barbier, "Peninsular Finance and Colonial Trade: the Dilema of Charles IV's Spain" *Journal of Latin American Studies*, 12 (1980), p. 23; Carlos Marichal, "Las guerras imperiales y los préstamos novohispanos, 1781-1804", *Historia Mexicana*, 39, núm. 4 (abril-junio, 1990), pp. 881-907; Antonio García-Baquero, *Comercio colonial y las guerras revolucionarias* (Sevilla: Escuela de Estudios Hispanoamericanos, 1972); John Fisher, *Trade, War and Revolution: Exports from Spain to Spanish America, 1797-1820* (Liverpool: University of Liverpool, 1992).

dial. En la larga historia de la Península Ibérica, la transmisión de la autoridad real se había dado de diversas maneras: por medio de la conquista, de la guerra civil entre los pretendientes al trono, y de la extinción de una dinastía reinante. La guerra de Sucesión española, por ejemplo, fue un conflicto internacional cuyo centro era el relevo de la extinta dinastía ibérica de los Habsburgo por los pretendientes de otras familias reales de diversas monarquías europeas. Un acontecimiento tal no desestabilizaba el fundamento del sistema monárquico español, ya que en todos estos casos las Cortes aprobaban el cambio de dinastía. Sin embargo, la expulsión de la familia real española en 1808 era un fenómeno nuevo en el mundo hispánico; un fenómeno que amenazaba la legitimidad de la monarquía. Fernando VII, quien había accedido al trono recientemente y había sido aclamado con regocijo por el pueblo de toda la monarquía hispánica universal, fue depuesto traicioneramente y con la amenaza del uso de la fuerza por parte de un supuesto aliado: Napoleón Bonaparte. Para explicar este acontecimiento catastrófico, los intelectuales de toda la monarquía se valieron de la metáfora del cuerpo humano. Puesto que el rey era la cabeza del cuerpo político, su remoción constituía una herida mortal. Como lo expresó el *Diario de México*: "Sin cabeza los miembros desfallecen... sin ella no hay, ni miembros, ni cuerpos; si existen son yertos, y cual muertos".[5] José Bonaparte, el rey usurpador, hermano de Napoleón, no fue aceptado como cabeza de la monarquía por casi toda la población del mundo hispánico porque no hubo Cortes que aprobaran el cambio dinástico y por representar a los franceses ateos, cuyas acciones amenazaban a los pilares mismos de la sociedad hispánica: la Iglesia, representante de Dios en la Tierra; y el legítimo rey Fernando VII, representante de los derechos y las libertades hispánicas. Puesto así, si la Monarquía hispánica había de sobrevivir, los invasores franceses debían ser expulsados y la corona devuelta a Fernando VII.

Si bien las autoridades principales, la burocracia real, la nobleza, el alto clero y el ejército aceptaron en principio a José Bonaparte como rey, *el pueblo*, un nuevo actor político, no hizo lo mismo. El 2 de mayo de 1808, los residentes de Madrid expulsaron a las tropas francesas de la capital. Su

5. *Diario de México*, 1.141 (14 de noviembre de 1808), pp. 567-568.

victoria provisional desencadenó un conjunto de acontecimientos políticos y militares que transformaron el mundo hispánico. Cada provincia formó juntas regionales para gobernar. Cada junta provincial, invocando el principio legal hispánico según el cual en ausencia del rey la soberanía recae en el pueblo, actuó como si fuera una nación soberana. Como ha señalado Miguel Artola: "El resultado más trascendental de los sucesos que han tenido por escenario a España entera y por protagonistas a todos los españoles, es el sentimiento de reasunción de la soberanía del pueblo, puesto de relieve en todos los escritores del momento".[6]

Los efectos de la crisis en Nueva España

La caída de la monarquía hispánica y la ocupación francesa de la península afectaron profundamente a Nueva España, la zona más próspera de los territorios ultramarinos. El virreinato de Nueva España proporcionaba dos tercios de las remesas provenientes de América. En 1799 esto equivalía a 14 millones de pesos: cuatro millones se gastaban en la administración y la defensa locales, cuatro millones subsidiaban a las otras posesiones de la monarquía en el Caribe, en Norteamérica y Las Filipinas; y seis millones se enviaban al tesoro real en Madrid.[7] Pero, como hemos visto, incluso esta elevada suma no fue suficiente para cubrir los gastos cada vez mayores generados por las guerras europeas. La creciente e incesante demanda de dinero por parte de la corona para proseguir con las guerras en Europa socavó las finanzas de Nueva España. Aun cuando las remesas se incrementaron sustancialmente, no cubrían las exigencias fiscales, particularmente en el ámbito de lo militar. El déficit aumentó. En Nueva España, por ejemplo, la deuda del gobierno real pasó de tres millones de pesos en 1780 a 31 millones de pesos en 1810. La desintegración financiera del

6. Miguel Artola, *La España de Fernando VII* (Madrid: Espasa-Calpe, 1968), p. 68. Véase también: Antonio Moliner Prada, "El movimiento juntero en la España de 1808" en Manuel Chust (coord..), *1808. La eclosión juntera en el mundo hispano* (México: Fideicomiso historia de las Américas/El Colegio de México/Fondo de Cultura Económica, 2007), pp. 51-83.

7. Carlos Marichal considera que "la Nueva España asumió las funciones de una *submetrópoli*, contribuyendo en diversas formas a sostener..." la monarquía española. Véase su: "Introducción" en Carlos Marichal y Daniela Marino (comps.), *De colonia a nación: impuestos y política en México, 1750-1860* (México: El Colegio de México, 2001), pp. 19-58.

gobierno real en Nueva España, como apunta John TePaske, "fue un proceso gradual e inexorable que comenzó a principios de la década de 1780, y a decir verdad, el colapso financiero del Estado era un hecho prácticamente consumado hacia... 1810".[8] La demanda de créditos para cubrir los gastos extraordinarios en la Península Ibérica se exacerbó en la década de 1780, afectando negativamente la economía al agotar el circulante del Nuevo Mundo. En 1783, por ejemplo, el Tribunal de Minería de Nueva España se vio obligado a prestar millones a la corona. Periódicamente se hicieron exigencias similares al consulado de México. Se ordenó a los gremios de artesanos transferir sus fondos de cofradías afiliadas a la Iglesia para que fuesen controlados por el gobierno. Los "aviadores" de los comerciantes y de los mineros también fueron instruidos para hacer su capital accesible al Estado.[9]

El aumento masivo de los impuestos constituyó la inconformidad más grande del Nuevo Mundo en contra del gobierno. Un aspecto capital de las reformas borbónicas fue la adopción de políticas diseñadas para aumentar las rentas de la monarquía procedentes de América. Carlos III y sus asesores estaban convencidos de que el Nuevo Mundo debía generar mayores "beneficios" a la monarquía. De hecho, casi todas las reformas borbónicas fueron proyectadas para aumentar los ingresos a su "nivel adecuado". El gobierno real aumentó el impuesto de la alcabala de 2% a 4% y finalmente a 6% en los últimos años del siglo XVIII. La corona estableció diversos impuestos sobre el aguardiente, los granos, el ganado y otros bienes e incrementó el número de monopolios estatales, como los naipes, la pólvora y el tabaco. El estanco del tabaco generó enormes sumas; por ejemplo, en Nueva España ascendió a 69.4 millones de pesos en el periodo comprendido entre 1765 y 1795; 44.7 millones fueron enviados a España.[10] La recaudación de impuestos en Nueva España aumentó notablemente: de 1780 a 1810 el impuesto de la alcabala se incrementó en 155%. Este

8. John J. TePaske, "The Financial Disintegration of the Royal Government in Mexico during the Epoch of Independence", en Jaime E. Rodríguez O. (ed.), *The Independence of Mexico and the Creation of the New Nation* (Los Ángeles: UCLA Latin American Center, 1989), p. 63.

9. Carlos Marichal, *La bancarrota del virreinato. Nueva España y las finanzas del Imperio español, 1780-1810* (México: Fondo de Cultura Económica, 1999); y Marichal, "Las guerras imperiales y los préstamos novohispanos".

10. Susan Deans-Smith, *Bureaucrats, Planters and Workers: The Making of the Tobacco Monopoly in Bourbon Mexico* (Austin: University of Texas Press, 1992).

aumento se debió en parte a la más eficaz recolección de impuestos –o a la extorsión, desde el punto de vista de los novohispanos–.[11]

Las reformas borbónicas también afectaron de manera importante a las comunidades nativas. La población indígena creció sustancialmente durante la segunda mitad del siglo XVIII y, junto con ella, su prosperidad económica. Esto se vio reflejado en los ingresos cada vez mayores de sus cajas de comunidad y en el aumento del número de hermandades y cofradías. Estas últimas invirtieron en las tierras y el comercio, lo que abarcaba productos agrícolas, textiles y diversos bienes de importación. Como señala Danielle Dehouve: "Es impresionante observar la circulación, particularmente de productos textiles, de una provincia a otra en el siglo XVIII. Desde Texcoco, Puebla y Tlaxcala llegaban artículos para su venta, y desde Tlapa salía hacia otros lugares la propia producción; en esos intercambios intervenían de uno u otro modo las existencias monetarias del pueblo".[12] La corona explotó esa riqueza de maneras diversas: transformó el tributo en un pago monetario de un real y medio por año y también exigió créditos de los fondos de comunidad. En 1784 las autoridades reales determinaron que los excedentes debían generar rentas invirtiéndolos en las empresas de la corona tales como el Banco de San Carlos o la Compañía de Filipinas. A comienzos del siglo XVIII, los excedentes de las cajas de comunidad iban directamente a la caja real. Estas exacciones sin precedente se granjearon, naturalmente, la antipatía de muchas comunidades indígenas que consideraban violados sus derechos y que sentían que su riqueza era utilizada para proyectos innecesarios o ineficaces de la corona.[13]

11. Como señala Manuel Miño Grijalva: "Parece claro que entre las causas que determinaron el ritmo de crecimiento hacendatario estuvieron las medidas reformistas, que hicieron más eficaz la captación de ingresos, mejoraron el funcionamiento administrativo e incrementaron los impuestos". *El mundo novohispano: Población, ciudades y economía, siglos XVII y XVIII* (México: Fondo de Cultura Económica, 2001), p. 409. Véase también: Juan Carlos Garavaglia y Juan Carlos Grosso, "Estado borbónico y presión fiscal en la Nueva España, 1750-1821", en *América Latina: Dallo Stato coloniale allo Stato nazionalle (1750-1940)*, 2 vols. (Milán: Franco Angeli, 1987), I, pp. 78-97.
12. Citado en Miño Grijalva, *El mundo novohispano*, p. 372.
13. *Ibid.*, pp. 370-377; Marcello Carmagnani, *El regreso de los dioses. El proceso de reconstitución de la identidad étnica en Oaxaca. Siglos XVII y XVIII* (México: Fondo de Cultura Económica, 1988), pp. 137-144; Horst Pietschmann, "Agricultura e industria rural indígena en el México de la segunda mitad del siglo XVIII" en Arij Ouweneel y Cristina Torales Pacheco (comps.), *Empresarios, indios y estado. Perfil de la economía mexicana (siglo XVIII)* (Ámsterdam: CEDLA, 1988), pp. 71-85; Marta Terán, "¡Muera el mal gobierno! Las reformas

Las exigencias de la monarquía hispánica también afectaron a las clases altas de Nueva España. Entre los individuos acaudalados, en particular entre los españoles europeos, existía la tradición de donar grandes sumas de dinero al rey para que éste enfrentara una emergencia, o sencillamente para asistirlo. La elite novohispana consideraba tales donaciones aceptables siempre y cuando fuesen voluntarias. Sin embargo, las guerras europeas obligaron al gobierno a imponer exigencias extraordinarias a sus súbditos. La corona estableció muchos impuestos nuevos y aumentó los gravámenes existentes. Lógicamente, las elites se disgustaron ante los impuestos y las políticas que redujeron o abolieron sus privilegios.

La política del gobierno real hacia los mayorazgos proporciona un buen ejemplo de las inconformidades de la elite. Para mantener una vida noble y un patrimonio intacto se requería un mayorazgo. Aun cuando personas ajenas a la nobleza podían establecer un mayorazgo, normalmente esto constituía un paso hacia el otorgamiento o la validación de un título nobiliario. Pero en 1789, la corona incrementó los impuestos y las tarifas, de manera que sólo los individuos más ricos podían formar mayorazgos. En 1795 el costo de fundación se elevó a 15% del valor total del mayorazgo, y para 1818 ascendía a 25%. La monarquía también recaudó un impuesto de guerra de 3% e impuso tarifas y cargos adicionales a los individuos que hipotecaran, vendieran o dispusieran de bienes que formaran parte de un mayorazgo. La consecuencia de tales imposiciones fue el fin del establecimiento de mayorazgos en Nueva España. Los nuevos nobles, muchos de ellos españoles europeos, no podían cubrir el coste de establecer un mayorazgo. Por ejemplo, en 1805 Diego de Rul pagó 23 650 pesos en tarifas, impuestos y exenciones para su título. Pero cuando intentó formar un mayorazgo con valor de 150 000 pesos, las autoridades reales le informaron que eso costaría 50 000 pesos. El nuevo conde de Rul estaba indignado y declaró que el exorbitante cargo constituía una afrenta para la familia valenciana que había prestado tantos servicios a la corona. Los herederos del marqués de Inguanzo también se dieron por vencidos en la creación de

---

borbónicas en los pueblos michoacanos y el levantamiento indígena de 1810" (tesis de doctorado, El Colegio de México, 1995), pp. 151-226; Daniela Maríno, "El afán de recaudar y la dificultad en reformar. El tributo indígena en la Nueva España tardocolonial", en Marichal y Marino (comps.), *De colonia a nación*, pp. 61-83.

un mayorazgo por razones financieras. En 1810, José Mariano Fagoaga y Gabriel de Yermo se rehusaron a aceptar títulos nobiliarios debido al costo que implicaba fundar un mayorazgo. La formación de mayorazgos terminó de hecho en 1800 y fue resultado de las políticas de la corona.[14]

El golpe más duro a la economía de Nueva España fue el recorte al sistema crediticio del reino. Este recorte había comenzado ya con el intento de abolir el repartimiento de Comercio, el principal sistema de crédito accesible a la población nativa y rural de escasos recursos.[15] La situación se exacerbó con la exigencia periódica de préstamos para cubrir gastos extraordinarios en la península ibérica. Estas solicitudes tuvieron un efecto adverso sobre el crédito, ya que intensificaron la escasez de circulante en Nueva España. Cuando las guerras europeas estallaron, las exacciones de la corona se incrementaron. En 1793 se requirió del Tribunal de Minería –establecido con el fin de proporcionar crédito a los mineros– un préstamo de dos y medio millones de pesos a la monarquía hispánica, al tiempo que los gremios artesanales fueron obligados a retirar fondos de las cofradías afiliadas a la Iglesia y se le dió el control de éstos al gobierno real.[16]

La corona nunca consideró que éstas y las subsiguientes medidas de emergencia constituyeran una grave amenaza al bienestar económico de Nueva España. Sin embargo, para los novohispanos y para los europeos residentes en dicho reino, las medidas representaban un serio peligro, pues la economía de Nueva España funcionaba por medio del crédito. Los coetáneos estimaban que dos tercios del total de las transacciones de negocios funcionaban con base en el crédito; tan sólo 10 000 de los aproximadamente 200 000 empresarios operaban exclusivamente con su propio dinero, y casi nueve décimas partes de todos los bienes raíces estaban hipotecadas. El cré-

14. Doris M. Ladd, *The Mexican Nobility at Independence, 1780-1826* (Austin: University of Texas Press, 1976), pp. 89-94.

15. Colin M. MacLachlan y Jaime E. Rodríguez O., *The Forging of the Cosmic Race: A Reinterpretation of Colonial Mexico* (Berkeley: University of California Press, 1980), pp. 111-112, 299; Jeremy Baskes, "Coerced or Voluntary? The *Repartimiento* and Market Participation of Peasants in Late Colonial Oaxaca", en *Journal of Latin American Studies*, 28, núm. 1 (febrero de 1996), pp. 1-28; *Ibid.*, *Indians, Merchants, and Markets: A Reinterpretation of the Repartimiento and Spanish-Indian Economic Relations in Colonial Oaxaca, 1750-1821* (Stanford: Stanford University Press, 2000).

16. Marichal, "Las guerras imperiales y los préstamos novohispanos"; Josefa Vega, "Los primeros préstamos de la guerra de independencia", en *Historia Mexicana*, 39, núm. 4 (abril-junio de 1990), pp. 907-908.

dito era la sangre en la venas de la economía novohispana; restringirlo o interrumpirlo ponía en riesgo la base de la existencia financiera del reino.[17]

El golpe más importante al sistema crediticio de Nueva España tuvo lugar cuando el rey expidió el Real Decreto de Consolidación de vales reales. Esta ley, promulgada por vez primera en la península en 1798, se hizo extensiva al resto de la monarquía en diciembre de 1804; con ella, la corona ordenaba a las autoridades en Nueva España tomar posesión y subastar los bienes raíces pertenecientes a las capellanías y obras pías de la Iglesia. El gobierno real planeaba utilizar los dividendos de la venta, así como otras riquezas pertenecientes a dichas instituciones, para redimir los vales reales y liquidar otras deudas de guerra. Las instituciones eclesiásticas habrían de recibir un rédito de 3% sobre los fondos que habían prestado al gobierno. Considerando la situación de la península, la corona creía que dicha medida sería benéfica, ya que la subasta proporcionaría a los pequeños granjeros y otros empresarios la oportunidad de adquirir tierras de la Iglesia que no eran económicamente productivas. Sin embargo, en Nueva España la Iglesia funcionaba como el banquero principal del reino y las capellanías y obras pías poseían pagarés, mas no tierras. Puesto que los empresarios novohispanos, tanto grandes como pequeños, tenían deudas con la Iglesia, la aplicación de esta medida arruinaría la economía del reino. En tiempos normales, un error de cálculo como éste por parte del gobierno se habría corregido con la fórmula tradicional: *obedezco pero no cumplo.*[18] Mas la presión sobre Nueva España era enorme, ya que era la posesión ultramarina más productiva de la monarquía. El virrey José de Iturrigaray promulgó el decreto e insistió en ejecutarlo pese a la fuerte oposición.

En Nueva España se desató una tormenta de protestas contra la Consolidación. Grupos de terratenientes, comerciantes y mineros, así como los ayuntamientos y las comunidades indígenas, escribieron peticiones exigiendo al virrey que detuviera la aplicación de esa ley. Estos grupos argumentaban que la

17. Linda Greenow, *Credit and Socieconomic Change in Colonial Mexico: Loans and Mortgages in Guadalajara, 1720-1820* (Boulder: Westview Press, 1983); Richard B. Lindley, *Haciendas and economic development: Guadalajara, México at Independence* (Austin: University of Texas Press, 1983).

18. En 1528, Carlos I expidió un decreto que estipulaba: "los Ministros y Jueces obedezcan y no cumplan nuestras cédulas y despachos en que intervinieron los vicios de obrepción y subrepción, y en la primera ocasión nos avisen de la causa por que no lo hicieron". *Recopilación de leyes de los Reynos de la Indias* (Madrid: Consejo de la Hispanidad, 1943), p. 223.

corona había malinterpretado la situación en Nueva España, que lo que resultaba benéfico para la madre patria arruinaría al reino del Nuevo Mundo, y que Nueva España no tenía suficiente dinero para liquidar la gran deuda con la Iglesia. Desde el punto de vista de algunos, los más afectados por la Consolidación serían los sectores medios, los granjeros más pobres, los mineros y comerciantes, es decir, la gente que contribuía en mayor medida a la economía. Los ricos tenían mayores recursos y estaban mejor capacitados para sobrevivir a la crisis. Algunos individuos acaudalados se beneficiaron de la venta obligatoria de tierras. Pero otros se vieron forzados a pagar enormes préstamos, para los que en ocasiones sólo habían dado una garantía.

Pese a las protestas implacables y en ocasiones amenazantes, el virrey Iturrigaray decidió aplicar el decreto de la Consolidación. Para 1808, el gobierno real había recaudado más de 10 millones de pesos, aproximadamente un cuarto del total de su deuda con las capellanías y obras pías. De este total, las comunidades nativas aportaron 764 080 pesos. El virrey recibió 72 000 pesos, el arzobispo Lizana 22 000 pesos y el recaudador real 124 000 pesos en comisiones por el cobro de los fondos; el resto se envió al gobierno de la monarquía hispánica, que entregó cinco millones de pesos a Napoleón. Nueva España recaudó 10 509 000 pesos o 67% del total de 15 589 140 pesos recaudados en América y Filipinas (Cuadro 1).

Cuadro 1

Fondos de la Consolidación recaudados en América[19]

Reinos	Pesos
Nueva España	10 509 000
Guatemala	1 561 673
Perú	1 487 093
Nueva Granada	447 779
Río de la Plata	366 473
Cuba	350 000
Venezuela	350 000
Filipinas	253 059
Chile	164 063

19. Gisela von Wobeser, *Dominación colonial. La Consolidación de Vales Reales, 1808-1812* (México: UNAM, 2003), p. 50.

La insistencia en la aplicación de la Consolidación socavó el respeto de los novohispanos por la autoridad real. Esta política no sólo amenazaba con destruir el sistema crediticio entero de Nueva España, sino que constituía un serio ataque a la Iglesia. La Consolidación afectaba a instituciones como los conventos, las cofradías de artesanos, las escuelas, los orfanatos e incluso las parroquias de indios. Además, dejaba a los capellanes, las viudas y los huérfanos sin recursos.[20]

Por primera vez en casi 300 años, los novohispanos de todas las clases y castas, incluidos los españoles europeos residentes en Nueva España, se unían por una causa común. Individuos tan dispares como el cura Miguel Hidalgo, la familia Michelena de Valladolid y el español europeo Gabriel de Yermo perdieron propiedades porque les fue imposible pagar sus deudas. Esto constituía sin duda un ejemplo del "mal gobierno" al que, según enseñaban los teóricos políticos tradicionales, había que oponerse. Algunos de quienes se oponían a la Consolidación concluyeron que los intereses de Nueva España estarían mejor resguardados con la autonomía. Éste era un concepto tradicional y no uno revolucionario. Reflejaba la lucha histórica en la península entre las provincias y el centro –entre la autonomía regional y el centralismo castellano–. Los novohispanos, como los catalanes antes, sostenían que sus intereses económicos debían anteponerse a los de la monarquía hispánica.[21] Según la consigna clásica, los autonomistas novohispanos alababan al rey, pero despreciaban el mal gobierno.

20. Romeo Flores Caballero, "La consolidación de vales reales en la economía, la sociedad y la política novohispanas", en *Historia Mexicana*, 18, núm. 3 (1969), pp. 334-338; *Ibid.*, *La contrarrevolución en la independencia. Los españoles en la vida política, social y económica de México, 1808-1838* (México: El Colegio de México, 1969), pp. 33-65; Asunción Lavrín, "The Execution of the Law of Consolidation in New Spain", en *Hispanic American Historical Review*, 53 (febrero de 1973), pp. 27-49; Brian Hamnett, "The Appropriation of Mexican Church Wealth by the Spanish Bourbon Government, 1805-1809", en *Journal of Latin American Studies*, I, núm. 2 (noviembre de 1969), pp. 85-113; Margaret Chowning, "The Consolidación de vales reales in the Bishopric of Michoacán", en *Hispanic American Historical Review*, vol. 69 núm. 3 (agosto de 1989), pp. 451-478; Jorge Silva Ricquer, "La Consolidación de Vales Reales en el obispado de Michoacán", en Virginia Guedea y Jaime E. Rodríguez O. (eds.), *Cinco Siglos de historia de México* (México: Instituto José María Luis Mora, 1992), II, pp. 65-81; Marichal, *La bancarrota del virreinato*, pp. 140-172. El estudio más completo en: Von Wobeser, *Dominación colonial.* Véase también: Luis Jáuregui, *La Real Hacienda de Nueva España. Su administración en la época de los intendentes, 1786-1821* (México: UNAM, 1999), pp. 221-280.
21. Sobre este punto, véase: John H. Elliott, *The Revolt of the Catalans: A Study in the Decline of Spain (1598-1640)* (Cambridge: Cambridge University Press, 1963); en especial pp. 523-555.

Los autonomistas, un sector clave de la elite nacional, conformaban un grupo amplio y adaptable. Formaban parte de las clases media y alta de Nueva España, que abarcaban a los nobles, los grandes magnates, hacendados, comerciantes, profesionistas, abogados, funcionarios e intelectuales, entre ellos numerosos eclesiásticos, y residían principalmente en la ciudad de México. Aunque algunos de sus miembros tenían propiedades e intereses en las provincias y, en algunos casos, vivían ahí, los autonomistas interpretaban el bienestar del virreinato desde la perspectiva de la ciudad de México. El grupo, además, tenía una actitud protonacionalista. Su "América", Nueva España, sin ser una nación independiente, era en su opinión una entidad política real.[22]

Manuel Miño Grijalva ha reafirmado hace poco el extraordinario efecto de la Consolidación. Él mismo se pregunta:

> ¿Cuándo sucede el quiebre general [de la economía de Nueva España?] Éste se produce después de 1804 con la consolidación, o sea la expropiación de la renta generada por el crédito de parte de la Corona. En una economía en que todas las transacciones se encontraban articuladas y engarzadas por el crédito eclesiástico y usurario, el golpe apuntó al corazón del sistema en su conjunto.[23]

No obstante, es difícil determinar el grado de animadversión generado por las incesantes demandas monetarias de la corona, necesarias para librar las guerras en Europa. Si bien los novohispanos de todos los rincones se oponían a estas exigencias que afectaban sus intereses, no resulta evidente que las demandas reales dañaran irremediablemente la economía de Nueva España ni que socavaran el apoyo novohispano al gobierno real. Como observa también Miño Grijalva, "la capacidad tributaria [de Nueva España] revela las posibilidades reales de la economía... De otra forma, ¿cómo explicar el origen de esa gran cantidad de dinero proveniente de préstamos, donaciones, capellanías, cofradías, etcétera? Como fuere, en la escala superior la economía mostraba un dinamismo nunca antes visto, visible sobre todo en

22. Jaime E. Rodríguez O., "From Royal Subject to Republican Citizen: The Role of the Autonomists in the Independence of Mexico," en Jaime E. Rodríguez O. (ed), *The Independence of Mexico and the Creation of the New Nation* (Los Ángeles: UCLA Latin American Center, 1989), pp. 19-43.
23. Manuel Miño Grijalva, "La Ciudad de México. De la articulación colonial a la unidad nacional, o los orígenes económicos de la 'centralización federalista'", en Jaime E. Rodríguez O. (comp.), *Revolución, independencia y la nuevas naciones de América* (Madrid: Mapfre-Tavera, 2005), pp. 161-192.

los pueblos, villas y ciudades".[24] Cuando llegaron a Nueva España las noticias sobre la ocupación de Madrid por las tropas francesas, el virrey Iturrigaray suspendió la Consolidación, el 22 de julio de 1808, en un esfuerzo por unir a los novohispanos en defensa de la monarquía.

Las juntas generales de 1808

Después de dos siglos, hemos llegado a aceptar que los resultados de la revolución francesa fueron benéficos. Sin embargo, en 1808, los pueblos hispánicos asociaban el movimiento francés con los excesos revolucionarios: el terror, el ateísmo, el anticlericalismo y un nuevo y virulento imperialismo que había subyugado brutalmente a otros pueblos europeos. Lejos de brindar oportunidades para la democracia y el progreso, los franceses ejemplificaron todo aquello que la gente en España y América temía. A decir verdad, el sistema francés conllevaba mayor centralización y exacciones económicas aún más altas de lo que exigían las reformas borbónicas. Como señalaba el canónigo Antonio Joaquín Pérez, el triunfo de Napoleón Bonaparte derivaría "en la pérdida universal de nuestra religión, de nuestras leyes, de nuestras costumbres y propiedades, se comprendería, antes que todo, nuestra libertad, la dichosa libertad en que los Reyes de España nos mantienen...".[25]

Aunque las elites gobernantes de España se rindieron, el pueblo de la península y del Nuevo Mundo fue casi unánime en su oposición a los franceses. La amenaza externa reforzó los factores que le daban cohesión: una fe, una monarquía, una cultura compartida y una sociedad en crisis. La gente de la península y del Nuevo Mundo formaba parte de lo que pronto llegó a conocerse como "la Nación española", una nación formada por los reinos peninsulares y ultramarinos. Puesto que todas las zonas de la monarquía hispánica poseían la misma cultura política general, todos los grupos –incluidos

24. Miño Grijalva, *El mundo novohispano*, pp. 409-410. Véase también: Enriqueta Quiroz, "La moneda menuda en la circulación monetaria de la Ciudad de México, Siglo XVIII" en *Mexican Studies/Estudios Mexicanos*, vol. 22, núm. 2 (verano de 2006), pp. 219-249. Para una evaluación diferente a la mía, véase: Gisela von Wobeser, "La Consolidación de Vales Reales como factor determinante de la lucha de independencia en México, 1804-1808" en *Historia Mexicana*, vol. LVI, núm. 2 (octubre-diciembre 2006), pp. 373-425.

25. Citado en Brian F. Connaughton, *Dimensiones de la identidad patriótica: Religión, política y regiones en México, Siglo XIX* (México: UAM Iztapalapa/Porrúa, 2001) p. 76.

PRONUNCIAMIENTOS Y DEMOSTRACIONES DE FIDELIDAD A LA MONARQUÍA, 1808

Gobierno de Nuevo México
Gobierno de Nuevo México
Int. de Arizpe
Gobierno de la Vieja California
Int. de Durango
Int. de San Luis Potosí
Int. de Zacatecas
Int. de Guadalajara
Int. de Sta. Fe de Gto.
Int. de Valladolid de Michoacán
Int. de México
Tlax.
Int. de Veracruz
Int. de Puebla
Int. de Antequera de Oaxaca
Int. de Mérida de Yucatán

SIMBOLOGÍA PLANO

1. Taxco
2. Mascota
3. Sombrerete
4. San Juan de los Lagos
5. Aguascalientes
6. Campeche
7. Xalapa
8. Ciudad de México
9. Veracruz
10. Chalco
11. Tlaxcala
12. Puebla
13. Acapulco
14. Querétaro
15. Orizaba
16. Zacatecas
17. Córdoba
18. Mérida
19. Xilotepec
20. Guanajuato
21. Guadalajara
22. Mezquitic
23. San Miguel el Grande
24. Oaxaca
25. San Luis Potosí
26. Celaya
27. Atlixco
28. Valladolid
29. Chihuahua
30. Valle de Matehuala
31. Pátzcuaro
32. Santa María de Lagos
33. Monterrey
34. Real de Zacualpan
35. Real de Pinos
36. Tomatlan
37. Real de Sultepec
38. Salamanca

- Pueblo
- Residencia de un alcalde mayor o corregidor
- Residencia de un gobernador
- Sede de un obispo
- Sede de un arzobispo
- Intendencias

Fuente: (O'GORMAN, 1979), (GERHARD, 1986), (EWALD, 1986), (NAVA, 1973), (GAZETA, 1808). ADAPTADO POR JIMENA DE GORTARI LUDLOW

los de América– justificaron sus acciones recurriendo a los mismos principios y a un lenguaje casi idéntico. Los pueblos de ambos continentes abrevaron de conceptos comunes y buscaron soluciones parecidas ante la crisis que se prolongaba. Inspirada por los pilares legales de la monarquía, la mayoría concordaba en que, en ausencia del rey, la soberanía recae sobre el pueblo, que posee autoridad y es responsable de la defensa de la nación.

Durante la segunda mitad del siglo XVIII, algunos americanos desarrollaron el concepto de una Constitución histórica. De acuerdo con su interpretación, existía un pacto (*pactum translationis*) no entre América y España, sino entre el rey y cada reino del Nuevo Mundo. Servando Teresa de Mier formuló este argumento de manera enérgica, como solía hacerlo:

> Es evidente (...) que por la Constitución dada por los reyes de España a las Américas, son reinos independientes de ella sin tener otro vínculo que el rey... Cuando yo hablo del pacto social de los americanos, no hablo del pacto implícito de Rousseau. Se trata de un pacto del reino de Nueva España con el soberano de Castilla. La ruptura o suspensión de este pacto... trae como consecuencia inevitable la reasunción de la soberanía de la nación... cuando tal ocurre, la soberanía revierte a su titular original.[26]

Según el pacto, por ende, Nueva España poseía tanto el derecho como la responsabilidad de defender su soberanía y su autonomía ante los franceses. La crisis de la monarquía hispánica provocó un copioso debate y un análisis cuidadoso de ésta y otras nociones fundamentales sobre la naturaleza de la representación y la soberanía en Nueva España.

Las noticias sobre lo acontecido en España, así como en otras partes de la monarquía, se difundieron rápida y ampliamente por toda Nueva España. En el Antiguo Régimen las noticias y la información se propagaban por diversos canales. Gran parte de las novedades se transmitía oralmente. Las leyes impresas, los decretos y los avisos oficiales se distribuían entre las autoridades importantes, quienes, a su vez, daban parte al pueblo exhibiendo los documentos en lugares públicos y empleando a pregoneros que los leían ante la gente. Los funcionarios públicos y los individuos particulares solían

26. Servando Teresa de Mier, "Idea de la Constitución dada a las Américas por los reyes de España antes de la invasión del antiguo despotismo", en *Obras completas de Servando Teresa de Mier*, vol. 4, *La formación de un republicano*, Jaime E. Rodríguez O. (ed.) (México: UNAM, 1988), pp. 57, 31-91.

escribir cartas que contenían información o comentaban sobre los acontecimientos del día a los amigos y colegas. Los destinatarios de estas cartas, por su parte, notificaban a amigos, colegas y vecinos. Los curas debatían a menudo sobre cuestiones importantes, ya formalmente durante la misa, ya informalmente fuera de la iglesia. Los escribanos públicos informaban a las personas iletradas sobre los últimos acontecimientos. Los arrieros, los comerciantes y los viajeros mantenían a los habitantes de pueblos y villas al corriente de lo ocurrido en la capital virreinal o en Europa. La gente hablaba sobre los acontecimientos del día en reuniones sociales como tertulias, cafés, tabernas y paseos. De esta manera, incluso la gran población iletrada estaba mucho mejor informada de lo que solemos creer. Por supuesto, el rumor y la desinformación también eran comunes.[27] Era frecuente que las noticias sobre circunstancias que se transformaban con gran rapidez confundieran y alteraran a los habitantes de Nueva España.

El discurso público se intensificó después de 1808. La imprenta, que se convirtió en instrumento indispensable de la política, alimentó un estallido de actividad en todo el mundo hispánico. En los meses y años siguientes se publicaron sin demora avisos importantes –particularmente sobre la lucha contra los franceses–, decretos, leyes, minutas de juntas especiales, informes sobre las elecciones, declaraciones de personas notables y otros asuntos de interés. Las noticias de Europa y América circularon ampliamente en la ciudad de México y en las capitales de provincia. Los novohispanos políticamente activos se enteraron de los acontecimientos relevantes poco después de que éstos tuvieran lugar; recibieron con rapidez copias de los documentos destacables y aprendieron a ejercer sus derechos.[28]

27. Los archivos nacionales y de ayuntamientos en la América española están repletos de informes y publicaciones sobre gran variedad de acontecimientos. Es común encontrar cartas y partes en los que se aborda no sólo lo acontecido en España, sino en todo el continente americano. Por ejemplo, un funcionario escribía en enero de 1810 que "como son tan interesantes las noticias" las estaba enviando de inmediato a su colega. AGN, Historia, vol. 326, exp. 7, f. 1. Los documentos oficiales a menudo incluían la siguiente orden: "y para que llegue la noticia a todos los habitantes, mando que se publique y se fije en los parajes acostumbrados". Además, los pasquines y las hojas volantes transmitían la reacción del público, frecuentemente opuesta a las acciones oficiales. Véase también Eric Van Young, *The Other Rebellion: Popular Violence, Ideology, and the Mexican Struggle for Independence, 1810-1821* (Stanford: Stanford University Press, 2001), pp. 311-349.

28. El crecimiento masivo de las publicaciones se hace evidente en *Impresos novohispanos, 1808-1821*, 2 vols., Amaya Garritz, Virginia Guedea y Teresa Lozano (eds.) (México: UNAM, 1990); y en Rocío Meza Olivier y Luis Olivera López (eds.), *Catálogo de la colección Lafragua de la Biblioteca Nacional de México, 1800-1810*

Si bien las ideas, estructuras y prácticas políticas se transformaron a una velocidad vertiginosa después de 1808, mucho del antiguo régimen permaneció. La naturaleza de las relaciones sociales, económicas e institucionales cambió lentamente; los nuevos procesos e instituciones liberales requirieron tiempo para afianzarse. Nueva España pasó por una transformación política drástica durante las primeras décadas del siglo XIX. Sin embargo, las nuevas instituciones y los procesos liberales se entretejieron a menudo con los patrones y las prácticas tradicionales. Conceptos tales como autoridad, soberanía, legitimidad, ciudadanía, pueblo, representación e independencia cambiaron pero no se definieron con claridad y conservaron elementos del antiguo régimen; no se registró una ruptura terminante con el pasado, así las prácticas y las estructuras de éste y del nuevo liberalismo se entreveraron a lo largo del periodo.[29]

Las noticias sobre los trágicos acontecimientos en España llegaron a la ciudad de México en junio y julio de 1808. El 9 de junio la *Gazeta de México* anunció que Carlos IV había abdicado en favor de su hijo, el ahora rey Fernando VII, y que Godoy –quien había nombrado a la mayoría de las autoridades reales– había sido encarcelado. Dos días después, el virrey José de Iturrigaray ordenó tañer las campanas y organizar celebraciones en todo el virreinato en honor del nuevo monarca. La alegría ante la noticia de que el régimen de Godoy se había terminado se transformó en horror el día 22, cuando los novohispanos supieron que las tropas francesas habían entrado a la península. Que la *Gazeta* asegurara que, como debía esperarse de una nación amiga, las tropas aliadas habían entrado a territorio español de manera ordenada y que los sol-

---

(México: UNAM, 1993), e *Ibid.*, *Catálogo de la colección Lafragua de la Biblioteca Nacional de México, 1811-1821* (México: UNAM, 1996). Los archivos de ayuntamiento en todo México están llenos de copias de una gran variedad de publicaciones. Por ejemplo, aun cuando el Archivo del Ayuntamiento de Oaxaca ya no alberga muchos de los "libros de actas del ayuntamiento" correspondientes a este periodo, los volúmenes que aún existen incluyen muchas publicaciones de la época. Véase también: François-Xavier Guerra, "El escrito de la revolución y la revolución del escrito. Información, propaganda y opinión pública en el mundo hispánico (1808-1814)", en Marta Terán y José Antonio Serrano Ortega, *Las guerras de independencia en la América española*, pp. 125-147.

29. Para las distinciones entre los conceptos corporativos del antiguo régimen y los conceptos del liberalismo, véase Annick Lempériere, "Reflexiones sobre la terminología política del liberalismo", en Brian Connaughton, Carlos Illades y Sonia Pérez Toledo (eds.), *Construcción de la legitimidad política en México* (Zamora y México: Colmich/UAM/UNAM/El Colegio de México, 1999), pp. 35-56; y Peter Guardino, "Bourbon Judges, Spanish Liberals, and Republican Reformers: Changes in Oaxaca's Political Culture, 1750-1850", ponencia dictada en la reunión anual del Congreso de Historia de América Latina, en Seattle, el 9 de enero de 1998.

dados franceses estaban ahí temporalmente, no tranquilizó a los novohispanos. Tres días más tarde, los impresionó la noticia de que el dos de mayo el pueblo de Madrid se había levantado contra la ocupación francesa y había expulsado a las tropas galas de la capital. Al mismo tiempo, la *Gazeta* anunciaba que Fernando VII había viajado a Bayona para reunirse con el emperador francés. Semanas más tarde, el 16 de julio, los novohispanos se mostraron horrorizados y consternados al enterarse de que los monarcas españoles habían renunciado a la corona y la habían cedido a Napoleón, y que una junta en Madrid, en la que participaba el antiguo virrey de Nueva España, Miguel Azanza, había formado un gobierno en nombre del usurpador.[30]

Los novohispanos de todas las razas y clases reaccionaron con gran patriotismo; expresaron de manera unánime su fidelidad a Fernando VII, su oposición a Napoleón y su determinación a defender su patria contra los franceses. Los gobernadores indígenas de San Juan y de Santiago, por ejemplo, afirmaron: "Las Parcialidades de Indios de esta corte, sus pueblos y barrios anexos... En estas terribles circunstancias... son los primeros que sacrificarán sus cortos bienes propios y comunes, su reposo y tranquilidad, sus hijos y familias, y hasta la última gota de su sangre, por no rendir vasallaje a [Napoleón Bonaparte] quien solo merece el justo enojo de nuestra nación".[31] Otros grupos y gremios hicieron declaraciones similares. En todo el virreinato de Nueva España la gente organizó celebraciones en honor del rey Fernando VII. Las primeras dieron inicio en la capital a las cinco de la mañana del 29 de julio y duraron tres días. La ciudad reverberaba con campanas, salvas y desfiles militares. Gente de todas las clases y castas llenaba las calles al grito de "¡Viva Fernando VII!". Celebraciones del mismo talante tuvieron lugar en otras regiones conforme pasaron las semanas y los meses. Por un momento, el reino estuvo unido. Como lo ha dicho Hira de Gortari: "Los festejos,

30. *Gazeta de México*, XV (9 de junio de 1808; 22 de junio de 1808; 25 de junio de 1808; y 16 de julio de 1808). Véase también: Hira de Gortari, "Julio-Agosto de 1808: 'La lealtad Mexicana'", en *Historia Mexicana*, XXXIX, núm. 1 (julio-septiembre de 1989), pp. 181-203; y Lawrence Lee Black, "Conflict Among the Elites: The Overthrow of Viceroy Iturrigaray, Mexico, 1808" (tesis de doctorado, Tulane University, 1980), pp. 167-195.

31. "Ofertas hechas al propio Exmo. Sr. Virrey por las Parcialidades de Indios de esta capital" (21 de julio de 1808) *Suplemento a la Gazeta de México*, XV (10 de septiembre de 1808), pp. 665-666. Véanse también: Virginia Guedea, "Los indios voluntarios de Fernando VII", en *Estudios de historia moderna y contemporánea de México*, 10 (1986), pp. 11-83; y Guadalupe Nava Otero, *Cabildos de la Nueva España en 1808* (México: SEP, 1973), pp. 59-182.

además de una tregua en las difíciles circunstancias que se vivían en el mundo político novohispano, fueron al mismo tiempo una breve catarsis colectiva que alivió instantáneamente los pesares y reclamos: así las fiestas permitieron olvidar momentáneamente los sentimientos de incertidumbre y temor provocados por la ocupación francesa del territorio español".[32]

Empero, existían cuestiones que enfrentaban a la elite de Nueva España y colocaban al virrey Iturrigaray en una posición difícil. Iturrigaray, un general destacado en las campañas contra Francia y Portugal, había sido nombrado virrey de Nueva España por Manuel Godoy en julio de 1802. Aunque la dote de su esposa –María Inés Jáuregui– fue de más de dos millones de reales, Iturrigaray estaba marcado por su relación con el gobierno de Godoy, un gobierno concebido por muchos como corrupto. Si bien no existe evidencia concreta que respalde las acusaciones de corrupción imputadas contra el virrey, durante sus seis años en ese cargo Iturrigaray se había granjeado la antipatía de importantes grupos de interés en Nueva España. Siendo un antiguo general, estaba acostumbrado a que se obedecieran sus órdenes; como virrey siguió actuando como si ejerciera una autoridad incuestionable. En diversas ocasiones desafió o ignoró la autoridad de la Audiencia. También interfirió e intentó ejercer una influencia indebida en la elección de importantes cargos en el Consulado de México. Entabló un conflicto con varios terratenientes, en especial con Gabriel de Yermo, por el abastecimiento de carne para la capital. Iturrigaray también se granjeó la antipatía de los comerciantes y vecinos de Veracruz cuando decidió que no podía defender esa ciudad porteña debido a que la región era insalubre y, en lugar de ello, apostó tropas en la sierra de Veracruz en Jalapa. La decisión fue la correcta desde el punto de vista militar. Sin embargo, los veracruzanos se quejaron amargamente de que sus vidas, sus bienes y sus propiedades habían sido abandonados a merced de los atacantes potenciales. Al virrey también se le consideró responsable de los efectos negativos

32. Gortari, "Julio-Agosto de 1808", p. 201. Véase también su: "Las lealtades mexicanas en 1808: Una cartografía política" en Alfredo Ávila y Pedro Pérez Herrero (comps.), *Las experiencias de 1808 en Iberoamérica* (Alcalá y México: Universidad de Alcalá /UNAM, 2008), pp. 303-321. Véase también: Marco Antonio Landavazo, *La máscara de Fernando VII. Discurso e imaginario monárquicos en una época de crisis. Nueva España, 1808-1822* (México, Morelia y Zamora: El Colegio de México/Universidad Michoacana de San Nicolás de Hidalgo/El Colegio de Michoacán, 2001), pp. 49-50.

de varios decretos reales, en particular de instrumentar la Consolidación pese a las vehementes protestas de todos los grupos afectados. Aun cuando algunos estudiosos lo han acusado de imprudencia en la instrumentación del decreto, resulta poco probable que alguna otra persona en su situación hubiese actuado de manera distinta.[33] La corona hispánica, desesperada, estaba resuelta a hacer que el reino más rico de América –Nueva España– contribuyera a subsanar las necesidades de la monarquía.

La crisis del sistema político hispánico en los albores de la invasión francesa impulsó a algunos americanos, como el marqués de San Juan de Rayas, a apremiar al virrey para que éste asumiera el liderazgo, pues Nueva España enfrentaba

> un nuevo aspecto desconocido en la historia Española. Por que quando el Rey que acababa de subir al Trono y toda su Real Familia había sido sorprendida y conducídose prisionera al país enemigo: quando el invasor de la Monarquía tan poderoso en armas como en astucias se calificaba invencible: quando la resolución de la Metrópoli se ignoraba o por lo menos la substitución legítima que hubiese hecho de la cabesa que le faltaba: ¿qué es lo que debió acerse? Yo digo que nada en el primer momento...

No obstante, el virrey debía permanecer al mando y hacerse responsable de la protección de Nueva España ante los franceses. Como algunos recalcaron, el virrey "es el *álter ego* del Rey. Es su lugar Teniente. El poder de V. E. es el mismo que tendría Fernando VII si estuviera aquí presente. No hay ni reconocemos diferencia entre las facultades de V. E. y las que se hallan en el Rey de las Españas".[34]

No todos los americanos estaban de acuerdo. Fray Melchor de Talamantes sostenía lo siguiente:

33. Enrique Lafuente Ferrari, *El virrey Iturrigaray y los orígenes de la independencia de Méjico* (Madrid: Consejo Superior de Investigaciones Científicas, 1941), pp. 9-73; Black, "Conflict Among the Elites", pp. 45-166; Jack A. Haddick, "The Administration of Viceroy José de Iturrigaray" (tesis de doctorado, Universidad de Texas, Austin, 1954). Véase el cuidadoso análisis que Christon I. Archer hace de la situación militar y política en la que se hallaba el virrey Iturrigaray: *The Army in Bourbon Mexico, 1760-1810* (Albuquerque: University of New Mexico Press, 1977), pp. 278-285.
34. "Testimonio del Marqués de San Juan de Rayas" (junio de 1817), AGN: Infidencias, tomo 91, f. 12r-v.

> No habiendo Rey legítimo en la nación, no puede haber virreyes; no hay apoderado sin poderdante; el obispo auxiliar cesa faltando el diocesano, y así de lo demás. Esta verdad la han conocido las provincias de España y por eso han nombrado juntas gubernamentales que las dirijan. El que se llamaba, pues, virrey de México, ha dejado de serlo desde el momento que el Rey ha quedado impedido para mandar en la nación. Si se tiene presente alguna autoridad, no puede ser otra que la que el pueblo haya querido concederle...[35]

Así, según Talamantes, Iturrigaray debía convocar a una junta general para garantizar la legitimidad de su encargo.

Aunque las opiniones cambiaban conforme cambiaban las circunstancias, surgieron dos puntos de vista: uno que por lo general se asocia con los españoles europeos, los funcionarios nacidos en España, los empresarios y los asalariados; y el otro, respaldado básicamente por los españoles americanos.[36] Los peninsulares querían mantener el orden establecido. Ellos mantenían que "En el presente estado de las cosas, nada ha alterado el orden de las potestades establecidas legítimamente y deben todas continuar como hasta aquí...".[37] Los españoles europeos, por supuesto, tenían razones de peso para defender tal postura. Si reconocían que la monarquía hispánica ya no existía como tal, habrían debilitado su propia posición dentro de Nueva España. Por consiguiente, se vieron forzados a argumentar que cualquier gobierno que no fuese francés y existiera en España sería la autoridad a la que el virreinato debía obedecer. Su postura no sólo ignoraba la teoría política tradicional hispánica, sino que también contrastaba con la respuesta de las provincias españolas ante la crisis.

Los españoles americanos, en cambio, sostenían que la teoría política tradicional hispánica debía guiar las acciones de las autoridades en

35. "Proclama del Virrey Iturrigaray... anotada por Fr. Melchor de Talamantes", en Juan E. Hernández y Dávalos, *Colección de documentos para la historia de la guerra de independencia de México de 1808 a 1821*, 2ª ed., 6 vols. (México: INEHRM, 1985), I, p. 518.
36. Como sostiene Jochen Meissner, el ayuntamiento de México no estuvo dominado por los criollos durante la segunda mitad del siglo XVIII y la primera década del XIX. Además, la elite americana, según Meissner, estaba dividida por intereses diversos. De ahí que dicha corporación no representara a un grupo monolítico. "De la representación del reino a la Independencia. La lucha constitucional de la elite capitalina de México entre 1761 y 1821", en *Historia y grafía*, 6 (1996), pp. 11-28.
37. "Voto Consultivo del Real Acuerdo sobre la representación del Ayuntamiento de México", en Hernández y Dávalos, *Colección de documentos para la historia de la guerra de independencia*, I, pp. 536-538.

Nueva España.[38] Los novohispanos fundaban sus acciones en el principio de que Nueva España no era una colonia sino un reino de la monarquía hispánica, que era un igual de los reinos de la península, que en la ausencia del monarca la soberanía recaía sobre el pueblo; y que Nueva España tenía derecho a convocar unas Cortes de ciudades en las que la ciudad de México llevaría la voz preponderante.[39] El principio según el cual Nueva España era un reino, y no una colonia, constituía la base sobre la que el resto de la teoría americana estaba fundada. Durante toda esta década, los novohispanos insistieron en que se reconociera dicho principio. Una vez aceptado ese primer principio, todos los demás se seguían.

Los principales defensores de la autonomía eran miembros del ayuntamiento: los regidores Juan Francisco de Azcarate y el Marqués de Uluapa, así como el síndico procurador del común, Francisco Primo de Verdad; el Alcalde del Crimen de la Audiencia, Jacobo Villaurrutia; e importantes ciudadanos como el conde de Medina, el conde de Regla y el marqués de San Juan de Rayas. El principal ideólogo de la autonomía, fray Melchor de Talamantes, redactó una serie de tratados políticos para el ayuntamiento. Fue él quien propuso convocar a un congreso para gobernar Nueva España y reformar el reino. La asamblea sería dotada de poderes para nombrar a un virrey, ocupar los cargos civiles y eclesiásticos, administrar las finanzas del reino, abolir la Inquisición y los fueros eclesiásticos, introducir el libre comercio y promover reformas

38. En torno a la naturaleza de dichas tradiciones, véanse: Mónica Quijada, "Las 'dos tradiciones'. Soberanía popular e imaginarios compartidos en el mundo hispánico en la época de las grandes revoluciones atlánticas", en Jaime E. Rodríguez O. (coord.), *Revolución, independencia y las nuevas naciones de América* (Madrid: Mapfre-Tavera, 2005), pp. 61-86; su "Sobre 'Nación', 'Pueblo', 'Soberanía' y otros ejes de la modernidad en el mundo hispánico", en Jaime E. Rodríguez O. (coord.), *La nuevas naciones: España y México, 1800-1850.* Madrid: Instituto de Cultura-Mapfre, 2008, pp. 19-51; y su "From Spain to New Spain: Revisiting the *Potestas Populi* in Hispanic Political Thought," *Mexican Studies/Estudios Mexicanos*, vol. 24, núm. 2 (verano de 2008), pp. 185-219. Véase también: Jaime E. Rodríguez O., "La naturaleza de la representación en la Nueva España y México", en *Secuencia. Revista de Historia y Ciencias Sociales*, 61 (enero-abril, 2005), pp. 6-32.

39. El marqués de San Juan de Rayas proporciona un excelente recuento de estas posturas en su "Testimonio del Marqués de San Juan de Rayas", ff. 1-15. Incluso los insurgentes mantenían esta opinión ya en 1812. Por ejemplo, el *Ilustrador Americano* publicó un *Plan de Paz* que incluía: "Principios naturales y legales en que se funda. 1. La soberanía reside en la masa de la nación. 2. España y América son partes integrantes de la monarquía, sujetas a la ley, pero iguales entre sí y sin dependencia o subordinación de la una respecto a la otra. 3. Ausente el soberano ningún derecho tienen los habitantes de la Península para apropiarse la suprema potestad y representarla en estos dominios". *Ilustrador Americano,* 3 (1 de junio de 1812).

a la minería, la agricultura y la industria.[40] Empero, los españoles europeos, no estaban dispuestos a tolerar un congreso regional para Nueva España.

El 14 de julio de 1808, las gacetas de Madrid llegaron a Nueva España con la noticia de la abdicación de los monarcas españoles y el nombramiento "del duque de Berg [Joaquín Murat] como lugar teniente general del reino...".[41] Al día siguiente, el Real Acuerdo se reunió para debatir sobre la situación. La mayoría europea, temerosa de que una acción precipitada socavara su posición, prefirió posponer su actuación hasta que llegaran más noticias de España. Sin embargo, los miembros de esta mayoría acordaron que el virrey debía publicar las noticias en la *Gazeta de México*. El ayuntamiento de México, dominado por los americanos, también se reunió el 15 de julio. Dos letrados, Azcárate y Primo de Verdad, llamaron con premura a la acción. Azcárate propuso que "el ayuntamiento bajo de mazas, con uniforme de gala [...] hiciesen juramento ante el virrey de ser fieles a Fernando, y no reconocer a Napoleón ni a ninguno de su familia".[42] Aunque la propuesta no fue aprobada, Azcárate accedió a preparar una declaración escrita para el día siguiente. En ese momento, Primo de Verdad también planteó que la ciudad de México, que "tiene por honor ser la Cabeza o Metrópoli" del virreinato, tenía la responsabilidad de actuar en defensa del reino y que, por ende, contaba con la autoridad para solicitar al virrey acciones en defensa de Nueva España. Azcarate presentó entonces su declaración solicitando al virrey Iturrigaray que asumiera la responsabilidad en la defensa de Nueva España. Tras un debate, la propuesta fue aprobada.[43]

40. Melchor de Talamantes, "Congreso Nacional del Reyno de Nueva España", en Luis González Obregón y Juan Pablo Baz, *Fray Melchor de Talamantes: Biografía y escritos póstumos* (México: Tip. de la Vda. de F. Díaz de León, 1909), pp. 1-40.
41. Lucas Alamán, *Historia de Méjico desde los primeros movimientos que prepararon su Independencia en el año de 1808 hasta la época presente*, 5 vols. (México: FCE, 1985), I, p. 165.
42. *Ibid.*, pp. 167-168.
43. Existe gran cantidad de obras en torno a estos debates. Servando Teresa de Mier escribió el primer relato que defendía al virrey Iturrigaray: *Historia de la revolución de Nueva España* (edición crítica) (París: Sorbonne, 1990), pp. 5-187; Alamán proporciona una visión más crítica en su *Historia de Méjico*, I, pp. 163-278; Lafuente Ferrari, *El virrey Iturrigaray* es un cuidadoso recuento basado en fuentes españolas; de manera similar, Luis Villoro en *El proceso ideológico de la Revolución de Independencia* (México: UNAM, 1977), pp. 33-60, proporciona un análisis cuidadoso basado en fuentes impresas; Haddick, "The Administration of Viceroy José de Iturrigaray" y "The Deliberative Juntas of 1808: A Crisis in the Development of Mexican Democracy", en Thomas E. Cotner y Carlos E. Castañeda (eds.), *Essays in Mexican History* (Austin: University of

Los líderes del ayuntamiento parecían haber coordinado sus acciones con el virrey Iturrigaray. En la tarde del 19 de junio, los miembros del ayuntamiento con uniforme de gala viajaron "en coches, bajo mazas, rodeada de numeroso pueblo que acudió a la novedad del espectáculo, al palacio del virrey, en el que contra el uso establecido, se le hicieron a la entrada y salida honores militares, y recibida por el virrey, puso en sus manos la representación que tenía acordada".[44] El ayuntamiento, confirmando que representaba al reino entero –como lo había hecho en el pasado– declaró que hasta el regreso del monarca y hasta que las tropas francesas abandonaran España, la nación no era enteramente libre de actuar.[45] De ahí que los capitulares propusieran que el virrey continuara *provisionalmente* al mando del gobierno. El ayuntamiento reafirmó que el virrey ya no derivaba su autoridad de la corona, sino que gobernaba provisionalmente en nombre del Reino de Nueva España en tanto representado por sus tribunales superiores, las ciudades, y la ciudad de México al frente de ellas, así como las corporaciones, el clero y la nobleza. Los representantes de la nación, según la definición del ayuntamiento, eran casi los mismos que aquellos que tradicionalmente poseían derecho a la representación en las Cortes de Castilla. Además, el ayuntamiento propuso que todos los funcionarios y corporaciones que funcionaban ahora provisionalmente hicieran votos formales para defender el reino de Nueva España en nombre de Fernando VII.

Las razones esgrimidas por el ayuntamiento de la ciudad de México para actuar de esa manera revisten importancia. El ayuntamiento sostenía que el rey no podía enajenar sus reinos sin el consentimiento de la nación y que, por ende, su abdicación era nula. La enajenación no sólo era contraria a la

---

Texas Press, 1958), pp. 53-71, son buenos recuentos, basados en fuentes impresas; Frances F. Foland, "Pugnas políticas en el México de 1808", *Historia Mexicana,* V, núm. 1 (julio-septiembre de 1955), pp. 30-41, resulta útil; "Criollos y peninsulares en 1808. Dos puntos de Vista sobre lo Español" (tesis de licenciatura, Universidad Iberoamericana, 1964), de Virginia Guedea es hasta el día de hoy el mejor análisis de estos debates; Ladd, *The Mexican Nobility at Independence,* pp. 105-110, proporciona un recuento útil del papel que jugaron los nobles en estos debates; Anna, *The Fall of Royal Government in Mexico City,* pp. 38-59, presenta un recuento basado tanto en fuentes mexicanas como en fuentes españolas; y Black, "Conflict Among the Elites", pp. 167-282, es el recuento más detallado, basado en una amplia investigación de fuentes mexicanas y españolas.

44. Alamán, *Historia de Méjico,* I, p. 168.
45. Meissner, "De la representación del reino a la Independencia", p. 26; Jochen Meissner, *Eine Elite im Umbruch: Des Stadtrat von Mexiko Zwischen Koloniale Ordnung und Unabhängigem Staat* (Stuttgart: Franz Steiner Verlag, 1993), pp. 201-205, 226-236.

ley hispánica sino que también violaba el juramento que Carlos I hiciera a la ciudad de México en el siglo XVI, jurando no enajenar ni ceder el reino. De esta manera, los novohispanos invocaban no sólo las tradiciones legales hispánicas sino también los derechos históricos especiales, o la Constitución de Nueva España. Atinadamente, el cabildo declaró que: "por su ausencia [la del rey] o impedimento reside la soberanía representada en todo el Reino y las clases que lo forman y con más particularidad en los Tribunales superiores que lo gobiernan, administran justicia, y en los cuerpos que llevan la voz pública".[46] El cabildo también propuso que se convocara a una junta compuesta por representantes de las ciudades, la nobleza, el clero y los tribunales superiores para gobernar Nueva España. Esta propuesta era coherente con las tradiciones española y novohispana. En el siglo XVI, Carlos I había reconocido la posición preeminente de la ciudad de México dentro de cualquier posible asamblea de ciudades de Nueva España.[47] Además, en dos ocasiones, en 1567 y en 1635, la corona había propuesto otorgar a Nueva España un puesto de representación en las Cortes de Castilla. En ambos casos, las ciudades y villas de ese reino no estuvieron dispuestas a pagar los elevados impuestos requeridos para participar en dicho parlamento.[48]

46. "Acta celebrada por el Ayuntamiento de México" (19 de julio de 1808), en Hernández y Dávalos, *Colección de documentos para la historia de la guerra de independencia*, I, pp. 475-485, la cita se encuentra en la página 481.
47. Fray Melchor de Talamantes sostenía que: "La Ley segunda, título octavo, Libro cuarto de la Recopilación de Indias manda, que en atención a la grandeza y nobleza de la Ciudad de México, y a que en ella reside el Virrey, Gobierno, y Audiencia de la Nueva España, y fue la primera Ciudad poblada por Cristianos, tenga el primer voto y lugar de las Ciudades y Villas de la Nueva-España. Esta Ley es una tácita declaración, o más bien verdadero reconocimiento del derecho que gozan para congregarse las Ciudades y Villas del Reyno, quando así lo exige la Causa pública, y bien del estado, pues de otra manera serían absolutamente inútiles e ilusorios el voto y lugar que se les conceden". Talamantes, "Congreso Nacional del Reyno de Nueva España", la cita se encuentra en la página 3.
48. Rodríguez O., "La naturaleza de la representación", pp. 10-11. Véase también Demetrio Ramos, "Las ciudades de Indias y su asiento en Cortes de Castilla", en *Revista del Instituto de Historia del Derecho Ricardo Levene*, 18 (1967), pp. 170-185. Lucas Alamán –quien, junto con otros diputados americanos propuso a las Cortes de 1821 la creación de tres reinos autónomos en el Nuevo Mundo, cada uno con sus propias Cortes, como alternativa a la independencia– recordaba con nostalgia los primeros años de Nueva España. Decía Alamán: "Las instituciones liberales de que España gozaba, mas que ninguna otra nación en aquel siglo, habian venido a ser un hábito para todos los españoles: ellas eran parte esencial de su vida política, y en todas las circunstancias de esta, se presentaban aquellas como cosa ordinaria y de costumbre. Entónces y no ántes es cuando puede decirse que una nacion tiene una constitucion, cuando esta consiste no en estar escrita, sino en estar radicada en las costumbres y opiniones de todos (...) Si las cosas hubieran seguido bajo este pié, la Nueva-España hubiera tenido desde su principio una legislatura (...) y acostumbrada la nacion a discutir

El virrey Iturrigaray estaba complacido con la propuesta del ayuntamiento. Ésta reconocía su autoridad y le proporcionaba una nueva forma de legitimidad que le daba poder para actuar decisivamente en defensa del reino. El virrey necesitaba confirmar su estatus, pues había sido nombrado por Godoy, quien ahora estaba desacreditado y era sospechoso de traición. El miedo a la dominación francesa era rampante en Nueva España, como en el resto de América; un ejemplo: el 10 de agosto de 1808, cuando corrió el rumor de que el virrey Miguel de Azanza, un "afrancesado" que había participado en la Junta que reconocía los derechos de Napoleón al trono, había llegado en el barco francés *Vaillant* para ponerse al mando de Nueva España, un motín estalló en Veracruz. Las masas desbordaron las calles, causando disturbios, saqueando y provocando incendios al tiempo que buscaban a "los traidores".[49] De cara a la escalada de miedo, Iturrigaray consultó al real acuerdo e intentó presionar a sus miembros para que aceptaran la propuesta del ayuntamiento.

El debate sobre el futuro de Nueva España no podía limitarse a las autoridades más altas de la ciudad de México. El 20 de julio, el ayuntamiento de Jalapa declaró que, a partir de la llegada de las "tristes noticias" sobre los acontecimientos en España, "el pueblo indistintamente trataba estas materias en las calles, en las plazas y tabernas. Estas concurrencias se han ido aumentando a medida de las noticias. Se ve la gente dividida en grupos por todas partes en confabulaciones, se oye murmullo, y se repiten los pasquines en las casas de los Jueces y en los pasages públicos". Los miembros del ayuntamiento de Jalapa creían que debían actuar para calmar al público y también para proteger al reino. De ahí que declararan estar preparados para mandar "una diputación del Cuerpo" para participar en una junta en la ciudad de México.[50] Dos días más tarde, el ayuntamiento de Veracruz –que estaba conformado básicamente por peninsulares– propuso por

libremente sus propios intereses, la independencia se habría hecho por sí misma (...) pero en la misma España las instituciones liberales tocaban a su fin, y en los campos de Villalar se habia decidido (...) la cuestion entre el poder absoluto de Cárlos V y la libertad, de una manera desgraciada para esta". Lucas Alamán, *Disertaciones sobre la historia de la República Mejicana*, 3 vols. (México: Jus, 1942) I, p. 144.

49. Archer, *The Army in Bourbon Mexico*, pp. 73-77.
50. "Representación hecha al virrey Iturrigaray, por el Ayuntamiento de Jalapa" (20 de julio de 1808), en Hernández y Dávalos, *Colección de documentos para la historia de la guerra de independencia*, I, pp. 490-491.

unanimidad el envío de "sus representantes" a una Junta de Nueva España.[51] El 27 de julio, el ayuntamiento de Puebla de Los Ángeles declaró que había acordado: "que esta noble ciudad que obtiene entre las demás de este reino el segundo lugar, tenga a bien proponer... la convocación de juntas generales para que en ellas se acuerden las providencias directivas a la defensa de los derechos del rey y la conservación del reino".[52] Dos días más tarde, el ayuntamiento de Querétaro declaró que si el virrey consideraba "conveniente tener en esa capital representantes de esta ciudad, procederá a nombrarlos...".[53]

Pese al creciente deseo de establecer una junta general para enfrentar la crisis, los ministros del real acuerdo –encabezados por los oidores Guillermo de Aguirre y Miguel Bataller– insistieron en que nada había cambiado. El 21 de julio, el organismo emitió su voto consultivo sobre la propuesta del ayuntamiento de México. Como era de esperarse, el real acuerdo sostuvo que el ayuntamiento de México no tenía derecho a asumir la "vos y representación" del reino entero. No había fundamentos en la ley vigente, aseguraban, para que los representantes de las corporaciones establecieran un gobierno provisional. Las potestades en funciones mantenían su autoridad y, por ende, no había razones para requerir nuevas juras de cargos. El real acuerdo amonestó al ayuntamiento de México para que éste no se arrogara el derecho de hablar por las otras ciudades del reino. No obstante, el real acuerdo sí aprobó la declaración de lealtad al rey hecha por el ayuntamiento;[54] sólo un miembro manifestó disconformidad: el alcalde de corte, Jacobo Villaurrutia –el único ministro nacido en América– coincidía con el ayuntamiento de México y sostenía que, puesto que no existía ninguna autoridad legítima en España, tampoco había una autoridad que limitara al virrey, quien nunca había sido circunscrito por las decisiones del real acuerdo en el pasado. La solución al problema era formar una junta representativa del reino que serviría como un contrapeso al virrey.[55]

51. "Representación de la Nobilísima Ciudad de Veracruz", en *Suplemento a la Gazeta de México*, XV (5 de agosto de 1808); Alamán, *Historia de Méjico*, I, pp. 174-175.
52. "Representación de la NC de Puebla de los Ángeles" (27 de julio de 1808), en Nava Oteo, *Cabildos de la Nueva España*, pp. 135-138.
53. "Representación del Ayuntamiento de Querétaro" (30 de julio de 1808), en Hernández y Dávalos, *Colección de documentos para la historia de la guerra de independencia*, I, pp. 490-491.
54. "Voto Consultivo del Real Acuerdo sobre la representación del Ayuntamiento de México", en Hernández y Dávalos, *Colección de documentos para la historia de la guerra de independencia*, I, pp. 536-538.
55. Alamán, *Historia de Méjico*, I, pp. 170-171.

El argumento de Villaurrutia, por supuesto, contenía la esencia de la propuesta del ayuntamiento de México, pero en un fraseo distinto.

Una goleta con el atinado nombre de *Esperanza* llegó al puerto de Veracruz el 26 de julio de 1808. Dos días más tarde llegaron a la ciudad de México las alegres noticias sobre el levantamiento generalizado contra los franceses que se había suscitado en la península. El día 29 la *Gazeta Extraordinaria de México* anunció que se había conformado una junta de Valencia y que ésta declaraba la guerra "a un *monstruo de perfidia*"; la proclama rezaba: "Españoles valerosos: la justicia está en nuestra parte: el Dios de los exércitos; el verdadero Dios a quien adoramos, protegerá nuestra causa, y combatiendo todos por la *Religión santa*, por la independencia de la patria y por un *Rex amado*, debemos estar seguros del vencimiento".[56] En el amanecer del día 29, el virrey Iturrigaray anunció los gloriosos acontecimientos con repiques de campanas y fuego de artillería. La ciudad celebró durante tres días. Otras ciudades y villas en todo el virreinato se unieron a las celebraciones en los días y semanas que siguieron. Entonces, el 1 de agosto, la *Gazeta de México* anunció que también en Sevilla se había formado una junta que había declarado la guerra contra los franceses;[57] ¡ésta era la prueba de que los novohispanos tenían razón! Ellos, al igual que los valencianos y los sevillanos, tenían derecho a formar una junta para proteger su sagrada religión, a su amado rey y su patria. Mas las noticias también anunciaban que un gobierno de defensa nacional se había formado o estaba en proceso de formación en la península. ¿Cuál sería la relación de Nueva España con ese régimen?

Al día siguiente, la situación parecía transformarse. El 2 de agosto, la *Gazeta de México* publicó una pequeña nota sobre algunas cartas recibidas en Veracruz que indicaban "que nuestro Soberano FERNANDO VII con la demás familia Real han sido restituidos a España".[58] Se trataba tan sólo de un rumor publicado por el editor Juan López Cancelada, un peninsular que se oponía a los autonomistas.[59] Para algunos novohispanos parecía ser un

56. *Gazeta Extraordinaria de México*, XV (29 de julio de 1808).
57. *Op. cit.* (1 de agosto de 1808).
58. *Ibid.* (2 de agosto de 1808).
59. Véase: Juan López de Cancelada, *Sucesos de Nueva España hasta la coronación de Iturbide* (estudio introductorio y notas de Veránica Zárate Toscano) (México: Instituto José María Luis Mora, 2008).

intento de los españoles europeos por impedir la formación de una junta general en Nueva España. Los líderes del ayuntamiento de México respondieron enérgicamente; el 3 de agosto enviaron al virrey su respuesta a las críticas que el real acuerdo hiciera a su primera representación. En una nueva representación bien documentada, los capitulares sostenían que el ayuntamiento de México había asumido "la voz y representación del reino" porque los soberanos habían otorgado a la ciudad el derecho a "ser caveza de todas las Provincias y Reynos (...) en la América Septentrional" en la época de la conquista y habían reiterado ese privilegio en numerosas ocasiones a lo largo de los años. Además demostraban que al recomendar la formación de una junta general el ayuntamiento no hacía sino seguir una práctica tradicional. Más aún: declararon que Nueva España poseía los mismos derechos que los reinos de Valencia y Sevilla, que tenían audiencias y estaban gobernados por un capitán general y un virrey, respectivamente. En otra representación fechada el 5 de agosto, los capitulares argumentaban que la convocatoria a juntas era necesaria para "llenar en pronto el hueco inmenso que hay entre las autoridades que Mandan, y la Soberanía...". También proponían un proceso de transición que diera tiempo a que los representantes de las ciudades llegaran y, quizás, a minimizar la influencia del real acuerdo:

> Es muy importante organizar una Junta de Govierno que presida V. E. compuesta de la Real Audiencia, el M.R. Arzobispo, la N.C. y Diputaciones de los Tribunales, Cuerpos Eclesiásticos y Seculares, la Nobleza, Ciudadanos principales y el estado militar (...) La N.C. cree es llegado el caso de realizar el medio adoptado por la España. La Junta que V.E.. forme compuesta ahora de las autoridades y cuerpos respetables de la Capital y mas que ha referido, interin se reunan los representantes del Reyno.[60]

El ayuntamiento proponía, en esencia, la formación de un gobierno representativo autónomo que, desde su perspectiva, era también legítimo.

Las propuestas del ayuntamiento fueron bien recibidas por el virrey Iturrigaray. Inmediatamente, éste notificó al real acuerdo que había decidido convocar a una junta general "a imitación de las de Sevilla y Valencia". Tam-

60. "Exposiciones del ayuntamiento al virrey" (3 y 5 de agosto de 1808), en Lafuente Ferrari, *El virrey Iturrigaray*, pp. 283-293.

bién solicitó la opinión formal del real acuerdo sobre las representaciones del ayuntamiento. En su brusca respuesta del día siguiente, 6 de agosto, el tribunal se reservaba el derecho de informar al rey sobre las pretensiones del ayuntamiento. Además, exigía severamente "que V. E. se sirva suspender la junta que tiene decidida". El tribunal sostenía que nada debía hacerse hasta que se decidiera si el rey había o no regresado a España. Además, el real acuerdo no podría emitir una opinión sin saber "los cuerpos y personas que han de concurrir a la junta, del modo y términos en que han de hacerlo, para qué fines, con qué representación y voto, bien decisivo o consultivo". Finalmente, declaraba "que nunca será de parecer, ni convendrá en que se forme dicha junta". Una vez más, el alcalde Villaurrutia estuvo en desacuerdo con el resto de los ministros.[61]

El virrey Iturrigaray no se desalentó; respondió ese mismo día que su decisión de convocar a una junta general no era resultado de las representaciones del ayuntamiento de México, y afirmó que ya había decidido llevar a cabo esa reunión porque era necesario preservar los derechos del rey y la estabilidad "de las autoridades constituidas". El virrey declaraba que la junta era necesaria para demostrar que ni él ni la real audiencia estaban asumiendo la soberanía que no poseían y que el gobierno tenía autoridad para gobernar. Concluía afirmando "que urge mucho celebrar la primera sesión" el 9 de agosto. Dos días más tarde, el 8 de agosto, el real acuerdo respondió que no había necesidad de convocar a tal junta. Las "Leyes de Indias tienen provisto de remedio para casos iguales": que los virreyes conserven su autoridad y que consulten "*las materias mas arduas e importantes* con el real acuerdo en que Las Leyes de Indias tienen depositada toda su confianza". Además, el acuerdo rechazaba el argumento del ayuntamiento según el cual la Constitución de Nueva España era la misma que la de los reinos peninsulares. Todo lo contrario: eran "muy diferentes de la establecida para estos distantes dominios". El real acuerdo declaró que asistiría a la junta "bajo protestas". Argumentaba que no debía haber cambios en la estructura de la autoridad en el reino; que la junta no podría tratar materias relacionadas con la soberanía de Fernando VII; que debía disolverse tan pronto como apareciera alguna evidencia creíble de

61. "El virey D. José Iturrigaray remite al Real Acuerdo las segundas representaciones del ayuntamiento… y contestación de aquel", en Hernández y Dávalos, *Colección de documentos para la historia de la guerra de independencia*, I, pp. 506-507.

que el rey Fernando VII había sido restituido al trono, que debería respetar y obedecer a la Junta de Sevilla o a cualquier otra que representara legítimamente al monarca, y exigía que las objeciones del organismo fueran leídas en la reunión de la junta de manera que todos estuviesen enterados de las preocupaciones del acuerdo.[62]

Convencidos de que el virrey estaba resuelto a convocar a la junta general, los ministros del real acuerdo reaccionaron enérgicamente. No sólo se opusieron a la convocatoria, también advirtieron que tales reuniones eran peligrosas. Los tradicionalistas, en especial los peninsulares, consideraban cualquier acción como riesgosa, dada la incierta circunstancia de España. Estos hombres esperaban que las juntas recién formadas en Valencia y Sevilla se convirtieran en un verdadero gobierno nacional al que las autoridades de Nueva España pudieran respaldar. Algunos, como el acaudalado empresario Gabriel Yermo, el oidor Ciriaco González Carvajal y el inquisidor Bernardo del Prado sostenían que la sola idea de un congreso era traicionera. El obispo Manuel Abad y Queipo, considerado por mucho tiempo como un reformador progresista, declaró "que el establecimiento pretendido de una junta nacional violaba la Constitución y era una formal rebelión".[63]

Pese a estas objeciones, el virrey Iturrigaray convocó a la junta en la capital el 9 de agosto. Algunos novohispanos prominentes como Primo de Verdad, Azcárate y el marqués de San Juan de Rayas, tenían comunicación cercana con el virrey Iturrigaray. Según Hugh M. Hamill, Primo de Verdad escribió de su puño y letra el decreto del virrey, convocando a una junta de autoridades que habría de reunirse el 9 de agosto de 1808. De hecho, Primo de Verdad parece haber discutido con el virrey lo que éste diría en la junta. Desde la perspectiva de Hamill, el hecho de que "el orador del cabildo estuviera tan íntimamente relacionado con tan cruciales decisiones, mientras que

62. "Segundo oficio del virrey al Real Acuerdo…; voto consultivo y protestas de este", en Hernández y Dávalos, *Colección de documentos para la historia de la guerra de independencia*, I, pp. 508-510 (las cursivas son del original).

63. "Ciriaco González Carvajal a Iturrigaray" (7 de agosto de 1808), en Hernández y Dávalos, *Colección de documentos para la historia de la guerra de independencia*, I, pp. 512-513; "Opinión del Obispo de Valladolid, D. Manuel Abad y Queipo", en *Ibid.*, I, pp. 756-758, la cita se encuentra en la página 757; Ladd, *The Mexican Nobility at Independence*, pp. 106-108.

las protestas y advertencias de los consejeros oficiales del virrey eran desatendidas", contribuyó al enojo y los miedos de los ministros del real acuerdo.[64]

Desafortunadamente, al reconstruir los acontecimientos del 9 de agosto, los historiadores han debido valerse de documentos que no proporcionan un relato preciso de los debates de la primera junta general. El 20 de agosto, el virrey Iturrigaray publicó un acta de la reunión para su distribución pública; el relato es muy general y enlista los nombres de las 82 personas que asistieron a la junta. En él se indica que el "Síndico del Común (...) tomó su voz [la del ayuntamiento] esforzando sus representaciones y pedimentos". A continuación, dice: "en seguida los tres Señores Fiscales, esclarecieron con diversos fundamentos el concepto y votos del Real Acuerdo". El documento también anota que: "se agregan Copias" de los argumentos de ambas partes. Aquellos presentes proclamaron entonces: "a nuestro muy amado Soberano el Sr. D. Fernando VII, Rey de las Españas y de las Indias".[65] Además, la publicación señala que juraron no obedecer a Napoleón ni a ninguno de sus representantes, que acatarían sólo a aquellas juntas "creadas, establecidas o ratificadas" por el rey, y que acordaban que el virrey era el lugarteniente verdadero y legal y que las demás autoridades mantendrían sus facultades. El documento estaba claramente diseñado para informar al público sobre los esfuerzos del virrey para proteger el reino y asegurar la legitimidad. No se señala nada acerca de los conflictos que tuvieron lugar durante la reunión. De ahí que la mayoría de los historiadores haya recurrido a otro relato preparado por los ministros del real Acuerdo *después* del derrocamiento de Iturrigaray. Dicho relato refleja la necesidad de justificar el extraordinario acto de derrocar al representante legítimo de la monarquía hispánica. En consecuencia, la mayoría de los historiadores ha aceptado las declaraciones exageradas de los ministros según las cuales los americanos buscaban la independencia: esto es, la separación respecto de la corona hispánica. La investigación en archivo de Hamill y Lawrence L. Black nos ayuda a clarificar algunos aspectos de esas reuniones, pero aún falta mucho por conocer.

64. Sobre este punto, véase: Hugh M. Hamill, Jr., "Un discurso formado con angustia: Francisco Primo Verdad el 9 de agosto de 1808", en *Historia Mexicana*, vol. 28, núm. 3 (enero-marzo, 1979), pp. 441-442.

65. *Junta General celebrada en México el nueve de agosto de mil ochocientos ocho, presidida por el Exmo. Señor virrey D. Josef de Yturrigaray* (México: spi, 20 de agosto de 1808).

La junta general, que se reunió el 9 de agosto, estaba compuesta por el virrey, el arzobispo, el real acuerdo, el ayuntamiento, varias corporaciones tales como el consulado y el Tribunal de Minería, los dirigentes del clero regular y secular, los miembros de la Inquisición, la nobleza, individuos distinguidos, los gobernadores de las parcialidades indígenas, los jefes militares y representantes de los ayuntamientos de Puebla y Jalapa. Los hombres más influyentes de la capital también se dieron cita allí; el lugar que ocupaba cada uno dependía de su rango. Las puertas del recinto permanecieron abiertas para que los empleados virreinales y los miembros del público pudiesen escuchar la discusión; el virrey Iturrigaray inició la sesión con un enérgico discurso sobre la crucial situación, la necesidad de reconocer a Fernando VII como el soberano, la importancia de la unidad y la necesidad de prepararse para defender el reino de la invasión francesa. Después ordenó que los intercambios entre él mismo y el real acuerdo fuesen leídos para que los miembros de la junta pudieran comprender las diferencias existentes. A continuación, los representantes del ayuntamiento fueron invitados a presentar sus opiniones.

Primo de Verdad habló en nombre de la ciudad. Siguiendo la síntesis preparada por el real acuerdo, Primo de Verdad reconoció los derechos de Fernando VII, rechazó a los franceses e hizo hincapié en la necesidad de defender Nueva España de la invasión extranjera. El síndico del común argumentó entonces que a la luz de los acontecimientos en España, la soberanía "ahora había recaído en el pueblo, citando a varios autores en comprobación, y entre ellos a Pufendorf". Después, tres fiscales "impugnaron las representaciones de la nobilísima ciudad y la exposición del síndico, declarando abiertamente contra ésta, como sediciosa y subversiva". El inquisidor decano, Bernardo Prado y Obejero, "tachó de proscrita y anatematizada la propuesta del síndico". El oidor Guillermo Aguirre inquirió "¿cuál era el pueblo en quien había recaído la soberanía?", a lo que Primo de Verdad contestó: "las autoridades constituidas". Sin embargo, Aguirre sostuvo que ellos no eran "el pueblo" y sugirió que la lógica de los argumentos de Primo de Verdad regresaría la soberanía a los indígenas que eran "el pueblo originario". Es interesante notar que el relato del real acuerdo indica que, aun cuando Primo de Verdad basaba sus argumentos en la teoría política tradicional, lo que preocupaba a Aguirre era el posible eco de nociones modernas de la soberanía popular. Por su parte, otros críticos rechazaron el argumento de que Nueva

España fuese un igual de los reinos de la Vieja España. De acuerdo con ellos, la propuesta del ayuntamiento, según la cual la soberanía había recaído sobre el pueblo de América, era "una opinión sediciosa y un crimen de verdadera traición y lesa majestad".[66] Esta última afirmación era incorrecta y entraba en contradicción con la teoría política hispánica de larga data.[67]

La reconstrucción que Hamill hace de los documentos de Primo de Verdad ofrece una versión un tanto diferente sobre los acontecimientos. Es posible que el síndico hablara de forma extemporánea. También es posible, e incluso muy probable, que Primo de Verdad hubiese preparado un esbozo de su discurso. Hamill ha encontrado tres versiones de dicha presentación. Según él, la primera, o esbozo A, podría ser la base de la presentación de Primo de Verdad el 9 de agosto. Los esbozos B y C fueron escritos más tarde para minimizar los pasajes "peligrosos" del discurso. Sin embargo, el esbozo A no parece ser particularmente desafiante; Primo de Verdad fue lo suficientemente cuidadoso para indicar que él y el ayuntamiento reconocían a Fernando VII como su monarca, que se oponían a los franceses y que sus acciones tenían el propósito de resguardar Nueva España para el legítimo monarca. Es cierto que hace referencia a teóricos políticos importantes, entre ellos a Samuel Pufendorf. No obstante, estos pensadores no eran radicales y formaban parte de los programas de estudios regulares de las universidades hispánicas. Además, Pufendorf era un defensor acérrimo del derecho absoluto del rey. De ahí que no debieran haber supuesto ningún peligro. Sin embargo, algunos de sus críticos se concentraron en esos escritores, en Pufendorf en particular, y los denunciaron como revolucionarios radicales. Basado en "estos principios sanos y seguros", Primo de Verdad insistía en que se debía "erigir la junta suprema de gobierno convocándose las ciudades, villas

66. "Relación de los pasajes mas notables ocurridos en las juntas generales que el Exmo. Sr. D. José de Iturrigaray convocó (...) en los días 9 y 31 de agosto, 1º. y 9 de septiembre de 1808. La cual es hecha por el Real Acuerdo y otros individuos de la primera distinción que concurrieron a las expresas juntas", en Genaro García (comp.), *Documentos históricos mexicanos*, 7 vols. (México: SEP, 1985), II, pp. 136-140.

67. Véanse: Mónica Quijada, "Las 'dos tradiciones'; Mónica Quijada, "Soberanía popular e imaginarios compartidos en el mundo hispánico en la época de las grandes revoluciones atlánticas," en Jaime E. Rodríguez O. (coord.), *Las nuevas naciones: España y México, 1800-1850* (Madrid: Mapfre, 2008), pp. 19-51; y Mónica Quijada, "From Spain to New Spain: Revisiting the *Potestas Populi* in Hispanic Political Thought," *Mexican Studies/Estudios Mexicanos*, vol. 24, núm. 2 (verano 2008), pp. 185-219.

y estados eclesiásticos y seculares para que envíen sus representantes" a la capital.[68] Esto no era más que una repetición de lo que el ayuntamiento había propuesto antes. Es claro que las personas que se oponían a dicha acción estaban exagerando. En ningún punto de la disertación puede uno encontrar la insinuación del deseo de separarse de la monarquía hispánica; ésa fue una conjetura posterior a los hechos. Los novohispanos, entonces y después, demostraron gran patriotismo y voluntad de apoyar al rey; actuaban como lo harían los "buenos españoles".[69]

Aunque el acta publicada de la junta del 9 de agosto indicaba que se anexaban copias de las presentaciones del síndico del común y de los tres fiscales, no existen copias escritas. El virrey Iturrigaray insistió en que todas las partes debían enviar sus declaraciones por escrito. Naturalmente, los fiscales solicitaron una copia de la presentación de Primo de Verdad para poder reconstruir sus propias presentaciones orales.[70] Hamill, quien localizó las tres versiones de los argumentos de Primo de Verdad, concluye que el esbozo C fue el que finalmente se enviaría a los fiscales. Dicho manuscrito, fechado el 9 de agosto, eliminaba todas las declaraciones que pudieran sonar subversivas; en él, todas las referencias a Pufendorf y otros teóricos políticos desaparecen. En lugar de ello, el alegato está sustentado en referencias a la legislación y la teoría política tradicionales hispánicas, en consecuencia, es dos veces más largo que la primera versión.[71] Sin importar cuán cuidadosa y cuán bien estuviese sustentada por la tradición y la ley hispánicas, la declaración final de Primo de Verdad no eliminó ni la sospecha ni el miedo del real acuerdo, que siguió barruntando que los novohispanos estaban decididos a establecer una junta *soberana*, como la de Sevilla. Los tres fiscales –Francisco Xavier Borbón,

68. Hamill, Jr., "Un discurso formado con angustia", pp. 456-457.
69. Resulta interesante notar que esta era una actitud muy extendida; por ejemplo, el primer número del primer periódico insurgente, *El Despertador Americano* afirmaba: "Nosotros somos ahora los verdaderos Españoles, los enemigos jurados de Napoleón y sus secuaces, los que sucedemos legítimamente a todos los derechos de los [peninsulares] que ni vencieron ni murieron por Fernando VII". *El Despertador Americano*, 1 (20 de diciembre de 1810), en Hernández y Dávalos, *Colección de documentos para la historia de la guerra de Independencia de México*, II, p. 312.
70. "Oficio de los fiscales del Real Acuerdo al virrey Iturrigaray en que le piden el expediente de la Junta general del 9 de agosto, a fin de rectificar los votos que en ella expusieron" (13 de agosto de 1808), en García, *Documentos históricos mexicanos*, II, p. 64.
71. Hamill Jr., "Un discurso formado con angustia", pp. 462-472.

Ambrosio de Sagarzurieta y Francisco Robledo– no respondieron sino hasta el 14 de diciembre de 1808, después de que Iturrigaray fuese depuesto. Sin embargo, su larga y minuciosa respuesta sólo refrendó su actitud de la junta del 9 de agosto; los fiscales no estaban dispuestos a aceptar el establecimiento de una junta que pusiera a Nueva España en el mismo nivel que los reinos tradicionales de Castilla.[72]

El virrey Iturrigaray quedó complacido con los resultados de la junta general, que lo había reconocido como la autoridad suprema en el reino de Nueva España. De esta manera, él permanecía como un igual –y no un subordinado– de las juntas soberanas en España; "Como muchos otros, Iturrigaray parece haber creído que España no sería capaz de resistir la dominación de Napoleón".[73] Como un súbdito leal del rey, era su responsabilidad mantener Nueva España independiente del dominio francés; su nuevo estatus le permitía asumir el mando personal sobre las operaciones del ejército; así, ascendió a seis oficiales al rango de brigadier y a uno al de mariscal. Si bien Alamán considera estas acciones "ejemplares del poder soberano que empezaba a ejercer el virrey", Archer cree que fueron "intentos por estabilizar la administración del ejército durante un periodo de comunicación interrumpida con la madre patria".[74] Iturrigaray también envió una carta a la Junta de Sevilla con copias para las juntas de Valencia y Zaragoza informándoles sobre los acontecimientos en Nueva España y sobre la decisión de la junta general de no reconocer cualquier junta que no fuese nombrada por Fernando VII, así como la autoridad que se le había confiado. Iturrigaray anunció que había proclamado la guerra contra Francia y aceptado el armisticio con Gran Bretaña. También aconsejaba a la Junta de Sevilla que "no cierre tratado alguno definitivo con respecto a esta América antes de que examinado por mi en los términos devidos, preste mi anuencia". Finalmente, le solicitaba "todo el azogue y papel que fuere posible". Aquél era necesario para refinar la plata necesaria para que Nueva España pudiese ayudar a las juntas peninsulares en su lucha contra Napoleón. En una carta distinta,

72. "Exposiciones de los fiscales contra las opiniones de los [in]novadores", en Hernández y Dávalos, *Colección de documentos para la historia de la guerra de independencia*, I, pp. 672-680.
73. Archer, *The Army in Bourbon Mexico*, p. 280.
74. Alamán, *Historia de Méjico*, I, p. 233; Archer, *The Army in Bourbon Mexico*, p. 281.

Iturrigaray informó a la Junta de Sevilla que estaba enviando 100 000 pesos para ayudarlos. En cartas privadas a sus amigos y colegas, Francisco Saavedra, presidente de la Junta de Sevilla, y Tomás de Morla, Iturrigaray reiteraba la oposición de Nueva España a Napoleón y su respaldo a Fernando VII. Les recordaba que había tenido fuertes vínculos con la región porque "he tenido el honor, de ser Capitán General del Reyno, Presidente de la Real Audiencia, y Governador de Cádiz"; y también indicaba que estaba decidido "a contribuir con quantos auxilios pendan de mis facultades, sintiendo el no poder hallarme al lado de los que la componen [la junta de Sevilla] a quienes miro como unos Héroes".[75]

En la ciudad de México, la tensión creció al tiempo que los desacuerdos entre el ayuntamiento y el real acuerdo se hicieron públicos. Estos desacuerdos fueron interpretados por el público como un conflicto entre americanos y europeos. Sin embargo, no todos los americanos coincidían con el ayuntamiento y no todos los europeos defendían la posición que el real acuerdo propugnaba. De cualquier forma, en las reuniones privadas y en los lugares públicos, gente de todas las clases discutía sobre las desavenencias y las alimentaba; algunos individuos fueron acusados de difamar o conspirar contra uno u otro grupo o contra el virrey o la audiencia. Un observador escribió que tras la reunión de la junta general, los españoles europeos compraron inmediatamente todas las armas de fuego y las municiones de la ciudad para protegerse de los novohispanos. Como resultado de ese ambiente de temor, dos novohispanos –descritos como miembros del pueblo– fueron muertos por bala cuando arrojaron piedras a la casa de un contratista europeo.[76] El 12 de agosto aparecieron en diversos lugares pasquines con la imagen de Fernando VII y la declaración: "Muera éste y también los gachupines y viva el Virrey". Otro pasquín decía: "Mueran los gachupines, y no tendrá sangre en sus venas

75. Citado en "Carta del Virrey Iturrigaray a D. Francisco Saavedra" (23 de agosto de 1808); "Minuta de carta que el virrey Iturrigaray dirige a la Junta de Sevilla y transcribe a las de Valencia y Zaragoza" (20 de agosto de 1808); "Minuta de carta del Virrey Iturrigaray a la Junta de Sevilla" (20 de agosto de 1808); "Carta del Virrey Iturrigaray a D. Tomás de Morla" (24 de agosto de 1808), en García, *Documentos históricos de México*, II, pp. 65-70.

76. Anna, *The Fall of Royal Government in Mexico*, p. 47; y Mier, *Historia de la revolución de Nueva España*, pp. 96-97.

el criollo que no ayude a ello".[77] Las respuestas no tardaron en aparecer. Hubo un pasquín con estos versos:[78]

[En la nación] Portuguesa
Al ojo le llaman cri,
...
En la nación Holandesa
ollo le llaman culo,
y así con gran disimulo,
untando el cri con el ollo
lo mismo es decir criollo
que decir ojo de culo.

El virrey Iturrigaray estaba convencido de que López de Cancelada era responsable de los pasquines antiespañoles, ya que hacía poco había publicado el rumor de que Fernando VII estaba de regreso en Madrid. Según Iturrigaray, los pasquines formaban parte del plan de algunos europeos para acrecentar las tensiones entre novohispanos y españoles europeos. El 13 de agosto, en un esfuerzo por apaciguar a la población, el virrey organizó una ceremonia solemne para celebrar la jura de Fernando VII. Las celebraciones duraron dos días y al parecer redujeron la tensión; no obstante, los europeos, en particular los miembros del real acuerdo, sospechaban cada vez más de las acciones del virrey. Algunos creían que estaba conspirando junto con los novohispanos para establecer una Nueva España independiente, mientras que otros estaban seguros de que deseaba coronarse rey de América Septentrional. En consecuencia, sus acciones y comentarios eran escudriñados en busca de signos de traición.

La gente de Nueva España vivía un clima de incertidumbre al tiempo que recibía noticias de las cambiantes circunstancias en Europa. Los barcos que llegaban de Europa, el Caribe o Estados Unidos traían cartas, publicaciones y rumores. La propaganda francesa también llegó en la forma de cartas y publicaciones. Usando la circulación de escritos subversivos como una excusa, los inquisidores, que eran europeos, publicaron un edicto el 27 de agosto que declaraba:

77. Lafuente Ferrari, *El virrey Iturrigaray*, p. 162.
78. Black, "Conflict Among Elites", p. 245.

> reproducimos la prohibición de todos y cualesquiera libros y papeles y cualquiera doctrina que influya o coopere de cualquier modo a la independencia, e insubordinación a las legitimas potestades, *ya sea renovando la heregía manifiesta de la Soberanía del Pueblo*, según la dogmatizó Rousseau en su Contrato Social y la enseñaron otros filósofos, o ya sea adoptando en parte su sistema, para sacudir bajo mas blandos pretextos la obediencia a nuestros Soberanos.[79]

El edicto, que distorsionaba la teoría política hispánica largamente avalada, constituía un ataque directo al ayuntamiento. Ese mismo día, Iturrigaray publicó una proclama informando al reino sobre las acciones que había tomado para su defensa, de manera que Nueva España no sucumbiera ni ante las armas ni ante la seducción de Napoleón. El virrey también llamaba a la calma y a la unidad afirmando: "Vivamos unidos, si queremos ser invencibles, y alejar de nosotros... la consequencia de toda desunión y rivalidad". Iturrigaray exhortaba a la gente a ahorrar para que pudiese ayudar "a nuestros padres, hermanos y parientes, que por existir en nuestra amada patria, yacen en medio de la angustia y la sangre";[80] Aunque estaba haciendo su mejor esfuerzo para restaurar la calma, no podía satisfacer a sus críticos ni tampoco prevenir la creciente polarización entre los dos grupos.

La situación política se complicó aún más con la llegada a Veracruz de dos comisionados de la Junta de Sevilla el 28 de agosto: el coronel Manuel Jáuregui –cuñado de Iturrigaray– y el capitán de fragata, Juan Jabat, un antiguo residente de México que había sido expulsado de Nueva España por el virrey Iturrigaray, ya que durante algunos años había "cobrado su salario sin contribuir en nada para el reino".[81] Estos comisionados llevaron consigo 800 quintales de azogue, necesarios para refinar la plata. Además, llevaban de la Junta de Sevilla "amplias facultades para deponer al virrey en caso de negarse a la jura de nuestro legítimo Soberano, y al reconocimiento de la junta de Sevilla".[82] Ésta era una autorización que tendría consecuencias desastrosas.

79. "Edicto del Tribunal de la Fé", en Hernández y Dávalos, *Colección de documentos para la historia de la guerra de independencia*, I, pp. 525-527 (las cursivas son del original).
80. "Proclama del virrey D. José de Iturrigaray" (27 de agosto de 1808), en Hernández y Dávalos, *Colección de documentos para la historia de la guerra de independencia*, I, pp. 527-529.
81. Christon I. Archer, "Introduction", en Christon I. Archer, *The Birth of Modern Mexico, 1780-1824* (Wilmington: S.R. Books, 2003), p. 19; Lafuente Ferrari, *El virrey Iturrigaray*, p. 189.
82. "Informe de D. Manuel Francisco de Jáuregui sobre la deposición de su cuñado el virrey Iturrigaray", en García, *Documentos históricos mexicanos*, II, pp. 292-296, la cita se encuentra en la página 294.

Los dos comisionados viajaron de inmediato a la capital, adonde llegaron en la tarde del día 29. A la mañana siguiente se entrevistaron con el virrey Iturrigaray para informarle que representaban a la Junta Suprema de Sevilla, que ahora representaba a toda España y que había sido reconocida por otros reinos americanos. En la sesión anterior del 9 de agosto, la junta general había decidido reconocer solamente juntas que hubiesen sido aprobadas por el rey Fernando VII. Sin embargo, en vista de las circunstancias, Iturrigaray convocó a otra junta general al día siguiente para reconsiderar esta decisión previa. Es evidente, por la velocidad de sus acciones, que el virrey no estaba concentrado en oponerse al pedido de la Junta de Sevilla.

La segunda junta general, que se reunió el 31 de agosto, lo hizo en el mismo recinto del palacio virreinal que la vez primera. El virrey Iturrigaray ordenó que los documentos enviados por la Junta de Sevilla fueran leídos. Enseguida explicó que, aunque había convocado a esta junta de notables, estaba en contra de someter a Nueva España a la autoridad de la Junta Suprema de Sevilla porque no estaba seguro de su legitimidad. Eran tiempos de incertidumbre y resultaba necesario actuar con precaución. Entonces, se invitó a los comisionados a dirigirse a la junta general. Jabat inició la presentación explicando que Sevilla estaba más cerca de América, geográfica y administrativamente, que cualquier otra región, e insinuó que todas las otras juntas de la península ya habían reconocido a la Junta de Sevilla como gobierno legítimo de la monarquía hispánica. No lo habían hecho antes de que los comisionados partieran hacia América, dijo Jabat, debido a la guerra contra los franceses y a la consecuente dificultad en las comunicaciones. Y señala Alamán: "lo cual era enteramente falso, pues ni aun las provincias todas de Andalucía la habían reconocido, y Granada la había resistido".[83] El oidor Bataller indagó si los otros reinos de ultramar habían reconocido a la Junta de Sevilla, a lo que el comisionado Jabat respondió que lo habían hecho; no obstante, se refería sólo a aquellos territorios que su barco había visitado: Santo Domingo, Cuba y Puerto Rico. También señaló que la Junta Suprema de Sevilla estaba controlando los asuntos relativos a la guerra y la hacienda para las otras juntas de la península y sugirió que Nueva España hiciera lo mismo. El oidor Aguirre y otros miembros de la Audiencia propu-

83. Alamán, *Historia de Méjico*, I, p. 140.

sieron que la Junta de Sevilla fuese reconocida como soberana en materias relativas a la hacienda y la guerra. A raíz de esto, el marqués de San Juan de Rayas señaló que "la soberanía era por su naturaleza indivisible". Iturrigaray indicó que Nueva España dependía jurídicamente de Castilla, no de una sola parte de ese reino, como Sevilla. El alcalde Villaurrutia propuso que Nueva España proporcionara a todas las juntas de España la ayuda posible. Además, argumentó que la junta general carecía de autoridad para reconocer a un organismo estatuido como legítimo gobierno en la península; sólo un congreso de representantes de las ciudades de Nueva España poseía tal autoridad. De ahí que propusiera que el virrey convocara a un congreso de ciudades y que se estableciera una junta más pequeña para asesorarlo.[84] Al final, los argumentos en favor de reconocer a la Junta de Sevilla triunfaron, pues sus representantes presentaron una argumentación sólida. Cuando se votó, 49 lo hicieron por reconocer a Sevilla, mientras que 26 en contra. Doce de aquellos que votaron en sentido negativo favorecían la espera y 14 preferían formar una junta novohispana. Los que apoyaban a Sevilla habían ganado e Iturrigaray parecía haber aceptado la decisión.[85]

En la tarde del 31 de agosto llegaron algunas cartas de la Junta Suprema de Asturias que cambiaron todo. Estaba claro que la Junta de Sevilla, aun cuando se llamara a sí misma soberana, no representaba a toda Castilla. Iturrigaray convocó a una reunión de emergencia de la junta general al día siguiente; el virrey leyó las cartas de la junta de Asturias a los congregados y luego declaró: "la España está en anarquía, todas son juntas supremas, y así a ninguna se debe obedecer". Los fiscales que antes se habían opuesto al virrey, impresionados también cambiaron de opinión y propusieron que "en las circunstancias se suspendiera el reconocimiento a la Junta de Sevilla". Iturrigaray informó a la junta general que había convocado al organismo para notificarles que estaba instruyendo a los comisionados de la Junta de Sevilla para que ahora que habían concluido su misión, regresaran a casa. El virrey recordó a la asamblea: "Señores,

84. *Ibid.*, pp. 215-218.

85. Black, "Conflict Among the Elites," pp. 251-255; Ladd, *The Mexican Nobility*, pp. 107-108. Black y Ladd no están de acuerdo sobre el número de votos. Me he basado en las cifras de Ladd porque ella proporciona también un desglose de los votos en contra. Véase también: "Relación de los pasajes más notables ocurridos en las juntas generales", en García, *Documentos históricos mexicanos*, II, pp. 140-141.

CARLOS MARÍA DE BUSTAMANTE

yo soy gobernador y capitán general del reino"; claramente, una advertencia de que no toleraría más oposición. Además, declaró que quería sus votos por escrito. El apoyo a Sevilla declinó drásticamente: 60 votaron por no reconocer dicha junta y sólo 27 mantuvieron su apoyo.[86]

El primer golpe de Estado

Iturrigaray dio por superado el problema y consideró legítima su autoridad sobre el reino. Sin embargo, sus opositores no pensaban igual; "En su imaginación, los españoles europeos fabricaron una detallada conspiración a partir de varias medidas inocuas del virrey para consolidar el gobierno".[87] El virrey ignoró las advertencias de algunos novohispanos, como Carlos María de Bustamante, sobre la existencia de conspiraciones para expulsarlo del poder. Obviamente, nunca imaginó que alguien atacaría al representante del rey. Como guardia de palacio mantuvo al Regimiento de Comercio, pues creía que las unidades del ejército regular debían proteger otros puntos en caso de ataques externos. Iturrigaray también permitió que los comisionados de la junta de Sevilla permanecieran en la ciudad. Su cuñado Jáuregui residía en el palacio con su hermana y el virrey, mientras que Jabat vivía con el oidor Aguirre. Así las cosas, Jabat, quien mantenía una relación cercana con los opositores del virrey, pudo fungir como catalizador en el derrocamiento de Iturrigaray. Jabat informó a los opositores que él y Jáuregui habían llegado de España con la autoridad necesaria para deponer a Iturrigaray si éste se negaba a reconocer a la Junta de Sevilla. Jabat arguyó que, dada la intransigencia del virrey, a los españoles europeos "no les quedaba mas arbitrio que apelar a medidas extremas". Esta noticia no tardó en difundirse entre los líderes de la comunidad europea.[88]

86. Existen diferencias notables entre el conteo de votos de los dos estudiosos que los analizaron en los archivos. Ladd, *The Mexican Nobility*, menciona 54 por el no reconocimiento y 17 por el reconocimiento de Sevilla; Black, "Conflict Among the Elites", pp. 259-260 declara que 60 votaron por no reconocer a Sevilla y 27 por reconocerla. Guedea, empero, declara que 16 votaron en apoyo a Sevilla, mientras que 55 votaron en contra; véase "Criollos y Peninsulares en 1808", p. 166. Black incluye una tabla que menciona, por nombre, todos los votos. Por ello, en este caso decidí aceptar sus argumentos. Para un análisis cuidadoso de los votos, véase: Guedea, "Criollos y peninsulares en 1808", pp. 108-121.
87. Archer, *The Army in Bourbon Mexico*, p. 281.
88. "Informe de D. Manuel Francisco de Jáuregui", en García, *Documentos históricos mexicanos*, II, pp. 292-296; Lafuente Ferrari, *El virrey Iturrigaray*, pp. 205-206. Véase también: Alamán, *Historia de Méjico*, I, p. 221.

Los sucesos posteriores demuestran que Jabat convenció a algunos individuos descontentos de actuar; tal fue el caso de Yermo. Es evidente que Jabat fue el motor que impulsó el derrocamiento del virrey de Nueva España.

Los motivos de Iturrigaray a principios de septiembre de 1808 aún son objeto de debate. Mucho se ha escrito –entonces y ahora– sobre sus anhelos y su proceder. Muchos críticos contemporáneos e historiadores que escribieron más tarde han sostenido que el virrey favoreció la independencia, o bien que buscaba convertirse en rey de Nueva España, pero no se ha presentado ninguna evidencia que confirme dichas aseveraciones.[89] Si bien Iturrigaray se negó a reconocer las distintas juntas supremas de la península, mandó dos millones de pesos de plata a Veracruz para luego enviarlos por barco a la península en apoyo de las juntas españolas.[90] Si lo que buscaba era separar el reino de la monarquía hispánica y convertirse en rey de Nueva España, seguramente habría conservado esos fondos para su propio uso. Además, las acciones de Iturrigaray no indican que haya promovido el apoyo a dichas aspiraciones entre la opinión pública. Su insistencia en convocar un congreso de ciudades no tenía el respaldo de todo el virreinato. Por ejemplo, los ayuntamientos de Guadalajara y Zacatecas se opusieron al congreso, así como la Audiencia de Guadalajara y los intendentes de Puebla y Guanajuato.[91]

El 1 de septiembre, Iturrigaray distribuyó una circular para solicitar a los ayuntamientos de Nueva España que designaran diputados para una reunión en la capital. Al día siguiente consultó al real acuerdo:

> Conviniendo que en las actuales circunstancias haya en esta capital quienes legítimamente pueden representar la voz de todos los pueblos del distrito de este vireinato; espero que con la prontitud posible me digan VV. SS. por voto consultivo, si consideran que para esto sea necesaria la concurrencia de los diputados de todos los ayun-

89. Al respecto véase: Archer, *The Army in Bourbon Mexico*, pp. 278-282; y Black, "Conflict Among Elites", pp. 249-323. Estos historiadores han realizado la investigación de archivo más extensa sobre el tema.
90. Alamán, *Historia de Méjico*, I, pp. 223-224.
91. *Ibid.*, pp. 212-213; "El conde de la Cadena a Iturrigaray" (6 de agosto de 1808), en Hernández y Dávalos, *Colección de documentos para la historia de la guerra de independencia*, I, p. 510; "El Intendente de Guanajuato, D. Juan Antonio Riaño al Sr. Iturrigaray" (29 de agosto de 1808), en *Ibid.*, I, 529; "Real Audiencia de Guadalajara a Iturrigaray" (13 de septiembre de 1808), en *Ibid.*, I, p. 534.

tamientos, o si bastará que dando sus poderes a los de las cabeceras de sus respectivas provincias, los sustituyan estos en las personas que hayan de venir con los suyos.[92]

Ésta es una indicación más de que el virrey no pretendía tomar el poder o separar Nueva España de la monarquía hispánica. De haber sido ésta su intención, habría actuado sin informar a sus opositores. Obviamente, Iturrigaray pensaba que su conducta era la adecuada. Además, es importante destacar que el virrey no consultó al real acuerdo sobre si debía convocar un congreso de ciudades. Más bien lo consultó sobre cómo debía organizarse dicha representación. Muchos ayuntamientos respondieron con entusiasmo a la convocatoria. Oaxaca declaró que apoyaba los nobles objetivos de Iturrigaray de todo corazón. Querétaro señaló que un congreso de ciudades era la única manera de mitigar los temores y restaurar la estabilidad del gobierno. Otros ayuntamientos, como los de Puebla, Veracruz y Jalapa, también expresaron su apoyo.[93] Muchos peninsulares pertenecían a esos ayuntamientos, de modo que al parecer no consideraron inadecuada la convocatoria de un congreso de ciudades, dadas las circunstancias.

Ansioso por contestar de inmediato, el real acuerdo le pidió a los fiscales Borbón, Sagarzurieta y Robledo que respondieran. El 3 de septiembre sostuvieron una vez más que la ley de Castilla invocada por el ayuntamiento de México para justificar un congreso de ciudades no era válida en Nueva España, dado que en el virreinato prevalecían las leyes de Indias. Los fiscales reconocieron que el rey le había otorgado a la ciudad de México "el primer voto de las ciudades y villas de la N. E. (...) en los congresos que se hicieren por nuestro mandato, porque sin él no es nuestra intención ni voluntad, que se puedan juntar las ciudades y villas de las Indias", por tanto, sin el permiso del soberano era imposible convocar un congreso de ciudades en el Nuevo Mundo. Los fiscales también destacaron el papel central desempeñado por el real acuerdo y argumentaron que no era necesario convocar a un congreso de ciudades porque en las Indias "los acuerdos de los oidores de las Audiencias

92. "Circular para que los ayuntamientos nombren apoderados para congreso nacional" (1 de septiembre de 1808) y "El virey D. José de Iturrigaray al Real Acuerdo le consulta sobre el modo de concurrir los ayuntamientos al congreso general" (2 de septiembre de 1808), en Hernández y Dávalos, *Colección de documentos para la historia de la guerra de independencia*, I, pp. 529-530.

93. Black, *op. cit.*, p. 264.

donde presiden los vireyes, deben hacer el oficio que en España [hacen] las Cortes". Además, declararon que los congresos de ciudades eran peligrosos. La rebelión de los comuneros de Castilla casi había destruido el reino a principios del siglo XVI. También estaba el ejemplo más reciente de la revolución francesa, que "no tuvo otro origen que la convocación de la junta que allí llamaban de los Estados y nosotros Cortes. Esa junta destruyó la Monarquía [francesa] y llevó al cadalso al desgraciado Luis XVI".[94] El real acuerdo no contestó la pregunta de Iturrigaray; sus miembros estaban preocupados sobre todo en rechazar y, posiblemente, prevenir la reunión de un congreso de ciudades.

Al mismo tiempo que el real acuerdo se oponía abiertamente a Iturrigaray, el comisionado Jabat trabajaba tras bambalinas para deponerlo. Sin duda alguna, Jabat discutió el tema ampliamente con el oidor Aguirre, en cuya casa residía. También intentó convencer al arzobispo Francisco Javier Lizana y Beaumont, así como a los miembros del real acuerdo, de aceptar la orden de la Junta de Sevilla y deponer a Iturrigaray en caso de necesidad. Sin embargo, como Jabat informó a la Junta de Sevilla en una carta confidencial escrita el 3 de septiembre de 1808, el arzobispo, "ni por su salud ni por su carácter" estaba dispuesto a actuar y el real acuerdo estaba dividido. Más aún, "el secreto de sus deliberaciones respecto al virrey" no podía confiársele a la mayoría que se oponía a Iturrigaray. No obstante, declaró: "Vamos caminando con prudencia en materia tan delicada";[95] al día siguiente, Jabat escribió de nuevo a la Junta de Sevilla para expresar su temor de que las acciones del virrey estuvieran encaminadas "a la independencia".[96] Convencido de que no se podía deponer a Iturrigaray por medios legales, el comisionado ya había iniciado pláticas con el empresario Yermo y otros españoles europeos descontentos para deponer al virrey por la fuerza.

Iturrigaray se enteró de la conspiración promovida por Jabat y Yermo. Sin embargo, le preocupaban más las amargas divisiones que habían

94. "Contestación del Real Acuerdo" (3 de septiembre de 1808), en Hernández y Dávalos, *Colección de documentos para la historia de la guerra de independencia*, I, pp. 530-531. Sobre la relevancia de la Rebelión de los Comuneros, véase: José Antonio Maravall, *Las Comunidades de Castilla. Una primera revolución moderna* (Madrid: *Revista de Occidente*, 1963).

95. Citado en Lafuente Ferrari, *El virrey Iturrigaray*, p. 213.

96. "Juan Jabat a Francisco de Saavedra, México, 4 de septiembre de 1808", en Lafuente Ferrari, *El virrey Iturrigaray*, pp. 404-405.

surgido entre partidarios y opositores al congreso de ciudades. No sólo estaban divididas instituciones como el ayuntamiento y la Audiencia, también las familias estaban enfrentadas. En términos generales, los nacidos en Europa apoyaban a Sevilla, mientras que sus hijos novohispanos favorecían el congreso de ciudades de Nueva España. Además, la noticia de que en la península las masas habían depuesto a algunos funcionarios designados por Godoy, acusándolos de ser colaboradores franceses, atemorizó a la mayoría de los oidores y a otros altos funcionarios reales que habían sido designados por el ahora desacreditado ex primer ministro. Para calmar la peligrosa y volátil situación, el virrey Iturrigaray –también designado por Godoy– tomó dos medidas. El 5 de septiembre informó al real acuerdo su intención de renunciar; delegaría el mando temporalmente al mariscal Pedro Garibay hasta que se abriera el pliego de providencia, el documento que nombraba a su sucesor. Iturrigaray afirmaba que desde la llegada de los comisionados de la Junta de Sevilla se habían formado partidos, y afirmó que el oidor Aguirre y otros –como Jabat– habían difundido rumores y lo habían acusado de traición a él y a los regidores. Esperaba que su renuncia sirviera para restaurar la calma.[97] También ordenó que el Regimiento de Infantería de Celaya y los Dragones de Nueva Galicia, comandados por sus amigos y partidarios, los coroneles Manuel Fernández Solano e Ignacio Obregón, marcharan a la capital como medida precautoria para fortalecer la guarnición de la ciudad, compuesta por el Regimiento de Comercio.[98]

La mayoría de los críticos contemporáneos e historiadores posteriores ha interpretado esas acciones como egoístas. Ellos ven la pretendida renuncia del virrey como una estratagema para fortalecer su posición, y el movimiento de tropas comandadas por sus amigos y partidarios como prueba de su disposición a asumir el control total del reino. Sin embargo, la evidencia documental no respalda esta conclusión. Como señala Christon I. Archer, cuyo trabajo se basa en una extensa investigación de archivo,

> Los argumentos de Iturrigaray [cuando expresó su intención de renunciar] tenían sentido. Insistió en que había hecho todo lo posible para probar su lealtad, pero

97 Archer, *The Army in Bourbon Mexico*, pp. 280-281; y Black, *op. cit.*, pp. 264-265 citan el documento del 5 de septiembre de 1808.

98. *Ibid.*

> no podía reconocer a la Junta Suprema de Sevilla cuando recibía representaciones similares de las juntas de Asturias, Aragón y Mallorca... En lugar de favorecer a una junta en particular, envió a Cádiz una goleta con fondos para apoyar a todos los grupos que luchaban contra Napoleón.

Archer también indica que "la movilización de estas tropas [la infantería de Celaya y los dragones de Nueva Galicia] era una mera precaución para reforzar la capital".[99]

Lawrence Black, cuyo estudio también se basa en extensas investigaciones de archivo, ofrece una explicación más compleja de la propuesta de renuncia de Iturrigaray. El 6 de septiembre, tras examinar el tema durante un día, los ministros del real acuerdo respondieron que once de sus catorce miembros estaban de acuerdo en que el virrey transfiriera su autoridad al mariscal Garibay hasta que se abriera el pliego de providencia y se nombrara a su sucesor legal. Al recibir la respuesta, el virrey Iturrigaray pareció aceptar la decisión del real acuerdo: pensaba que ante la fuerte oposición a su persona y a sus políticas, le sería imposible continuar en el cargo. Sin embargo, su secretario Manuel Velásquez de León no estaba de acuerdo; recurrió a la virreina y al ayuntamiento de México para que disuadieran al virrey de su intención. Algunos miembros del ayuntamiento, entre ellos Primo de Verdad, exhortaron a Iturrigaray a que no renunciara. Finalmente, la virreina María Inés Jáuregui, mujer dinámica de fuertes convicciones, lo convenció de no entregar su cargo y continuar con su propuesta de convocar un congreso de ciudades. Sin duda, el apoyo del ayuntamiento de México también contribuyó a la decisión del virrey.[100] El 8 de septiembre, Iturrigaray convocó a una reunión de la junta general para el día siguiente.

En la reunión del 9 de septiembre, Iturrigaray parecía satisfecho con su decisión. Los ministros del real acuerdo lo describieron como tranquilo y "muy placentero (...) congratulándose con todos". La junta se inició con la lectura del prontuario de los votos escritos de la junta del 1 de septiembre. Varios españoles europeos, entre ellos el arzobispo Lizana y Beaumont y el marqués de San Román, pidieron que sus declaraciones se leyeran completas, dado que el prontuario era incorrecto. Hecho esto, Iturrigaray pidió que se leyeran las

99. Archer, *The Army in Bourbon Mexico*, p. 281.
100. Black, *op. cit.*, pp. 265-266.

declaraciones del marqués de San Juan de Rayas y del doctor Felipe Castro Palomino, quienes apoyaban su parecer. Siguió una discusión para convocar a una junta general de todo el reino. El alcalde Villaurrutia, quien había sido el principal defensor del congreso de ciudades, pidió que su voto y sus declaraciones fueran leídos en su totalidad porque el resumen contenía interpretaciones erróneas. Esto provocó una reacción del inquisidor Decano Prado y Obejero, quien argumentó que "tales juntas son por su naturaleza sediciosas, o a lo ménos peligrosas, y del todo inútiles; porque si son consultivas no cubren a V. E., y si decisivas, deformando V. E. el gobierno constituye una democracia". Posteriormente, el oidor Miguel Bataller propuso que el alcalde Villaurrutia respondiera por escrito, ya que "era el promotor de la junta del reino". Además, el oidor Aguirre insistió en que Villaurrutia tratara cinco puntos: *1)* la autoridad para convocar la junta, *2)* la necesidad, *3)* la utilidad, *4)* "las personas que habían de concurrir, y de qué clases, estados o brazos", y *5)* "si los votos habían de ser consultivos o decisivos". Villaurrutia acordó entregar su respuesta en dos o tres días. A continuación se suscitó una vehemente discusión sobre cómo debían representarse las diferentes clases. Alguien, posiblemente un miembro del público desde fuera del recinto, declaró: "si no se convoca a las ciudades, ellas se juntarán". Esto provocó que el "fiscal de lo civil Sagarzurieta, redarguyera al instante aquella proposición sediciosa".[101]

El tema de la renuncia de Iturrigaray estaba en el centro de la atención. Finalmente, el regidor decano, Antonio Méndez Prieto, mandó cerrar las puertas para que la junta pudiera discutir temas delicados y, acto seguido, expresó la preocupación del ayuntamiento de que el virrey renunciara o contemplara hacerlo, a la que éste contestó "que era cierto haber tratado de la renuncia, porque tenía 66 años, estaba cansado, y los asuntos del dia eran superiores a sus fuerzas; que además, la Junta de Sevilla parece que pensaba en quitar a todos los del antiguo gobierno". El síndico Primo de Verdad sostuvo que la renuncia del virrey causaría "irremediables daños que se seguirán a la Religión y al Estado", y pidió que no renunciara; otros miembros del ayuntamiento imploraron lo mismo. Los ministros del real acuerdo y otros españoles europeos permanecieron en silencio, pues querían la renuncia de

101. García, *Documentos históricos mexicanos*, II, pp. 142-145; Guedea, "Criollos y peninsulares en 1808", pp. 119-122.

Iturrigaray. Sin embargo, el virrey había reconsiderado su decisión y estaba resuelto a permanecer en su cargo.[102] La reunión concluyó sin resolución alguna. No obstante, la noticia de la posible renuncia del virrey no tardó en difundirse por toda la ciudad.

Ahora, los españoles europeos más destacados, como el arzobispo, los ministros del real acuerdo, los miembros del Consulado, etcétera, estaban seguros de que Iturrigaray era un traidor que separaría Nueva España de la monarquía y se coronaría rey. Jabat insistió en que podían deponerlo con la autorización provista por la Junta de Sevilla a sus comisionados. Sin embargo, los opositores del virrey siguieron titubeando. Los oidores Bataller y Aguirre temían que, de darse el golpe, "se derramaría mucha sangre". Por su parte, Yermo creía que si los novohispanos tomaban el control del reino, se requeriría una lucha violenta y prolongada para retomarlo, pues el pueblo común de Nueva España se conformaba de "gente tan valiente como cualquier europeo". Como se esperaba que los regimientos llamados a la capital por Iturrigaray llegaran el 17 de septiembre, Gabriel de Yermo decidió actuar de inmediato.[103] Yermo consultó a su confesor y permaneció un tiempo en el Convento de la Merced. Posteriormente, como habría de insistir ante la Junta Central, tomó la batuta para planear la conspiración. Yermo y otros comerciantes destacados organizaron un grupo de alrededor de 300 de sus empleados para arrestar al virrey Iturrigaray.[104] El empresario comunicó sus planes al arzobispo Lizana, al inquisidor general Isidoro Sainz de Alfaro, a varios miembros del real acuerdo y a comerciantes destacados del Consulado de México y de Veracruz. Yermo había negociado con algunos oficiales del Regimiento de Comercio, cuyos hombres recibían su sueldo de los comerciantes, para que permanecieran en sus cuarteles mientras el virrey era arrestado. El golpe se efectuó la noche del 15 al 16 de septiembre. Los conspiradores, sobre todo empleados de los comerciantes, tomaron el palacio con facilidad, pues los miembros del Regimiento de

102. *Ibid.*; Black, "Conflict Among the Elites", pp. 265-269.

103. "Representación que hizo a la Junta de España e Indias en noviembre, sobre la prision del Sr. D. José de Iturrigaray, D. Gabriel Yermo, como principal agente de ella", en Hernández y Dávalos, *Colección de documentos para la historia de la guerra de independencia*, I, pp. 655-660.

104. Existen grandes diferencias entre las cantidades citadas por las distintas fuentes; van desde 232 hasta 500 o 600. Por mi parte, considero que participaron alrededor de 300 hombres, dado que habría sido demasiado difícil coordinar las acciones de 500 o 600 individuos.

Comercio, que protegían al virrey, apoyaban el golpe. Sólo un guardia, Miguel Garrido, defendió al virrey, y murió durante el conflicto.[105]

Más adelante, Yermo y otros hombres afirmaron haber actuado de manera ordenada. Según ellos, no había habido violencia innecesaria y el orden había prevalecido. Por su parte, el hijo del virrey, Vicente, describió el golpe como un motín: un grupo de ebrios vagaba por el palacio, abriéndose camino en la residencia del virrey y "profiriendo atroces amenazas", luego de arrestar a Iturrigaray, ellos irrumpieron en la habitación de la virreina, rasgando las sábanas y los muebles: "Mi pobre madre y mi joven hermana, semidesnudas (...) son obligadas a vestirse también delante de los invasores, quienes se entregan a innobles chanzonetas hacia la esposa y la hija [del virrey]". También robaron joyas y otros objetos de valor, lo que habría de dar pie a extensas investigaciones.[106] Más tarde, los conspiradores arrestaron a los líderes del movimiento por el congreso de ciudades –Primo de Verdad, Azcárate, Talamantes, el abad del Convento de Guadalupe, José Cisneros, el canónigo de la catedral, José Beristáin de Sousa, y el auditor de Guerra, José Antonio del Cristo y Conde–.

Inmediatamente después de arrestar al virrey y a su familia, los líderes del golpe se reunieron en la sala del real acuerdo con el arzobispo Lizana, los oidores y otros magistrados, para declarar depuesto a Iturrigaray y designar al mariscal Pedro Garibay como virrey interino, hasta que se abriera el pliego de providencia. No obstante, al día siguiente, 17 de septiembre, las autoridades reinterpretaron los acontecimientos; transformaron a Yermo y sus hombres en *el pueblo* y publicaron la siguiente proclama:

> Habitantes de México de todas clases y condiciones: la necesidad no esta sujeta a las leyes comunes. El pueblo se ha apoderado de la persona del Exmo. Sr. virrey: ha pedido imperiosamente su separación, por razones de utilidad y de conveniencia general: ha convocado en la noche precedente de este día al real acuerdo, Illmo. Sr.

105. "Noticia muy exacta de lo acontecido en México desde la noche del 15 de septiembre de 1808, sobre la prision del Exmo. Señor Virrey Don José Iturrigaray y su familia, hasta su conducción a Veracruz y embarque a España...", en Hernández y Dávalos, *op. cit.*, pp. 661-668; Mier, *Historia de la revolución de Nueva España*, pp. 161-187. Véase también: Alamán, *Historia de Méjico*, I, pp. 239-249.

106. Vicente de Yturrigaray, "Noticia histórica de los acontecimientos que ocasionaron la descomposición social del virreinato de México y su separación de la Corona de España", en García, *Documentos históricos mexicanos*, II, pp. 361-429, las citas se encuentran en la página 413; véase también: "Noticia muy exacta de lo acontecido en México desde la noche del 15 de septiembre de 1808", pp. 661-664.

> arzobispo, y otras autoridades: se ha cedido a la urgencia, y dando por separado del mando a dicho virey, ha recaído (...) en el mariscal de campo D. Pedro Garibay.[107]

Curiosamente, el mismo día "el pueblo de esta capital (...) pidió con el mayor empeño que no se abriesen los pliegos de providencia (...) porque siendo remitidos en el tiempo que gobernaba España D. Manuel Godoy, temían que recayese el mando en uno de sus parciales, y que todo México estaba contento con el digno gefe que actualmente manda, Exmo. Sr. D. Pedro de Garibay".[108] Como era de esperarse, las autoridades siguieron los deseos del pueblo y no abrieron los pliegos de providencia. Los españoles europeos habían descubierto un nuevo y muy útil actor político para manipular: el pueblo.

La deposición de Iturrigaray, el arresto de los principales novohispanos defensores del congreso de ciudades y la designación del virrey interino Garibay ocurrieron rápidamente y fueron aprobados de inmediato por el arzobispo Lizana, el real acuerdo, la inquisición, el Consulado de México y otras autoridades. Contrario a lo que muchos observadores contemporáneos y la mayoría de los estudiosos habrían esperado, el ejército no actuó. Permaneció en sus cuarteles y en el cantón en la sierra de Veracruz. Es posible que los comandantes de alto rango, que eran peninsulares, pensaran igual que los conspiradores sobre la amenaza de la autonomía americana. Sin embargo, varios factores contradicen esta interpretación. Los altos oficiales entendían que las acciones de Iturrigaray eran razonables y necesarias para proteger Nueva España de amenazas externas. Más aún, el virrey no sólo era un general distinguido; también era el comandante militar de mayor rango. De allí que tuvieran razones válidas para apoyarlo. Es probable que el ejército no haya actuado porque no existían precedentes de una toma del poder político por parte de los militares. Como lo muestra Christon Archer, las autoridades civiles, tanto en el ámbito virreinal como en el local, dominaron por completo

107. "Proclama de Francisco Jiménez avisando la prision del Sr. Iturrigaray", en Hernández y Dávalos, *Colección de documentos para la historia de la guerra de independencia*, I, p. 592; véase también: Virginia Guedea, "El pueblo de México y la política capitalina, 1808 y 1812", *Mexican Studies/Estudios Mexicanos*, vol. 10, núm. 1 (invierno de 1994), pp. 27-61 y su "El 'pueblo' en el discurso político novohispano de 1808" en Ávila y Pérez Herrero (comps.), *Las experiencias de 1808 en Iberoamérica*, pp. 279-301.

108. "Acta de la Audiencia y Real Acuerdo, en que se manifiestan las razones por qué no se abrieron los pliegos de providencia", en Hernández y Dávalos, *Colección de documentos para la historia de la guerra de independencia*, I, pp. 593-594.

a las fuerzas armadas hasta 1810. Los oficiales militares "debían compartir el poder con intendentes provinciales, subdelegados de distrito, cabildos de ciudad y de pueblo, y diferentes burócratas que protegían sus prerrogativas y actuaban para prevenir cualquier aumento de la jurisdicción militar".[109] Una vez efectuado y aprobado el golpe, los altos comandantes militares aceptaron como virrey a Garibay, que era el militar de mayor rango en Nueva España.

No obstante, como observa Lucas Alamán:

> No faltaron algunos intentos de reacción pero insignificantes (...) Túvose entendido que el capitán del regimiento de Celaya D. Joaquín Arias, que se hallaba cerca de la capital con el primer trozo de aquel cuerpo llamado a ella por el virey, estuvo de acuerdo con los demás oficiales para poner en libertad a Iturrigaray, cuando lo encontrasen a su transito a Veracruz (...) El coronel del regimiento de comercio D. Joaquín Colla, europeo, fue suspendido del empleo, porque manifestando desaprobación de lo acontecido, dijo, que si se la daba orden para ello, con solo dos compañías de granaderos de su cuerpo, disiparía a todos los voluntarios, no obstante los cañones que tenían, y el mayor del mismo cuerpo D. Martín Ángel Michaus, también europeo, fue mandado algunos meses al castillo de Perote, porque dijo que el capitán García debía ser juzgado en consejo de guerra por haber entregado la guardia (...).[110]

Iturrigaray fue el único virrey depuesto por medios extralegales en Nueva España. El sistema jurídico español tenía mecanismos para deponer al virrey en circunstancias extraordinarias; por ejemplo, Diego López Pacheco y Bobadilla, duque de Escalona, un grande de España, fue depuesto por el obispo y la audiencia en 1642 debido a su incompetencia. Sin embargo, en 1808 las autoridades más altas no actuaron: fueron Yermo y los empleados de los grandes comerciantes –individuos sin ninguna autoridad– quienes derrocaron al gobierno legítimo por la fuerza.[111] Tal como observó Manuel Jáuregui –casi un

109. Christon I. Archer, "Militarism, Praetorianism, or Protection of Interests: Changing Attitudes in the Royalist Army of New Spain, 1810-1821", ponencia presentada en la Universidad de California, Los Ángeles, 26 de abril de 1989. Véase también la versión abreviada: "The Royalist Army of New Spain, 1810-1821: Militarism, Praetorianism, or Protection of Interests?", en *Armed Forces & Society* Vol. 17, núm. 1 (otoño 1990), pp. 99-116.

110. Alamán, *Historia de Méjico*, I, pp. 256-257.

111. J. I. Israel, *Race, Class and Politics in Colonial Mexico, 1610-1670* (Oxford: Oxford University Press, 1975), pp. 212-214. Según Yermo: "No podrán negar los Sres. D. Guillermo Aguirre, D. Miguel Bataller... que en repetidas ocasiones les pidió, se les instó, y se les estrechó para que el acuerdo tomase el partido de decretar la separación y prision del Sr. Iturrigaray", en García, *Documentos históricos mexicanos*, p. 278.

año después en Cádiz, cuando pudo expresar libre y abiertamente su opinión–, un grupo de facciosos violó "los legales procedimientos (...) Llámolos facciosos –declaró– porque no era la comunidad de los habitantes de aquella ciudad, ni menos la mayoría, sino 232 europeos ganados o pagados por un D. Gabriel Yermo, hombre rico, y de nueva fortuna", quienes depusieron al virrey. Jáuregui sostuvo que no existía ninguna crisis extrema que justificara una acción semejante. Incluso si ésta hubiera existido, y si las autoridades superiores hubieran considerado necesario deponer al virrey, no había razón para no "proceder a su deposición en forma". Muy al contrario, "tubieron a bien apartarse de los legales procedimientos, y tentar una vía tan nueva como peligrosa, como es el que un puñado de facciosos dispongan del gobierno".[112] Jáuregui tenía razón. La legitimidad se había hecho añicos. La deposición de Iturrigaray afectó profundamente a los novohispanos que creían haber actuado de manera patriótica y legal.

A pesar de las acusaciones y distorsiones hechas por sus enemigos, es evidente que Iturrigaray no era ni corrupto ni traidor y que los americanos eran leales y basaron sus argumentos para un congreso de ciudades en principios políticos hispánicos sensatos y ortodoxos, que los españoles europeos no pudieron rebatir. Las investigaciones efectuadas por quienes expulsaron a Iturrigaray, así como por quienes lo juzgaron en España, no lograron demostrar que fuera culpable de ninguno de los cargos argumentados en su contra.[113] La exposición de Villaurrutia del 13 de septiembre de 1808, en respuesta a las demandas de los oidores, así como la memoria de Primo de Verdad de ese mismo día, constituyen los mejores ejemplos de la argumentación americana. Ambos letrados presentaron análisis cuidadosos de los derechos históricos de Nueva España y demostraron su validez respecto de las circunstancias del caso. Nunca recurrieron a

112. "Informe de D. Manuel Francisco de Jáuregui sobre la deposición de su cuñado el virrey Iturrigaray", en García, *Documentos históricos mexicanos,* II, pp. 293-294.

113. Las Cortes de Cádiz declararon a Iturrigaray libre de cualquier sospecha de traición. Tras su muerte en diciembre de 1815, fue condenado póstumamente por seis de 18 cargos en su contra. Más adelante, el fiscal de Nueva España revisó la sentencia y concluyó que incluso esos cargos no se habían probado y que la evidencia utilizada para condenar a Iturrigaray la habían aportado los opositores del virrey. En última instancia, la Corte Suprema de México revisó el caso en 1824, declaró al virrey libre de todos los cargos y liberó algunos fondos familiares que aún estaban incautados. La virreina murió en México y sus hijos regresaron a Europa. Archer, *The Army in Bourbon Mexico*, pp. 284-285; Black, "Conflict Among the Elites", pp. 290-312. Alamán publicó: "Extracto de la sentencia pronunciada por el Consejo de Indias contra el virrey D. José de Iturrigaray, en la causa de su residencia, en la parte relativa a las sumas que debia pagar a la real hacienda", en *Historia de México*, I, Apéndice, pp. 45-47.

conceptos "revolucionarios". Propusieron conformar un gobierno para defender Nueva España y la monarquía hispánica para Fernando VII. Siguieron siendo súbditos leales de la corona hispánica y nunca propusieron ni la separación ni la independencia. No obstante, como súbditos legítimos de la monarquía, insistieron en sus derechos. Su posición tenía una base jurídica sensata; los ciudadanos de la monarquía hispánica tenían más derechos de los que muchos historiadores han querido reconocer. Irónicamente, fueron los españoles europeos quienes ignoraron la cultura política hispánica en su afán de retener el poder.[114]

Los europeos que violaron las leyes y tradiciones de la monarquía hispánica fueron recompensados por el nuevo gobierno nacional, la Junta Central Suprema y Gubernativa, establecida el 25 de septiembre de 1808, diez días después de la caída de Iturrigaray. Primo de Verdad murió en prisión a los pocos días de su arresto; en abril de 1809, Talamantes sucumbió al vómito negro en San Juan de Ulúa y Azcárate permaneció tres años en prisión. Los demás novohispanos arrestados fueron encarcelados y liberados poco más tarde.

Aunque los americanos expresaron su lealtad al tiempo que exigían sus derechos, muchos españoles europeos que residían en el Nuevo Mundo interpretaron sus acciones como poco más que una traición. Fue ante todo la visión estrecha de estos europeos lo que terminó por hacer que algunos americanos adoptaran posiciones extremas. De hecho, en cierta forma, fue esa visión la que justificó las acciones posteriores de los radicales del Nuevo Mundo.

Durante los dos siguientes años, las autoridades en España ejercieron poco control sobre el virreinato. Los peninsulares dominaron el gobierno de Nueva España. Garibay permaneció en su puesto hasta el 19 de julio de 1809, cuando el partido español convenció a la Junta Central de sustituirlo por el arzobispo Javier Lizana y Beaumont, quien gobernó hasta mayo de 1810, año en que la Audiencia tomó el poder. El gobierno de la Audiencia terminó el 12 de septiembre de 1810, cuando el nuevo virrey designado por la Junta Central, Francisco Javier Venegas, llegó a la ciudad de México.

114. "Exposición sobre la facultad, necesidad, y utilidad de convocar una diputación de representantes del reyno de Nueva España para explicar, y fundar el voto que dí en la Junta General presidida por el Exmo. Señor Don José de Iturrigaray en el Real Palacio de Méjico en los días 31 de agosto, 1°. y 10 [*sic* en error por 9]* de septiembre de 1808" y "Memoria póstuma del síndico del ayuntamiento de México, Lic. D. Francisco Primo Verdad y Ramos, en que, fundando el derecho de soberanía del pueblo, justifica los actos de aquel cuerpo (12 de septiembre de 1808)", en García, *Documentos históricos mexicanos*, II, pp. 169-182 y 136-147. Véase también: Rodríguez O., "La naturaleza de la representación en la Nueva España y México", pp. 6-32.

III
LOS HECHOS DE 1809

La caída de la monarquía española desencadenó una serie de acontecimientos que culminó en la instauración del gobierno representativo en el mundo hispánico. El primer paso en este proceso fue el establecimiento de juntas gubernativas locales en España y América. Si bien las provincias españolas completaron la transición con facilidad, los reinos americanos se enfrentaron a la oposición de los funcionarios reales, de los residentes peninsulares y de sus aliados en el Nuevo Mundo. Al principio, ni las juntas españolas ni las americanas vislumbraban claramente el gobierno que conformarían. En su mayor parte, tenían sólo una vaga noción sobre lo que significaba que el ayuntamiento de México declarara: "por [...la] ausencia [del rey...] reside la soberanía representada en todo el reino". Sin embargo, todas las juntas afirmaron que la soberanía había recaído sobre el pueblo. En términos prácticos, esto significó que las elites de las provincias de España y de los reinos de América asumieron el ropaje del pueblo. Por lo demás, dado que la acción se emprendió en nombre de Fernando VII, asumir la soberanía popular constituía una medida provisional. Al regreso del monarca, presumiblemente, la soberanía recaería de nuevo en su persona. Nueva España, sola entre los reinos de la monarquía española, pasó por un golpe de Estado que impidió a los americanos formar congreso de ciudades o una junta local gubernativa en nombre de Fernando VII.

El surgimiento del gobierno representativo

En España, el primer impulso después de mayo de 1808 fue centrífugo –esto es, se formaron juntas regionales para gobernar cada provincia individualmente–. Cada junta provincial actuó como si fuera una nación independiente. Pero, aun cuando las juntas españolas obtuvieron una gran victoria en Bailén en el verano de 1808 y obligaron por vez primera a un ejército napoleónico a la rendición, y aun cuando la heroica defensa de Zaragoza impresionó a los pueblos oprimidos de Europa, resultaba evidente que el país no podría sobrevivir si su gobierno permanecía fragmentado. La necesidad de una defensa unificada condujo a la formación de una junta nacional gubernativa, la Junta Central Suprema y Gubernativa de España e Indias, que se reunió por primera vez el 25 de septiembre de 1808 en Aranjuez. Aunque al principio algunos organismos provinciales se rehusaron a reconocer a la Junta Central, con el tiempo todos acordaron que ésta debía actuar como un gobierno de defensa nacional para librar una guerra de liberación.[1]

La Junta Central estaba especialmente preocupada por contrarrestar los ofrecimientos franceses en América. En julio de 1808, José I había invitado a los reinos del Nuevo Mundo a enviar a seis representantes –uno por cada virreinato, uno por Guatemala y otro por Cuba– a un congreso constitucional en Bayona, Francia. Aunque los americanos rechazaron la propuesta, la junta creyó prudente acceder al deseo de representación del Nuevo Mundo.[2] Envió entonces a comisionados reales, a menudo nacidos en la región, para servir como agentes de relaciones entre las autoridades locales y el gobierno en la península. Además, puesto que España necesitaba desesperadamente el apoyo de sus posesiones ultramarinas para proseguir la lucha, los miembros de la junta decidieron ampliar el organismo para incluir a representantes del Nuevo Mundo. El 22 de enero de 1809 ésta decretó:

> Considerando que los vastos y preciosos dominios que España posee en las Indias no son propiamente colonias o factorías como los de otras naciones, sino una parte esencial e integrante de la monarquía española..., se ha servido S. M. declarar... que los reinos, provincias e islas que forman los referidos dominios deben tener representación nacional inmediata a su real persona y constituir parte de la Junta Central... por medio de sus correspondientes diputados. Para que tenga efecto esta real resolución, han de nombrar los Virreynatos de Nueva España, Perú, Nuevo

1. Miguel Artola, *Los orígenes de la España contemporánea,* 2 vols. (Madrid: Instituto de Estudios Políticos, 1959), I, pp. 145-226; Gabriel Lovett, *Napoleon and the Birth of Modern Spain,* 2 vols. (Nueva York: New York University Press, 1965), I, pp. 85-298.
2. Jorge Castel, *La Junta Central Suprema y Gubernativa de España e Indias* (Madrid: Imprenta Marte, 1950), pp. 71-76.

> Reyno de Granada y Buenos Aires, y las Capitanías Generales independientes de la isla de Cuba, Puerto Rico, Guatemala, Chile, Provincia de Venezuela y Filipinas un individuo cada cual que represente su respectivo distrito.[3]

De esta manera, reconocía la demanda americana de constituir reinos y no colonias, formar parte integral de la monarquía española, y tener derecho a la representación en el gobierno nacional. La decisión fue profundamente revolucionaria. De ahí en adelante, los americanos habían de ser reconocidos como iguales ante los españoles. Era difícil imaginarlo en ese momento, pero el reconocimiento de la igualdad transformaría la relación entre España y América y otorgaría a los pueblos del Nuevo Mundo esos derechos que habían exigido pero que en realidad no esperaban obtener. Se creó así una relación entre metrópolis y territorios ultramarinos que ninguna otra monarquía otorgó jamás a sus posesiones.

Las elecciones a la Junta Central

Los novohispanos se mostraron perplejos ante los acontecimientos en España y en Nueva España. La deposición del virrey Iturrigaray fomentó el descontento entre algunos criollos, en particular entre aquellos que residían en la capital, y levantó sospechas sobre las intenciones de los gobiernos interinos lo mismo en Nueva España que en España. Como sostenía Manuel de Jáuregui en 1809, un grupo de facciosos había derrocado al gobierno legítimo por la fuerza. Empero, Jáuregui señalaba también que "En el reyno todo no hubo otro desorden ni anarquía que la suscitada por esa turba mezquina y despreciable de facciosos".[4] Sin embargo, otros observadores contemporáneos, como Carlos María de Bustamante, concluirían más tarde que "Desde esta época aparecieron ya los síntomas de una revolución estragosa y de un ódio general que hervia en los corazones de todos. El reino estaba volcanizado, y a

3. "Real Orden de la Junta Central expedida el 22 de enero de 1809", en *Gazeta de México*, XVI (15 de abril de 1809), p. 326.
4. "Informe de D. Manuel Francisco de Jáuregui sobre la deposición de su cuñado el virrey Iturrigaray", en Genaro García (comp.), *Documentos históricos mexicanos*, 7 vols. (México: SEP, 1985), II, p. 295.

punto de estallar con una detonación horrisona".[5] Alamán hablaba en forma parecida: "Aumentose pues con este golpe las rivalidades, recreciéronse los ódios y se multiplicaron los conatos de revolución, que terminaron en una abierta y desastrosa guerra".[6] Los dos últimos escribieron, por supuesto, después de los hechos y vincularon el golpe de 1808 con la gran insurrección encabezada por el cura Miguel Hidalgo, dos años más tarde. No obstante, los historiadores deben sopesar la precisión de estas declaraciones evaluando la amplitud y la profundidad de los enfrentamientos y el grado de hostilidad entre los habitantes del virreinato de Nueva España.

Como era de esperarse, gran parte de la discordia se suscitó en la ciudad de México. Los capitulares del ayuntamiento de México y todos los arrestados y liberados poco después –como el abad José Cisneros del Convento de Guadalupe y el canónigo José Beristáin de Sousa de la Catedral– albergaron sin duda gran resentimiento contra los peninsulares responsables

5. Carlos María de Bustamante, *Cuadro histórico de la Revolución mexicana,* 3 vols. (México: Comisión Nacional para la Celebración del Sesquicentenario de la Proclamación de la Independencia nacional y del cincuentenario de la Revolución mexicana, 1961), I, p. 16. En ese momento se mostró muy jubiloso por la formación de la Junta Central. El 18 de febrero de 1809 publicó un "Convite" en el *Diario de México* que decía, a la letra: "Ha sido costumbre generalmente recibida entre todas las naciones cultas, datar los principales hechos y gloria, por medio de monumentos magnificos, que apurando toda la hermosura y belleza de las artes, transmitan a la posteridad la memoria de los mayores sucesos (...) Con este objeto os convido a todos los buenos y leales Americanos, Europeos, Indios, y de todas clases a la suscripcion de una nueva medalla, por la que se celebre dignamente la instalacion de (...) la suprema Junta [Central...] y he aquí su imagen. En su anverso se representará la de España con su conejo al pie, como carácter distintivo de ella; en la mano izquierda tendrá una lanza, sobre la que se apoyará, y en la punta o extremidad de ella se verá un montera, gorro o pileo en señal de la libertad que ha recobrado: a lo lejos se verá en genio de la nacion, en actitud de llevarla un puñal, para que consuma la obra de su redencion, que ha comenzado. La América se la presentará, ofreciendo con la mano izquierda una corona de flores, y con la derecha una macana o espada mexicana, en señal de que celebra sus triunfos, y le ofrece además sus armas para auxiliarla. A los pies de la España habrá varios fusiles y espadas rotos, un cañon desmontado, y varios fragmentos de las cadenas y grillos que ha sabido romper por su valor. La aguila francesa yacerá a sus pies, y arriba se leerá por orla la siguiente inscripción: *Truinfadora, libre, y restauradora de la Europa.*
"En el reverso se verá en un salon adornado majestuosamente la suprema Junta central baxo de sólio, y en los extremos del búfete las fasces romanas, símbolo de la soberanía de que es depositária: a lo lejos se verán en perspectiva unas balanzas, y una espada, un libro, una esfera, un torno, una ancla, un arado, y un haz pequeño o manojo de espigas y pámpanos: por orla se leerán estas palabras: *TODO RENACE,* y abaxo a la inmortalidad por la instalacion de la Junta central de España e Indias, hecha el 25 de septiembre de 1808. *La Nueva España. Diario de México,* tomo X (18 de febrero de 1809), pp. 197-200.
6. Lucas Alamán, *Historia de Méjico desde los primeros movimientos que prepararon sun Independencia en el año de 1808 hasta la época presente,* 5 vols. (México: Fondo de Cultura Económica, 1985), I, p. 278. Véase también: Virginia Guedea, *En busca de un gobierno alterno: Los Guadalupes de México* (México: UNAM, 1992), pp. 18-20.

del golpe. Además, la arrogancia de los españoles europeos, en particular de los empleados menores de los comerciantes, enfureció y distanció a muchos novohispanos que expresaron su enojo con un lenguaje hostil y de pasquines. El virrey en funciones, Garibay, y las autoridades trataron de controlar estas actividades por diversas vías. "Muchos de los denunciados fueron tan sólo amonestados por haber emitido sus opiniones en momentos de acaloramiento; a otros se les encarceló por un período relativamente corto de tiempo, y a los que se encontró con más culpabilidad se les remitió a España". Garibay también tomó precauciones para protegerse de un posible golpe por parte de los españoles europeos de las clases bajas, ya envalentonados: reforzó la guardia del palacio, despidió a los voluntarios de Fernando VII en la Ciudad de México –una milicia organizada por europeos–, disolvió el cantón y envió a los regimientos de regreso a sus provincias.[7]

A principios de febrero de 1809 apareció una proclama en varias ciudades, entre ellas México, Puebla, Querétaro, Oaxaca y Zacatecas, donde se declaraba: "los exforsados y balientes Soldados Españoles no han podido resistir a las fuerzas superiores del tirano Napoleón (...) La España toda por fatal desgracia, ba a gemir ya baxo su yugo (...)". Por estos motivos, el supuesto autor, Julián de Castillejos, un letrado de la Audiencia de México y miembro del Real Colegio de Abogados, llamaba al establecimiento de un gobierno autónomo. Castillejos decía: "haced un solo cuerpo y mostrad que Soy[s] fieles al Rey y verdaderos defensores de la Santa Religion y de la Patria. Proclamad la independencia [autonomía] de Nueva España, para conservarla a nuestro Augusto y amado Fernando Séptimo, y para mantener pura e ilesa nuestra fe". Además, anotaba: "Ya no es tiempo de disputar sobre los derechos de los Pueblos: ya se rompió el velo que nos cubría: yá nadie ignora que en las actuales circunstancias, recide la Soberanía en los Pueblos. Asi lo enseñan infinitos impresos que nos bienen de la Peninsula. Si, yá esta es una verdad confesada y reconocida".[8] El descubrimiento de la proclama preocupó a las autoridades, ya que al parecer Castillejos formaba parte de una extensa red de autonomistas que acudían a las tertulias organizadas por el marqués de San Juan de Rayas. El grupo incluía a miembros de la nobleza, del Real Colegio de

7. Alamán, *Historia de Méjico*, I, pp. 288-300; Guedea *En busca de un gobierno alterno*, pp. 21-22, cita p. 23.
8. "Proclama", en García, *Documentos históricos mexicanos*, I, pp. 102-103.

Abogados y otros individuos eminentes, muchos de ellos participantes activos del intento por conformar una junta gubernativa en Nueva España en 1808. Al ser interrogado, Castillejos negó toda responsabilidad, aunque reconoció que las opiniones expresadas en las proclamas se basaban en conceptos jurídicos sensatos. Los funcionarios reales acabaron por liberarlo, pero mantuvieron una estrecha vigilancia sobre él, San Juan de Rayas y otros.[9]

El marqués de San Juan de Rayas también preocupaba a las autoridades reales, pues había accedido a servir como apoderado y defender los intereses del ex virrey Iturrigaray. En noviembre de 1808, San Juan de Rayas comenzó a reunir información sobre la conducta de Iturrigaray. Además, organizó varias juntas privadas en su casa "reducidas a tratar de la defensa del señor de Iturrigaray, como su apoderado". En poco tiempo, las autoridades recibieron información de que "el antieuropeo Marqués de Rayas" estaba conspirando para derrocar al gobierno y vengar el golpe contra Iturrigaray y los criollos. Aunque se llevaron a cabo profusas investigaciones, las autoridades fueron incapaces de probar los cargos contra el marqués de San Juan de Rayas. No obstante, la sospecha permaneció, de ahí que las autoridades confinaran al marqués a la ciudad de México.[10]

Está claro que el grado de tensión en la ciudad de México era alto. "Sin embargo –como afirma Virginia Guedea–, no se encuentra todavía durante el gobierno de Garibay un plan de acción bien definido. Ni siquiera se conoce la existencia de algún grupo que como tal se manifestase, sino que las expresiones [de descontento] fueron casi siempre hechas en forma individual".[11] Las condiciones en las provincias parecen similares. Aun cuando varios funcionarios locales reportaron insatisfacción en sus regiones, no se

9. *Ibid.*, I, pp. 102-183; Guedea, *En busca de un gobierno alterno*, pp. 25-32. Véase también: Alfredo Ávila, "¿Cómo ser infidente sin serlo? El discurso de la independencia en 1809", en Felipe Castro y Marcela Terrazas (coords.), *Disidencia y disidentes en la historia de México* (México: UNAM, 2003), pp. 139-168.

10. Guedea, *En busca de un gobierno alterno*, pp. 29-32, citas 29 y 30. La documentación de las investigaciones sobre el marqués de San Juan de Rayas se encuentra en: "Incidente de la Causa del Sr. Marqués de San Juan de Rayas", AGN: Infidencias, 91; y "Copia de las diligencias hechas con el fin de averiguar si el Marqués de San Juan de Rayas y los concurrentes a su casa son enemigos del gobierno virreinal e intentan independer a la Nueva España", en García, *Documentos históricos mexicanos*, I, pp. 223-253.

11. Guedea, *En busca de un gobierno alterno*, p. 23.

tiene noticia alguna sobre un desafío serio a las autoridades en turno.[12] Pese a la tensa situación, el pueblo de Nueva España, como los del resto de América, rechazó abrumadoramente a Napoleón, reconoció a Fernando VII como su rey y aceptó la autoridad de la Junta Central, y se preparó para defender su fe y su patria frente los ateos franceses.[13]

Las autoridades de Nueva España no la pasaron bien cuando recibieron la noticia de que se les había otorgado representación a los territorios ultramarinos en la Junta Central. En la *Gazeta de México* del sábado 15 de abril de 1809, los novohispanos leyeron el decreto que convocaba a elecciones para dicho organismo. El texto no se publicó en primera plana, como podría esperarse, sino en las páginas interiores, en medio de otras noticias. La convocatoria apareció con el título "Otro" y su forma era la de una carta al virrey Pedro de Garibay, no la de un decreto revolucionario. Las autoridades de Nueva España temían que el decreto acrecentara las divisiones creadas por el debate en torno al congreso de ciudades, que condujo a la deposición del virrey de Iturrigaray. Empero, esta vez no podían evitar la elección de un representante de Nueva España para el gobierno de la nación española.

El decreto indicaba que "en las capitales cabezas de partido (...) procederan los ayuntamientos a nombrar tres individuos de notoria probidad, talento e instrucción, exentos de toda nota que pueda menoscabar su opinión pública". Señalaba también que el ayuntamiento debía evitar el "espíritu de partido que suele dominar" durante las elecciones y que sólo debían

12. En 1809, en Zacatecas, aparecieron pasquines anónimos que alababan a Iturrigaray y condenaba a los españoles europeos. Las investigaciones sugerían que algunos miembros americanos del ayuntamiento estaban involucrados en la distribución de las proclamas anónimas. Por ello, el virrey retiró a algunos de ellos. Véase Mercedes de Vega, *Los dilemas de la organización Autónoma: Zacatecas 1808-1832* (México: El Colegio de México, 2005), pp. 57-59. La tensión también se hizo presente en Antequera de Oaxaca, al parecer debido a las disputas por nombramientos a cargos oficiales. No obstante, la declaración de Castillejo suscitó una gran preocupación entre las autoridades que investigaban presuntas subversiones. Véase: Silke Hensel, *Die Entstehung des Föderalismus in Mexiko. Die politische Elite Oaxacas zwischen Stadt, Region un Staat, 1786-1835* (Stuttgart: Verlag, 1997), pp. 106-119.

13. Marco Antonio Landavazo, *La máscara de Fernando VII. Discurso e imaginario monárquicos en una época de crisis. Nueva España, 1808-1822* (México, Morelia y Zamora: El Colegio de México/Universidad Michoacana de San Nicolás de Hidalgo/El Colegio de Michoacán, 2001), pp. 97-134. Las declaraciones de lealtad a lo largo y ancho de Nueva España pueden hallarse en: Nava Oteo, *Cabildos de la Nueva España en 1808*, pp. 59-182. Véase también: Beatriz Rojas (comp.), *Documentos para el estudio de la cultura política de la transición. Juras, poderes e instrucciones. Nueva España y la Capitanía General de Guatemala, 1808-1820* (México: Instituto José María Luis Mora, 2005), pp. 51-75.

considerar "las calidades que constituyen un buen ciudadano y un zeloso patricio". Una vez que esos tres individuos fueran elegidos, "procederá el ayuntamiento con la solemnidad de estilo a sortear uno de los tres según la costumbre, y el primero que salga se tendrá por elegido".[14] Entonces los ayuntamientos enviarían el nombre y las calificaciones de su candidato, así como sus instrucciones, a la ciudad de México, donde el real acuerdo escogería a tres individuos de entre los candidatos elegidos por los ayuntamientos y nombraría al representante final de Nueva España por sorteo. Para representar a toda Nueva España de manera efectiva, el delegado llevaría a España las instrucciones de todos los ayuntamientos. De esta manera, el decreto de la Junta Central encarnaba los valores del republicanismo clásico.

El proceso electoral –el uso de la terna y del sorteo, por ejemplo– se apoyaba claramente en los procedimientos electorales existentes dentro de los organismos corporativos. A este respecto, las elecciones seguían los principios y prácticas hispánicos tradicionales.[15] Más aún, el proceso reconocía implícitamente el antiguo derecho putativo de las capitales provinciales de América a la representación en un congreso de ciudades; los procesos electorales tradicionales se estaban adaptando a los nuevos propósitos políticos. Las elecciones de 1809 constituían un paso importante en la formación de un gobierno representativo moderno para toda la nación española; por vez primera se llevaban a cabo elecciones en el Nuevo Mundo y se elegían representantes para un gobierno unificado de España y América. Y lo que es más sorprendente: sólo el Nuevo Mundo organizó elecciones. En la península, las juntas existentes ya habían elegido a sus representantes ante la Junta Central. Las elecciones de 1809 reivindicaron las acciones del ayuntamiento de México y de otros autonomistas que declararon tener derecho a convocar a un congreso de ciudades para representar al reino durante la crisis de la

14. "Real Orden de la Junta Central expedida el 22 de enero de 1809", en *Gazeta de México*, XVI (15 de abril de 1809), p. 326.

15. Para una evaluación diferente a la mía, véase: José Antonio Aguilar Rivera, "La nación en ausencia: primeras formas de representación en México", en *Política y gobierno*, vol. 2 (segundo semestre de 1998), pp. 423-457. Otra versión se encuentra en el capítulo IV: "La nación en ausencia: primeras formas de representación en México" en su *En pos de la quimera. Reflexiones sobre el experimento constitucional atlántico* (México: FCE/CIDE, 200), pp. 129-166.

monarquía española. En 1809 los novohispanos estaban ansiosos por recuperar sus derechos y actuar como miembros plenos de la monarquía.

Como ha señalado Nettie Lee Benson, los miembros de la Junta Central, que estaban huyendo de los franceses, no sabían cuáles eran las dimensiones y la complejidad de los reinos del Nuevo Mundo, "En consecuencia, la determinación de qué regiones de Nueva España eran elegibles para participar en las elecciones y cómo se habrían de conducir se dejó abierta a la interpretación".[16] Aunque el decreto estipulaba que un diputado habría de representar a todo el virreinato de Nueva España, la Junta Central envió instrucciones tanto al virrey interino Garibay como al comandante general de las provincias internas, Nemesio de Salcedo. Cada funcionario, por ende, intentó determinar el significado exacto de las palabras "capitales cabezas de partido".

Las autoridades reales, que luchaban por mantener el orden en una época de cambios acelerados y peligrosos, estaban a todas luces perplejas. En un principio, el virrey distribuyó 470 ejemplares de la convocatoria en 16 provincias y pueblos de toda Nueva España, incluidos lugares como Nueva California, Perote e Isla del Carmen.[17] Los funcionarios reales creían que el proceso electoral requería una consulta amplia con los representantes de las ciudades y pueblos de las provincias, por eso proporcionaron a las capitales de provincia copias del decreto para ser distribuidas en las villas y los pueblos de su región. El ayuntamiento de México, por ejemplo, recibió 99 ejemplares del decreto, mientras que Nueva California recibió cuatro. Tras consultar al real acuerdo, Garibay notificó a las capitales de once intendencias que tenían derecho a organizar elecciones. La capital de la decimosegunda intendencia, Sonora y Sinaloa, carecía de ayuntamiento y en consecuencia no podía elegir a un candidato para la elección de representante ante la Junta Central. Garibay también informó al comandante general, Nemesio Salcedo, que el real acuerdo había determinado que sólo la capital de

16. Nettie Lee Benson, "The Elections of 1809: Transforming Political Culture in New Spain", en *Mexican Studies/Estudios Mexicanos*, vol. 20, núm. 1 (invierno de 2004), pp. 1-20, cita p. 5.

17. Benson afirma que la convocatoria fue enviada a Zacatecas, Puebla, Veracruz, Valladolid de Michoacán, San Luis Potosí, Oaxaca, Tlaxcala, Tabasco, Nueva California, Baja California, Perote, Isla de Carmen, Nuevo Santander, Nuevo Reyno de León y Coloatlán. Aparentemente, los últimos en recibir el documento debido a la gran distancia y a las dificultades de comunicación fueron Nueva California (12 de junio de 1809) y la misión de San Antonio (29 de agosto de 1809), *Ibid.*, nota 15.

la intendencia de Durango, que formaba parte de las provincias internas, era elegible para organizar elecciones. Así pues, las capitales de las provincias de Chihuahua, Coahuila, Texas, Nuevo México, Sonora y Sinaloa, que también formaban parte de dichas provincias, quedaron excluidas del proceso. El fiscal de éstas, que residía en Chihuahua, no estuvo de acuerdo con la decisión. En su opinión, Monclova, Coahuila; San Fernando de Béxar, Texas; Santa Fe, Nuevo México y Chihuahua, Chihuahua, cumplían con los requisitos para participar en las elecciones, pero ya que esta última había establecido un ayuntamiento tiempo atrás, propuso que organizara elecciones en nombre de las provincias de Coahuila, Texas y Nuevo México, y Chihuahua, inclusive. Aunque no estaba dispuesto a decidir, el comandante general Salcedo envió la convocatoria y las opiniones del real acuerdo y su fiscal a los gobernadores de las otras provincias de su jurisdicción, instruyendo que actuaran como consideraran apropiado.[18]

Los dirigentes de las provincias excluidas de la votación enviaron de inmediato al virrey la justificación detallada para su inclusión en las elecciones. El 22 de abril de 1809, el ayuntamiento de Querétaro envió una representación bien documentada, demostrando que su población, su agricultura y su industria eran comparables a las de la provincia de Puebla. Puesto que a dicha provincia se le había otorgado el derecho a elegir un diputado, "es consecuencia necesaria que se le conceda a esta Ciudad [también] como que está en todo igualada con aquella".[19] De manera similar, Tlaxcala insistía en que calificaba para organizar elecciones. Era la capital de una provincia, su economía era sólida, y abarcaba 110 pueblos, 22 parroquias, tres seminarios y numerosos partidos. Después de discutirlo, los ministros del real acuerdo otorgaron a las dos ciudades el derecho a llevar a cabo elecciones. Resolver la cuestión de las elecciones en las provincias internas resultó más difícil pues aunque Arizpe era la capital de la Intendencia de Sonora y Sinaloa, no poseía

18. Nettie Lee Benson, "A Governor's Report on Texas in 1809", en *Southwestern Historical Quarterly*, LXXI, 4 (abril de 1968), pp. 603-615. Sobre Chihuahua, véase: Cheryl English Martin, *Governance and Society in Colonial Mexico: Chihuahua in the Eighteenth Century* (Stanford: Standford University Press, 1996).

19. "Representación sobre que la Ciudad de Querétaro debe nombrar Diputado para la suerte del que ha de ser en la Junta Central", en Juan E. Hernández y Dávalos, *Colección de documentos para la historia de la guerra de independencia de México de 1808 a 1821*, 2ª ed., 6 vols. (México: INEHRM, 1985), I, pp. 686-689.

un ayuntamiento; no obstante, el intendente brigadier Alexo García Conde actuó sin esperar una decisión de la ciudad de México y el 20 de junio de 1809 convocó a los "ciudadanos principales" de la región, al teniente de justicia y al subdelegado a su casa, donde organizó la elección. Más tarde, los ciudadanos formaron un ayuntamiento para la ciudad de Arizpe; por ello, los ministros del real acuerdo aprobaron la elección; sin embargo, estaban divididos sobre si otorgar o no a las otras capitales de las provincias internas el derecho a organizar elecciones. Después de un largo debate, seis ministros votaron en favor de otorgar ese derecho a Coahuila, Texas y Nuevo México, pero tres disintieron argumentando que Chihuahua había de representarlas. Seis ministros también se manifestaron en favor de otorgar a los gobiernos políticos y militares de Tabasco, Nuevo León y Nuevo Santander el derecho a organizar elecciones, mientras que tres se abstuvieron. Las decisiones fueron invalidadas porque el 11 de agosto de 1809 los ministros informaron al virrey que, dado el enorme retraso, el real acuerdo debía elegir de inmediato al representante del reino de entre los candidatos de las 14 ciudades que habían sido autorizadas a llevar a cabo elecciones: Antequera, Arizpe, Durango, Guadalajara, Guanajuato, Mérida, México, Puebla, Querétaro, San Luis Potosí, Tlaxcala, Valladolid, Veracruz y Zacatecas.[20]

Las autoridades del Nuevo Mundo instrumentaron el decreto electoral de diversas maneras. Quizá por la influencia de los peninsulares golpistas, Nueva España interpretó el decreto de la manera más limitada, otorgando sólo a las capitales de intendencias y a otras dos ciudades, que lograron convencer a las autoridades de sus derechos, el privilegio de realizar elecciones. Los funcionarios en otros reinos americanos interpretaron la convocatoria en un contexto más amplio, permitiendo que las ciudades y los pueblos con ayuntamientos celebraran sus comicios. De esta manera, Nueva España, que albergaba casi la mitad de la población de la América española, otorgó únicamente a 14 ciudades el derecho a llevar a cabo elecciones, mientras que en el territorio mucho más pequeño de Guatemala, el mismo número de ciudades disfrutó de ese privilegio. La situación varió mucho en América del Sur: 20

20. Benson, "The Elections of 1809", pp. 6-15; "Sobre derecho de las Provincias Internas para elegir en cada una Diputado que sea comprendido entre los demas del Reyno donde se ha de sortear el que baya a la Suprema Junta", AGN: Historia, vol. 416, ff. 44-47.

ciudades organizaron elecciones en Nueva Granada, 17 en Perú, 16 en el minúsculo territorio de Chile, 12 en Río de la Plata y seis en Venezuela.[21]

El proceso electoral fue largo y complicado. En la mayor parte de los casos pasaron meses antes de que un reino eligiera a su representante. El virreinato de Nueva España registró menos retardos que casi todos los demás reinos americanos. Las elecciones, que tuvieron lugar entre abril y octubre, fueron en general ordenadas y en la mayoría de las zonas los resultados no fueron impugnados. Sin embargo, en Valladolid hubieron de revisarse cargos por fraude antes de que se realizara la elección final en la ciudad de México.[22]

Las elecciones en Guadalajara constituyen un ejemplo del proceso electoral en el ámbito regional. Aparentemente, los miembros del ayuntamiento de Guadalajara, así como los de otras capitales con derecho a elegir un diputado, recibieron recomendaciones de los representantes de otras ciudades y pueblos de la intendencia; así, dicho ayuntamiento se reunió el 24 de abril de 1809 para escuchar la lectura del decreto. Tras discutir la importancia del acontecimiento, los regidores acordaron "que se difiera esta elección para el día de mañana, a fin de que los regidores refleccionaran sobre tan importante asunto, y se convoque a la sesion, a los regidores, Alférez Real y Fiel Ejecutor que no concurrieron a esta". Al día siguiente, después de asistir a la misa de Espíritu Santo, los miembros del ayuntamiento se reunieron con el intendente para elegir a su representante; se realizaron tres votaciones para elegir la terna. Los tres finalistas gozaban de gran prestigio y poder: Juan Cruz Ruiz de Cabañas, obispo de Nueva Galicia; José María Gómez y Villaseñor, gobernador provisor vicario general, juez de testamentos, capellanías y obras pías del obispado, y rector de la universidad; y José Ignacio Ortiz de Salinas, abogado de la real audiencia y asesor de la intendencia y comandancia general. En una vasija se colocaron sus nombres escritos en papeletas y un "niño inocente" tomó una de ellas. El obispo Ruiz de Cabañas ganó la elección.[23]

21. Jaime E. Rodríguez O., *La independencia de la América española* (México: FCE, 1996), p. 85.
22. "Relación circunstanciada de los sugetos electos por las provincias del virreinato para el sorteo de Diputado de la Suprema Junta Central", AGN: Historia, vol. 418, ff. 1-3; Carlos Juárez Nieto, *La oligarquía y el poder político en Valladolid de Michoacán, 1785-1810* (Morelia: H. Congreso del Estado de Michoacán de Ocampo, CNCA/INAH/ Instituto Michoacano de Cultura, 1994), pp. 242-269.
23. "Libro de Actas Capitulares del Ylustre Ayuntamiento de Guadalajara, 1809", en Archivo Municipal de Guadalajara (en adelante AMG), ff. 39-43.

A diferencia de Guadalajara, las elecciones en Valladolid fueron contenciosas. El "espíritu de partido", contra el que prevenía la convocatoria, hizo erupción. Los regidores de la ciudad estaban divididos en torno al requerimiento para ser elegible: no había unanimidad sobre si la "naturaleza" era necesaria o si bastaba la "vecindad". Además, el bando perdedor acusó a los ganadores de fraude. De acuerdo con Manuel Abad y Queipo, existían en el momento grandes "rivalidades y discordias (...) entre la clase española", que probablemente afectaron la elección.[24] El intendente, Felipe Díaz Ortega, quien se había aliado a los poderosos intereses del clan Huarte, murió en marzo de 1809. Su heredero en el cargo, el asesor Alonso de Terán, se enfrentó a una lucha por el poder dentro del ayuntamiento contra Isidro Huarte, el patriarca del clan que había dominado la institución durante años.[25]

En medio de este periodo de controversia, el 18 de abril de 1809, el ayuntamiento de Valladolid recibió la convocatoria para elecciones a la Junta Central. Al día siguiente, el organismo fijó el 26 de abril como la fecha de la elección con el fin de dar tiempo a las consultas y preparar una lista de candidatos, "sujetos que por su mérito y circunstancias políticas y morales, estimen idóneas". Los capitulares también debían preparar instrucciones para el diputado a la Junta Central; es probable, como lo sugiere Carlos Juárez Nieto, que el periodo "vino a ser aprovechado por clérigos, militares, comerciantes, hacendados, burócratas e intelectuales de la ciudad, para realizar reuniones de 'auscultación' y definir a la persona más ligada a sus aspiraciones políticas e intereses económicos".[26] Puesto que Valladolid recibió 30 copias de la convocatoria para distribuirlas en las ciudades y los pueblos de la intendencia, los miembros del ayuntamiento, sin duda, también recibieron las recomendaciones y el consejo del resto de Michoacán. Pero al parecer siete días no eran suficientes para conciliar los intereses en pugna. El 26 de abril, el intendente interino Terán decidió posponer la votación hasta el 16 de mayo porque a algunos regidores, entre ellos Juan Antonio Aguilera,

24. Citado en Carlos Juárez Nieto, *La oligarquía y el poder político en Valladolid*, p. 244.
25. Sobre la influencia de Isidro Huarte véase: Margaret Chowning, *Wealth and Power in Provincial Mexico: Michoacan from the Late Colony to the Revolution* (Stanford: Stanford University Press, 1999), pp. 31-76.
26. Juárez Nieto, *La oligarquía y el poder político en Valladolid*, p. 243.

Isidro de Huarte y Pedro Vélez, les fue imposible asistir. Quizás albergaba la esperanza de que el retraso diera tiempo a calmar las tensiones.

El ayuntamiento se reunió el 16 de mayo, como estaba previsto, para elegir al representante de Valladolid; los regidores propusieron a 33 personas como posibles candidatos, entre ellos individuos eminentes de todo el reino, que no sólo eran hombres importantes de Michoacán, como el obispo Marcos Moriana y Zafrilla, Isidro de Huarte, el doctor Juan José de Michelena, Pedro Vélez, el doctor Alonso de Terán, José Joaquín de Iturbide y el doctor Manuel Abad y Queipo, sino también personas distinguidas de otras partes de Nueva España, como los oidores Melchor de Foncerrada y Manuel de la Bodega, el intendente de Guanajuato Juan Antonio Riaño, el corregidor de Querétaro Miguel Domínguez, así como Manuel de Lardizábal y Uribe, un natural de Tlaxcala que había servido en el gobierno real en España durante muchos años. De ahí siguió una discusión sobre quién era elegible. El regidor Juan Bautista de Arana preguntó si los individuos de otros reinos que residían en Nueva España eran elegibles. El intendente interino Terán, quien presidía el ayuntamiento pero no podría votar respondió que un tal individuo era elegible "aunque estuviera en China". Por su parte, el alférez real, licenciado Isidro Huarte, hijo del patriarca del mismo nombre y único criollo en el ayuntamiento, sostuvo que "los que habían de entrar en la elección debían ser precisamente americanos [...porque] el nacido en América promovería mejor y con mayor celo los ramos y objetos de interés nacional que un europeo, principalmente cuando se tratase de asuntos de comercio y otros entre la Nueva y antigua España".[27] El regidor Juan Antonio Aguilar replicó que los naturales no eran los únicos que podían representar los intereses del país, sino también "los vecinos radicados de tiempo considerable, pues en él vivian, en él tenían sus propiedades, y había de ser patria de sus hijos y demás descendientes, cuya futura felicidad debían por razones promover con tanto empeño como los nativos o naturales"; además, señalaba que otras ciudades, como Puebla y San Luis Potosí habían elegido a europeos. Pese a que el intendente interino Terán apremió a los regidores a "evitar sentimientos", el alférez real Huarte insistió en que "debía ser un americano el

27. Citado en *Ibid.*, p. 248.

diputado de la Junta (...) porque habían algunos asuntos que se desempeñaría con más confianza universal por un americano".[28]

Al día siguiente, 17 de mayo, tras asistir a una misa solemne de Espíritu Santo en la iglesia de San Francisco, los miembros del ayuntamiento se reunieron para votar. El intendente interino Terán presidió la elección. Después de que las reglas electorales fueran leídas, el regidor Arana preguntó si sólo los americanos eran elegibles, a lo que el presidente Terán respondió que por acuerdo general, tanto los europeos como los americanos eran elegibles. Entonces, los regidores inquirieron si el voto debía ser público o secreto; Terán replicó que "se hiciese secreta para evitar sentimientos, los cuales, el día de ayer se habían comenzado a mover".[29] El licenciado Huarte preguntó a continuación si habría una sola votación o las tres usuales y los regidores Aguilera y Vélez insistieron en que debía haber una votación para cada uno de los tres finalistas. Cuando los Huarte, padre e hijo, objetaron, los otros regidores decidieron que, puesto que la votación sería secreta, habría sólo una para los tres finalistas. Enseguida comenzó la votación y cada regidor introdujo tres papeles doblados en una jarra. Los resultados fueron los siguientes: Manuel de Lardizábal y Uribe (6), Melchor de Foncerrada (5), Manuel de la Bodega (4) Manuel Abad y Queipo (4), e Isidro Huarte, hijo (2). El presidente Terán, conforme al reglamento, votó en favor de Abad y Queipo para romper el empate. De esta manera, la terna quedaba compuesta por dos americanos, Lardizábal y Uribe y Foncerrada, y un europeo, Abad y Queipo, quien resultó electo en el sorteo.

Los perdedores, miembros del clan Huarte, protestaron de inmediato. El licenciado Huarte argumentó que un regidor había votado dos veces por Abad y Queipo, violando así los lineamientos electorales. Puesto que sólo siete regidores podían votar por tres individuos habría un total de 21 votos, y dado que cinco personas obtuvieron votos resultaba imposible determinar si algún

28. Citas en *Ibid.*, pp. 249-250; Benson, "The Elections of 1809", pp. 12-13. La cuestión de naturaleza *versus* vecindad también se convirtió en un tema contencioso en la ciudad de Cuenca, en el Reino de Quito. Ahí, la discusión no giraba en torno a la capacidad de los europeos para representar a la ciudad y a la provincia, sino a la pertinencia de que los americanos de otros reinos lo hicieran. Véase: Jaime E. Rodríguez O., *La revolución política durante la época de la independencia: El Reino de Quito, 1808-1822* (Quito: Corporación Editora Nacional, 2006), pp. 67-68.

29. Juárez Nieto, *La oligarquía y el poder político en Valladolid*, pp. 253-254.

regidor había introducido dos votos por la misma persona, a menos que fuera parte de un grupo que hubiese acordado de antemano votar por determinados individuos. La evidencia indirecta sugiere que el clan Huarte controló cuatro votos. Éstos no hubieran beneficiado a Abad y Queipo, así que éste sólo pudo haber recibido tres votos legítimos. Se suscitó entonces un acalorado debate entre los dos grupos: el licenciado Huarte insistía en que se solicitara a cada regidor indicar en declaración jurada, cuál habría sido su sufragio, pera el presidente Terán se rehusó y en lugar de esto, ordenó que las cédulas fueran destruidas, como se acostumbraba. Cuando parecía que el conflicto iba en escalada, el alcalde provincial don Isidro Huarte (padre) intervino para declarar que la tranquilidad del ayuntamiento no debía ser alterada. Entonces, se dio por terminada la reunión. Aún el 19 de mayo, cuando el ayuntamiento se reunió para firmar las actas de la elección, el licenciado Huarte trajo a colación el tema una vez más, el presidente Terán se mantuvo firme. Así, tanto los regidores inconformes como el intendente interino Terán enviaron sus informes sobre la elección a Garibay, quien había sido relevado en su cargo de virrey por Lizana y Beaumont.[30] En la ciudad de México, tras una larga discusión, el real acuerdo determinó por mayoría que la elección de Abad y Queipo era legal.

Estos debates suscitaron una serie de preguntas sobre el sistema político. En el mundo hispánico, la "naturaleza" –es decir, el lugar de nacimiento– no era suficiente para ser un "vecino". Los vecinos no eran siempre naturales, antes bien, se trataba de individuos que se identificaban con el pueblo o la ciudad en que vivían y cumplían con sus obligaciones, también era común que tuvieran propiedades en su haber, pagaran sus impuestos, desempeñaran sus cargos y sirvieran en la milicia del pueblo. En consecuencia, quienes no pertenecían al pueblo, incluidos los extranjeros, recibían el derecho de vecindad. Por el contrario, a los naturales que dejaban el pueblo o no cumplían con sus obligaciones se les negaba la vecindad.[31] Conforme

30. Los tres relatos principales sobre esta elección son: Benson, "The Elections of 1809", pp. 1-20; Juárez Nieto, *La oligarquía y el poder político en Valladolid*, pp. 240-260; y Alfredo Ávila, *En nombre de la nación. La formación del gobierno representativo en México* (México: Taurus/CIDE, 2002), pp. 83-85.

31. Sobre esta cuestión, véase: Jaime E. Rodríguez O., *La ciudadanía y la Constitución de Cádiz* (Zacatecas: Conacyt/Universidad Autónoma de Zacatecas, 2005), pp. 9-15. Véase también: Tamar Herzog, *Defining Nations: Immigrants and Citizens in Early Modern Spain and Spanish America* (New Haven: Yale University Press, 2003), pp. 17-140.

estas premisas, en el debate entre Aguilar y Huarte, el primero tenía la razón. Sin embargo, pese a lo que pudiera parecer, el conflicto no era entre naturales, es decir, americanos, y europeos, sino que se trataba ante todo de una lucha por el poder entre elites familiares. El alférez real Huarte no argumentaba contra su padre europeo, quien dominaba la zona; en realidad, Isidro Huarte padre apoyaba a su hijo en el debate. De acuerdo con Juárez Nieto, el regidor Aguilera, quien defendía el derecho de los europeos a representar a Nueva España ante la Junta Central, estaba aliado con el intendente interino Terán, el alguacil mayor Vélez y el regidor Manuel de Olarte, mientras que el regidor Arana, quien apoyaba los derechos de los americanos, era un aliado europeo de los Huarte, padre e hijo, así como el regidor Andrés Fernández de Renedo, también europeo.[32] François-Xavier Guerra ha afirmado que el conflicto era entre montañeses (asturianos y santanderinos) y todos los demás, incluidos los americanos. El intendente interino Terán, así como Abad y Queipo fueron miembros del partido montañés.[33] Sin embargo, esta explicación pasa por alto la influencia del clan Huarte y la hostilidad que sus prácticas generaron entre las facciones contendientes. Por su parte, Lucas Alamán sostiene que Manuel de la Bodega era un miembro influyente del partido americano. Desafortunadamente, Alamán no proporciona evidencia que apoye dicha afirmación.[34] No se cuenta con ninguna evidencia sobre un movimiento de Valladolid que apoyara al partido americano en la ciudad de México, tampoco es evidente que aquellos involucrados en el conflicto esperaran beneficios directos de su victoria. Después de todo, el ganador de la elección de Valladolid podría no resultar electo –como de hecho no lo fue– en los comicios finales de la ciudad de México. E incluso si el diputado de Valladolid resultaba electo, hubiese debido viajar a España para tratar temas que concernían a toda la monarquía y hubiese tenido pocas oportunidades para beneficiar a su territorio. A esto se suma que los dos candidatos que finalmente obtuvieron el mayor número de votos, Lardizábal y Uribe y Foncerrada, no eran vecinos de la ciudad ni formaban parte de ningún grupo

32. Juárez Nieto, *La oligarquía y el poder político en Valladolid*, pp. 246-250.
33. François-Xavier Guerra, *Modernidades e independencias. Ensayos sobre las revoluciones hispánicas* (Madrid: Mapfre, 1992), pp. 198-203.
34. Alamán, *Historia de Méjico*, I, p. 303.

de elite local. Lo importante en Valladolid era que un clan, o una coalición política, había derrotado a la otra.[35]

En la ciudad de México, el real acuerdo se reunió el miércoles 4 de octubre de 1809 para elegir al diputado de Nueva España ante la junta central. Ocho europeos y seis americanos fueron seleccionados en los sorteos de las 14 ciudades candidatas a elegir un representante.[36] Ese día aparecieron todos en una plana de la *Gazeta Extraordinaria de México*, donde se informaba que:

> En el dia de hoy se ha verificado la elección del *Vocal Representante* de esta Nueva España para componer uno de los Miembros de la Suprema Junta central de España e Indias que a nombre de nuestro augusto Soberano el Sr. D. FERNANDO VII nos gobierna.
>
> Y habiendo procedido en todo con el arreglo a la Real Orden, fecha en el Alcazar de Sevilla a 29 de enero del presente año, publicada en este Reyno el 14 de abril, fue la elección del modo siguiente.
>
> PRIMERA VOTACIÓN.-El Illmo. Sr. D. Manuel Lardizábal, con todos los votos.
>
> SEGUNDA.-El Sr. D. Miguel Lardizábal, con nueve votos.-El Sr. Oidor D. Guillermo de Aguirre, con un voto.
>
> TERCERA.-El Regidor de Veracruz D. Josef María Almansa, con seis votos.-El referido Sr. Oidor Aguirre con tres votos; el Illmo. Sr. D. Fr. Ramón Casáus, con un voto.
>
> SALIO EN LA SUERTE
> EL EXMO. SEÑOR D. MIGUEL DE LARDIZABAL
>
> En cuya virtud y para inteligencia y satisfacción de todos los habitantes de este continente mandó el Exmo. e Illmo. *Señor Virrey* se anunciase a este público con un repique general de campanas e imprimirse esta para que salga por el correo de hoy.[37]

35. Un conflicto de esta naturaleza no fue exclusivo de Valladolid. Más tarde, en 1813, una contienda similar tuvo lugar en Guayaquil. Véase: Rodríguez O., *La revolución política en la época de la independencia*, pp. 153-157.
36. Timothy Anna confunde la elección local realizada por el Ayuntamiento de México con la elección final hecha por el real acuerdo en la ciudad de México; véase: *Spain and the Loss of America* (Lincoln: University of Nebraska Press, 1983), p. 52. Anna no aborda la elección en *The Fall of the Royal Government in México City America* (Lincoln: University of Nebraska Press, 1978). Su única referencia a este acontecimiento de gran relevancia es: "Miguel de Lardizábal y Uribe, miembro del Consejo de Indias y natural de Tlaxcala (aunque vivió toda su vida en España) representó a Nueva España en la Junta Central", p. 61. Antonio Annino comete el mismo error, dice: "Este [Lardizábal y Uribe] había sido electo por el cabildo de la ciudad de México en cuento cabecera del reino, pero su cargo lo ponía al servicio de todas las demás cabeceras de provincia y, través de éstas, de todos los territorio de Nueva España". Antonio Annino, "Prácticas criollas y liberalismo en la crisis del espacio urbano colonial. El 29 de noviembre de 1812 en la ciudad de México," *Secuencia. Revista de Historia y Ciencias Sociales*, 24 (sept.-dic. de 1992), p. 123; y Ávila parece cometer el mismo error, dice: "Las listas de los candidatos (...) fueron remitidas a la ciudad de México, la cual por sus privilegios fue destinada a hacer la elección final", *En nombre de la nación*, p. 85.
37. *Gazeta Extraordinaria de México*, XVI, núm. 122, p. 901. La primera página de la *Gazeta de México* del día siguiente, jueves 5 de octubre de 1809, también aparece como vol. XVI, núm. 122, p. 901.

La elección de Miguel Lardizábal y Uribe ha causado desconcierto entre los historiadores. Carlos Juárez Nieto y Alfredo Ávila creen que los españoles europeos de la capital influyeron sobre las elecciones en las provincias. Sin embargo, ninguno de estos dos estudiosos ofrece pruebas. Según Ávila: "Resulta curiosa la elección de Manuel de Lardizábal [en Valladolid,] un hombre que no tenía vínculos con la región y ni siquiera con el virreinato. Es más, me atrevería a proponer, *si no fuera por la falta de documentos*, que los nombres de los hermanos Lardizábal fueron 'sugeridos' por alguna de las golpistas autoridades virreinales".[38] Empero, Nettie Lee Benson la estudiosa que ha hecho el análisis más cuidadoso de estas elecciones, no menciona dicha influencia.

La elección de Miguel de Lardizábal y Uribe para representar a Nueva España en la Junta Central guarda conformidad con la elección de individuos prominentes para representar a los reinos americanos. Aunque los hermanos Lardizábal y Uribe, Miguel y Manuel, no habían residido en el Nuevo Mundo durante décadas, eran bien conocidos en todo el continente por sus logros. Manuel era un jurista sobresaliente que había publicado varias obras relevantes sobre justicia criminal usadas en toda América –*Nuevo código criminal de España* y *Discurso sobre las penas contraidas o las leyes criminales de España* –. Miguel, que se había distinguido en el servicio diplomático real, por haber obtenido la Cruz de Carlos III por sus contribuciones, también era conocido por su oposición a Manuel Godoy y porque exhortó a Fernando VII a no viajar a Bayona. Cuando los franceses ocuparon Madrid, Miguel, de 67 años, caminó a Sevilla con tal de no rendirse ante ellos. Su patriotismo y sus estrictos criterios morales eran bien conocidos tanto en España como en América. Así, cuando se conformó la Junta Central, Miguel Lardizábal y Uribe fue nombrado para asistir al secretario de Estado.[39] No es de sorprender, por ende, que los hermanos Lardizábal y Uribe hayan sido considerados como candidatos ideales para representar a Nueva España en la Junta Central.

38. Ávila, *En nombre de la nación*, p. 84. Las cursivas son mías.
39. Benson, "The Elections of 1809", pp. 16-17. La ciudad de Cuenca en el Reino de Quito, que no comprendía la importancia de las Cortes, solicitó en 1810 que Miguel Lardizábal y Uribe la representara ante las Cortes de Cádiz debido a que la ciudad carecía de los recursos para pagar a un diputado que asistiera a dicho congreso. Tras convertirse en un miembro de la primera regencia, Miguel Lardizábal y Uribe dio la bienvenida a los americanos a su residencia. De hecho, Carlos Montúfar, hijo del presidente de la Junta Autónoma de Quito, vivió con Lardizábal y Uribe en Cádiz. Rodríguez O., *La revolución política en la época de la independencia*, pp. 77-78.

Las elecciones a la Junta Central en Nueva España fueron muy diferentes a las llevadas a cabo en otros reinos del Nuevo Mundo. En Nueva España resultaron electos ocho europeos y seis americanos, mientras que en Guatemala, Nueva Granada, Perú y Río de la Plata los americanos dominaron las elecciones.[40] El predominio de los europeos en las elecciones de Nueva España sugiere que el golpe de 1808 les dio más poder e influencia en los 14 ayuntamientos que eligieron candidatos para diputado ante la Junta Central. Los recientes estudios de Manuel Miño Grijalva en los que se demuestra el predominio político y económico de la capital virreinal pueden ser utilizados por un historiador político para sostener que los españoles europeos dominaban la ciudad de México y tenían la capacidad de ejercer gran influencia política a lo largo y ancho del virreinato.[41] De ahí que los españoles europeos en la ciudad de México pudieran ejercer enorme influencia política en todo el virreinato durante las elecciones. Sin embargo, no he visto pruebas de esta preeminencia europea. Los españoles europeos, al igual que los novohispanos, estaban divididos por intereses familiares, regionales y económicos. Por tanto, afirmar que en ese momento existía una división tajante entre europeos y americanos resulta erróneo y simplista.

Los novohispanos, como los demás americanos, comprendían que estaban en el centro de transformaciones capitales. Un "inmenso concurso

40. Para Nueva Granada y Venezuela véase: Ángel Rafael Almarza Villalobos y Armando Martínez Garnica, (eds.), *Instrucciones para los diputados del Nuevo Reino de Granada y Venezuela ante la Junta Central Gubernativa de España y las Indias* (Bucaramanga: Universidad Industrial de Santander, 2008). Cuando los vecinos de Santa Fe preguntaron si sólo los naturales serían elegibles, la Junta Central respondió, el 6 de octubre de 1809: "Que la elección de diputado para la Suprema Junta del Reino recaiga precisamente en sujeto que sea natural de la provincia que le envía, o que esté avecindado y arraigado en ella, siempre que sea americano de nacimiento". *Ibid.*, 57. Esta decisión llegó demasiado tarde como para influir sobre las elecciones en Nueva España. Para Guatemala, véase: Xiomara Avendaño Rojas, "Procesos electorales y clase política en la Federación de Centroamérica (1810-1840)" (tesis de doctorado: El Colegio de México, 1995); y Jordana Dym, *From Sovereign Villages to National States: City, State and Federation in Central America, 1759-1839* (Albuquerque: University of New Mexico Press, 2006). Para Nueva Granada y Perú, véase: Guerra, *Modernidades e independencias*, pp. 185-225; y para el Reino de Quito, véase Rodríguez O., *La revolución política en la época de la independencia*, pp. 65-70 y 134-138. Para Río de la Plata, véase: Julio V. González, *Filiación histórica del gobierno representativo argentino*, 2 vols. (Buenos Aires: "La Vanguardia", 1937-1938), II.

41. Manuel Miño Grijalva, *El mundo novohispano. Población, ciudades y economía, siglos XVII y XVIII* (México: FCE, 2001) y "La ciudad de México. De la articulación colonial a la política nacional, o los orígenes económicos de la 'centralización federalista'" en Jaime E. Rodríguez O., *Revolución, independencia y la nuevas naciones de América* (Madrid: Mapfre-Tavera, 2005), pp. 161-192.

(...) se hallaba fuera de la sala" el 4 de octubre de 1809, cuando el real acuerdo eligió al diputado de Nueva España para la Junta Central. Al conocer los resultados, el "Sr. Deán de esta Santa Iglesia Catedral [...ordenó] inmediatamente en celebridad de este acto un solemne repique de campanas a que correspondieron las demás iglesias de esta Corte". Además, el ayuntamiento de México adornó "con cortinas [...e] iluminación general" las calles de la ciudad "para manifestar más su regocijo".[42] La soberanía del rey había recaído sobre el pueblo y el diputado Miguel de Lardizábal y Uribe, como su representante, encarnaba ahora una porción de esa soberanía nacional. Lardizábal y Uribe se hallaba en Europa, así que la población no podía demostrar directamente su alegría y su apoyo. Sin embargo, tuvieron la oportunidad de expresar su satisfacción indirectamente cuando el diputado de Perú, el guayaquileño José de Silva y Olave llegó a Nueva España en su camino hacia España. Las autoridades y la población reconocieron su estatuto de representante del pueblo soberano. A la llegada de su embarcación en la Bahía de Acapulco en diciembre, Silva y Olave fue recibido con "los honores de Capitán General"; se le acogió en el palacio del gobernador donde se ofreció un gran banquete. Cuando partieron hacia la ciudad de México, el 14 de enero de 1810, se proporcionó a Silva y Olave y a su séquito una escolta, asimismo, las autoridades a todo lo largo de la ruta recibieron instrucciones del virrey de Nueva España, el arzobispo Francisco Javier Lizana y Beaumont, de recibirlos con honores similares. En la capital, el virrey se preparó para hospedarlo en el palacio; el diputado agradeció su generosidad, y le solicitó que le fuese permitido "entrar y vivir de particular en México"; explicó que los "caballeros Ycaza de antemano tienen prevenida la casa de mi mansion, que tengo aceptado desde Guayaquil por las relaciones de familia, de que no me es fácil prescindir". El virrey accedió y lo recibió con grandes honores ofreciendo un banquete en su palacio al que acudieron todas las autoridades de la capital. Los notables de la ciudad de México estaban ansiosos por reconocer el exaltado estatus de Silva y Olave, pues al honrar al diputado de Perú también reconocían la autoridad y soberanía del pueblo de Nueva España, que el golpe de los peninsulares en septiembre de 1808 había mermado.

42. Citado en Guerra, *Modernidad e independencias*, pp. 220-221.

Mientras Silva y Olave se encontraba en México se recibieron noticias de que la Junta Central se había disuelto y había nombrado en su lugar a un consejo de regencia. El delegado de Nueva España a la Junta Central, Miguel Lardizábal y Uribe, quien se encontraba a la sazón en España, fue nombrado para representar al Nuevo Mundo en ésta. Por ende, Silva y Olave regresó a Perú acompañado de su séquito.[43]

Algunos historiadores como Timothy Anna y François-Xavier Guerra han apuntado que la Junta Central no asignó igual número de diputados para España y para América.[44] En aquel momento pocos americanos, como los miembros del ayuntamiento de Santa Fe de Bogotá en Nueva Granada, objetaron que ellos no contarían con una representación equitativa. Cada provincia de España contaba con dos diputados en la Junta Central, mientras que a cada uno de los nueve reinos americanos se les había asignado sólo uno.[45] La crítica era válida. Posteriormente, otros dijeron que el Nuevo Mundo era más grande y más poblado que España y que, como la península, debía estar subdividido en más "provincias". Sin embargo, como Nettie Lee Benson ha afirmado, la Junta Central estaba huyendo de los franceses y no tenía idea sobre el tamaño y la complejidad de América.[46] No hay pruebas de que intentara minimizar la representación americana más allá de la asignación de un diputado en lugar de dos, para cada uno de los nueve reinos del Nuevo Mundo. La disparidad fue resultado de la ignorancia. Además, no existe evidencia de que los novohispanos protestaran contra esa disparidad.

Las instrucciones de Nueva España

Tal como lo requería la convocatoria, los 14 ayuntamientos de Nueva España que participaron en las elecciones, así como sus contrapartes en América,

43. Rodríguez O., *La revolución política en la época de la independencia*, pp. 135-138.
44. Anna, *Spain and the Loss of America*, p. 52; Guerra, *Modernidades e independencias*, p. 135.
45. Tal fue la posición asumida por Camilo Torres cuando escribió la Representación a la Suprema Junta Central para el ayuntamiento de Santa Fe de Bogotá, mejor conocida como el "Memorial de Agravios", que aparece reproducido en Almarza Villalobos y Martínez Garnica (eds.), *Instrucciones para los diputados del Nuevo Reino de Granada y Venezuela ante la Junta Central Gubernativa de España y las Indias*, pp. 87-117.
46. Benson, "The Elections of 1809", pp. 1-20. Rodríguez O., *La independencia de la América española*, p. 83.

entregaron a su representante ante la Junta Central instrucciones muy detalladas.[47] Puesto que el virreinato se había volcado en intensos debates sobre la naturaleza de la soberanía, la representación y el gobierno durante los meses que precedieron al derrocamiento de Iturrigaray, podría suponerse que las instrucciones de Nueva España plantearían cuestiones fundamentales sobre la naturaleza del gobierno y el papel que los reinos americanos debían tener en la monarquía española. En lugar de esto, la mayor parte de las instrucciones hacía hincapié en la lealtad a Fernando VII, la oposición a los franceses, el deseo de seguir siendo parte de la monarquía española y "que esta América no es colonia, sino parte integrante y esencial de la monarquía española"[48] (esto en franco contraste con las representaciones de Santa Fe de Bogotá y Socorro, en Nueva Granada, que cuestionaron enérgicamente la limitada representación que se otorgó a los americanos y que insistieron en la igualdad).[49] Además, casi todas las instrucciones de Nueva España recalcaban que las autoridades de España no podían entregar el virreinato a los franceses; la ciudad de México, por ejemplo, declaró que buscaba "estrechar de un modo indisoluble los sagrados vínculos, que unen unos y otros dominios (...) conservándole estos reinos, inseparables de la corona de Castilla".[50] Valladolid expresó su preocupación más claramente al declarar: "pues sea cual fuere la suerte final de la Península, o de cualquiera otra porción del Imperio Español, Valladolid de Michoacán debe ser siempre del patrimonio del señor Fernando VII y de sus legítimos sucesores en la Corona".[51] Era, pues, un temor que influyó profundamente en las acciones de los novohispanos.

47. José Miranda fue el primero en analizar y discutir las instrucciones y representaciones de Nueva España. Véase: *Las ideas y las instituciones políticas mexicanas* (México: UNAM, 1952), p. 266 y *passim*. En la década de 1950, Nettie Lee Benson registró en microfilm los volúmenes en el ramo Historia del AGN, que contenían éstos y otros materiales que más tarde utilizó en su seminario. Véase Nettie Lee Benson (ed.), *Mexico and the Spanish Cortes* (Austin: University of Texas Press, 1966). François-Xavier Guerra los analizó de nuevo décadas más tarde; véase su *Moderninades e independencias*, pp. 198-219. Recientemente, Beatriz Rojas publicó parte de este material en *Documentos para el estudio de la cultura política en transición.*
48. "Instrucción de Valladolid de Michoacán", en *Documentos para el estudio de la cultura política de la transición*, p. 239.
49. Publicaré las representaciones de Nueva España, Nueva Granada, Quito y Perú a la Junta Central en un volumen titulado: *El nacimiento del gobierno representativo en el Mundo Español* (Madrid: Mapfre, en prensa).
50. "Poder de la Ciudad de México", en *Documentos para el estudio de la cultura política de la* transición, pp. 95-96.
51. "Instrucción de Valladolid de Michoacán", en *Documentos para el estudio de la cultura política de la transición*, p. 239.

Las instrucciones de Nueva España para el diputado a la Junta Central demuestran que los ayuntamientos del virreinato consideraban las elecciones de 1809 básicamente como una oportunidad para obtener mejoras deseadas desde tiempo atrás. Se percibía al representante como un procurador que podría obtener apoyo para productos agrícolas y manufacturas, mejores caminos, alhóndigas y demás infraestructura económica, establecimiento de tribunales, obispados, escuelas y universidades, reformas civiles y eclesiásticas y, en las zonas fronterizas, reconocimiento legal por medio de la creación de nuevas provincias, en particular mediante el establecimiento de nuevas intendencias. Las provincias del norte, como San Luis Potosí y Sonora y Sinaloa enviaron largas descripciones geográficas y socioeconómicas para sustentar sus peticiones, mientras que Texas mandó un documento similar, aunque más breve;[52] sólo Guanajuato, Zacatecas y Puebla plantearon cuestiones políticas fundamentales. Por supuesto, los dirigentes de los ayuntamientos de Nueva España no sabían que las circunstancias de la época estaban llevando a la monarquía española por la senda de una forma de gobierno soberano representativo.

El proceso para poner a punto las instrucciones, lo mismo que los comicios, fue largo y complejo. Como sucedió en las elecciones, los 14 ayuntamientos que eligieron candidatos para la Junta Central hicieron amplias consultas en sus villas y pueblos así como a las corporaciones principales. San Luis Potosí, por ejemplo, buscó las opiniones de "curas párrocos, prelados de religiones [...funcionarios reales] y a otros sugetos de experiencia y letras (...) sobre los objetos de interés nacional que estimasen por mas urgentes".[53] El ayuntamiento de Puebla señaló que hablaba tanto por la ciudad como por "todos los pueblos de la Provincia";[54] de manera parecida, Guanajuato declaró: "Esta Capital por sí y en representación de las ciudades,

52. "Instrucción de San Luis Potosí"; "Instrucciones de Arizpe"; e 'Instrucción de las provincias de Texas y Nueva Filipinas", en Rojas, *Documentos para el estudio de la cultura política de la transición*, pp. 152-176; 241-261; 145-137. La Instrucción de Texas fue publicada por vez primera en: Benson, "A Governor's Report on Texas in 1809".

53. "Instrucción de San Luis Potosí" en Rojas, *Documentos para el estudio de la cultura política de la transición*, p. 153.

54. Existen dos versiones de la Instrucción de Puebla. Una primera versión se encuentra en la Biblioteca LaFragua de la Benemérita Universidad Autónoma de Puebla. Agradezco a Alicia Tecuanhuey Sandoval el haberme proporcionado una copia de este documento. Una versión posterior puede hallarse en AGN: Bienes Nacionales, vol. 1749, exp. 3. Este documento fue publicado en Rojas, *Documentos para el estudio de la cultura política de la transición*, pp. 262-273.

Villas y lugares a que se extiende la demarcación de su Provincia", enviaron las instrucciones para el diputado de Nueva España ante la Junta Central.[55] Algunas de las instrucciones fueron escritas por miembros del ayuntamiento, mientras que otras fueron encomendadas a individuos que se distinguían por su erudición; tal fue el caso de Puebla, que solicitó al doctor José Mariano Beristáin –arrestado poco después del golpe contra Iturrigaray– preparar sus instrucciones. Casi todas las instrucciones disponibles provienen de las capitales de provincia. Mercedes de la Vega ha localizado las únicas instrucciones escritas que poseemos de instituciones locales y poblaciones menores –de la Diputación consular y de pequeños pueblos en Zacatecas–.[56]

El ayuntamiento reestructurado de la ciudad de México carecía del vigor de su antecesor, previo al golpe de 1808, cuya iniciativa llevó a proponer el establecimiento de un congreso de ciudades en Nueva España. Es probable que la ciudad y la corporación temieran actuar de manera tal que resultara en la censura por parte de las autoridades superiores. Beristáin, quien residía en la capital virreinal, informó sobre "cierto rumor desagradable" según el cual las autoridades "habían no solo criticado, sino recibido muy mal" la primera versión de las instrucciones.[57] Al parecer, el virrey solicitó que los fiscales revisaran las instrucciones antes de que fuesen enviadas a Lardizábal y Uribe y, en consecuencia, las de Guadalajara y Mérida no fueron enviadas porque los fiscales las consideraron inapropiadas.[58] También es probable que los nuevos miembros del ayuntamiento de México fueran tradicionalistas opuestos a cualquier forma de autonomía. Sea cual fuere la razón, la instrucción de México es general y vaga. El ayuntamiento comenzó por afirmar su estatuto como "muy noble, muy leal e insigne e imperial ciudad de México, cabeza por el rey nuestro señor de los reinos de esta Nueva España". Reafirmaba su

55. Rojas, *Documentos para el estudio de la cultura política de la transición,* p. 177.

56. Mercedes de Vega, "Los dilemas de la organización autónoma. Zacatecas 1808-1835" (tesis de doctorado: El Colegio de México, 1997). Véase también su libro, *Los dilemas de la organización autónoma,* pp. 98-104. Dichas representaciones se encuentran publicadas en Rojas, *Documentos para el estudio de la cultura política de la transición,* pp. 115-136.

57. José Mariano Beristáin al ayuntamiento de Puebla de los Ángeles, México, 30 de mayo de 1810 en AGN: Bienes Nacionales, vol. 1749, expediente 3.

58. Guerra, *Modernidad e independencias,* p. 208, nota 90; Rojas, *Documentos para el estudio de la cultura política de la transición,* p. 19; Inmaculada Simón Rodríguez, *Los actores políticos poblanos contra el centralismo: Contribuciones a la formación del primer federalismo mexicano, 1808-1826* (Cádiz: Fundación Municipal de Cultura del Excmo. Ayuntamiento de Cádiz, s. f.), p. 101.

fe religiosa y su lealtad al rey, así como su oposición a Napoleón. También declaraba que "ha depositado y deposita toda su confianza" en el diputado Lardizábal y Uribe, dejando en sus manos la protección de los intereses "de esta Nueva España y de esta capital de México" además de la promoción de "el bien general, honor y engrandecimiento de estos reinos...".[59]

En contraste con el documento redactado por la corporación de México, algunos ayuntamientos en otras partes de Nueva España presentaron argumentos enérgicos en defensa de los derechos del virreinato. Aun sin ser el ayuntamiento de una gran ciudad, "el muy ilustre Ayuntamiento de la ciudad de Santa Fe Real y Minas de Guanajuato" encabezó el planteamiento de los derechos políticos de Nueva España. Su instrucción, fechada el 6 de diciembre de 1809, comenzaba por afirmar su lealtad a Fernando VII. Inmediatamente después expresaba el temor de que las autoridades en España entregaran Nueva España a los franceses, a lo que declaraba que "protesta solemnemente desde ahora para siempre contra todo acto que directa o indirectamente se dirija a separar esta provincia, sus ayuntamientos y demás pueblos sujetos a ella del vasallaje que tiene jurado al señor don Fernando VII y a sus legítimos sucesores de la casa de Borbón".[60] La instrucción de Guanajuato, como muchas otras, utilizaba términos como *vasallaje* cuando quería decir "sujetos del rey" o "ciudadanía". Cuando se ven frente a esta suerte de discurso mixto, algunos estudiosos, como Guerra, sostienen que existía un "desfase" en Nueva España respecto del discurso más "moderno" que podía encontrarse entonces en España. Desde esta perspectiva, "la Modernidad [en la Nueva España] es todavía incipiente".[61] Opiniones como la de este autor pasan por alto los derechos y privilegios que las leyes tradicionales de España, y en particular de Castilla, otorgaban a su pueblo. El rey no era absoluto en el sentido de ser un autócrata; el pueblo del mundo hispánico podía disentir, y lo hacía, con algunas de sus acciones. En 1821, por ejemplo, Juan Francisco Azcárate argumentaba que "no hubo autoridad en el Rey de España" para ceder las Floridas a Estados Unidos en el Tratado Adams-Onís; al argumentar esto,

59. Rojas, *Documentos para el estudio de la cultura política de la transición*, pp. 95-100.
60. "Instrucción de la Provincia de Guanajuato", en Rojas, *Documentos para el estudio de la cultura política de la transición*, pp. 177-178.
61. Guerra, *Modernidad e independencias*, p. 213.

Azcárate se apoyaba enteramente en la jurisprudencia "tradicional" española y citaba las *Siete Partidas*, la *Recopilación de Castilla*, la *Recopilación de Indias* y otras legislaciones antiguas.[62] Azcárate en 1821 y los ayuntamientos de Nueva España en 1809 utilizaron el discurso tradicional porque era la herramienta más poderosa disponible para sostener sus intereses. Sin embargo, como hemos visto, usaban ese discurso con miras a objetivos "modernos".

El ayuntamiento de Guanajuato también expuso argumentos que influyeron en Nueva España. Dicho ayuntamiento instruía a Miguel Lardizábal y Uribe

> se sirva promover cuantos medios le dicte su acreditada prudencia a fin de consolidar, establecer y confirmar sobre las bases más firmes e inmutables el principio que ha justificado la sabiduría de la Suprema Junta Central Gubernativa de España e Indias de que sea tenida esta América, no como colonia, sino como una parte muy esencial de la monarquía de España para que bajo ese concepto fundamental e invariable de todas las constituciones, providencias y deliberaciones y aun variaciones de leyes y gobierno nacional, sea considerada la Nueva España, igualmente que la antigua sin distinción alguna siendo para ambas una misma legislación, uno el honor, una la estimación y todo sin diferencia, del mismo modo que lo son todos los naturales de las provincias de España.[63]

Aunque la instrucción carece de los detalles de su instrumentación, el lenguaje de Guanajuato es claro y firme. El ayuntamiento insistía en que se estableciese, consolidase y confirmase "sobre las bases más firmes e inmutables" el principio según el cual Nueva España no es una colonia, sino un igual de las provincias de España. Además, Guanajuato no sólo exigía total igualdad política con la península, sino que hacía hincapié en que el principio debía convertirse en parte de la "Constitución no escrita" de la monarquía española.

62. Juan Francisco Azcárate, "Dictamen presentado a la Soberana Junta Provisional Gubernativa del Imperio Mexicano por la Comisión de Relaciones Exteriores", en *Un programa de política internacional* (México: Publicaciones de la Secretaría de Relaciones Exteriores, 1932), pp. 8-9. Véase también: Mónica Quijada, "Las 'dos tradiciones'. Soberanía popular e imaginarios compartidos en el mundo hispánico en la época de las grandes revoluciones atlánticas", en Jaime E. Rodríguez O. (coord.), *Revolución, independencia y las nuevas naciones de América* (Madrid: Mapfre-Tavera, 2005), pp. 61-86.
63. "Instrucción de la Provincia de Guanajuato", en Rojas, *Documentos para el estudio de la cultura política de la transición*, p. 178.

La llegada de la instrucción de Guanajuato a Valladolid permitió que el ayuntamiento de esta última, dominado por los peninsulares, adoptara la posición de Guanajuato y evitara una discusión conflictiva. El ayuntamiento de Valladolid, como los residentes de la ciudad y otras zonas de la provincia de Michoacán, tenía opiniones divididas sobre la conspiración descubierta en diciembre de 1809 para deponer a los europeos españoles que habían tomado el gobierno virreinal y formar una junta que habría de gobernar Nueva España en nombre del rey. La conspiración implicaba a miembros prominentes de la comunidad, así que la situación era particularmente incómoda. La breve Instrucción de Valladolid constaba de cuatro puntos: el primero reafirmaba la lealtad de la región a Fernando VII e insistía en que la provincia no podía ser transferida a ninguna otra nación, el segundo reafirmaba que Nueva España no era una colonia sino parte esencial de la monarquía española y que España y Nueva España eran iguales "y sin distinción alguna", el tercer punto requería que el diputado a la Junta Central mantuviera una correspondencia regular con el ayuntamiento de Valladolid respecto de todos los temas relacionados con la provincia, finalmente, el ayuntamiento prometía "cuando sea tiempo oportuno" proporcionar a Lardizábal y Uribe una instrucción más detallada que incluyera información sobre las circunstancias políticas y económicas de la provincia y sobre sus necesidades.[64] En otras palabras, Valladolid enviaría su propia instrucción cuando la situación política en la provincia se estabilizara. Al equilibrar la lealtad a la corona con las demandas de igualdad, el ayuntamiento lograba una posición neutral frente a las delicadas circunstancias de la época.

Es posible que el ayuntamiento de Zacatecas tuviera noticia sobre las ideas sustanciales de la instrucción de Guanajuato. Sin embargo, resulta poco probable que recibiera una copia de dicho documento antes de completar el suyo el 7 de diciembre de 1809.[65] Como Valladolid, Zacatecas estaba dividido políticamente. El 8 de abril de 1809, el ayuntamiento de Zacatecas, como

64. "Instrucción de la Provincia de Valladolid" e "Instrucción de la Provincia de Guanajuato", en Rojas, *Documentos para el estudio de la cultura política de la transición*, pp. 239-240.

65. Guerra y Vega confunden la fecha de la Instrucción de Zacatecas con la fecha de la certificación, que fue después. Véase: AGN: Historia, vol. 417, f. 358v; Guerra, *Modernidad e independencias*, p. 208, nota 91; Vega, *Los dilemas de la organización autónoma*, p. 103, nota 181. Rojas publica la Instrucción sin la certificación en *Documentos para el estudio de la cultura política de la transición*, pp. 89-94.

otros en el virreinato, juró reconocimiento de la Junta Central "como depositaria de la autoridad soberana de" Fernando VII, y juró defender "nuestra santa Religión Cathólica Apostólica Romana". No obstante también exigió "la conservación de nuestros derechos, fueros y leyes y costumbres". Poco después, un grupo de peninsulares acaudalados y poderosos denunció a los principales miembros americanos del ayuntamiento por ser "estafadores y manipuladores" que facilitaron la distribución de pasquines anónimos donde se favorecía la "independencia"[66] y se describía a los europeos como hombres cuyo único dios era el dinero. Los hombres más ricos de Zacatecas, que eran españoles, argumentaron que la única forma de eliminar "el espíritu de independencia (...) y la herejía" era retirar a los criollos peligrosos del ayuntamiento y reemplazarlos con "vecinos de los pudientes, y bien opinados".[67] Tras una investigación, el virrey Garibay retiró a los principales miembros americanos del ayuntamiento de Zacatecas: José Francisco Castañeda, Ramón Garcés, Manuel Garcés, Diego Moreno y Chacón y José María Joaristi. Éstos fueron reemplazados por los prominentes europeos Ángel Abella, José María Arrieta, Martín Artola y Nicolás del Rivero. Según nos dice Mercedes de Vega:

> Si anteriormente el cabildo estuvo integrado por una mayoría criolla dedicada básicamente al comercio, a la que se podría calificar como propietaria media, a partir de ese momento su composición incluyó a comerciantes y mineros peninsulares prominentes con intereses en las compañías más poderosas. Así, el poder económico se fundía con el político en la institución más preciada: el ayuntamiento.[68]

Vega cree que los americanos depuestos del ayuntamiento favorecían la independencia, en parte porque el 10 de abril, poco tiempo antes de que fueran echados, el ayuntamiento eligió al doctor José María Cos –quien más

66. En aquellos años, la palabra "independencia" se usaba de diversas formas. Por lo general, significaba "autonomía" o gobierno propio. Nettie Lee Benson ha señalado que los españoles se referían a su lucha contra los franceses en la península como "la guerra de independencia", y en muchos casos, cuando los documentos mexicanos hacen mención de la "independencia", se refieren a la independencia *ante los franceses*. Nettie Lee Benson, "Comparison of the American Independence Movements", en *Dos Revoluciones: México y los Estados Unidos* (México: Jus, 1976), pp. 117-127.
67. Citado en Vega, *Los dilemas de la organización autónoma*, pp. 56-57. Sobre la élite económica de Zacatecas, véase: Frédérique Langue, *Los señores de Zacatecas. Una aristocracia minera del siglo XVIII novohispano* (México: FCE, 1999), pp. 392-420.
68. Vega, *Los dilemas de la organización autónoma*, pp. 58-60, cita en p. 60.

tarde se unió a la insurgencia– como su candidato a la Junta Central. Además, Vega afirma: "Parece obvio que la elección estuvo manipulada", aparentemente porque el presidente de la elección, Castañeda, votó para romper un empate cuádruple en favor de dos americanos, Cos y Manuel Rincón Gallardo.[69] Su afirmación es poco plausible, ya que en el momento de su elección Cos era un realista; no se unió a la insurgencia sino hasta 1811. Además, la elección en Zacatecas, como en Valladolid, atrajo gran interés y participación. Aunque el ayuntamiento discutió la posibilidad de consultar a toda la provincia, finalmente decidió que una empresa de esas proporciones le llevaría mucho tiempo; en lugar de esto, los capitulares acordaron preparar listas de candidatos apropiados. El ayuntamiento propuso los nombres de 33 posibles candidatos, entre ellos personas prominentes de la región. Los votos quedaron como sigue: intendente interino José de Peón Valdéz (3); doctor José María Cos (2), Ignacio Lomas (2), Mariano Esparza (2), coronel Manuel Rincón Gallardo (2) y Francisco Castañeda, Juan Francisco Joaristi, Manuel Garcés y Vicente Ramírez, cada uno con un voto.[70] El patrón de votación indica que, a diferencia de Valladolid, en Zacatecas los grupos contendientes no estaban de acuerdo sobre su candidato antes de la elección. Ya que contaba con el mayor número de votos, Peón Valdéz se ganó un lugar en la terna; sin embargo, con cuatro hombres empatados en segundo lugar, el presidente oficiante, normalmente el intendente, tuvo que romper el empate. Puesto que el intendente resultó seleccionado para la terna, fue reemplazado por Castañeda, un americano. Él eligió a dos criollos: un intelectual de vanguardia, el doctor Cos, y un noble prominente, el coronel Rincón Gallardo. Su decisión no parece haber tenido intenciones de manipular. El candidato seleccionado por sorteo fue Cos. Ni Benson ni Ávila, dos estudiosos de las elecciones de 1809, consideran que la elección de Zacatecas fuera inusual o inapropiada; a fin de cuentas, en ese momento el tema central era el autogobierno, o la autonomía, y no la independencia considerada como separación de España.

El ayuntamiento reconstituido de Zacatecas escribió la instrucción de la ciudad para el diputado Lardizábal y Uribe. Como la corporación estaba

69. *Ibid.*, p. 59. Vega afirma que la elección "se realizó el 20 de abril de 1809", *Ibid.*, nota 82. Sin embargo, Benson escribe que "las elecciones [se llevaron a cabo] el 10 de abril de 1809", véase "The Elections of 1809", p.14.

ahora dominada por los acaudalados y poderosos peninsulares, podría suponerse que prepararía un documento tradicional o conservador. Todo lo contrario: la instrucción de Zacatecas era una de las declaraciones políticamente más avanzadas en Nueva España; Guerra la considera parte de una "modernidad incipiente", mientras que Vega, siguiendo a Horst Pietschmann, prefiere llamarla "protoliberal".[71] La instrucción de Zacatecas es un documento de transición basado en la teoría política hispánica, que amplía los conceptos tradicionales de gobierno y representación. Empero, hay que tener en cuenta que las ideas "modernas" y "liberales" habían existido en el mundo hispánico durante siglos. José Antonio Maravall, por ejemplo, considera la revuelta de los comuneros (1520-1521) como "la primera revolución moderna", y Mónica Quijada ha subrayado recientemente la naturaleza representativa y revolucionaria de dicho movimiento a principios del siglo XVI.[72] Además, éstas y otras ideas "modernas" se discutieron ampliamente en las publicaciones de España que circularon por toda Nueva España, tal como lo señaló Castillejos cuando fue interrogado en febrero de 1809 en la ciudad de México por la presunta distribución de pasquines subversivos.

Como otras provincias, Zacatecas buscó aportaciones de otros pueblos e instituciones para estructurar su instrucción; afortunadamente, gracias a Mercedes de Vega, tenemos las instrucciones escritas de las villas de Fresnillo y Jerez, el pueblo de Pinos y la Diputación Consular.[73] Estos documentos no son distintos de las instrucciones de otras partes de Nueva España: solicitan reformas para mejorar el comercio, la agricultura, la educación y la religión.

70. Benson, "The Elections of 1809", p. 14.

71. Horst Pietschmann, "Protoliberalismo, reformas borbónicas y revolución: la Nueva España en el último tercio del siglo XVIII", en Josefina Zoraida Vázquez (coord.), *Interpretaciones del siglo XVIII mexicano. El impacto de las reformas borbónicas* (México: Nueva Imagen, 1992), pp. 27-66.

72. José Antonio Maravall la considera como la "primera revolución moderna", como lo indica el subtítulo de su obra clásica: *Las comunidades de Castilla. Una primera revolución moderna* (Madrid: *Revista de Occidente*, 1963). Sobre la importancia política de los comuneros, véase: Quijada, "Las 'dos tradiciones'", pp. 61-86. Véase también mi texto, "The Origins of Constitutionalism and Liberalism in Mexico", en Jaime E. Rodríguez O. (ed.), *The Divine Charter: Constitutionalism and Liberalism in Nineteenth-Century Mexico* (Boulder: Rowman & Littlefield, 2005), pp. 1-32; y la versión en español: "Los orígenes del constitucionalismo y liberalismo en México", en Manuel Miño Grijalva, Mariana Terán Fuentes, Edgar Hurtado Hernández y Victor Manuel González Esparza (coords.), *Raíces del federalismo mexicano* (Zacatecas: Universidad Autónoma de Zacatecas y Secretaría de Educación y Cultura del Gobierno del Estado de Zacatecas, 2005), pp. 37-58.

73. Estos documentos se encuentran publicados en Rojas, *Documentos para el estudio de la cultura política de la transición*, pp. 115-136.

La Diputación consular, como uno podría esperar, solicita la eliminación de los impuestos que restringían el comercio; sin embargo, también pugna por la eliminación de las grandes heredades que no eran cultivadas eficazmente. Resulta interesante notar que la diputación creía importante para el bienestar de la sociedad el plantar y proteger los bosques y, en general, la protección del medio ambiente. El tema también fue abordado por la villa de Fresnillo. Además, la villa solicitaba el establecimiento de un nuevo obispado y de varias parroquias para satisfacer las necesidades de los feligreses. Asimismo, favorecían la ampliación de la educación para niños y adultos.[74]

El ayuntamiento de Zacatecas recibió estas instrucciones durante los meses de junio y julio de 1809, con excepción de la instrucción de Pinos que no llegó sino hasta el 1 de septiembre de 1810, demasiado tarde para incluirla. Zacatecas completó su instrucción el 7 diciembre de 1809, ocho meses después de terminada la elección de su candidato para diputado a la Junta Central. Al parecer, los miembros del ayuntamiento esperaron hasta que el diputado del virreinato fuese finalmente elegido el 4 de octubre para comenzar a formular la instrucción. Los acontecimientos durante la segunda mitad de 1809 en España y Nueva España influyeron sin duda sobre la corporación. Si bien contamos con poca información sobre las noticias que recibieron y sobre las reacciones locales a los acontecimientos en curso, los miembros del ayuntamiento, como la población del resto del virreinato, estaban preocupados por las calamidades en la península ibérica.

La instrucción de Zacatecas, como la de otros ayuntamientos, comenzaba por reconocer a Fernando VII como rey de la monarquía española. A continuación introducía un nuevo concepto al declarar que la Junta Central había sido "creada y reconocida por el voto unánime de toda la nación". Esta breve declaración parece reconocer que la soberanía había recaído sobre la nación española. El documento también afirmaba que América es "parte esencial e integrante de la Monarquía española"; así, desde el punto de vista del ayuntamiento, Zacatecas, y de hecho toda Nueva España, se había convertido en parte integral de la nación española soberana. A continuación, la instrucción conminaba al diputado Lardizábal y Uribe a "defender, mantener y afirmar la existencia política y religiosa de la monarquía española en

74. *Ibid.*

toda su extensión". Además, como "consecuencia de este principio capital", el diputado no podía aceptar "tratados, tregua, o paz con la nación francesa (...) que directa, ni indirectamente ceda, o pueda ceder" cualquier porción de Nueva España o Zacatecas a Napoleón. El ayuntamiento "por sí y ha nombre de esta provincia (...) desde ahora para entonces protestan solemnemente contra todo lo así obrado, prefiriendo sepultarse bajo las ruinas de la provincia, antes que consentir ni pasar por tal degradación".[75] El temor de que Nueva España pudiera ser entregada a los franceses ocupaba un lugar primordial en la mente de los capitulares. El ayuntamiento de Zacatecas, que buscaba asegurar "la existencia política y religiosa de la nación" insistió en que "se celebren los concilios provinciales y nacionales con la frecuencia que prescriben los sagrados cánones". De esta manera, la Santa Fe quedaría protegida y se mantendría vigente.

Una vez seguros de que las necesidades de su religión estaban atendidas, los capitulares presentaban una enérgica demanda de reforma política. Recalcaban:

> que se restituya a la nación congregada en Cortes el poder legislativo, se reformen los abusos introducidos en el ejecutivo, y los ministros del rey sean responsables de los que se introdujeron o intenten en adelante; que se establezca el más perfecto, justo e inviolable equilibrio no sólo entre los poderes, sino también en la representación nacional en dichas Cortes, mediante el aumento que debe recibir [Nueva España] a consecuencia de la soberana declaración citada de que las Américas son parte esencial e integrante de la monarquía, acomodando con la prudencia y tino que exige la importancia de la materia el espíritu de las antiguas leyes a las actuales circunstancias del día; por lo que toca a este reino de Nueva España promoverá las providencias políticas y económicas que entienda convenir a estrechar más y más los vínculos de igualdad y fraternidad que unen y deben unir para siempre estos dominios con la metrópoli, al fomento y mejoras del comercio, industria, agricultura, minería, manejo de la real Hacienda, provisión de empleos, legislación, educación pública y cualesquiera otros ramos dirigidos a la felicidad y prosperidad de ambos países...[76]

75. "Poder e Instrucción de Zacatecas", en Rojas, *Documentos para el estudio de la cultura política de la transición*, pp. 89-91.
76. *Ibid.*, pp. 91-92.

Queda claro que los vocales del ayuntamiento de Zacatecas, que también estaban al tanto de las discusiones que por entonces tenían lugar en España en torno a la reforma del gobierno, se adherían a quienes apoyaban la convocatoria a Cortes. Sin embargo, también sostenían un argumento revolucionario al insistir en que se estableciera un "justo e inviolable equilibrio" entre los poderes ejecutivo y legislativo. Estos hombres estaban conscientes de las implicaciones revolucionarias que tendría el reconocimiento por parte de la Junta Central de América como parte integral e igual de la monarquía española, de ahí que insistieran en la representación equitativa dentro del nuevo gobierno. Resulta evidente que los miembros europeos y americanos del ayuntamiento de Zacatecas estaban de acuerdo en que importaba ante todo la "vecindad" antes que la "naturaleza". Así, ambos grupos favorecían la demanda para que Nueva España fuera un igual de la Vieja. En ese momento, la ruptura entre criollos y peninsulares aún estaba por aparecer como un elemento crucial en Zacatecas.

Las acciones del ayuntamiento de Puebla, a diferencia del de Zacatecas, fueron acotadas por el intendente Manuel de Flon y por el obispo Manuel González del Campillo, que se oponían a cualquier intento de introducir una forma más representativa de gobierno. En 1808, el ayuntamiento de Puebla había favorecido la convocatoria a un congreso de ciudades, pero el intendente Flon se opuso, tras el derrocamiento de Iturrigaray, los capitulares de Puebla se retractaron prudentemente. El mencionado obispo reiteró su oposición a los cambios en el *status quo* al declarar:

> Si son fieles y leales nuestras ideas, desde luego acabarán por desaparecer aquellos pensamientos altaneros y perjudiciales de estar ya en el caso de tratar nuestra independencia de la Matriz... No hijos muy amados, no os dejéis seducir de estos planes revolucionarios, que solamente pueden fascinar a aquellas gentes estúpidas [...En consecuencia, recomendaba:...] nuestra sumisión y ciega obediencia a todos los superiores jueces y magistrados que nos presiden y gobiernan...[77]

77. Citado en Cristina Gómez Álvarez, *El alto clero poblano y la revolución de independencia, 1808-1812* (México: UNAM/Benemérita Universidad Autónoma de Puebla, 1997), pp. 56-57. Véase también: Reinhard Liehr, *Ayuntamiento y oligarquía en Puebla, 1787-1810*, 2 vols. (México: Sep-Setentas, 1971), II, p. 150; y Simón Rodríguez, *Los actores políticos poblanos*, pp. 75-103.

El ayuntamiento llevó a cabo la elección de su candidato a la Junta Central el 18 de abril de 1809; como era de esperar, eligió para la terna a tres individuos prominentes: el intendente Manuel de Flon, conde de la Cadena, un europeo, y dos americanos: Antonio Joaquín Pérez, canónigo de la Catedral de Puebla y José Ignacio Berazueta, alcalde ordinario y síndico procurador del ayuntamiento de Puebla. Berazueta resultó electo en el sorteo para representar a la intendencia de Puebla.[78] Dadas las circunstancias, los capitulares de Puebla, tras una larga consideración, decidieron autorizar a un eminente intelectual –que no era miembro del ayuntamiento– para que elaborara la instrucción. El 8 de agosto de 1809 invitaron al doctor José Mariano Beristáin y Souza, un natural de Puebla entonces canónigo de la catedral de México, a escribir el documento. Puesto que Beristáin era un conocido miembro de las tertulias que estuvieron activas en 1808 durante los debates sobre la convocatoria a un congreso de ciudades, y, tras el derrocamiento de Iturrigaray estuvo arrestado brevemente, la elección sugiere que los miembros del ayuntamiento de Puebla preferían a una persona que propusiera cambios políticos de relevancia. Desgraciadamente, no sabemos si el ayuntamiento proporcionó a Beristáin lineamientos u orientación, en cualquier caso, parece que éste trabajó solo y planteó sus propias propuestas.

A Beristáin le tomó nueve meses completar su tarea. Como explicaba al ayuntamiento de Puebla, los "primeros meses después que me encargué de la Instrucción, los destiné a estudiar y meditar". Aparentemente, examinó todas las leyes relevantes de España y las Indias, y leyó a los principales autores de temas políticos y económicos; estimaba esto necesario no sólo por "la grandeza de la comición" sino también "porque veia yo en su desempeño vinculados el honor de los Padres de mi Patria, y la felicidad de esta". Claramente, Beristáin creía que estaba participando en la creación o reestructuración de una Nación española y que necesitaba preparar un documento que contribuyera de manera significativa a dicha transformación. De ahí que afirmara: "no he escrito como noble, ni como rico, ni como clérigo, ni como preocupado con otra alguna o despreciable, o pueril consideración, sino como hijo digno de [... Puebla,] como Patriota [, y] como instrumento y organo del Publico".

78. Benson, "The Elections of 1809," p. 10.

Para finales de 1809, Beristáin había completado una parte sustancial de su instrucción. En los meses que siguieron tuvo noticia del contenido de las instrucciones de otras ciudades y de los problemas que hubo para recibir la aprobación de los fiscales. También recibió severas críticas cuando discutió sus propuestas con "algunas personas". Con esto en mente, relegó su tarea. Sin embargo, los cambios en España, particularmente el nombramiento de Lardizábal y Uribe al Consejo de Regencia y la "proclama para la celebración de las Cortes" –además de la insistencia del ayuntamiento de Puebla sobre la necesidad de proporcionar instrucciones al diputado electo de Puebla a las Cortes– lo urgieron a terminar sus instrucciones. Beristáin envió una primera versión con 30 puntos al ayuntamiento y después amplió el documento a 34 puntos. En su opinión, las instrucciones que originalmente habían escrito aún eran válidas; también incluyó una serie de notas para remarcar la relevancia de ciertos puntos en particular. Además de completar los cuatro puntos finales, su única sugerencia de modificaciones para el diputado electo de Puebla a las Cortes era cambiar el término "diputado general" por "diputado".[79]

El documento llegó demasiado tarde y no fue aprobado formalmente por el ayuntamiento y es probable que no haya influido en el diputado de Puebla a las Cortes Generales y Extraordinarias que se reunieron en la ciudad de Cádiz en septiembre de 1810. Las instrucciones de Puebla escritas por Beristáin son importantes porque representan opiniones sostenidas por muchos en Nueva España durante aquella época, además, como otras, comenzaban por reconocer a Fernando VII como rey, rechazaban a Napoleón, sostenían que América era parte integral de la Monarquía, e insistían en que Puebla participara en las Cortes Generales convocadas. Empero, el punto 4 tomaba una nueva dirección, pues en él se declaraba que: "Para que los ayuntamientos representen legítimamente las ciudades y pueblos que se rigen (...) el diputado general del reino pedirá y promoverá que estos empleos sean electivos y a lo menos trienales, extinguiedose la sucesión hereditaria". La recomendación no sólo demuestra que Beristáin –como muchos otros en Nueva España– sabía de y además estaba de acuerdo con las propuestas para transformar la monarquía que se discutían en España. Estaba asimismo,

79. José Mariano Beristáin al Ayuntamiento de Puebla de los Ángeles, México, 30 de mayo de 1810, en AGN: Bienes Nacionales, vol. 1749, expediente 3. Liehr, *Ayuntamiento y oligarquía en Puebla*, II, pp. 159-160, nota 23.

puntualmente al tanto del efecto potencial de la transformación en Nueva España. Como lo indicaba en su nota: "Este capítulo es el más importante:[80] la experiencia de lo sucedido en México en las juntas que hizo el virrey Iturrigaray bastaría para justificarlos, pues en ellas se echó en cara a los regidores de México, *que no representaban a los ciudadanos, ni al pueblo*".[81] En su nota Beristáin hacía hincapié en la importancia de su recomendación: "De este modo se verificara una verdadera y legítima representación, y entonces ¡qué grado de respeto y autoridad no gozarán los ayuntamientos!". Sin embargo, el punto 5 restringía la participación política al recomendar que "para las elecciones de los insinuados empleos concurran con voto activo todos los vecinos que hubiesen obtenido oficios consejiles, y además dos de cada parroquia, nombrados por diez vecinos honrados de cada una de ellas con asistencia del párroco y de un alcalde de barrio". Puesto que la reforma municipal introducida por Carlos III en la década de 1770 proporcionaba elecciones más populares de regidores honorarios y síndicos personeros del común, la sugerencia de Beristáin parece indicar un retroceso. En aquellas elecciones, los vecinos votaban desde el ámbito parroquial por compromisarios que, a su vez, elegían a los regidores honorarios y a los síndicos personeros del común. En ese sistema, Puebla elegiría a cuatro regidores honorarios y dos síndicos. En el Archivo General de la Nación de México encontré, por casualidad –ya que no estaba investigando sobre el tema–, un acta electoral que correspondía al pueblo de Yxtlahuaca, con sufragio extensivo que incluía al clero secular, a los propietarios, a los mercaderes, a los labradores, los artesanos, los tenderos y los pulperos. Entre los votantes había españoles, mestizos e indios. Ésa es una participación política mucho más amplia que la recomendada por Beristáin; su propuesta constituye un alejamiento de la participación política directa.[82]

La instrucción también recomendaba en el punto 6 que el gran obispado de Puebla fuese dividido para que los fieles tuvieran mayor acceso a las

80. La versión de la "Instrucción de Puebla" que publica Rojas transcribe incorrectamente la palabra "importante" por "imperante". *Documentos para el estudio de la cultura política de la transición*, p. 264, nota 4.
81. Cursivas en el original.
82. "Lista de los Vecinos que compusieron la Junta i votaron para Síndico Personero de esta Villa de Yxtlahuaca", AGN: Ayuntamientos, vol. 141. Jaime E. Rodríguez O., "La naturazleza de la representación en la Nueva España y México", en *Secuencia: Revista de Historia y Ciencias Sociales*, 61 (enero-abril, 2005), pp. 6-32. Liehr, *Ayuntamiento y oligarquía en Puebla*, I, pp. 100-101.

instituciones de la Iglesia. Beristáin no desarrolla este punto aunque indica en la nota que no propone dividir la diócesis por "interés personal" sino "como un verdadero amante de la patria". Ya antes se habían registrado discusiones sobre la división del obispado de Puebla para atender mejor las necesidades de los fieles en lugares alejados; el obispo, naturalmente, se opuso a los argumentos porque la división también se traduciría en una pérdida sustancial de rentas.[83] Aunque otras instrucciones, en particular de las regiones del norte como Sonora y Sinaloa, San Luis Potosí y Texas, apremiaban a la división de diócesis, hacían esta recomendación porque proponían obispados para su región que no requerían dividir las diócesis existentes.

En otros puntos se abordaban diversas necesidades, muchas de ellas similares a las que se encuentran en instrucciones de todo el virreinato. Empero, tres planteaban temas muy particulares. Uno conminaba al "establecimiento de una cátedra de ciencia política y económica" para proporcionar "a los jóvenes de la instrucción necesaria para que sean buenos y útiles ciudadanos en todas lineas"; otro proponía aplicar la recomendación "de un sabio político de España (el señor [José del] Campillo) de que por cada monja se exhiban a más del dote para el convento 500 pesos para dotar una doncella en el estado de matrimonio", es decir, que se entregaran dotes a las "doncellas" pobres, pero virtuosas, para que pudieran contraer matrimonio y contribuir al "aumento de la población". Finalmente, Beristáin recomendó "uniformar el gobierno interior de los pueblos de la América española con el de los pueblos de la metrópoli". Si los "pueblos de meros indios" poseían su propio gobierno, los "pueblos de españoles" que carecían de ayuntamientos debían tenerlos.[84] Aquí Beristáin apuntaba lo paradójico que era el que hubiese muchos más pueblos de indios con ayuntamientos que pueblos de españoles con tales organismos; era ésta una cuestión que interesaba a muchos novohispanos, en particular a los del norte, con sus enormes distancias y sus pequeños pueblos. Se trataba de un tema que los diputados novohispanos a las Cortes de Cádiz más tarde defenderían con vigor.

La instrucción escrita por Beristáin es interesante no sólo porque plantea cuestiones que preocupaban a muchos novohispanos, sino también

83. Sobre esta cuestión, véase: Connaughton, *Dimenciones de la identidad patriótica*, pp. 167-189.
84. "Instrucción de Puebla", AGN: Bienes Nacionales, vol. 1749, exp. 3.

porque constituye un ejemplo clásico del discurso y las actitudes mixtos que eran comunes en la época. Además, menciona ciertas cuestiones intrigantes sobre Beritáin y el porqué eligió amenazar a las instituciones poderosas, como el ayuntamiento y la diócesis. Sus argumentos eran válidos y serían aplicados más tarde por las Cortes de Cádiz; sin embargo, es poco probable que los regidores hereditarios que dominaban los ayuntamientos apoyaran la abolición de sus cargos. El obispo González del Campillo estaba tan escandalizado con la instrucción de Beristáin que objetó vigorosamente que fuese entregada al diputado de Puebla ante las Cortes.

La instrucción de Antequera de Oaxaca era bien distinta de las de otras partes del virreinato. En ella se insistía en dar marcha atrás a las reformas borbónicas, como la abolición de la intendencia y la restauración del sistema de repartimiento del comercio, que habían dañado la economía y a la sociedad de la región. Se declaraba que la abolición de los alcaldes mayores había resultado en la caída económica porque los campesinos, es decir, los indios, ya no podían trabajar tanto como lo habían hecho antes de las reformas. La instrucción sostenía que el repartimiento de comercio era el sistema de crédito más importante para las comunidades indígenas y que alentaba a los nativos a trabajar.[85] Resulta interesante notar que las investigaciones recientes en Oaxaca indican que el repartimiento de comercio realmente era el sistema de crédito más importante en la región y un incentivo para la productividad.[86] Además, Antequera solicitó el establecimiento de una universidad para fomentar las ciencias porque la universidad en México estaba demasiado lejos. La ciudad también favorecía la introducción de un consulado de comercio y del libre intercambio con Guatemala y Perú. Los dirigentes de la intendencia de Oaxaca, en su mayoría comerciantes, estaban preocupados principalmente por sus intereses socioeconómicos.

Guerra compara las instrucciones a los *cahiers de doléances* (cuadernos de quejas) franceses de 1789-1890 y a la *Consulta a la nación* expedida por la

85. "Instrucción de la Ciudad de Antequera", en Rojas, *Documentos para el estudio de la cultura política de la transición*, pp. 145-151.

86. Jeremy Baskes, "Coerced or Voluntary? The *Repartimiento* and Market Participation of Peasants in Late Colonial Oaxaca", en *Journal of Latin American Studies*, 28:1 (febrero 1996), pp. 1-28; e *Indians, Merchants, and Markets: A Reinterpretation of the* Repartimiento *and Spanish-Indian Economic Relations in Colonial Oaxaca, 1750-1821* (Stanford: Stanford University Press, 2000).

Junta Central el 22 de mayo de 1809. Pero las instrucciones no son comparables a ninguna de esas consultas, pues los *cahiers* debían ser completados por miembros de los tres estamentos y, por ende, representaban a todos los sectores de la sociedad francesa, en tanto que las Instrucciones estaban escritas por los ayuntamientos de las capitales de provincia. Aunque parece que todos los ayuntamientos de Nueva España que prepararon instrucciones llevaron a cabo una amplia consulta, no hay nada que indique que los miembros de las repúblicas de indios fuesen consultados, de modo que, cuando mucho, las instrucciones representan los intereses de los grupos urbanos de clases media y alta. No son el equivalente de la *Consulta a la nación*, porque aquellos que prepararon las instrucciones no estaban respondiendo a las preguntas específicas de aquella consulta, antes bien, respondían a las preocupaciones locales y regionales. La consulta, que fue enviada a los ayuntamientos, tribunales, obispos, universidades, así como a eruditos e individuos eminentes, solicitaba recomendaciones para organizar el gobierno de la nación española y para conducir la guerra contra los franceses. Aunque la consulta llegó a Nueva España en agosto de 1809, las respuestas –si es que las hubo– no han sido encontradas.[87]

La conspiración de Valladolid

Antes de que los recién electos delegados de América pudieran unirse a la Junta Central, los franceses renovaron sus esfuerzos por conquistar la península. A principios de diciembre de 1808, los ejércitos franceses volvieron a ocupar Madrid; más tarde ese mes, las fuerzas catalanas sufrieron una terrible derrota: en Castilla, el mariscal Víctor hizo pedazos al ejército español del centro en enero de 1809 y Zaragoza capituló el 20 de febrero; en la batalla de Medellín del 28 de marzo, los franceses destruyeron a un ejército peninsular de 20 000 hombres. Aunque las fuerzas españolas siguieron resistiendo a los grandes ejércitos franceses durante gran parte del año 1809, el 19 de octubre sufrieron una desas-

87. Guerra, *Modernidad e independencias*, 143, nota 69; Simón Rodríguez, *Los actores políticos poblanos*, pp. 76, 111, 112. Yo mismo he hallado la solicitud para la consulta en AGN: Historia, vol. 416. El virrey envió la consulta a Jalapa el 25 de agosto de 1809, lo que indica que fue enviada también a otros ayuntamientos. Archivo del Ayuntamiento de Jalapa: Actas de Cabildo, 1809.

trosa derrota –10 000 muertos y 26 000 soldados capturados– en Ocaña, en el valle del Tajo. A partir de entonces, los ejércitos franceses entraron a sus anchas en Andalucía hasta ocupar Sevilla a finales de enero de 1810. La Junta Central se retiró primero a Cádiz y luego a la Isla de León, el último rincón de España libre del control francés, gracias a los cañones de la marina española y británica. El 29 de enero de 1810, el organismo sitiado nombró un Consejo de Regencia para gobernar la nación, pero dos días después se disolvió.[88] Lardizábal y Uribe, que se encontraba allí, fue designado al consejo como representante de América.

La noticia de estas calamidades inquietó a los americanos y muchos de ellos creyeron que España no sobreviviría como entidad política independiente. Por ello, no es de sorprender que en 1809, justo cuando se estaba eligiendo a los representantes a la Junta Central, estallara en todo el continente una serie de movimientos autonomistas, encabezados por grupos de elite y profesionales. Los primeros movimientos se originaron en los dos reinos sudamericanos que no habían obtenido una representación individual en la Junta Central: las audiencias dependientes de Charcas y Quito; las ciudades de Chuquisaca y La Paz, en Charcas, establecieron juntas en mayo y julio de 1809, respectivamente. La ciudad de Quito formó una junta en agosto de 1809.[89]

En Nueva España, los peligros externos parecieron agravar los conflictos internos. Desde el golpe contra Iturrigaray, los habitantes del virreinato de Nueva España se mostraban temerosos. Cundían los rumores exagerados sobre invasiones y confabulaciones extranjeras. Algunos pasquines anónimos alertaban sobre conspiraciones para asesinar a los peninsulares y otros amenazaban a los americanos, por ejemplo, una carta privada informó que los europeos habían encarcelado y asesinado a miles de criollos para evitar la coronación de Iturrigaray. Más aún, en todo el territorio, algunos americanos –convencidos de que los europeos los entregarían a Napoleón– discutían formas de proteger su gobierno legítimo y conservar su independencia ante los franceses ateos. [90] En un clima tan inestable, muchos funcionarios

88. Las batallas se discuten con mayor detalle en: Artola, *La España de Fernando VII* (Madrid: Espasa-Calpe, 1968), pp. 89-230; y en Lovett, *Napoleon and the Birth of Modern Spain*, pp. 181-359.

89. Rodríguez O., *La independencia de la América española*, pp. 89-94.

90. Christon I. Archer, "Bite of the Hydra: The Rebellion of Cura Miguel Hidalgo, 1810-1811", en Jaime E. Rodríguez O. (ed.), *Patterns of Contention in Mexican History* (Wilmington: SR Books, 1992), pp. 69-73. Sobre el miedo a los franceses en Valladolid, véase: Marta Terán, "La Virgen de Guadalupe contra Napoleón

temieron actuar con decisión y, en consecuencia, contribuyeron al malestar. Sin embargo, otros reaccionaron de manera exagerada. En Guadalajara, por ejemplo, cuando el intendente brigadier Roque Abarca supo que "una india, y varios indios de Zapotlán el Grande, habían dicho en una taberna (hallandose embriagados) 'que Bonaparte les había escrito una carta, y que pronto vendría a liberarlos de tributos' [...y luego de descubrir que los indios] tuvieron varias junta clandestinas a deshoras", organizó sus fuerzas para someterlos. Aunque no encontró ninguna conspiración, arrestó a varios sospechosos y apostó un escuadrón de Dragones de milicia para proteger la región.[91]

La miseria incrementó el sentimiento de inseguridad causado por el temor de que la madre patria perdiera su independencia ante los franceses. Entre 1720 y 1809, Nueva España sufrió diez crisis agrícolas, la peor de ellas en 1785-1786, cuando la población del Bajío y de Michoacán pasó por una hambruna generalizada y alrededor de 300 000 personas, casi 15% de la población rural, murieron de hambre o de enfermedades durante la catástrofe. (Tales acontecimientos no eran inusuales en las sociedades agrícolas. Francia, una de las sociedades agrícolas más ricas en Europa, sufrió una catástrofe similar durante el siglo XVIII.) La región central de Nueva España volvió a experimentar una severa sequía en 1808-1809, que redujo drásticamente la cosecha y cuadruplicó el precio de los alimentos. Las crisis en otros sectores exacerbaron este perpetuo problema. Los precios disparados, la escasez ocasionada por las guerras europeas y la competencia cada vez mayor de los productores extranjeros paralizaron las importantes industrias minera y textil de la región. Un creciente desempleo acompañó la hambruna y las enfermedades.[92] Por tanto, no es de sorprender que todos los grupos en Nueva España vivieran temiendo las posibles calamidades.

Bonaparte. La defensa de la religión en el obispado de Michoacán entre 1973 y 1814" en *Estudios de Historia Novahispana*, 19 (1999), pp. 109-117.

91. Citado en Jaime E. Rodríguez O., *"Rey, religión independencia y unión": el proceso político de la independencia de Guadalajara* (México: Instituto José María Luis Mora, 2003), pp. 15-16.

92. Enrique Florescano, *Precios del maíz y crisis agrícolas en México, 1708-1810* (México: El Colegio de México, 1976), pp. 71-197; John Tutito, *From Insurrection to Revolution in Mexico: Social Bases of Agrarian Violence* (Princeton: Princeton University Press, 1986), pp. 61-98; Manuel Miño Grijalva, *Obrajes y tejedores de Nueva España (1700-1810)* (Madrid: Instituto de Estudios Fiscales, 1990), pp. 257-359; Richard J. Salvucci, *Textiles and Capitalism in Mexico: An Economic History of the Obrajes, 1539-1840* (Princeton: Princeton University

La situación en la capital y en el resto de la intendencia de Michoacán era frágil. La región carecía de un liderazgo fuerte, pues el intendente Felipe Díaz de Ortega y el obispo Mariano Moriana y Zafrilla murieron ese año y dejaron sus respectivas instituciones en manos de oficiales interinos: Alonzo de Terán, teniente letrado y asesor ordinario, y Manuel Abad y Queipo, vicario general y provisor. La intendencia sufrió una grave sequía en 1808-1809 que afectó significativamente a la ciudad de Valladolid. La escasez de agua y alimentos, así como la "mala calidad de carne", causaron enfermedades y, en algunos casos, la muerte. Además, la ciudad estaba inundada de foráneos. En 1808 se apostaron dos regimientos en Valladolid, lo que empeoró las presiones en el abastecimiento de comida y ocasionó disturbios. Los males "se agudizaron aún más por la gran cantidad de gentes que habían llegado a Valladolid huyendo de la pobreza del campo y que conformaban la población flotante sin oficio alguno que desempeñar y consecuentemente, sin recursos para solventar sus necesidades de sobrevivencia".[93]

En este ambiente de inestabilidad, las autoridades reales propusieron reunir un préstamo de veinte millones de pesos para ayudar a España en la guerra contra Francia. Pero Abad y Queipo informó al virrey que las demandas previas de fondos, en particular la Consolidación de vales reales, habían acabado con los recursos de la región. En su lugar propuso el aumento de la alcabala de seis a ocho por ciento, así como el incremento de los impuestos al tabaco y el azúcar, y de los impuestos sobre el comercio con Europa, si se lograba vencer la oposición de las "ocho o diez casas de México y Veracruz" que lo controlaban. Puesto que la situación de la península era desesperada, "y por la penuria extrema que padece el Estado, es llegado el caso en que se debe

---

Press, 1987), pp. 157-166; David Brading, *Miners and Merchants in Bourbon Mexico, 1763-1810* (Cambridge: Cambridge University Press, 1971), pp. 261-302. Para una evaluación de la economía de Nueva España, consúltese Miño, *El mundo novohispano*.

93. María Ofelia Mendoza Briones, "Fuentes documentales sobre la independencia en archivos de Morelia (1808-1821)", en Carlos Herrerón Peredo (comp.), *Repaso de la Independencia* (Zamora: El Colegio de Michoacán/ Gobierno del Estado de Michoacán, 1985), pp. 190-192; Iván Franco Cáceres, *La Intendencia de Valladolid de Michoacán: 1786-1809. Reforma administrativa y exacción fiscal en una región de la Nueva España* (México: FCE, 2001), pp. 270-274; D. A. Brading, *Church and State in Bourbon Mexico: The Diocese of Michoacán, 1749-1810* (Cambridge: Cambridge University Press, 1994), pp. 336-338. Véase también Margaret Chowning, *Wealth and Power in Provincial Mexico: Michaocán from Late Colony to Revolution* (Stanford: Stanford University Press, 1999), pp. 77-78.

aplicar para su alivio y sellar la plata de las iglesias".[94] Si el vicario general estaba dispuesto a fundir la plata de las iglesias, debió ser porque creía que la situación en España era en verdad extrema. No es de sorprender que, en tales circunstancias, algunos individuos destacados de Valladolid pensaran que España estaba perdida y consideraran tomar el control del gobierno novohispano.

Como lo muestra Germán Cardozo Galué, Valladolid era un centro de educación "moderna" y de pensamiento ilustrado. Esto era particularmente cierto para el Colegio de San Nicolás Obispo y el Seminario Tridentino.[95] En consecuencia, las tertulias y juntas donde se reunían amigos y colegas para discutir los acontecimientos diarios eran frecuentes. Había mucho que discutir en 1809. Sin duda, los diversos grupos analizaban las implicaciones de los acontecimientos en España y, más importante, en Nueva España. También discutían los últimos rumores. De acuerdo con un informe: "[h]ablando dos sujetos sobre los asuntos del dia, dijeron [...que] los crioyos [querían] despachar [a] todos los Gachupines, esectuando (*sic*) los eclesiasticos, a España, y en caso de rresistencia, acabarlos, y estos matar a los crioyos...".[96] El rumor más persistente e inquietante para los oficiales criollos, cuyo regimiento había regresado del cantón, era que los españoles entregarían el virreinato a los franceses o ingleses. Como indica Christon I. Archer, "algunos oficiales jóvenes [se mostraban] perplejos ante la falta de acción y ansiosos por prevenir que su país fuera presa fácil de cualquier enemigo".[97] Sus preocupaciones estaban justificadas; antes de su muerte, el intendente Felipe Díaz de Ortega, convencido de que la península había sido conquistada, trató de establecer contacto con el regente francés de España, el duque de Berg. En septiembre de 1809, un grupo de criollos encabezado por el capitán de milicia José María García Obeso, comenzó a urdir una conspiración.

Casi todos los historiadores que han escrito sobre la conspiración de Valladolid la consideran un movimiento en contra de los españoles. Sin

94. Manuel Abad y Queipo a Francisco Javier de Lizana, Valladolid, agosto 14 de 1809, en José María Luis Mora, *Obras sueltas* (México: Porrúa, 1963), pp. 247-249.
95. Germán Cardozo Galué, *Michoacán en el siglo de las luces* (México: El Colegio de México, 1973).
96. Véase el informe en: "Cuaderno tercero de la causa instruída en Valladolid contra las personas que prepararon allí un movimiento revolucionario a favor de la independencia", en García, *Documentos históricos mexicanos*, I, pp. 254-255.
97. Christon I. Archer, *The Army in Bourbon Mexico, 1760-1810* (Albuquerque: University of New Mexico Press, 1977), p. 292.

DON JOSÉ MARIANO MICHELENA

embargo, las investigaciones que llevaron a cabo las autoridades de la época demuestran que varios peninsulares participaron en la conspiración. Además, ninguno explica cómo las divisiones entre los grupos de elite, como el que ocurrió durante la elección de diputado para la junta central, no tardaron en convertirse en un conflicto criollo-peninsular. Como lo demuestran las instrucciones de las capitales provinciales de Nueva España, muchos europeos se identificaron con los intereses del virreinato. De haber capitulado España, tanto europeos como criollos habrían deseado conservar su independencia de Francia; más aún, el argumento de José Mariano Michelena, uno de los principales conspiradores, de que los americanos actuaban por resentimiento en contra de las duras acciones de los europeos durante el golpe en contra de Iturrigaray, era una justificación *ex post facto* hecha en 1822 después de la independencia. Si bien no hay duda de que muchos americanos, y algunos españoles, resintieron las acciones de los pocos peninsulares que llevaron a cabo el golpe, y si bien es muy probable que los oficiales americanos jóvenes admiraran a Iturrigaray y estuvieran agradecidos por su apoyo, estos sentimientos no indican un conflicto criollo-peninsular extendido. Después de todo, muchos criollos tenían padres europeos. Más tarde, Michelena pasó una década en España (1813-1822), gran parte del tiempo peleando contra los franceses; seguramente habría actuado de otro modo de haber odiado a los españoles y a España.[98] Por último, los líderes de la conspiración eran oficiales jóvenes miembros de la milicia que, sin duda se vieron influidos por las calamidades en España y las crisis agrícola y política en Nueva España. No obstante, es poco probable que tales acontecimientos llevaran a un conflicto estrictamente criollo-peninsular. Apenas un año antes, la misma unidad de milicia, el Regimiento de Caballería de Michoacán, apostado temporalmente en la ciudad de México en septiembre de 1808, obedeció a su comandante cuando "puso este cuerpo a disposición del gobierno que se

98. Véase, por ejemplo: Alamán, *Historia de Méjico*, I, pp. 314-319; Abraham López de Lara, "Los denunciantes de la conspiración de Valladolid en 1809", en *Boletín del Archivo General de la Nación*, Tomo VI, núm. 1 (enero-marzo de 1965), pp. 5-42; Hugh M. Hamill, Jr., *The Hidalgo Revolt: Prelude to Mexican Independence* (Gainesville: University of Florida Press, 1966), pp. 98-99; Archer, *The Army in Bourbon México*, pp. 292-293; Marta Terán, "Las alianzas políticas entre los indios Principales y el Bando Criollo de Valladolid (Morelia), 1809", en *Anales del Museo Michoacano*, suplemento al número 4 (diciembre de 1992), pp. 35-50; Juárez Nieto, *La oligarquía y poder político en Valladolid*, pp. 270-293; Chowning, *Wealth and Power in Provincial Mexico*, pp. 76-86. Véase también: José Mariano Michelena, "Verdadero origen de la revolución de 1809 en el Departamento de Michoacán", en García, *Documentos Históricos de México*, I, pp. 467-471.

acababa de establecer" por Yermo. Sólo dos oficiales se negaron a obedecer y fueron arrestados de inmediato.[99]

La conspiración comenzó en algún momento de septiembre de 1809, cuando una de las muchas juntas de amigos, que se reunían a discutir los acontecimientos del día, se convirtió en un grupo de conspiradores. Los líderes principales fueron cuatro naturales de Valladolid: el capitán de milicia José María García Obeso, el franciscano Fray Vicente Santa María, el licenciado Nicolás Michelena y el alférez del Regimiento de Infantería de la corona, José Mariano Michelena, que había llegado a enganchar hombres para su regimiento. A excepción de Santa María, que era un individuo de recursos modestos, todos eran miembros de la elite local. Los hermanos Michelena tenían una deuda importante con el juzgado de testamentos y capellanías de la catedral. De acuerdo con Carlos Juárez Nieto, "el caso más critico lo vivió el capitán García Obeso quien desde la muerte de su padre (...) fue acosado por sus múltiples acreedores y a lo cual se añadieron las deudas contraídas ante la Junta de consolidación".[100] Sin duda, su delicada situación financiera fortaleció su sentimiento de aprensión frente a las circunstancias.

Los conspiradores eran en su mayoría criollos adinerados, muchos de ellos militares; según Margaret Chowning, "al menos 20 y posiblemente 24 de los 36 hombres mencionados en relación con la conspiración eran ricos".[101] Muchos de los demás eran empleados de García Obeso o de uno de los hermanos Michelena; varios eran peninsulares destacados, como Benigno Antonio de Ugarte, el procurador general del ayuntamiento; el licenciado Antonio de los Ríos, el licenciado Jacinto Llanos Valdés, prebendado de la catedral y Nicolás Quilty y Valois, contador de las cajas reales. Quizás uno de los participantes más destacados haya sido el cacique de Valladolid, Pedro Rosales. En ese entonces, Rosales, el líder indígena más destacado en la intendencia, tenía 72 años; en su juventud había participado en las rebeliones de

99. Cita en Alamán, *Historia de Méjico*, I, p. 227. "Representación de D. Gabriel de Yermo a la Junta de Sevilla en que rectifica el Informe del Real Acuerdo de México relativo a la deposición del Virrey Iturrigaray", en García, *Documentos históricos mexicanos*, II, pp. 280-281. Por desgracia, Yermo no da los nombres de los dos oficiales. Véase también: Josefa Vega Juanino, *La institución militar en Michoacán en el último cuarto del siglo XVIII* (Zamora: El Colegio de Michoacán/Gobierno del Estado de Michoacán, 1986), pp. 151-153.

100. Juárez Nieto, *La oligarquía y el poder político en Valladolid*, pp. 271-273.

101. Chowning, *Wealth and Power in Provincial Mexico*, p. 79.

1766-1767 en contra de las reformas introducidas por José de Gálvez, en las que tanto indígenas como castas tomaron parte y protestado periódicamente en contra del tributo y otras obligaciones. Su descontento aumentó a finales del siglo XVIII cuando las autoridades reales tomaron fondos, que consideraron "innecesarios", de las cajas de comunidad para depositarlos a un bajo interés en las cajas reales. De este modo, la propuesta de los conspiradores de abolir el tributo y las obligaciones a las cajas de comunidad constituyó un importante aliciente para los pueblos indígenas de la región.[102]

Tras un largo debate, los conspiradores desarrollaron un extenso plan. Como estaban seguros de que los franceses conquistarían España, propusieron tomar el control del gobierno de Nueva España con el fin de preservar el reino para Fernando VII. Planeaban seguir el ejemplo de España y formar una junta nacional –el equivalente a la Junta Central– en Valladolid. Más tarde, las demás regiones de Nueva España formarían sus propias juntas. La Junta de Valladolid se compondría de diputados elegidos en cada pueblo de cabecera en la intendencia. Sin embargo, la naturaleza de la representación no se explicaba; presumiblemente, los representantes serían elegidos por sus ayuntamientos, como lo habían sido los representantes de la Junta Central en 1809. Como ya se mencionó, los indígenas y las castas dejarían de pagar tributo y las cajas de comunidad serían abolidas. García Obeso asumió el mando político y militar del movimiento. El alférez Michelena, que comandaría los dos regimientos provinciales, planeó marchar a la intendencia de Guanajuato con el fin de buscar apoyo para el movimiento. Los conspiradores esperaban reclutar entre 18 000 y 20 000 efectivos, entre los indígenas y las castas, que recibirían cuatro reales diarios. Aunque los conspiradores obtuvieron el apoyo de muchos individuos destacados y de siete u ocho miembros del cabildo eclesiástico, temían que la mayoría de los regidores del ayuntamiento se opusiera.[103]

102. Juárez Nieto, *La oligarquía y el poder político en Valladolid*, p. 272; Felipe Castro Gutiérrez, *Movimientos populares en Nueva España. Michoacán, 1766-1767* (México: UNAM, 1990), pp. 77-139; Terán, "Las alianzas políticas entre los indios Principales y el Bando Criollo de Valladolid", pp. 35-50; Marta Terán, "¡Muera el mal gobierno! Las reformas borbónicas en los pueblos michoacanos y el levantamiento indígena de 1810" (tesis de doctorado: El Colegio de México, 1995), pp. 339-379.

103. Véase el testimonio en "Cuaderno tercero de la causa instruída en Valladolid", pp. 268-352. José Mariano Michelena explica: "bajo juramento (…) que todas sus miras, objeto y deseo, era que se conservaran estos dominios para Nuestro Rey el Señor Don Fernando VII, o quien legítimamente representase su persona o sus derechos", *Ibid.*, p. 340. Véase también: Juárez Nieto, *La oligarquía y el poder político en Valladolid*, pp. 275-283.

Los conspiradores también buscaron apoyo en las provincias cercanas. Según José Mariano Michelena:

> Mandamos al Lic. D. José María Izazaga, a D. Francisco Chávez, a D. Rafael Solchaga, dependiente de mi hermano, a D. Lorenzo Carrillo, dependiente mio, hacia diversos puntos; yo fui a Pátzcuaro y luego a Querétaro para hablar con D. Ignacio Allende, mi antiguo amigo, al que cité para aquel punto, y por resultado de estas diligencias vino comicionado por Zitácuaro D. Luis Correa y por Pátzcuaro D. José María Abarca, capitán de milicias de Uruapan; y aunque [Mariano] Abasolo fue comisionado por S. Miguel el Grande, no vino; pero escribió él y Allende que estaban corrientes en un todo, que vendría después uno de éllos, y estaban seguros ya del buen éxito en su territorio.... Continuábamos nuestras reuniones y trabajos hasta mediados de Diciembre de 1809 en que vinieron nuestros comisionados Correa y Abarca.[104]

Otra importante junta de amigos se conformaba de comerciantes europeos. Para diciembre, este grupo, al igual que la junta conspiratoria heterogénea, creía que Nueva España sería entregada a los franceses. No obstante, mientras que los criollos pensaban que los peninsulares eran los traidores, los comerciantes españoles estaban convencidos de que eran los americanos. Ambos bandos imaginaban que sus oponentes los atacarían y que incluso los asesinarían.[105] Las tensiones se intensificaron el 12 de diciembre cuando Fray Santa María pronunció un sermón en honor de Nuestra Señora de Guadalupe, en el que habló duramente de los gachupines e hizo declaraciones que, según algunos, parecían favorecer la independencia. En los días siguientes proliferaron los rumores sobre un conflicto inminente; además, "el pueblo anduvo por las calles desordenadamente dando voces insultantes y amenazadoras contra los gachupines".[106] (Aquí cabe destacar que el término "gachupín" no se refería a los españoles en la península sino que hacía alusión a los inmigrantes españoles que llegaban a Nueva España a "hacer la América", es decir a hacerse ricos en el Nuevo Mundo. No había ninguna contradicción entre los "odiados" "gachupines" y el "bien amado" rey. Más aún, la situación

104. Michelena, "Verdadero origen de la revolución", pp. 268-269.

105. Juárez Nieto, *La oligarquía y el poder político en Valladolid*, pp. 274-275; López de Lara, "Los denunciantes de la conspiración de Valladolid", pp. 9-11.

106. López de Lara, "Los denunciantes de la conspiración de Valladolid", pp. 9-11; Terán, "¡Muera el mal gobierno!", pp. 353-354.

permitió que los pobres de la ciudad y del campo manifestaran su hostilidad hacia los tratantes gachupines que, a su parecer, amasaban fortunas vendiendo mercancías a altos precios.)

Las autoridades interinas no querían actuar. Tanto el asesor Terán como el vicario general Abad y Queipo hicieron todo lo que pudieron para ignorar las crecientes tensiones y la conspiración que se discutía abiertamente en toda la ciudad. Fray Agustín Gutiérrez, alarmado por la reacción pública al sermón de Fray Santa María, lo denunció al virrey Lizana y Beaumont el 15 de diciembre. Tres días después también denunció la apatía del asesor hacia el virrey. Al ser interrogado, Terán respondió que había investigado las reuniones de los supuestos conspiradores y determinado que sólo eran "inocentes reuniones de amigos para almorzar"; no obstante, el virrey Lizana y Beaumont envió una carta urgente a Terán el 20 de diciembre de 1809, en la que le ordenaba arrestar a Fray Santa María. [107]

La mañana del 21 de diciembre, el día en que los conspiradores planeaban actuar, las autoridades arrestaron a Fray Santa María. Sin embargo, los otros miembros del movimiento quedaron libres para llevar a cabo el plan, ¡y no lo hicieron! Carlos Juárez Nieto sugiere que una disputa del día anterior sobre el ejercicio de la autoridad militar entre García de Obeso y José Mariano Michelena, dividió al grupo. Aunque a este último le hubiera molestado la decisión de conferirle a García de Obeso autoridad tanto política como militar, ello no explica por qué no actuó. Es más, los principales conspiradores se reunieron dos veces ese día para discutir los posibles cursos de acción. Tomando en cuenta la elevada posición social de los conspiradores, las autoridades procedieron con cautela y delicadeza. El intendente interino Terán ignoró la recomendación del virrey de actuar con decisión; en lugar de ello, ordenó que el comandante de armas de la plaza, Juan José Martínez de Lejarza, los arrestara. Esa noche el comandante en turno ordenó que los principales conspiradores se presentaran de inmediato en su casa. Antes de dirigirse a la residencia de Martínez de Lejarza, los conspiradores acordaron, según Michelena, que "en lugar de echar mano inmediatamente de la fuerza o de la fuga, resolvimos ir al llamamiento, y sólo en caso necesario resistirnos

107. "Cuaderno tercero de la causa instruída en Valladolid", p. 305; Juárez Nieto, *La oligarquía y el poder político en Valladolid*, pp. 275-276.

arrestando en su misma casa al comandante, bajo el pretesto de ser partidario de los que querían entregarnos a los franceses que se esperaba dominarían la España". Convinieron en que García de Obeso tomaría la iniciativa una vez que llegaran a casa de Martínez de Lejarza y, de ser necesario, lo arrestaría. Sin embargo, "García calló y nada se hizo"; en consecuencia, ellos y otros fueron arrestados, incluido Nicolás Michelena. Esa misma noche, el licenciado José Antonio Soto y Saldaña recorrió la ciudad tratando de reunir al pueblo para defender a los conspiradores arrestados, pero no obtuvo mucho apoyo. El cacique Pedro Rosales reunió hombres de distintos barrios y pueblos indígenas, pero cuando fue evidente que no podía lograrse nada con sus acciones, les ordenó regresar a sus casas.[108]

La conspiración fracasó porque sus dirigentes no estaban dispuestos a recurrir a la violencia. Como lo indican los testimonios de los arrestados y el subsiguiente informe de José Mariano Michelena, los líderes aceptaron un trato indulgente por parte de las autoridades, quienes deseaban preservar la calma y el apoyo de los influyentes familiares de los detenidos. Tanto Terán como Martínez de Lejarza informaron a los conspiradores que harían saber al virrey Lizana y Beaumont que el movimiento no presentaba amenaza grave para el gobierno. Las autoridades actuaron de esa manera, en parte porque no lograron tomar medidas oportunas para frustrar los planes de los conspiradores.[109] Después de todo, casi todos en Valladolid y las zonas aledañas sabían del plan, en mayor o menor medida. En la ciudad de México, Carlos María de Bustamante, abogado defensor de los conspiradores, visitó al debilitado virrey en su casa: pidió clemencia argumentando que los conspiradores sólo buscaban salvar Nueva España de una posible invasión francesa. Lizana

108. Juárez Nieto, *La oligarquía y el poder político en Valladolid*, pp. 279-280; citas en Michelena, "Verdadero origen de la revolución de 1809", p. 470. Terán, "¡Muera el mal gobierno!", pp. 353-354.

109. De acuerdo con Juárez Nieto, "el Intendente Terán había pasado varios días platicando con García de Obeso para buscar la mejor salida al asunto". *La oligarquía y el poder político en Valladolid*, p. 287. Más aún, el 30 de julio de 1810, el ayuntamiento dominado por peninsulares declaró que Terán había actuado con cuidado "en un negocio de demasiada gravedad, según se deduce del mucho secreto y reserva con que se giró, y en que se tenía interesarse el sosiego y tranquilidad pública, procedió con empeño tan activo, que no omitió trabajo ni diligencia personal alguna, de día y de noche (...): y habiendo sido necesario hacer varias prisiones, se portó con los reos con la mayor suavidad y dulzura, uniendo de esta manera sin oposición, la integridad de juez con la prudencia y humanidad, que en aquellas circunstancias podrían contribuir al consuelo de los presos en su infortunio", citado en *Ibid.*, p. 288.

y Beaumont estuvo de acuerdo; el oidor Aguirre ya le había dicho "que el dia que se ahorque el primer insurgente, España debe perder la esperanza de conservar esta América [...A lo cual respondió el virrey:] Yo soy de la misma opinión".[110] Los principales conspiradores sólo fueron exiliados de Michoacán. García de Obeso fue transferido a San Luis Potosí, José Mariano Michelena regresó a su unidad en Jalapa, su hermano Nicolás tuvo que residir en la ciudad de México y Fray Santa María fue transferido a otro convento. Las autoridades reales actuaron con gran cautela, pues sabían que la situación era delicada y que se necesitaba una solución diplomática para evitar que empeorara, además, no estaban convencidos de que las acciones de los conspiradores fueran criminales. El plan de los conspiradores y el movimiento autonomista previo difieren sólo en que los americanos buscaron recurrir a la fuerza porque los españoles europeos habían tomado el gobierno.

Las revueltas en América en 1809 fueron precursoras de lo que habría de venir. El reconocimiento del Nuevo Mundo como parte integral de la monarquía y su reciente representatividad en la Junta Central no bastaron para satisfacer a los americanos. Las tensiones y los conflictos entre criollos y peninsulares en Nueva España se profundizaron cuando la madre patria enfrentó el peligro de caer en manos de los franceses. Si bien las autoridades en Nueva España habían logrado controlar temporalmente los primeros movimientos de autonomía, el gobierno en España se vería obligado a emplear otros métodos para conservar su posesión más valiosa en América.

110. Bustamante, *Cuadro histórico de la Revolución mexicana*, I, p. 22. Es poco probable que la palabra "insurgente" se usara en ese momento. Bustamante escribió sobre los acontecimientos de 1809 después de la revuelta de Hidalgo, durante la cual se popularizó dicha palabra.

IV
DOS REVOLUCIONES

A principios de 1810 todo parecía indicar que los franceses conquistarían la península ibérica. La Junta Central había intentado fungir como gobierno de la monarquía española. Sin embargo, su poder y su autoridad eran escasos. En las zonas de la península que no estaban en manos de los franceses, las juntas provinciales administraban sus propias localidades. Y aun cuando las autoridades reales controlaban la mayor parte de América, los movimientos autonomistas de 1809 en Sudamérica y la conspiración de Valladolid en Nueva España demostraron que los habitantes del Nuevo Mundo estaban decididos a librarse de la dominación francesa. En tales circunstancias, la Junta Central ordenó que se llevaran a cabo elecciones para Cortes en toda la monarquía española. Fue así que los americanos se vieron ante dos caminos posibles: o bien, participar en la transformación política de la monarquía española por medio de la representación en las Cortes, o bien, tomar las riendas de su destino por la vía armada. Es decir, que los novohispanos podían participar ya en una revolución política dentro de la monarquía española, ya en una revolución armada para establecer sus propias juntas autónomas y gobernar Nueva España.

La revolución política

La tradición legal hispánica reconocía la soberanía de los representantes del pueblo –las ciudades, los tribunales y otras corporaciones importantes– en ausencia del monarca. Ni las juntas provinciales ni la Junta Central –compuesta por dos representantes de cada provincia española, dos de Madrid, en tanto que capital, y posteriormente, nueve de América– cumplían dichos requerimientos.[1] Así pues, tanto en España como en América se levantaron voces insistiendo en la convocatoria a una Junta general, a Cortes o a un congreso nacional.[2] En Nueva España, unos cuantos peninsulares repudiaron por la fuerza la propuesta del ayuntamiento de México para organizar un congreso de ciudades. Pero el golpe de Estado no mermó el anhelo de un gobierno representativo. Por el contrario, el ayuntamiento de Zacatecas insistió en "que se restituya a la nación congregada en Cortes el poder legislativo".

La convocatoria al Parlamento

Los miembros de la Junta Central tenían posturas encontradas en torno a la necesidad de convocar a Cortes. Algunos creían que la convocatoria era necesaria para unificar a la nación, otros temían que condujera a una revuelta. Otros pocos, como el poeta radical Manuel Quintana, ya hablaban de la "revolución española". El 22 de mayo de 1809, la Junta Central expidió una *Consulta a la Nación* tanto en España como en América, en la que solicitaba a las juntas provinciales, a los ayuntamientos, a los tribunales, a los obispos, a las universidades y a individuos distinguidos y eruditos la recomendación del mejor método para organizar el gobierno. Las respuestas indicaban que la mayoría deseaba convocar a Cortes. La discusión dentro de la Junta Central se centró sobre el papel que jugaría dicho organismo; aquellos que favorecían la convocatoria a Cortes para encauzar el apoyo a la guerra, pero que se oponían a que funcionara como una legislatura, preferían que un congreso de ese tipo estuviese conformado por los tres estamentos tradicionales: el clero, la nobleza y las ciudades. Otros creían que las Cortes debían transformarse en una asamblea nacional moderna. Las recientes victorias francesas convencieron a la Junta Central de "Que se restablezca la representación legal y conocida de la Monarquía en sus antiguas Cortes, convocandose las primeras en todo el año próximo, o antes si las circunstancias lo permiten".[3] El 1 de enero de 1810, la

1. Ángel Martínez de Velasco, *La formación de la Junta Central* (Pamplona: Eunsa, 1972).
2. Sobre el desarrollo de las Cortes, véase: Salustiano de Dios, "Corporación y nación. De las Cortes de Castilla a las Cortes de España", en Francisco Tomás y Valiente (coord.), *De la ilustración al liberalismo* (Madrid: Centro de Estudios Constitucionales, 1995), pp. 197-298.
3. *Real Decreto de S. M.* (Real Alcázar de Sevilla, 22 de Mayo de 1809). Según Pilar Chavarri Sidera: "Las últimas Cortes, celebradas en el año de 1789, estuvieron compuestas por los Diputados de treinta y siete ciudades

Junta Central decretó que se organizaran elecciones para Cortes nacionales. En España, cada junta provincial y cada ciudad con derecho a representación en las Cortes anteriores podría elegir a un diputado. Además, también debía elegirse un diputado por cada 50 000 habitantes. Las elecciones en la península se basaban en las elecciones municipales de diputados del común y síndicos personeros instauradas por Carlos III en las reformas municipales de 1766. En el ámbito parroquial, los vecinos elegían a los compromisarios, que eran los que elegían a los electores de parroquia, y éstos, a su vez, se reunían en la capital cabeza de partido para elegir a los electores de partido. Estos últimos se congregaban en la capital de provincia para seleccionar a los electores de provincia que, finalmente, elegían a los diputados de la provincia por medio de un sorteo.[4] Este proceso electoral indirecto, que proporcionó una amplia representación, se consagraría más adelante en la Constitución de 1812, no obstante su complejidad y su lentitud. Aparentemente, la Junta Central consideraba reunir al clero y a la nobleza como estamentos separados, situación que no llegó a ocurrir debido a que no se logró recopilar una lista de los miembros de ambos grupos.[5]

Un proceso electoral diferente por completo fue aprobado para el Nuevo Mundo. Según el decreto expedido por el Consejo de Regencia el 14 de febrero de 1810:

> Vendrán a tener parte en la representación nacional de las Cortes extraordinarias del Reyno Diputados de los Virreynatos de Nueva España, Perú, Santa Fe y Buenos Aires, y de las Capitanías generales de Puerto Rico, Cuba, Santo Domingo, Guatemala, Provincias Internas, Venezuela, Chile y Filipinas. Estos Diputados serán uno por cada Capital cabeza de partido de estas diferentes provincias.[6]

Una vez más, el gobierno sitiado en España se concentraba en los cuatro virreinatos y las capitanías generales, pero en esta ocasión identificaba ocho capi-

---

con voto en Cortes, cuya forma de selección no era ni mucho menos general. Se llevaron a cabo las elecciones según la costumbre de cada Ayuntamiento". *Las elecciones de diputados a las Cortes Generales y Extraordinarias (1810-1813)* (Madrid: Centro de Estudios Constitucionales, 1988), p. 85.

4. Chavarri Sidera, *Las elecciones de diputados a las Cortes Generales y Extraordinarias*, pp. 1-90.
5. Artola, *Orígenes*, I, pp. 282-284.
6. *Gazeta del Gobierno de México*, Tomo I, núm. 56 (18 de mayo de 1810), pp. 419-420. Timothy E. Anna afirma, sin evidencia, que en América se debía elegir un diputado por cada cien mil habitantes en contraste con España, donde se elegía un diputado por cada cincuenta mil personas. *Spain and the Loss of America*, p. 66.

tanías generales en lugar de las cinco escogidas para las elecciones a la Junta Central en 1809. Resulta interesante que el gobierno dividiera las provincias internas del virreinato de Nueva España. Por lo demás, seguía apoyándose en el "partido", un término vago e indefinido, como la unidad regional para las elecciones. No se hizo ningún señalamiento sobre la representación basada en el grueso de la población. Como lo ha señalado Nettie Lee Benson, la Junta Central y más tarde el Consejo de Regencia estaban huyendo para salvar sus vidas y sabían poco sobre América. Queda claro que la regencia no tenía ni la menor idea sobre el tamaño del Nuevo Mundo ni sobre la cantidad de partidos que existían. Según un estudio reciente, Nueva España por sí sola contaba con 250 partidos.[7] Este número supera el de los diputados que asistieron a las Cortes de Cádiz. Las autoridades en América no estaban seguras de lo que quería decir el decreto; algunos sostenían que el documento se refería a las capitales de provincia, cuyo número era menor. Sin embargo, algunas capitales de partido sí eligieron diputados a las Cortes, aunque no a todos les fue posible asistir.[8]

El decreto electoral también indicaba que: "Su elección [la de los diputados] se hará por el ayuntamiento de cada Capital, nombrándose primero tres *naturales de la Provincia*, dotados de probidad, talento e instrucción, y exentos de toda nota; y sorteándose después uno de los tres, el que salga a primera suerte será diputado a Cortes".[9] Así, los requerimientos para la elección y el proceso electoral serían similares a los utilizados en 1809 para las elecciones de diputados a la Junta Central. Empero, había dos diferencias relevantes: los candidatos debían ser "naturales de la Provincia", lo que eliminaba a los españoles europeos residentes en América, y se elegiría a un diputado por cada ayuntamiento, en lugar de uno por cada reino. Si bien los comentaristas, desde Servando Teresa de Mier en 1813 hasta nuestros días, han hablado de

7. Benson, "The Elections of 1809". Aurea Commons, *Las intendencias de la Nueva España* (México: UNAM, 1993).
8. Marie Laure Rieu-Millán, *Los diputados americanos en las Cortes de Cádiz* (Madrid: Consejo Superior de Investigaciones Científicas, 1990), 10, nota 22.
9. *Gazeta del Gobierno de México*, tomo I, núm. 56 (18 de mayo de 1810), pp. 419-420. (Las cursivas son mías.) El decreto electoral también se encuentra publicado en: Hernández y Dávalos, *Colección de documentos para la historia de la Guerra de Independencia*, II, pp. 37-38. Alfredo Ávila parece no saber que existía un requerimiento que exigía al diputado ser "natural de la provincia"; Ávila escribe, por ejemplo: "Si hubo alguna diferencia con el proceso del año anterior, fue que en 1810 resultaron electos un buen número de criollos o por lo menos *individuos estrechamente vinculados con los colonos de sus ciudades*... Incluso en Veracruz, con todo y su Consulado peninsular, *el electo fue un criollo*". (Las cursivas son mías.) Ávila, *En nombre de la nación*, pp. 94-95.

desigualdad en la representación asignada a los americanos en las Cortes,[10] el gobierno en España estaba llevando a cabo una acción extraordinaria, pues ninguna otra metrópoli europea otorgaba a sus territorios ultramarinos una representación similar, por ejemplo, el parlamento inglés, considerado por lo general como el más avanzado en el mundo, nunca consideró otorgar a sus colonias en Norteamérica más que una representación virtual.

Pese a sus mejores esfuerzos, la Junta Central era incapaz de contener el avance de los franceses. Obligada a retirarse a un rincón en el sur de España, fue mordazmente criticada por muchos debido a su fallido intento por detener la invasión. Con el propósito de crear un gobierno más eficaz, la junta nombró un Consejo de Regencia formado por cinco miembros y se disolvió a finales de enero de 1810. El delegado de Nueva España ante la Junta Central, Miguel de Lardizábal y Uribe, representaba a América en el nuevo gobierno. La última acción de dicha junta consistió en encomendar a la regencia la convocatoria a Cortes.

Sin embargo, el nuevo gobierno dudó en instrumentar dicha instrucción. Algunos regentes creían que el proceso constitucional de la nación requería simplemente el establecimiento de una regencia, antes que de una asamblea constitucional. Al final, la presión de la Junta de Cádiz, donde residía ahora el gobierno, y de varios diputados electos conforme el decreto del 1 de enero obligaron al Consejo de Regencia a actuar en consecuencia. Éste ordenó entonces que se convocara a Cortes en septiembre de 1810.[11]

El gobierno representativo en el mundo español luchó por su existencia en medio de una crisis de credibilidad. Para 1810, la mayor parte de los americanos esperaba el triunfo de los franceses. Después de todo, los ejércitos napoleónicos controlaban casi toda la península. Para muchos habitantes del Nuevo Mundo, el miedo a la dominación francesa no hizo sino exacerbar el deseo de buscar la autonomía. En 1810, los movimientos autonomistas resurgieron en Caracas en abril, en Buenos Aires y en Charcas en mayo, en Santa Fe de Bogotá en julio y en tres zonas en septiembre –el Bajío en Nueva España, el día 16; en Santiago de Chile el día 18; y en Quito, una vez más, el día 20–. Todas estas regiones pretendían instaurar gobiernos transitorios

10. Ávila, *En nombre de la nación*, p. 92.

11. Artola, *Orígenes*, I, pp. 383-385; Lovett, *Napoleon and the Birth of Modern Spain*, I, pp. 370-372.

que actuaran en nombre de Fernando VII. Los movimientos autonomistas de 1810, a diferencia de aquellos de 1809 desencadenaron, sin darse cuenta, otras fuerzas sociales. Grupos y regiones descontentos capitalizaron la oportunidad para volver sobre sus reivindicaciones. En poco tiempo, las guerras civiles consumían grandes zonas del continente americano.[12]

Las elecciones de suplentes

Las elecciones para el nuevo gobierno representativo tuvieron lugar al tiempo que la guerra se apoderaba de la península y de algunas zonas de América. Puesto que muchas de las provincias ocupadas de España no podían organizar elecciones, y puesto que la distancia retrasaba la llegada de muchos diputados americanos, la regencia decretó que se eligiera a 53 suplentes, incluidos 30 de América y las Filipinas, de entre las personas procedentes de las provincias peninsulares y de ultramar que se hallaran a la sazón en Cádiz.

La próspera ciudad de Cádiz, uno de los puertos más importantes de España, era considerada como centro del pensamiento ilustrado y del progreso. Aun cuando otros puertos peninsulares habían hecho negocios con el Nuevo Mundo desde el inicio del "comercio libre", a principios de la década de 1780, casi 90 por ciento del comercio americano pasaba por Cádiz. Naturalmente, la comunidad mercante de la ciudad era poderosa y estaba al tanto de la política americana. Los comerciantes gaditanos habrían de ejercer gran influencia sobre el gobierno, pues el Consejo de Regencia, y más tarde las Cortes, dependerían de los impuestos recaudados en Cádiz para sostenerse. Además, la elite comercial de la ciudad manejaba casi todas las transacciones del Nuevo Mundo. Los comerciantes de Cádiz mantenían comunicación cercana con las comunidades mercantes españolas en América, con quienes compartían la creencia de que en la península debía dominar la monarquía. De manera que Cádiz, pese a su insigne ilustración, no simpatizaba con las aspiraciones americanas de igualdad. Fueron las opiniones de la comunidad mercante las que dieron forma al debate y a las acciones de las Cortes.[13]

12. Rodríguez O., *La independencia de la América española*, pp. 132-203.
13. Román Solís, *El Cádiz de las Cortes. Vida en la ciudad en los años 1810 a 1813* (Madrid: Alianza, 1969). Véase también: Michael P. Costeloe, *Response to Revolution: Imperial Spain and the Spanish American Revolutions,*

En 1810 Cádiz bullía con refugiados tanto americanos como peninsulares que desde otras regiones de España habían llegado al puerto huyendo del dominio francés. Al acercarse el mes de septiembre, fecha de la inauguración de las Cortes, la regencia completó la lista de americanos presentes en Cádiz que podrían elegir suplentes de sus regiones para que asistieran al parlamento. Enfrentados al problema del levantamiento en algunas regiones del Nuevo Mundo, los miembros de la regencia decidieron que los suplentes representarían a la "parte sana" de la población de dichas provincias: "Dirán los revoltosos que ni son bastantes ni legales, pero mucho más dirían si se les excluyese del todo".[14]

El 8 de septiembre, la regencia hizo públicos los procedimientos electorales. Asignó a las provincias de ultramar 30 suplentes, 15 de la América Septentrional: siete para Nueva España, dos para Guatemala, dos para Cuba, dos para las Filipinas, uno para Santo Domingo y uno para Puerto Rico; y 15 para la América meridional: cinco para Perú, tres para Santa Fe, tres para Buenos Aires, dos para Venezuela y dos para Chile. Los suplentes debían tener al menos 25 años de edad y ser naturales de las provincias que los eligieran. Los miembros de las órdenes regulares, los criminales convictos, los deudores públicos y los sirvientes domésticos no serían elegibles. Como en el caso de las provincias españolas, los electores debían reunirse por provincias y elegir a siete compromisarios, quienes a su vez seleccionarían a tres individuos para formar una terna de la que uno resultaría elegido por sorteo. Puesto que en Cádiz no había suficientes americanos de cada provincia para organizar elecciones independientes, se descartó este procedimiento. En lugar de ello, los 177 electores americanos se reunieron en cuatro grupos regionales para elegir a los suplentes del Nuevo Mundo: Nueva España, Guatemala y las Filipinas; Santo Domingo y Cuba; Nueva Granada y Venezuela; y Perú, Buenos Aires y Chile. Puerto Rico no participó porque su diputado propietario, Ramón Power, fue el

---

1810-1840 (Cambridge: Cambridge University Press, 1990), pp. 31-49, *passim*. También resulta interesante notar que las remesas de América, y particularmente de Nueva España, proporcionaban los fondos del gobierno y de los ejércitos de la monarquía. Como apuntaba Vicente Alcalá Galiano: "Los socorros de América (...) son los principales fondos que han podido aplicarse a la manutención, conservación y aumento de nuestros ejércitos (...) La suma total de los venidos de aquellos dominios para la Real Hacienda asciende por todos respectos a 295 901 816 reales". Citado en Marichal, *La bancarrota del virreinato*, p. 271.

14. Citado en Rieu-Millán, *Los diputados americanos en las Cortes de Cádiz*, p. 34.

único americano que llegó a tiempo para el inicio de las Cortes. Los suplentes del Nuevo Mundo constituían un grupo variopinto, entre ellos se contaban militares, abogados, académicos, clérigos y funcionarios gubernamentales. Dos de ellos eran grandes de España y uno, Dionisio Inca Yupangui, era un indígena peruano que había servido como teniente coronel de Dragones en la Península.[15]

Aunque la elección de suplentes fue una medida temporal para asegurar la representación de aquellas provincias españolas y reinos americanos cuyos diputados propietarios no podían llegar a tiempo, varios observadores rechazaron a los suplentes por haber sido elegidos de manera poco representativa y, según esos mismos observadores, ilegal. La *Gazeta de Caracas* y la *Gazeta de Buenos Ayres*, ambas publicaciones de las juntas autónomas, protestaron porque los suplentes no representaban a América. Sin ninguna certeza sobre la situación en España, la *Gazeta de Caracas* también cuestionaba la legitimidad de las elecciones. ¿No podría tratarse acaso de una fachada para la dominación francesa? La *Gazeta de Buenos Ayres* calificó a los suplentes de "representantes de la voluntad ajena". Además, cuestionó el derecho de los americanos en Cádiz, a los que describía como "un puñado de aventureros sin carácter ni representación" para elegir diputados a las Cortes.[16] En un tono similar –después de que la primera regencia fuera disuelta por las Cortes–, Miguel de Lardizábal y Uribe declaró: "¿Quién creerá que las provincias que no han enviado diputados se han de conformar con reformas sustanciales y una Constitución hecha por hombres a quienes ellas no han dado encargos, facultad ni poder para hacerlas?".[17] Servando Teresa de Mier, que en ese entonces era publicista, se tornó aún más cáustico e hiperbólico:

> Siguió la matanza de los americanos porque se obedecía a 200 fugitivos, que inclusos 28 americanos refugiados en la isla de León, dijeron, a instancia de un tumulto popular, que representaban la nación aunque no tenían otros poderes que los que se dieron ellos mismos, y que por respecto a los americanos desaprobaron casi todas las provincias de América.[18]

15. *Ibid.*, pp. 1-6. Los diputados suplentes para Nueva España eran: José María Couto, Francisco Fernández Munilla, José María Gutiérrez de Terán, Máximo Maldonado, Salvador de Sanmartín, Octaviano Obregón, Andrés Sabariego.
16. *Gazeta de Caracas*, II, núm. 17 (29 de enero de 1811); *Gazeta de Buenos Ayres* (25 de febrero de 1811).
17. Citado en Rieu-Millán, *Los diputados americanos en las Cortes de Cádiz*, p. 9.
18. Servando Teresa de Mier, "Manifiesto apologético", en José María Miquel y Verges y Hugo Díaz-Thomé (comps.), *Escritos de Fray Servando Teresa de Mier* (México: El Colegio de México, 1994), pp. 153-154.

Otro reproche muy distinto provenía de Nueva España. El virrey interino Lizana y Beaumont acusó al diputado suplente José María Couto de ser subversivo. Lizana y Beaumont entregó un informe en el que afirmaba:

> El día 28 de julio de 1808 se supo en esta ciudad la portentosa insurrección de todas las Provincias de España contra el tirano usurpador. Esta noticia llenó de júbilo a todos los buenos españoles, y fue por muchos días el objeto exclusivo de sus conversaciones; en una de aquellas tardes yendo varios de paseo [...se encontraron a Couto. Uno del grupo, Joaquín de Azárraga] se adelantó preguntando *¿Quién vive?* A cuya pregunta contestó el Dr. Couto *Nadie*. Semejante inesperada respuesta causó a todos suma extrañeza, y el mismo Azcárraga replicó. *Como nadie–España vive*. El Dr. Couto dixó entones, que las Provincias de España no podían resistir a los Franceses, que la Península estaba en una verdadera anarquía (...) dando a entender con esta, y otras expresiones que el movimiento de la Península retardaba la época de la independencia de este Reino, en que cifraba su felicidad.[19]

Tras examinar los cargos, la comisión de poderes de las Cortes determinó que carecían de sustento y no tomó cartas en el asunto.

Pese a las objeciones, los suplentes jugaron un papel central en las Cortes en nombre de sus patrias y de América en su conjunto. De hecho, algunos de ellos como José María Couto y José María Gutiérrez de Terán, de Nueva España, y José Mexía Llequerica, de Quito, se convirtieron en notables parlamentarios. Más aún: cuando los diputados propietarios de América llegaron, la mayor parte de los suplentes permaneció en las Cortes representando a los reinos del Nuevo Mundo que no habían podido enviar diputados propietarios. La elección de diputados suplentes ha confundido a muchos historiadores que creen que a América sólo le fueron asignados treinta diputados para las Cortes y que sólo siete de ellos representaban a Nueva España. Estos historiadores confunden el número de diputados suplentes asignados a los territorios de ultramar con el número de diputados propietarios que aquellas tierras tenían derecho a elegir. Si bien Nettie Lee Benson señaló este error hace más de cuarenta años, hoy en día histo-

19. "Denuncia del virrey de Nueva España", Archivo del Congreso de Diputados de las Cortes (en adelante ACDC): Documentación Electoral, Leg. 3, núm. 29.

riadores eminentes lo siguen cometiendo.[20] La consecuencia es que estos historiadores recalcan una supuesta gran desigualdad representativa entre las dos regiones de la monarquía española.

Las elecciones en Nueva España

El 16 de mayo de 1810 la Audiencia de México, que había asumido el control del gobierno de Nueva España, recibió el decreto electoral. La convocatoria, al igual que la de las elecciones de 1809 a la Junta Central, indicaba que los ayuntamientos de las capitales de partido debían elegir diputados a las Cortes. En 1809 el real acuerdo, por mayoría de votos, había hecho una interpretación del decreto según la cual todas las provincias, y no sólo las intendencias, debían participar en el proceso electoral; sin embargo, la decisión fue muy tardía como para incluir a todas las provincias en la elección de diputados a la Junta Central, así que las autoridades novohispanas instrumentaron la ordenanza del real acuerdo de 1809 para las elecciones de 1810. El decreto se envió a los ayuntamientos de las ciudades capitales de las provincias de México, Puebla, Veracruz, Yucatán, Oaxaca, Michoacán, Tabasco, Querétaro, Tlaxcala, Nuevo León, Nuevo Santander, Guanajuato, San Luis Potosí, Guadalajara y Zacatecas con instrucciones para proceder de inmediato. Nemesio Salcedo, en su cargo de comandante general de las Provincias Internas, también recibió la convocatoria. Como en el caso de Nueva España, Salcedo instrumentó la ordenanza del real acuerdo de 1809 y envió el decreto a las capitales de Coahuila, Texas, Chihuahua, Durango, California, Sinaloa y Sonora, y Nuevo México. Así, tomando como base

20. Nettie Lee Benson (coord.), *Mexico and the Spanish Cortes, 1808-1822* (Austin: University of Texas Press, 1966), pp. 4-8. Los siguientes son ejemplos de distinguidos historiadores que sostienen que los americanos tuvieron *sólo* 30 diputados para las Cortes de Cádiz. Tras mencionar la inequidad de la representación ante la junta central, François-Xavier Guerra afirma: "Cuando un año después se convoquen las elecciones a las Cortes extraordinarias se manifestará una desigualdad aún mayor, puesto que se prevén 30 diputados para representar América frente a alrededor de 250 para la España peninsular". *Revoluciones Hispánicas. Independencias americanas y liberalismo español* (Madrid: Complutense, 1995), p. 28; y Josep M. Fradera, quien declara: "frente a los doscientos diputados de la Península, treinta correspondían a Ultramar, veintiocho a América y dos a Filipinas". *Gobernar colonias* (Barcelona: Península, 1999), p. 52.

el número de provincias, Nueva España –incluidas las provincias internas– tenía derecho a elegir 22 diputados a las Cortes.[21]

La población políticamente activa de Nueva España recibió jubilosa la noticia de que podría participar en las elecciones a unas Cortes que encabezarían la lucha contra los franceses y posiblemente una reforma a la monarquía española. Antes, en febrero de 1810, los ayuntamientos del reino recibieron una proclama del Consejo de Regencia que informaba a la nación sobre el estado de la guerra contra los franceses y sobre lo que se esperaba de las futuras Cortes que guiarían a la nación española –como se llamaba ahora a la monarquía– en una dirección favorable. La proclama también declaraba: "Españoles por una combinación de sucesos tan singular como feliz, la Providencia ha querido que en esta Crisis terrible no pudieran dar un paso así a la *independencia*, sin darle también a la libertad".[22] (Aquí, con el término "independencia", la regencia se refería a la independencia respecto de los franceses). Después, en mayo de 1810, los ayuntamientos recibieron el decreto electoral de la regencia del 14 de febrero, antecedido por una sorprendente declaración en la que se aludía a una revolución en curso:

> Desde el principio de la revolución declaró la Patria esos dominios parte integrante y esencial de la Monarquía Española. Como tal *le corresponden los mismos derechos y prerrogativas que a la Metrópoli.* Siguiendo este principio de eterna equidad y justicia fueron llamados esos naturales a tomar parte en el Gobierno representativo que ha cesado: por él la tienen en la Regencia actual; y por él la tendrán también en la representación de las Córtes nacionales, enviando a ellas Diputados [...Además, la Regencia declaraba:] Desde este momento, Españoles Americanos, os veis elevados a la dignidad de hombres libres (...) Tened presente que al pronunciar o al escribir el nombre del que ha de venir a representaros en el Congreso nacional, vuestros destinos ya no dependen ni de los Ministros, ni de los Virreyes, ni de los Gobernadores; estan en vuestras manos.[23]

21. *Gazeta del Gobierno de México*, tomo I, núm. 56 (18 de mayo de 1810), pp. 419-420; Nettie Lee Benson, "Texas' Failure to Send a Deputy to the Spanish Cortes, 1810-1814", *The Southwestern Historical Quarterly*, 64 (1960), pp. 14-35.
22. Puebla, "Actas del Cabildo, 1810", ff. 59v-65, Archivo Histórico de Puebla. (Las cursivas son mías.)
23. "El Consejo de Regencia de España manifiesta la situación que guarda la Península y decreta se elijan diputados por la posesiones de América", en Hernández y Dávalos, *Colección de documentos para la historia de la guerra de independencia*, II, pp. 34-37.

En el lapso de unos cuantos meses la regencia se había referido a una nación española que incluía la península y América; luego había declarado que los "naturales" del Nuevo Mundo eran los iguales de los naturales del Viejo Mundo; finalmente, había informado a los residentes de América que tenían derecho a participar en el gobierno de la nación española, y que tenían su propio destino y el de la monarquía en sus manos.

Las elecciones causaron gran efecto en toda Nueva España: "La convocatoria a las Cortes produjo, además, un entusiasmo extraordinario y una movilización de la opinión pública para las designaciones de electores, que el espíritu más penetrante no hubiera imaginado diez años atrás".[24] Gran parte de las capitales de provincia con derecho a elegir diputados emprendió una amplia consulta entre las villas y los pueblos de sus regiones; en el caso de Nuevo México y Texas fueron los propios gobernadores quienes la condujeron, así, cada núcleo urbano preparó listas de sus notables consultando a los individuos eminentes de su región. En las misas y fuera de la iglesia, los curas hablaron sobre la importancia del acontecimiento y subrayaron lo trascendente que era participar en el gobierno de la nación española con el fin de oponerse a los franceses ateos, que constituían una amenaza a la sagrada fe, al rey y a la patria. Durante el proceso de consulta se generó una amplia discusión en lugares públicos como plazas, mercados, garitas, edificios gubernamentales, paseos, lugares para comer, posadas, tabernas y palenques de gallos. Las elecciones en las capitales de provincia solían conducirse en público y eran acompañadas de ceremonias que casi siempre comenzaban con una misa de Espíritu Santo y terminaban con un *Te Deum*, un repique de campanas y otras celebraciones. Por lo general, las ciudades, las villas y los pueblos decoraban el centro para conmemorar la ocasión festiva. En las grandes ciudades capitales las celebraciones incluían salvas de cañón y fuegos artificiales, éstos producían un espíritu de optimismo y daban a los novohispanos la sensación de que podían superar la grave crisis política suscitada por la invasión francesa a España.

Los novohispanos, que recién habían pasado por las elecciones a diputados a la junta central, estaban ansiosos por participar en las elecciones a Cortes. En esta ocasión, a cada provincia de Nueva España se le había asignado un diputado que debía ser elegido por el ayuntamiento de la capi-

24. Ernesto Lemoine, *Morelos y la revolución de 1810*, 3ª ed. (México: UNAM, 1990), p. 155.

tal de provincia. Además de otorgar al virreinato mayor representación, el decreto asentaba que los diputados debían ser naturales de las provincias que representaban. Este requisito mermaba el poder político de los españoles europeos y ampliaba los derechos políticos de los americanos, ya que legitimaba el concepto de derechos locales. La mayoría de los ayuntamientos de Nueva España contaba con peninsulares entre sus vocales y, en algunos casos, eran los peninsulares quienes dominaban los ayuntamientos; por eso, era de esperarse que los europeos pertenecientes a estos organismos se opusieran a dicho requisito. Sin embargo, en Nueva España no se ha encontrado ninguna evidencia al respecto. En términos generales, las elecciones, que tuvieron lugar entre abril y finales del año, fueron ordenadas y en la mayoría de las regiones los resultados no fueron imputados. Empero, en el caso de Valladolid, el intendente trató de incrementar el número de regidores en el ayuntamiento para evitar que el clan Huarte dominara la elección. Dos elecciones, la de Texas y la de Nuevo México, las debieron resolver las autoridades. Además, dos historiadores, Cristina Gómez Álvarez y Alfredo Ávila, han denunciado un fraude en el caso de la de Puebla.

El número de ciudades en Nueva España con derecho a participar en las elecciones pasó de 14 a 22. No obstante, algunos núcleos urbanos que poseían ayuntamientos pero no eran capitales de provincia presentaron una solicitud para contar con el mismo derecho. Los ayuntamientos de las villas de Orizaba y Córdoba, en la provincia de Veracruz, por ejemplo, argumentaron ser cabezas de partido y, por ende, tener derecho a participar en la elección. Orizaba expuso un argumento convincente:

> El Real Decreto de Catorce de Febrero de el presente año dice: "Estos Diputados serán uno por cada capital cabeza de partido". Entendida la expresión en su legítimo y natural sentido ¿Orizaba que es Cabeza de partido por que no a de tener por llamada a las Cortes generales? El Soberano en efecto pide a estos Pueblos un diputado, y la interpretación estrechisima de la palabra cabeza de partido les niega esta prominencia, siendo aquel derecho a las Capitales de Intendencia.
>
> Como sabemos tampoco de los otros Reynos y Provincias de América ignoramos como se interpreto en el Perú, Quito, Venezuela, Buenos Aires y demas la voz Cabeza de Partido para proceder a las elecciones de vocales para la Junta Central; pero si Sabemos que en Guatemala se entendio en su basto legitimo sentido y que todos los Ayuntamientos de Cabezas de partido tuvieron parte en las elecciones sin que por

> parte del gobierno Supremo se haya echo todavía reclamo alguno; esto y el aber repetido la misma voz nos conbence de que la interpretación de Guatemala fue justa...[25]

El ayuntamiento de la Villa de Córdoba estuvo de acuerdo y apoyó los argumentos de Orizaba. Ambos ayuntamientos enviaron largas descripciones de la economía de su región y de los numerosos pueblos y haciendas que se hallaban en sus partidos. En muchos aspectos, sus solicitudes son similares a algunas de las instrucciones de 1809. La Audiencia de México no estaba de acuerdo con sus argumentos, pero esperó a que el recién nombrado virrey Francisco Javier Venegas llegara y tomara la decisión final; el virrey coincidió con la Audiencia de México. En Cádiz, la Comisión de Poderes de las Cortes, que había recibido la solicitud de ambas ciudades en octubre de 1811, determinó que la solicitud no debía ser considerada en ese momento.[26]

Las elecciones en Zacatecas son buen ejemplo del proceso electoral. Los capitulares de Zacatecas realizaron una amplia consulta, tal como lo hicieran en las elecciones de 1809. Además de esto, solicitaron que los ayuntamientos de otras ciudades y villas de la provincia recomendaran a personas que consideraran calificadas para un cargo tan importante. Después de recibir los nombres propuestos por otros ayuntamientos, los regidores propusieron a algunos candidatos más. El ayuntamiento se reunió el 29 de agosto de 1810 para elegir al representante de la provincia de Zacatecas, y tras considerar a todos los candidatos propuestos, votaron. Los nombres de los tres individuos con mayor número de votos –el doctor Félix Flores Alatorre, el doctor José Ignacio Vélez y el doctor José Miguel de Gordoa– fueron colocados en "una Redonda de cristal, la cual removida, una, y muchas veces, y sacada una cedulita" determinó que Gordoa había ganado la elección.[27]

A primera vista, la elección en Puebla también parece haber sido llevada a cabo apropiadamente. Sin embargo, dos historiadores han desafiado en fecha reciente la integridad de dicho proceso electoral. Cristina Gómez

25. ACDC: Documentación Electoral, Leg. 3, núm. 51, "Testimonio del Expediente formado sobre la Solicitud del Ylustre Ayuntamiento de la Villa de Orizaba para nombrar Diputado para las Cortes", 2r-v.
26. "Testimonio del Expediente instruido por el Ayuntamiento de Córdova, sobre nombrar Diputado para las Cortes", en ACDC: Documentación Electoral, Leg. 3, núm. 51.
27. "Acta electoral de Zacatecas", Archivo Histórico de Zacatecas: Ayuntamiento, Elecciones, C 1. Entre otras celebraciones, el ayuntamiento de Zacatecas ofreció una elegante comida en honor del diputado doctor José Miguel de Gordoa. Véase también: ACDC: Documentación Electoral, Leg. 3, núm. 49.

Álvarez sostiene que la elección fue manipulada porque fue secreta y porque "los dieciséis consejales que integraban el ayuntamiento votaron" por un solo individuo. Gómez Álvarez afirma además que

> se procedió a ingresar en una caja tres papeletas con el nombre de cada uno de ellos [los tres individuos con mayor número de votos] y, supuestamente, el azar decidió que [Antonio Joaquín] Pérez fuera el ganador. Sin embargo, ya estaba decidido que el canónigo fuera el representante de Puebla en las Cortes, como demostró el hecho de que los dieciséis consejales que integraban el ayuntamiento votaron por él. Por lo que el sorteo fue un simple simulacro.[28]

Alfredo Ávila concuerda, él afirma que: "Los regidores no confiaron en la suerte para que resultara ganador alguno de la terna (...) y decidieron asegurar a un candidato [el que preferían]". Además, agrega: "según el *Diario de México* del 4 de julio de 1810 se presentó una irregularidad: no hubo sorteo".[29] No obstante, los documentos no avalan esta conclusión. El *Diario de México* no declara que "no hubo sorteo" ni habla de cualquier otra "irregularidad". En lugar de ello, presenta un informe muy positivo sobre la elección. Tras proporcionar los nombres y el número de votos de cada uno de los candidatos, declara: "Fueron 16 los Vocales, y así es visto, que el Sr. Perez los tuvo todos: *entró en la suerte* con los dos primeros, y *salió electo*".[30] Las palabras "entró en la suerte" y "salió electo" indican claramente que se realizó un sorteo y que Pérez resultó ganador por azar. El acta de cabildo y el acta electoral de Puebla, enviadas ambas a España, indican que la elección fue llevada a cabo dentro de lo señalado por la ley.

Puebla, como otras capitales de provincia, organizó una amplia consulta para encontrar a la persona mejor calificada. El ayuntamiento se reunió el 26 de junio de 1810 para organizar la elección; se propusieron 42 individuos distinguidos para ocupar el cargo. Antonio Joaquín Pérez recibió los 16 votos de los miembros del ayuntamiento, Ignacio Zaldívar siete, Antonio Torres

28. Gómez Álvarez, *El alto clero poblano y la revolución de independencia*, p. 114. Inmaculada Simón Ruiz parece estar de acuerdo, ella considera que la elección fue "una mera formalidad... Como era de esperar, el ganador fue el Antonio Joaquín Pérez Martínez". *Los actores políticos poblanos*, p. 79.
29. Ávila, *En nombre de la nación*, p. 94.
30. *Diario de México*, XIII, núm. 1736 (4 de julio de 1810), p. 13. (Las cursivas son mías.)

Torija siete, José Mariano Beristáin seis, José María Ovando y Parada cuatro, Antonio Veytia dos, José Joaquín España uno, Joaquín Luis Enciso uno, Luis Montaña uno, e Ignacio Vasconcelos uno. Los nombres de los tres individuos con mayor número de votos se escribieron en cédulas que fueron "puestas en sus cubitos y bien marcadas, sacó una de ellas un niño nombrado José Benites", que fue entregada al presidente, quien indicó que Antonio Joaquín Pérez había ganado la elección. Entonces, el ayuntamiento se reunió con el intendente Manuel Flon, conde de la Cadena, quien aprobó el proceso electoral. Las autoridades celebraron el acontecimiento con un *Te Deum* en la catedral, cohetes, salvas de cañón y tañido de campanas. Puesto que gran número de personas se congregó cerca del ayuntamiento, los regidores cargaron a Pérez en hombros por todo centro de la ciudad para demostrar su alegría por haber elegido al diputado a Cortes de la provincia.[31] Todo lo anterior sugiere que no se registraron irregularidades, además, de acuerdo con el decreto electoral: "Las dudas que puedan ocurrir sobre estas elecciones serán determinadas en breve y perentoriamente por el Virrey o Capitán general de la provincia en union con la Audiencia".[32] Ninguna autoridad de Nueva España –ni el intendente de Puebla ni la Audiencia de México– cuestionó la elección; más aún, la comisión de poderes en Isla de León no puso en duda la elección más tarde, cuando Pérez llegó a España y aprobó diligentemente sus poderes.

Valladolid pasó por otra clase de dificultades: allí, el candidato del grupo dominante perdió en el sorteo. En el Valladolid de 1810, las grandes "rivalidades y discordias" que habían surgido en 1809 aún seguían vigentes. La ciudad y la provincia experimentaban todavía gran desasosiego por el temor a catástrofes inminentes; no se habían resuelto las tensiones suscitadas por la conspiración del año anterior. El clan Huarte y sus aliados dominaban el ayuntamiento y parecía factible que intentaran elegir a alguien de su grupo. Puesto que el decreto electoral exigía que un natural representase a la provincia, todos los peninsulares –incluso los más prominentes, como Abad y Queipo– fueron excluidos. La cuestión, entonces, era qué criollo y de qué

31. "Testimonio que comprende la elección y sorteo que la N. C. de Puebla hizo de Diputado para Cortes", en ACDC: Documentación Electoral, Leg. 3, núm. 34; Archivo del Ayuntamiento de Puebla: Actas de Cabildo, 1810, ff. 194-200.

32. Hernández y Dávalos, *Colección de documentos para la historia de la Guerra de Independencia*, II, p. 37.

bando resultaría electo. El intendente interino Alonso Terán, un rival del clan Huarte, trató de modificar el equilibrio del poder en el ayuntamiento enviando un informe reservado a la Audiencia de México, que a la sazón gobernaba el virreinato, y en el que notificaba al tribunal que sería imposible organizar una elección imparcial de diputado a Cortes en Valladolid. Terán explicaba que el ayuntamiento estaba conformado por siete regidores, cinco de los cuales eran propietarios:

> dos son padre e hijo [los Huarte] y otro enfermo e imposibilitado [Juan Bautista de Arana] por manera que siendo los dos honorarios [Benigno Antonio de Ugarte y Andrés Fernández de Renedo] adictos y hechuras de los dos padre e hijo, la votación de estos es todo del cabildo, parcial por consecuencia, y con más atención a los particulares intereses que al bien general de la provincia, que debe servir de norte en la elección de diputado para las próximas Cortes extraordinarias.[33]

Por todo esto, y como lo indicaba la real cédula del 16 de diciembre de 1803, Terán proponía que el número de miembros del ayuntamiento se elevara –como había ocurrido en los casos de Guadalajara, Puebla y Querétaro– ya que carecía del número adecuado de regidores. Terán incluía una lista de vecinos de Valladolid que cumplían con los requisitos para el cargo de regidor y que no estaban emparentados con los regidores en turno. De esta manera esperaba crear un ayuntamiento más equilibrado. Sin embargo, la Audiencia de México rechazó sus argumentos y ordenó que la elección se llevara a cabo de inmediato.[34]

La elección, celebrada el 14 de junio, transcurrió sin altercados. El licenciado José Melchor de Foncerrada y Ulibarri, Oídor de la audiencia de México, y su hermano José Cayetano de Foncerrada y Ulibarri, canónigo de la iglesia metropolitana de México, recibieron seis votos respectivamente; el licenciado Isidro Huarte recibió cuatro votos, y el doctor Juan José de Michelena, prebendado de la catedral de Valladolid y el licenciado Pedro José Navarro, vecino de la ciudad, recibieron un voto cada uno. Los nombres de los hermanos Foncerrada y el de Huarte, los tres candidatos con el mayor número de votos, fueron colocados en un recipiente y un niño

33. Citado en Juárez Nieto, *La oligarquía y el poder político en Valladolid*, pp. 302-303.
34. *Ibid.*, pp. 303-304; véase también: Ávila, *En nombre de la nación*, pp. 93-94.

sacó el papel marcado con el nombre de José Cayetano de Foncerrada, quien sería el diputado por la provincia de Michoacán ante las Cortes. Aun cuando Isidro Huarte no resultara electo, el canónigo Foncerrada "era de gran confianza" de ambos grupos. De ahí que tanto el clan Huarte como aquellos aliados con el intendente Terán aceptaran el resultado.[35]

Si bien las provincias de las Provincias Internas se contaban entre aquellas con derecho a elegir un diputado a Cortes, tres de esas provincias del norte –California, Nuevo México y Texas– tenían poblaciones reducidas y de escasos recursos y, por consiguiente, les era imposible cumplir con los requisitos para la elección. Ninguno de los pueblos de esas provincias tenía un ayuntamiento capaz de organizar elecciones, y todos ellos carecían de recursos suficientes para pagar los viáticos y la estancia de sus diputados en España. California no eligió diputado; sin embargo, el gobernador de Nuevo México decidió seguir el precedente establecido por el intendente de Sonora y Sinaloa en las elecciones de 1809, por lo que así que convocó a una reunión de los alcaldes y justicias de los pueblos de Nuevo México en la Villa de Santa Fe, capital de la provincia,[36] en la que solicitó que se proporcionaran los nombres de todos los individuos importantes que calificaran para ser electos como diputados de la provincia de Nuevo México. El 10 de agosto de 1810, los representantes de la provincia se reunieron para elegir a su diputado y los tres hombres con mayor número de votos fueron: Antonio Ortiz y Juan Ortiz con seis votos para cada uno, y Pedro Pino con cuatro votos. Como estaba estipulado, los nombres de los tres finalistas se colocaron "en un vaso de regular tamaño" para el sorteo. El "Padre Custodio (...) metió (...) un Niño de seis a siete años" que pasaba por ahí y que seleccionó el nombre de Pedro Bautista Pino, un comerciante. La Audiencia de Guadalajara revisó la elección y la aprobó. Dados los escasos recursos de Nuevo México, hubo de organizarse una suscripción popular con el fin de recaudar los fondos

35. Juárez Nieto, *La oligarquía y el poder político en Valladolid*, pp. 304-305; "Acta electoral de Mechoacán [*sic*]", en ACDC: Documentación Electoral, Leg. 3, núm. 24. Según Ávila: "el licenciado José Cayetano Foncerrada [era] miembro del grupo de amistades e influencias de Huarte". *En nombre de la nación*, p. 94.

36. Para una excelente exposición sobre la importancia de los magistrados locales en Nuevo México y Texas, véase: Charles R. Cutter, *The Legal Culture of Northern New Spain, 1700-1810* (Albuquerque: University of New Mexico Press, 1995).

necesarios para que el diputado viajase a España. El resultado fue que Pino no logró llegar a Cádiz sino hasta agosto de 1812.[37]

Las condiciones en la provincia de Texas eran similares a las que predominaban en Nuevo México, pero el resultado fue totalmente distinto. El gobernador, teniente coronel Manuel de Salcedo, como el gobernador de Nuevo México, dio instrucciones para que los pueblos de Texas enviaran recomendaciones a los alcaldes de San Fernando de Béxar con miras a las elecciones. Sin embargo, ni el gobernador Salcedo ni el brigadier Bernardo Bonavía, comandante militar de la región, creían que la provincia contara con naturales calificados para el importante cargo de diputado a las Cortes. Entonces, Bonavía aconsejó a Nemesio Salcedo, comandante general de las Provincias Internas, que se nombrase a un oficial militar europeo. Eso resolvería además el problema de los costos, puesto que el oficial recibiría su salario, y la provincia de Texas, que prácticamente no podía reunir los fondos, no tendría que pagarle. Los alcaldes de San Fernando de Béxar estuvieron de acuerdo; el 27 de junio de 1810 los alcaldes de los pueblos de Texas eligieron al gobernador Salcedo como diputado a las Cortes por la provincia de Texas. Los texanos apoyaron al gobernador Salcedo porque había mostrado gran interés en su bienestar. En 1809, cuando la provincia de Texas no estaba autorizada a elegir un candidato a diputado ante la Junta Central, Salcedo preparó una instrucción para ese diputado que señalaba las necesidades de la provincia. Los alcaldes escribieron al comandante general Nemesio Salcedo –tío del gobernador Manuel de Salcedo– y a la Audiencia de Guadalajara para solicitar la aprobación de la elección aun siendo ésta contraria al decreto electoral. Los alcaldes sostenían que la provincia era tan pobre que carecía de los medios para enviar a un natural a España. La Audiencia de Guadalajara rechazó este argumento y ordenó que la provincia de Texas eligiera a un natural como diputado a las Cortes.

Pese a las instrucciones explícitas de la Audiencia, los texanos insistieron en elegir al gobernador Salcedo. En una junta convocada el 12 de agosto por el teniente gobernador José Joaquín Ugarte –el gobernador Salcedo se

37. "Acta Electoral de Nuevo México", en ACDC: Documentación Electoral, Leg. 3, núm. 30. Sobre la situación socioeconómica de Nuevo México en esa época, véase: Ross Frank, *From Settler to Citizen: New Mexican Economic Development and the Creation of Vecino Society, 1759-1820* (Berkeley: University of California Press, 2000).

hallaba entonces en una inspección al presidio de la Bahía de Espíritu Santo– los 16 representantes de la provincia votaron de la siguiente manera: Manuel de Salcedo, ocho votos; Clemente de Arocha, tres; y Juan de Ugarte, uno; tres no votaron y uno estuvo ausente. No se realizó ningún sorteo. Algunos de quienes votaron por Salcedo declararon que lo habían hecho porque la provincia no tendría que pagar sus gastos. Al conocer los resultados, el brigadier Bonavía ordenó al grupo reunirse de nuevo al día siguiente para elegir a un natural de la provincia. Puesto que varios individuos insistieron en votar por el gobernador Salcedo, Erasmo Seguín, un notable de la región, propuso que el grupo suspendiera la votación y se reuniera en el cuartel del brigadier Bonavía para recibir instrucciones. Una vez más, se les informó que sólo podrían elegir a un natural de la provincia y se les ordenó votar de nuevo. Cinco individuos votaron, implacables, por el gobernador Salcedo, uno de ellos votó por transferir la responsabilidad de elegir un nuevo diputado a la Audiencia de Guadalajara y al comandante general Nemesio Salcedo. Otros diez acordaron votar según los requisitos del decreto electoral; sus boletas dieron a José Clemente Arocha y a Refugio de la Garza seis votos, respectivamente; a José Darío Zambrano y Juan Manuel Barrios cinco votos, respectivamente; y a Juan Bautista Riperdá, José Luis Galán y José Antonio Saucedo un voto a cada cual. Los nombres de los tres individuos con mayor número de votos –Arocha, De la Garza y Zambrano– se colocaron en una urna y un niño de seis años eligió a José Clemente Arocha como diputado de Texas. En el momento de resultar electo, Arocha, natural de Texas que había recibido una licenciatura en filosofía por la Universidad de México, se desempeñaba como fiscal eclesiástico en San Fernando de Béxar.[38]

Parecía que el *impasse* había quedado resuelto y que Texas finalmente había elegido diputado a Cortes. Sin embargo, aquellos que votaron por el gobernador Salcedo se negaron a firmar el acta electoral y, por ende, la elección no pudo declararse válida. Resulta poco probable que Nuevo México tuviera más recursos que Texas, así que la única razón para insistir en la elec-

38. Este recuento se basa en Benson, "Texas Failure to Send a Deputy to the Spanish Cortes", pp. 14-35; desafortunadamente, Benson no explica cómo se resolvió el empate entre Barrios y Zambrano. Se puede suponer que el brigadier Bonavía ejerció su autoridad como presidente y rompió el empate. Véase también: Félix D. Almaráz, *Tragic Cavalier: Governor Manuel Salcedo of Texas, 1808-1813* (Austin: University of Texas Press, 1971).

ción de Salcedo era la poca disposición de la elite local a pagar los costos que implicaba enviar y mantener un diputado en España. Si bien se registraron otros intentos por elegir diputado, éstos fueron fallidos, en parte porque la insurgencia estalló en la provincia.[39]

El 12 de octubre de 1810, la *Gazeta del Gobierno de México* informó que los siguientes individuos habían resultado electos como diputados a Cortes:[40]

Nueva España

México: Dr. José Beye de Cisneros, canónigo y catedrático de leyes en la Universidad
Guadalajara: Dr. José Simeón de Uría, canónigo penitenciario de la Catedral
Valladolid de Michoacán: Lic. José Cayetano de Foncerrada, canónigo de México
Puebla: Dr. Antonio Joaquín Pérez, canónigo Magistral de la Catedral
Veracruz: Joaquín Maniau, contador general de la renta del tabaco
Mérida de Yucatán: Dr. Miguel González Lastiri
Guanajuato: Octaviano Obregón, oidor honorario de la Audiencia de México
San Luis Potosí: José Florencio Barragán, teniente coronel de milicias
Zacatecas: Dr. José Miguel de Gordoa, catedrático de prima del seminario de Guadalajara
Tabasco: Dr. José Eduardo de Cárdenas, cura de Cunduacán
Querétaro: Dr. Mariano Mendiola (por la renuncia de Manuel María Mexía, cura de Tamasulapa)
Tlaxcala: Dr. José Miguel Guridi y Alcocer, cura de la villa de Tacubaya
Nuevo Reino de León: Juan José de la Garza, canónigo de Monterrey
Oaxaca: Lic. Juan María Ibáñez de Corvera, regidor honorario de Antequera

Provincias Internas

Sonora: Lic. Manuel María Moreno, racionero de la Santa Iglesia de Puebla
Durango: Dr. Juan José Guereña, doctoral de la Santa Iglesia de Puebla y provisor de aquel obispado
Coahuila: Dr. Miguel Ramos de Arizpe, cura del Real de Borbón

39. Benson, "Texas Failure to Send a Deputy to the Spanish Cortes". Véase también: Virginia Guedea, "Autonomía e independencia en la provincia de Texas. La Junta de gobierno de San Antonio de Béjar, 1813", en Virginia Guedea (coord.), *La independencia de México y el proceso autonomista novohispano, 1808-1824* (México: UNAM/Instituto José María Luis Mora, 2001), pp. 135-183.
40. *Gazeta del Gobierno de México*, tomo I, núm. 120 (12 de octubre de 1810), pp. 856-857.

El virreinato de Nueva España –incluidas las Provincias Internas– tenía derecho a elegir a 22 diputados a las Cortes, pero no todas las provincias con este derecho lograron elegir a su diputado. Las provincias de California, Chihuahua, Nuevo Santander y Texas no eligieron un diputado a Cortes. Nuevo México, como lo indiqué más arriba, no completó el proceso sino hasta más tarde, al año siguiente. Para octubre de 1810, 17 provincias habían elegido a sus diputados propietarios. No todos esos diputados lograron llegar a España. José Florencio Barragán, de San Luis Potosí, se hallaba indispuesto y no pudo viajar a la península, al igual que Juan María Ibáñez Corvera, de Oaxaca. Juan José de la Garza, de Nuevo León, murió en el trayecto.[41] En consecuencia, sólo 15 de los 22 posibles diputados de Nueva España asistieron a las Cortes.

Trece de los 18 diputados elegidos a Cortes eran clérigos. El clero, en general, y los curas párrocos, en particular, desempeñaron un papel significativo en la vida política de su región. Constituían un grupo culto y educado que entendía las necesidades y preocupaciones tanto de la comunidad local como de la sociedad en general. Los curas eran los encargados de informar y representar a sus parroquias. Si bien solían guiar a sus feligreses en materia espiritual y práctica, con la misma frecuencia hacían suyos los deseos de su comunidad. Algunos curas tenían una relación conflictiva con sus parroquianos y unos cuantos fueron expulsados de sus parroquias por feligreses molestos. La crisis de 1808 representó una magnífica oportunidad para que los eclesiásticos incursionaran en terrenos nuevos y más extensos dentro de la política. En tanto políticos, participaron en todos los ámbitos, desde la parroquia y la provincia hasta la monarquía. Al igual que sus hermanos seculares, sostuvieron puntos de vista muy variados. Además, después de 1808, los clérigos dedicados a la política no solían representar los intereses de la Iglesia como institución. De hecho, algunos de los políticos anticlericales más virulentos eran miembros del clero.[42]

41. Charles Berry, "The Election of Mexican Deputies to the Spanish Cortes, 1810-1822", en Benson, *Mexico and the Spanish Cortes*, 16; "Sobre haber sido electo Diputado en Cortes por las Provincia de Oaxaca Don Manuel María Ibáñez Corbera", en ACDC: Documentación Electoral, Leg. 3, núm. 31.

42. Sobre los puntos de vista del clero en Guadalajara durante esa década, véase: Brian Connaughton, *Ideología y sociedad en Guadalajara (1788-1853)* (México: Conaculta, 1992), pp. 107-137. William B. Taylor escribió un excelente trabajo sobre los curas párrocos que permite entender su papel político en los pueblos durante el siglo XVIII. *Magistrates of the Sacred: Priests and Parishioners in Eighteenth-Century Mexico* (Stanford: Stanford

Puesto que el decreto electoral de 1810 especificaba que los representantes ante las Cortes debían ser naturales de sus provincias, el proceso excluyó a los españoles europeos que residían en el Nuevo Mundo. Como era de esperarse, los peninsulares en varias regiones de América protestaron con vehemencia. El resultado fue que la regencia modificó los requisitos el 20 de agosto de 1810, indicando "que no debe considerarse la convocatoria como suena, de los españoles nacidos en América y Asia, sino también de los domiciliados y avecindados en aquellos países, y asimismo de los indios, y de los hijos de españoles e indios".[43] La aclaración llegó al Nuevo Mundo demasiado tarde como para afectar las elecciones.

El decreto también se refería a un asunto importante para los americanos: los indígenas y mestizos tenían derecho a votar y a ser elegidos como diputados. Al parecer, la regencia se dio cuenta de que al otorgar a las capitales de partido el derecho a elegir al diputado de la región, había pasado por alto, sin notarlo, a los indígenas que vivían en repúblicas. De ahí que propusiera "el nombramiento de defensores que representen en ellas [las Cortes] a los indios, ínterin que se arregla el método con que deberán ellos mismos elegir sus representantes".[44] Sin embargo, la propuesta se diluyó. Una vez convocadas las Cortes, éstas asumieron la soberanía y procedieron a reestructurar la monarquía española. Los indígenas fueron definidos como ciudadanos españoles por la Constitución de 1812 y posteriormente participaron en el proceso electoral; no obstante, los derechos políticos de quienes tenían ascendencia africana quedaron pendientes.

El decreto electoral exigía que las regiones dotaran a sus diputados de poderes e instrucciones. Todas las provincias otorgaron poderes a sus diputados, algo imprescindible para que se les reconociera como diputados pro-

---

University Press, 1996). Véase la interesante discusión sobre los sacerdotes insurgentes en: Van Young, *The Other Rebellion*, pp. 201-308. Para un excelente estudio de la influencia eclesiástica, véase: Carlos Herrejón Peredo, *Del sermón al discurso cívico. México, 1760-1834* (Zamora y México: El Colegio de Michoacán/El Colegio de México, 2003). Es parecido el caso de Mariana Terán Fuentes, quien ofrece un estudio regional notable en *El artificio de la fe. La vida pública de los hombres de poder en el Zacatecas del Siglo XVIII* (Zacatecas: Universidad Autónoma de Zacatecas/Instituto Zacatecano de Cultura Ramón López Velarde, 2002).

43. "Decreto adicional al de 14 de Febrero de 1810, para que los indios puedan eligir representantes a las Cortes del reyno", en Hernández y Dávalos, *Colección de Documentos*, II, pp. 307-308.

44. *Ibid.*

pietarios. Sin embargo, no todas las provincias que eligieron a un diputado cumplieron el requisito de proporcionarle instrucciones; algunas provincias no lo hicieron creyendo que las instrucciones de 1809 eran suficientes. Sonora y Sinaloa reenviaron sus instrucciones de 1809; Puebla, que había encargado a José Mariano Beristáin la redacción de sus instrucciones, no las recibió sino hasta junio de 1810 y las modificó ligeramente para su diputado ante las Cortes. Empero, el diputado Pérez pudo no haberlas recibido antes de partir a Europa; Zacatecas reiteró sus demandas de igualdad, así como Guanajuato; Michoacán también insistió en que merecía su propia audiencia dada la importancia del obispado de Michoacán, el peso de su economía y el tamaño de su población. Provincias como Tabasco, que no habían participado en las elecciones de 1809, enviaron nuevas instrucciones en las que se explicaba la naturaleza de su región, su economía y su sociedad, así como sus necesidades y sus solicitudes de mejoras.[45] Ya que sólo habían pasado unos meses desde que las provincias prepararan sus instrucciones de 1809, la mayoría aún concebía a sus diputados, en mayor o menor medida, como procuradores encargados de obtener las mejoras y los beneficios necesarios para su región. Aunque algunos ayuntamientos –como Guanajuato y Zacatecas– insistieron en la reforma política, la naturaleza de las Cortes Generales y Extraordinarias estaba poco clara y no había razón para que nadie pensara que acabarían convirtiéndose en un congreso constitucional.

Algunos historiadores afirman que los diputados de América tenían un estatus inferior a los de la península y que eran meros procuradores, antes que representantes con poderes plenos. Alfredo Ávila, por ejemplo, dice: "Mientras aquellos [los peninsulares] no llevarían instrucciones o poderes a las Cortes, los de América y Filipinas sí lo harían (...) Es decir (...) nos encontramos con el hecho de que los diputados americanos, como los vocales de la Junta Central, serían apoderados y procuradores de los ayuntamientos".[46]

45. Los documentos de las elecciones de 1810 en Nueva España pueden localizarse en ACDC: Documentación Electoral, Leg. 3. El Acta Electoral de Michoacán (en ACDC: Documentación Electoral, Leg. 3, núm. 24) no incluye las instrucciones. Sin embargo, el Diputado Foncerrada declaró el 28 de julio de 1812 en las Cortes que "pedir una nueva Audiencia para Valladolid de Mechoacán [*sic*] [...se] halla expresamente [en] mis instrucciones". *Diario de seciones. Cortes de Cádiz*, CD-ROM (Madrid: Congreso de los Diputados, 2000), p. 347.

46. Ávila, *En nombre de la nación*, pp. 92 y 95.

¡Pero esto es erróneo! En primer lugar, *todos los diputados* debían llevar consigo un acta electoral, así como sus poderes, que serían revisados por la comisión de poderes antes de que algún individuo fuese aceptado como diputado a Cortes.[47] En segundo lugar, las ciudades de España que tenían derechos tradicionales de representación en las Cortes –como las capitales de provincia de América– eligieron a sus diputados y les proporcionaron sus actas electorales, poderes e instrucciones. Éste era el papel tradicional de las ciudades al elegir diputados a las Cortes. En este sentido, no había diferencia alguna entre el proceso electoral de las ciudades de la Nueva España y de la Vieja. Los diputados electos en la península sobre la base de la población fueron elegidos por juntas electorales de parroquia, de partido y, en última instancia, por una junta electoral en la capital de provincia. Este organismo los dotó de sus actas electorales, que documentaban el proceso electoral en el ámbito provincial, así como de poderes. Es muy probable que las juntas electorales de provincia también les proporcionaran instrucciones, ya fuera por escrito o verbalmente. Todos los diputados, tanto los de la península como los de América, debían ser naturales de las provincias que representaban. Y aunque *todos los diputados* tenían la obligación de promover los intereses de sus provincias, también eran todos ellos responsables del bienestar de la nación española. No existe ninguna evidencia de que los diputados americanos fuesen considerados inferiores a los europeos; y no cabe duda de que, en Cádiz, actuaron como sus iguales.

La revolución armada

El 16 de septiembre, antes de que los recién electos diputados de Nueva España a las Cortes tuvieran oportunidad de zarpar hacia la península, se registró un gran levantamiento en el Bajío. Aunque fueron varias las personas que participaron en la gesta, el cura Miguel Hidalgo se destacó como líder. Mucho se ha escrito sobre este movimiento, pero sigue siendo difícil explicar sus orígenes y su desarrollo.[48] Quienes han escrito sobre el tema

47. Como se indica en la nota 45, las actas electorales y los poderes se encuentran en el Archivo del Congreso de Diputados de las Cortes.
48. Varias interpretaciones sobre el papel que jugó Miguel Hidalgo se exponen en: Marta Terán y Norma Páez (coords.), *Miguel Hidalgo: Ensayos sobre el mito y el hombre (1953-2003)* (Madrid: INAH/Mapfre Tavera, 2004).

hacen hincapié en el conflicto entre criollos y peninsulares. Sin embargo, aunque ocasionalmente se generaron tensiones entre los dos grupos en torno a problemas específicos, la evidencia de una división grave resulta endeble. Cuando la revuelta estalló, las elecciones de diputados a Cortes recién habían concluido. Puesto que la convocatoria limitaba la elección a los naturales de la provincia que los votara, los españoles europeos fueron excluidos y todos los diputados de Nueva España eran americanos. Las elecciones alejaron el poder de los peninsulares y legitimaron los derechos de los novohispanos. El proceso, sin duda, satisfizo a los americanos y les proporcionó una razón para mostrar optimismo por el futuro.

Aun así, la situación en la península era inquietante. El Consejo de Regencia –gobierno de la monarquía española– había emprendido la retirada hacia la Isla de León, donde se hallaba protegido por los cañones de las armadas española y británica. Muchos temían que España aún pudiera ser dominada por completo por Francia. De manera que la propuesta del ayuntamiento de México de 1808 –establecer una junta autónoma para gobernar Nueva España en nombre del rey Fernando VII– todavía era considerada una opción viable. Como lo indiqué anteriormente, dicha propuesta no era revolucionaria. Por el contrario, estaba fundada en la teoría política hispánica tradicional. A decir verdad, si la propuesta se hubiese presentado de manera tal que salvaguardara los intereses de los peninsulares, éstos hubiesen accedido a participar en la formación de un gobierno de esta índole, como lo sugiere el hecho de que eminentes españoles europeos participaran en la conspiración de Valladolid.

Algunos historiadores desestiman estos problemas; Hugh Hamill, por ejemplo, ha dicho que: "El 'miedo' al ogro frances era principalmente un recurso de propaganda. Fernando VII era una figura principal diseñada para hacer de la revolución algo respetable".[49] No obstante, es cierto que "la imagen de una conspiración española europea que entregara Nueva España a los franceses era plausible y poderosa en 1810".[50] Había buenas razones para creer en ello. Las autoridades, tanto en la Vieja como en la Nueva España,

49. Hugh M. Hamill, Jr., *The Hidalgo Revolt* (Gainesville: University of Florida Press, 1966), pp. 110-111.
50. Guardino, "Identity and Nationalism in Mexico", p. 321.

habían librado durante años una intensa campaña de propaganda contra los ateos franceses. Por su parte, la mayoría de los funcionarios reales del virreinato había sido nombrada por Manuel Godoy, un hombre al que se concebía como corrupto y al que se le imputaba haber entregado la monarquía española al malvado tirano, Napoleón Bonaparte. De ahí que muchos novohispanos dudaran de la lealtad de los europeos. Quienes albergaban sospechas las refrendaron cuando un pequeño número de europeos derrocó al virrey Iturrigaray para frustrar la convocatoria a un congreso de ciudades que defendiera el reino ante los franceses. Los habitantes de Nueva España, además, mantuvieron viva su fe en el rey Fernando VII. Como afirma Marco Antonio Landavazo, quien ha estudiado más a fondo la cuestión: "Parecía en efecto que los novohispanos idolatraban a su desgraciado monarca".[51]

El miedo al "ogro" francés era real, y en Nueva España eran numerosos los rumores sobre una intervención extranjera.[52]

> Una suerte de neurosis colectiva se apoderó de la población (...) Los españoles europeos, los gachupines, creían identificar conspiraciones diabólicas que echaban la sombra del genocidio sobre su minoría (...) Los criollos albergaban pensamientos oscuros parecidos, llenos de atrocidades (...) fraguadas en contra de su clase por los gachupines aliados con los franceses, los ingleses o los [anglo] americanos invasores. En toda Nueva España, los criollos debatían sobre acciones conjuntas para proteger su gobierno legítimo contra la traición gachupina, contra la entrega a los franceses sin dios o a los ingleses herejes (...) Los indígenas, los mestizos y otros grupos raciales compuestos sentían una aprensión aún mayor por calamidades inminentes.[53]

La gente de Nueva España se halló de pronto en un mundo inestable y peligroso, en un momento en que la monarquía se había derrumbado y la legitimidad de los funcionarios reales era puesta en cuestión. Para muchos parecía

51. Landavazo, *La mascara de Fernando VII*, p. 135. Véase también: Hugh M. Hamill, Jr., "The Rector to the Rescue: Royalist Pamphleteer in the Defense of Mexico, 1808-1821", en Roderick A. Camp, Charles Hale y Josefina Zoraida Vázquez (eds.), *Los intelectuales y el poder en México* (México: El Colegio de México/UCLA Latin American Center, 1991), pp. 49-61.
52. Terán, "La Virgen de Guadalupe contra Napoleón", pp. 91-129.
53. Christon I. Archer, "Bite of the Hydra: The Rebellion of Cura Miguel Hidalgo, 1810-1811", en *Patterns of Contention in Mexican History*, Jaime E. Rodríguez O. (ed.), (Wilmington: Scholarly Resources, 1992), p. 73.

como si su gobierno ya no funcionara. Como dijo el obispo electo Manuel Abad y Queipo: "rota la cadena del orden público y acabado el gobierno establecido", la anarquía y la violencia estarían por llegar.[54] Por eso era sólo cuestión de tiempo antes de que un líder o un grupo de líderes se lanzara a la búsqueda del control del gobierno de Nueva España. Esta acción no era revolucionaria; antes bien, era coherente con la teoría política hispánica. Esta acción no derivaría en la independencia, es decir, en la separación respecto de la monarquía española. En lugar de ello, buscaría mantener la independencia del reino frente a los franceses y gobernar en nombre del rey Fernando VII.

La mayoría de los historiadores –desde Lucas Alamán hasta Eric Van Young– ha considerado la revuelta de 1810 como un movimiento indígena y campesino.[55] Durante las últimas décadas, los estudiosos de lengua inglesa han dedicado muchos esfuerzos a comprender el papel de los campesinos en los procesos revolucionarios de diferentes partes del mundo. Quizá los más influyentes de esos estudiosos hayan sido Eric R. Wolf, Eric J. Hobsbawm, E. P. Thompson y James C. Scout,[56] sus obras han influido significativamente en las interpretaciones recientes en lengua inglesa sobre la insurgen-

54. Citado en Mendoza Briones, "Fuentes documentales sobre la independencia", p. 197.
55. Según Eric Van Young: "Haya sido lo que haya sido, la rebelión proclamada y encabezada por el cura Miguel Hidalgo en septiembre de 1810 fue también una revuelta campesina masiva". Eric Van Young, "Moving Towards Revolt: Agrarian Origins of the Hidalgo Rebellion in the Guadalajara Region", en Friedrich Katz (ed.), *Riot Rebellion, and Revolution: Rural Social Conflict in Mexico* (Princeton: Princeton University Press, 1988), p. 176. (Véanse también los ensayos de John H. Coatsworth, Friedrich Katz, John Tutino, y William B. Taylor en ese mismo volumen.) Alamán, *Historia de Méjico*, I, pp. 347-502. Véase también: John Tutino, *From Insurrection to Revolution in Mexico: Social Bases of Agrarian Violence, 1750-1940* (Princeton: Princeton University Press, 1986). Además, Van Young publicó recientemente una obra capital en la que sostiene que: "los indígenas en un sentido real constituyen la piedra de toque de [... la insurgencia]". *The Other Rebellion*, p. 127. Su análisis detallado y sus argumentos sobre los indígenas como mayoría constitutiva de los insurgentes aparecen en las páginas 39 a 65. No obstante, su análisis no se limita al periodo que consideramos aquí –1810 a principios de 1811–. Van Young también reconoce que ni la región del Bajío ni la de Guadalajara eran como las regiones del sur de Nueva España, densamente pobladas por indígenas.
56. Eric R. Wolf, *Peasant Wars of the Twentieth Century* (Nueva York: Harper and Row, 1973); Eric J. Hobsbawm, *Primitive Rebels: Studies in Archaic Forms of Social Movement in the 19th and 20th Centuries* (Nueva York: Praeger, 1963) y *Bandits* (Nueva York: Pantheon, 1981); E. P. Thompson, "The Moral Economy of the English Crowd in the Eighteenth-Century", en *Past and Present*, 50 (1971), pp. 76-136; y James C. Scott, *The Moral Economy of the Peasants: Rebellion and Subsistence in Southeast Asia* (New Haven: Yale University Press, 1985) así como *Weapons of the Weak: Everyday Forms of Peasant Resistance* (New Haven: Yale University Press, 1985).

cia en Nueva España. Sin embargo, algunos historiadores de México como William B. Taylor y Manuel Miño Grijalva sostienen que en Nueva España las revueltas rurales eran escasas y que los pueblerinos por lo general acudían al sistema de justicia para hacer oír sus quejas.[57] Lo que es más, según afirma Taylor:

> Los historiadores a veces piensan en la gran población rural como un conjunto homogéneo o sólo ligeramente variado, pero los nobles por herencia y los caciques políticos aún eran individuos distinguidos (...) por su riqueza y su influencia personal. Casi todo pueblo rural tenía su pequeña burguesía compuesta por notarios, artesanos hábiles, funcionarios del Estado, taberneros y comerciantes. La propiedad comunal y las obligaciones comunales tendían a igualar la vida en el pueblo (...) pero las diferencias sí que existían, tanto en materia de riqueza como de independencia, entre el campesinado, el artesanado y los agricultores de muchas comunidades: diferencias entre agricultores basadas en la cantidad y calidad de las tierras que poseían, y entre éstos y los arrendatarios, entre los jornaleros a tiempo parcial y los jornaleros sin tierras. [58]

Sin embargo, las crónicas de esa época y la mayor parte de las investigaciones recientes utilizan por lo general el término "indios" para referirse a una masa indiferenciada que actúa violenta e incontrolablemente. Puesto que las fuentes consultadas no señalan diferencias entre los diversos grupos rurales, es imposible marcar esas distinciones en el presente capítulo. No obstante, con la finalidad de comprender la gran insurrección del Bajío, resulta crucial tener en mente la naturaleza compleja y diversa de la sociedad rural.

57. William B. Taylor, *Drinking, Homicide and Rebellion in Colonial Mexican Villages* (Stanford: Stanford University Press, 1979), pp. 113-151; y Manuel Miño Grijalva, "Acceso a la justicia y conflictos en varios distritos del Valle de Toluca (Nueva España) durante el siglo XVIII. Una estimación cuantitativa", en *Mexican Studies/Estudios Mexicanos*, Vol. 23, núm. 1 (invierno de 2007), pp. 1-31. Véase también: Friedrich Katz, "Rural Uprisings in Preconquest and Colonial Mexico", en Katz (ed.), *Riot Rebellion and Revolution*, pp. 65-94. Para una visión distinta, véase: Van Young, *The Other Rebellion*, pp. 407-452.
58. Taylor, *Drinking, Homicide and Rebellion*, p. 21. Sobre la naturaleza de algunas comunidades indígenas o campesinas, véase: Marcello Carmagnani, *El regreso de los dioses. El proceso de reconstitución de la identidad étnica en Oaxaca, Siglos XVII y XVIII* (México: FCE, 1988); y Felipe Castro Gutiérrez, *Los tarascos y el Imperio español, 1600-1740* (México y Morelia: UNAM/Universidad Michoacana de San Nicolás de Hidalgo, 2004).

El Bajío

Para entender la naturaleza del levantamiento en el Bajío también es necesario examinar las características de la región. Manuel Miño Grijalva ha demostrado que Nueva España estaba conectada a través de una intrincada red de vínculos entre los centros urbanos –ciudades, villas y pueblos– dominados por las capitales regionales, que se hallaban ellas mismas vinculadas a la capital virreinal y a la ciudad más grande del hemisferio occidental: México.

> Las ciudades dominaron su *hinterland*, pero a su vez su desarrollo dependió de éste, por las condiciones de producción: el éxito de los productos regionales repercutió de manera directa en el fortalecimiento urbano. No se puede entender la ciudad de Guadalajara sin su ganadería; a Guanajuato o Zacatecas sin la plata; a Querétaro y el eje Puebla-Tlaxcala sin su producción textil; al norte sin sus exportaciones mineras, de lana y ganado menor; a Córdoba y Orizaba sin las plantaciones de tabaco; o a Oaxaca sin la grana y el algodón.[59]

Factores económicos, sociales y también políticos hicieron del Bajío un excelente campo de cultivo para una gran insurrección armada. Esta región, al noroeste de la ciudad de México, en el valle del río Lerma, entre León y Querétaro, fue una de las zonas industriales y agrícolas más modernas y prósperas de Nueva España. Su sector agrícola se caracterizaba por su producción altamente capitalizada, que estaba integrada verticalmente a los sectores manufacturero y minero. La lana de las haciendas ovejeras surtía a las fábricas de textiles; estas últimas producían la ropa y las telas para los mineros; los mineros extraían y refinaban la plata; y la industria de la platería constituía el mercado de la producción ganadera y de granos en toda la provincia. Los tres sectores sostenían las actividades económicas de servicios y comercio. Las empresas económicas de la región tendían a ser más del tipo de capital intensivo que en el caso de otras provincias. Esta compleja economía integrada era particularmente sensible a los cambios en las políticas gubernamentales que restringían el suministro de capital disponible y a la inestabilidad internacional –las guerras, por

59. Miño Grijalva, *El mundo novohispano*, p. 17.

ejemplo– que influía sobre el suministro de los bienes necesarios para la minería, como el azogue.[60]

La ciudad de Guanajuato, situada casi en el centro de la región, era el emplazamiento de la Veta Madre, una de las minas de plata más ricas del mundo. Querétaro constituía el núcleo de la industria textil.

> Las ciudades de Celaya, Querétaro, Guanajuato y León fueron los centros urbanos articuladores básicos, aun cuando Valladolid y Acámbaro formaban parte de la región. Al cobijo de esos centros aparecieron y crecieron centenares de pueblos y ciudades abastecedores de insumos y alimentos para los centros mineros y para la subsistencia de los núcleos urbanos más importantes; asimismo, fueron parte del eje mercantil del propio norte.[61]

Empero, existían conflictos entre los nuevos centros urbanos y las ciudades más grandes, en particular Guanajuato. Como lo ha demostrado José Antonio Serrano Ortega, los "vecinos principales" de las poblaciones sujetas buscaban transformar el estatuto de dichas poblaciones al de capitales de sus propios territorios, obteniendo así autonomía, incluido el control administrativo sobre sus propias finanzas, sobre lo jurídico, la milicia, así como el bienestar del pueblo y sus alrededores. "La fundación de cabildos en sus poblaciones, confería a los vecinos principales una condición especial, es decir, fueros y privilegios que elevaban su rango respecto a los demás vecinos de las poblaciones de la intendencia de Guanajuato". Además, "la fundación de un nuevo cabildo incrementaba el peso político de los vecinos principales, abría la posibilidad de que las autoridades provinciales y virreinales les pidieran su 'parecer' sobre la marcha de la intendencia y el reino, o mejor, de la 'nación'".[62] A principios del siglo XIX, las elites –o patricios– de las grandes ciudades se oponían con vehemencia a la fundación de ayuntamientos en sus pueblos agregados o sujetos. Argumentaban que los vecinos locales carecían

60. James William Taylor, "Socio-Economic Instability and the Revolution for Mexican Independence in the Province of Guanajuato" (Tesis de doctorado: University of New Mexico, Albuquerque, 1976), pp. 287-288. Véase también: David A. Brading, *Haciendas and Ranchos in the Mexican Bajío: León, 1700-1860* (Cambridge: Cambridge University Press, 1978), pp. 223-246.
61. Miño Grijalva, *El mundo novohispano*, p. 199.
62. Serrano Ortega, *Jerarquía territorial y transición política*, pp. 66-72.

de la preparación y de la responsabilidad para administrar sus propios asuntos. El intendente Riaño estaba de acuerdo con estas elites, y en 1805 se propuso eliminar el ayuntamiento de Silao. Según los patricios de Guanajuato, los vecinos de Silao eran incapaces de administrar las finanzas locales: "Los vecinos de Silao –sostenían– buscaban el cabildo no para ayudar al 'progreso moral y económico del publico de la congregación', sino sólo esperaban conseguir un derecho personal".[63] Naturalmente, los vecinos principales de los pueblos más pequeños veían con profundo resentimiento la actitud de las ciudades grandes y, sobre todo, despreciaban a las elites de Guanajuato que no estaban dispuestas a reconocer sus legítimos intereses y sus derechos.

A diferencia del centro y el sur de Nueva España, donde las comunidades indígenas establecidas dominaban las zonas rurales, el Bajío fue fundado por europeos después de la conquista, que atrajeron a trabajadores indígenas, mestizos, mulatos y negros a la región con altos salarios y condiciones de trabajo seguras. A finales del siglo XVIII, el Bajío tenía una población móvil, la mayor parte de la cual participaba en la economía de mercado.[64]

La composición étnica de la población del Bajío era distinta a casi todas las demás regiones de Nueva España. Como resultado de la naturaleza del asentamiento en la región y la movilidad de los chichimecas, la mayoría de los indígenas que se asentaron en el lugar venía de otros lugares: se trataba de tlaxcaltecas, nahuas, tarascos y otomíes. Existían algunas comunidades indígenas. De la clase tributaria en la región, 28 por ciento estaba formada por "indios de pueblo", mientras que 58 por ciento era de "indios laborios y vagos". En contraste, en las intendencias de México y Puebla, "indios laborios y vagos" constituían poco más de uno por ciento de la población tributaria.[65] Más aún: en el Bajío, la población de las repúblicas decreció conforme sus miembros emigraron para trabajar en las industrias mineras y textiles.[66] En las grandes ciudades, como

63. *Ibid.*, p. 79.

64. Eric R. Wolf, "The Mexican Bajío in the Eighteenth Century", en *Synoptic Studies of Mexican Culture* (Nueva Orleans: Middle American Research Institute Publication, 1957); Brading, *Miners & Merchants*, pp. 223-328 y 247-260; John Super, *La vida en Querétaro durante la colonia, 1531-1810* (México: FCE, 1983).

65. Wolf, "The Mexican Bajío", p. 191.

66. Según Dorothy Tank de Estrada, en la Intendencia de Guanajuato en 1800 había sólo 41 pueblos de indios y 224 000 indígenas. Queda claro que la gran mayoría de estos indígenas no vivía en los pueblos. Dorothy Tank de Estrada, mapas de Jorge Luis Miranda García y Dorothy Tank de Estrada con la colaboración de Tania Chávez Soto, *Atlas ilustrado de los pueblos de indios. Nueva España, 1800* (México: El Colegio de México/El Colegio

Guanajuato, los indígenas pasaban por un proceso de aculturación; hablaban el español, vestían ropas de estilo europeo y a menudo montaban a caballo.[67] La composición étnica de la intendencia de Guanajuato, de acuerdo con el censo de 1793, estaba constituida como se detalla a continuación (Cuadro 2):[68]

Cuadro 2
Composición étnica de la intendencia de Guanajuato

Etnia	*Hombres*	*Mujeres*	*Total*
Europeos	1 278	2	1 280
Criollos	59 230	49 374	108 604
Indios	89 753	85 429	175 182
Mulatos	35 057	37 224	72 281
Otras castas	24 602	22 380	46 982

Los españoles europeos, casi todos ellos montañeses y vascos, dominaban los peldaños más altos del gobierno, la Iglesia, el ejército y el comercio. No obstante, la mayoría, tenía posiciones de baja calificación en la industria y el comercio. De manera similar, una minoría de criollos desempeñaba altos cargos en el gobierno, la Iglesia y el ejército. Unos cuantos eran ricos y poseían minas y haciendas. Pero la gran mayoría era de miembros de la clase trabajadora. De esta manera, muchos de los criollos trabajaban codo a codo con mulatos, mestizos e indígenas. Como grupo, los mulatos constituyeron el sector más exitoso de la clase trabajadora durante los últimos años del siglo XVIII; a principios del XIX experimentaron una movilidad social ascendente, y, de hecho, algunos de ellos contrajeron matrimonio con criollas.[69] Felipe Castro

Mexiquense/Comisión Nacional para el Desarrollo de los Pueblos Indígenas y Fomento Cultural Banamex, 2005), p. 24.

67. Wolf, "The Mexican Bajío", p. 191.
68. Los censos registran menor número de mujeres que de hombres. Parece extraño que hubiese más de mil hombres españoles y sólo dos mujeres. Algo similar sucede con el número de mujeres en cada categoría, que es menor al de los hombres. Pese a estas anomalías, el censo proporciona un desglose razonable de las dimensiones de los grupos étnicos en la región. Taylor, "Socio-Economic Instability"; las cifras proceden de la Tabla V, página 142. Véase también el análisis de los datos del censo que hace Brading en *Miners & Merchants*, pp. 247-260.
69. Taylor, "Socio-Economic Instability", pp. 138-192.

Gutiérrez ha sostenido que hacia finales del siglo XVIII la región se caracterizaba por "el tránsito de la antigua sociedad ordenada por estamentos sociorraciales a una sociedad de clases, donde poco importará el origen étnico".[70]

El Bajío, así como Michoacán, con la que se relacionaba, fueron sitios en los que se registraron revueltas importantes contra algunas de las reformas borbónicas y contra la expulsión de los jesuitas en 1766 y 1767. Hombres y mujeres asaltaron a las autoridades locales, desobedecieron a los párrocos y aterrorizaron a la "gente decente". El visitador general José de Gálvez reprimió estos alzamientos con una violencia sin precedentes. Unas 3 mil personas fueron llevadas a juicio: 85 fueron ejecutadas, 674 sentenciadas al encierro de por vida, 117 enviadas al exilio y 73 azotadas. El número de ejecuciones asombró a un público acostumbrado al uso relativamente moderado de la pena capital. Nada comparable ocurrió jamás en la historia de Nueva España.[71] Fue una lección de brutalidad que muchos en la región recordarían con gran recelo.

Al explicar quiénes eran esas personas que se rebelaban, Castro Gutiérrez afirma:

> Los testigos presenciales y funcionarios hablan reiteradamente de grupos que definen como "plebeyos". Para esta sociedad y esta época el término abarca a las muy variadas ocupaciones urbanas y semiurbanas que vivían, crecían y sobrevivían en los intersticios y traspatios de las grandes ciudades como Guanajuato, Valladolid y San Luis Potosí: sirvientes domésticos, "galleros y truqueros", mercachifles, vendedores callejeros de alimentos, artesanos, arrieros, jornaleros y un buen número de individuos sin oficio ni beneficio conocido. Vistos con desconfianza por las autoridades encargadas del orden, con aprensión por los curas párrocos que dudaban de su moralidad, despreciados por las oligarquías, formaban sin embargo parte fundamental de la vida urbana.[72]

Desgraciadamente, las crónicas de la época y los estudios de nuestro tiempo suelen utilizar el término "plebe" de la misma manera en que

70. Felipe Castro Gutiérrez, "Orígenes sociales de la rebelión de San Luis Potosí, 1776", en Rodríguez O., *Patterns of Contention in Mexican History*, p. 47.
71. Felipe Castro Gutiérrez, *Nueva ley y nuevo rey: reformas borbónicas y rebelión popular en Nueva España* (Zamora y México: El Colegio de Michoacán/UNAM, 1996), pp.175-221.
72. *Ibid.*, p. 223.
73. *Ibid.*, p. 225.

usan el término "indios": para referirse a una masa indiferenciada, que a menudo es retratada actuando con violencia y sin control. Pero si se quiere comprender esta gran insurrección es preciso tener en mente la naturaleza compleja y diversa de la sociedad urbana, igual que sucede con la sociedad rural. En esta obra, el término "plebe" se utiliza en el sentido descrito anteriormente por Felipe Castro Gutiérrez.

Dentro de la clase trabajadora del Bajío, los mineros constituían un grupo especial. Dadas las características de su trabajo, los mineros eran físicamente fuertes y por lo general tenían habilidades técnicas. Por ello, eran muy solicitados y se les pagaba bien. Puesto que muchos requerían su trabajo, a menudo los mineros cambiaban de empleo y migraban hacia lugares donde los patrones les proporcionaban mejores salarios, o mejores condiciones de trabajo, o ambas cosas. Dado que el trabajo de la minería era muy arduo, los mineros insistían en su derecho a periodos de descanso: "Así, en Guanajuato había siempre un número considerable de jornaleros ociosos, que formaban una masa disponible y pronta para cualquier conmoción".[73]

En 1810, la Intendencia de Guanajuato, aunque pequeña, tenía la densidad de población más alta de Nueva España. Había allí 633 habitantes por legua cuadrada; en comparación, la Intendencia de México tenía sólo 269. Únicamente el valle de México tenía una densidad de población mayor.[74] Naturalmente, una concentración tan alta de personas en el emplazamiento de una economía compleja significaba que la región y sus habitantes padecían de inmediato cualquier cambio político o económico.

La ciudad de Guanajuato era distinta de las villas y pueblos de la región, pues poseía una estructura social más rígida en la que los europeos dominaban el gobierno, la Iglesia, el ejército y el comercio. Para la mayoría de los criollos era difícil ascender en la escala social y resultaba aún más complicado para los mulatos, los mestizos y los indígenas, particularmente si era por medio del matrimonio. Otros centros urbanos como Dolores y San Miguel el Grande ofrecían mayor movilidad social a individuos económicamente exitosos. Fuera de la ciudad de Guanajuato "el tránsito de la antigua sociedad ordenada por estamentos sociorraciales a una sociedad de clases,

74. Wolf, "The Mexican Bajío", p. 186.
75. Taylor, "Socio-Economic Instability", pp. 112-137.

donde poco importará el origen étnico", planteada por Castro Gutiérrez, sí estaba ocurriendo. Así que, como puede inferirse, las tensiones sociales en la capital de la intendencia eran fuertes.

Históricamente el Bajío había ofrecido grandes oportunidades y movilidad social, pero a finales del siglo XVIII las condiciones se deterioraron. Aun cuando se abrían nuevas minas, los costos de producción se incrementaban, se reducían las ganancias y, por ende, los salarios y beneficios de los mineros. El crecimiento de la población llevó a la expansión de los centros urbanos; en 1810, por ejemplo, Guanajuato alcanzó los 80 000 habitantes; Querétaro 60 000; Celaya 25 000; León 18 000; Acámbaro 10 000 y Dolores 8 000. Guanajuato era la tercera ciudad más grande de América después de la ciudad de México y La Habana. El incremento de la población durante un periodo de crecimiento económico lento y de alza de costos redujo las posibilidades tanto de los trabajadores urbanos como de los rurales de obtener altos salarios y trabajos seguros.[75]

El Bajío también pasaba por una transformación agrícola. Los propietarios de grandes heredades que antes sembraran maíz y criaran ganado comenzaron a usar sus tierras irrigadas para el cultivo de trigo, frutas y vegetales, productos con alta demanda en las ciudades y los pueblos. Estos propietarios relegaron la producción de maíz a las zonas marginales y empujaron la crianza de ganado hacia las regiones más áridas del norte. El resultado fue que los precios de los alimentos aumentaron drásticamente. Si bien los habitantes más prósperos de las zonas urbanas podían costear comida más cara, a los habitantes depauperados del campo les era cada vez más difícil pagar por el maíz y los frijoles, alimentos básicos de los campesinos. Ya que la agricultura comercial dominaba la región, los campesinos tampoco podían asegurar suficiente tierra para producir sus propios alimentos. Otra consecuencia de la transformación en la producción agrícola fue que la crisis de 1808-1809 afectó severamente al Bajío. Las grandes propiedades que almacenaron granos durante periodos de producción abundante vendieron sus reservas a altos precios durante periodos de escasez. Más que ayudar a los campesinos, las autoridades concentraron sus esfuerzos en las ciudades, e incluso llevaron a éstas granos procedentes de áreas rurales presas del hambre. (No se trataba de una práctica poco usual. Las auto-

76. Tutino, *From Insurrection to Revolution in Mexico*, pp. 61-98; Christon I. Archer, "'La revolución desastrosa':

ridades francesas también trasladaban alimentos de zonas rurales a zonas urbanas durante épocas de crisis agrícola, ya que las ciudades con mucha población podían amenazar la estabilidad del régimen si sus necesidades no se cubrían.) A finales de 1809, y ante la oposición de los pobladores rurales, se requirieron efectivos militares para escoltar cargamentos de granos hacia las alhóndigas de las ciudades. En 1810, el intendente Juan Antonio Riaño sugirió el uso de la fuerza para expropiar el maíz y alimentar a los residentes de Guanajuato,[76] de modo que los habitantes de pequeños pueblos y otros grupos rurales padecieron la escasez de la crisis agrícola con mayor fuerza. Mucha gente del Bajío señalaba a Guanajuato como causa de su sufrimiento. La gran Alhóndiga de Granaditas simbolizaba la explotación que las autoridades y la ciudad ejercían sobre las zonas rurales y los pequeños poblados.[77]

Las penurias rurales coincidieron con el deterioro de las condiciones de trabajo en el ámbito industrial. La producción textil –la empresa más grande y más importante de Nueva España– entró en crisis a principios del siglo XIX. La producción de lana declinó en el norte, más árido, y los costos de transportación se incrementaron y disiparon los costos de la manufactura textil. Además, los productores del Bajío se enfrentaron a la competencia de las importaciones de bajo costo, toda vez que el sistema de comercio libre permitía que los algodones catalanes baratos inundaran Nueva España. La situación para los manufactureros novohispanos mejoró brevemente cuando las guerras europeas suspendieron las importaciones de España. Pero la industria recibió un golpe

Fragmentación, crisis social y la insurgencia del cura Miguel Hidalgo", en Jean Meyer (coord.), *Tres levantamientos populares: Pugachóv, Túpac Amaru, Hidalgo* (México: Centre d'Études Mexicaines et Centraméricaines/Conaculta, 1992), p. 119.

77. Según Enrique Florescano, durante la crisis de 1810, "el virrey, la iglesia y la población entera condenará a las llamas del infierno al 'avariento agricultor', a los monopolistas y especuladores que se enriquecen con 'la miseria del pueblo…'.", *Precios del maíz y crisis agrícolas en México (1708-1810)* (México: El Colegio de México, 1969), 193; Brian R. Hamnett, *Roots of Insurgency: Mexican Regions, 1750-1824* (Cambridge: Cambridge University Press, 1986), pp. 102-124; Manuel Miño Grijalba, *Obrajes y tejedores de Nueva España (1700-1810)* (Madrid: Instituto de Estudios Fiscales, 1990), pp. 257-359; Richard J. Salvucci, *Textiles and Capitalism in Mexico: An Economic History of the Obrajes, 1539-1840* (Princeton: Princeton University Press, 1987), pp. 157-166; Brading, *Merchants and Miners*, pp. 261-302. Para un balance de la economía de Nueva España, véase: Richard Garner en colaboración con Spiro E. Stefanou, *Economic Growth and Change in Bourbon Mexico* (Gainesville: University Press of Florida, 1993). Sobre la situación en Guanajuato, véase: Serrano Ortega, *Jerarquía territorial y transición política*, pp. 33-82.

tremendo en 1808, después de que Gran Bretaña se aliara con la monarquía española en contra de Napoleón. Los textiles británicos invadieron el mercado novohispano. En estas circunstancias, muchos productores y trabajadores locales se hallaron de pronto en medio de la catástrofe.[78]

Los trabajadores mineros también se enfrentaron a condiciones cada vez más adversas. Las minas del Bajío, en particular las de Guanajuato, se recuperaron durante el siglo XVIII porque los empresarios invirtieron enormes sumas para abrir algunos de los tiros mineros más profundos del mundo. Este resurgimiento creó fuentes de trabajo para miles de mineros, cuya labor era necesaria para mantener los enormes túneles y bocaminas. Tradicionalmente, los mineros eran bien remunerados y además se les permitía "tomar partidos", esto es, tomar parte del mineral que extraían. Pero a finales del siglo XVIII los gastos generales –el de la minería misma, el precio de los suministros como la comida, los materiales, los animales y el del azogue–, cada vez más altos, redujeron las ganancias. En consecuencia, los dueños de las minas bajaron los salarios y, al terminar el siglo, prácticamente abolieron el partido. Pese a estos recortes, los dueños de las minas obtuvieron dividendos cada vez menores. Para 1805, muchos de ellos estaban prestos a cerrar sus minas.[79]

Así, en la primera década del siglo XIX el Bajío, que alguna vez fuera próspero, padeció una serie de fracturas económicas. Sin duda los trabajadores asalariados urbanos y rurales vieron considerablemente mermado su modo de vida, pero los campesinos fueron los más afectados y los más resentidos. Desde su punto de vista, la elite había sacrificado los intereses del campesinado en aras de mayores ganancias. Empero, la clase alta del Bajío, también sentía que padecía penurias económicas. En este periodo de auténtico resquebrajamiento económico y de crecientes suspicacias entre diversos grupos sociales, el Bajío padeció una grave sequía en 1808 y 1809, que redujo drásticamente la cosecha y cuadruplicó los precios de los alimentos.

78. Miño Grijalba, *Obrajes y tejedores*, pp. 345-359; Tutino, *From Insurrection to Revolution in Mexico*, pp. 90-94; John Super, "Querétaro obrajes: industry and society in provincial Mexico", en *Hispanic American Historical Review*, LVI, núm. 2 (mayo 1976), pp. 197-216; Hamnett, *Roots of Insurgency*, pp. 34-44.

79. José Ruiz de Esparza, "La producción de metales preciosos en el siglo XVIII", en Roberto Moreno (comp.), *Minería mexicana* (México: Comisión de Fomento Minero, 1984), pp. 227-241. En particular, véanse las tablas de producción, pp. 236-241. Brading, *Miners and Merchants*, pp. 216-302. Para los antecedentes del caso, véase: M. F. Lang, *El monopolio estatal del mercurio en el México colonial* (México: FCE, 1977).

Los efectos fueron devastadores. Las minas cerraron porque carecían de suficientes granos para alimentar a los trabajadores y a los animales de tiro; los obrajes de Querétaro se enfrentaron a una escasez similar. El resultado fue que miles de trabajadores perdieron sus trabajos y padecieron hambre. Las masas, que recordaban el desastre de 1785-1786, cuando cerca de 300 000 personas fallecieron, estaban bien conscientes de su estatuto marginal. El Bajío carecía de suficiente maíz para evitar otra hambruna y si bien las autoridades llevaron maíz desde otras zonas, la dotación era insuficiente, de modo que los residentes de la región pasaron hambre de manera generalizada y la percepción de una distribución desigual de los suministros existentes se hacía cada vez más común. Los campesinos creían que una vez más las ciudades y las villas recibirían la mayor parte de la ayuda. Los desposeídos de las zonas rurales estaban indignados ante las injusticias de que eran objeto.[80]

Aun cuando en 1810 existían muchas razones para el descontento en Nueva España, no resulta evidente que las privaciones, el desempleo, el hambre y otros padecimientos materiales fuesen causa suficiente para hacer estallar una gran insurgencia.[81] Otra crisis más profunda se cernía sobre los habitantes de Nueva España. En 1810 muchos temían que los fundamentos mismos de la sociedad –el representante de Dios en el mundo, la Iglesia católica y el rey– estuvieran a punto de ser destruidos por los ateos franceses encabezados por su malvado emperador, Napoleón Bonaparte. En ese momento, el gobierno en funciones de la monarquía española se aferraba al rincón más meridional de la península ibérica, donde se hallaba protegido por los cañones de las armadas española y británica. Por eso, los recién electos diputados a las Cortes Generales y Extraordinarias –ese organismo del que se esperaba el regreso del bienestar a la nación española– habían recibido instrucciones de proceder a la isla de Mallorca, para evitar ser capturados por los franceses. En Nueva España los españoles europeos habían derrocado al gobierno legítimo para prevenir la

80. Florescano, *Precios del maíz y crisis agrícolas*, pp. 177-178, 189-197; Tutino, *From Insurrection to Revolution in Mexico*, 93-98. Van Young, *The Other Rebellion*, pp. 69-86.

81. Paul Vanderwood ha escrito una importante crítica sobre el problema que plantea explicar la revolución mexicana, una crítica que también concierte al problema que plantea explicar la gran revuelta del Bajío en 1810. Véase: "Explaining the Mexican Revolution", en Jaime E. Rodríguez O. (ed.), *The Revolutionary Process in Mexico: Essay on Political and Social Change, 1880-1940* (Los Ángeles: UCLA Latin American Center, 1990), pp. 97-114.

formación de un congreso de ciudades que gobernara el reino en nombre del rey Fernando VII. Los gachupines, muchos de quienes se desempeñaban como funcionarios reales, dejaron de ser dignos de confianza y, por si eso no bastara, existía la sospecha de que planeaban entregar Nueva España a los franceses. Este destino debía prevenirse a cualquier costo. Las elites americanas habían intentado infructuosamente tomar el control del gobierno de Nueva España en 1808 y 1809. Lo intentarían de nuevo en 1810 en un momento en que la estructura del gobierno real se hallaba dividida y debilitada. De esta manera, las auténticas penurias materiales y la necesidad urgente de salvar a la propia sociedad confluyeron para identificar a un chivo expiatorio al que se culparía de todos los males del reino: los gachupines.[82]

La gran insurgencia

Antes de convertirse en cura del próspero pueblo de Dolores, Miguel Hidalgo y Costilla, el hombre que dio inicio a la revuelta, era un sacerdote americano miembro de la elite provincial y forjador de una carrera exitosa –se había desempeñado como rector del Colegio de San Nicolás Obispo en Valladolid–. Hidalgo, un intelectual instruido en el pensamiento católico e hispánico, hizo de su parroquia un centro de cultura y de actividades sociales.[83] Además de esto, fomentó el desarrollo económico local al introducir empresas manufac-

82. Según Van Young: "Cuando uno revisa con cuidado la documentación que versa sobre la insurgencia popular durante el período de 1810 a 1821 –los miles de registros, confesiones, testimonios, informes y correspondencia gubernamentales, cartas y fragmentos de narraciones personales y otros documentos escritos– *resulta asombroso qué poca evidencia directa existe de que las personas hayan identificado abiertamente sus demandas económicas o políticas como motivos de sus actividades públicas, ya fuera en lo dicho, en lo escrito o en su comportamiento. Tampoco se encuentra nada bajo la forma de expresiones colectivas formales, no ambiguas del agravio popular que haya derivado propiamente en el movimiento insurgente*". *The Other Rebellion*, p. 23. Más aún, Van Young acepta que "el poder motivacional de las privaciones materiales" no explica la insurgencia. Lejos de ello, abunda, "sostengo por mi parte que la naturaleza bien acallada de los agravios específicamente materiales en los pronunciamientos de los insurgentes indica que dichos agravios fueron politizados y trascendidos después de 1810 por otros que se centraban en concepciones como *ciudadanía* y *comunidad*, una agenda que calaba mucho más profundo en la vida del campo mexicano". Las cursivas son mías. *Ibid.*, p. 90.
83. Edmundo O'Gorman caracterizaba a Miguel Hidalgo como un "teólogo criollo, cura de almas pueblerinas, galante, jugador y dado a músicas y bailes; gran aficionado a la lectura y amante de las faenas del campo y de la artesanía…". "Hidalgo en la historia", en Marta Terán y Norma Páez (coords.), *Miguel Hidalgo: Ensayos sobre el mito y el hombre (1953-2003)* (Madrid: INAH/Mapfre-Tavera, 2004), pp. 51-61, la cita se encuentra en

MIGUEL HIDALGO Y COSTILLA

tureras de cerámica, hilado de seda, curtido de pieles y producción vinatera. Sus párrocos simpatizaban con él y le tenían confianza. Hidalgo tenía muchos amigos y conocidos importantes en todo el Bajío, entre ellos Juan Antonio Riaño, el intendente de Guanajuato, cuyo hogar era el centro de las ideas y la cultura ilustradas; Manuel Abad y Queipo, el obispo progresista de Valladolid; el corregidor de Querétaro, Miguel Domínguez y su esposa María Josefa Ortiz; y los capitanes Ignacio Allende, Juan Aldama y Mariano Abasolo, terratenientes hijos de comerciantes vascos.

A excepción de Riaño y Abad y Queipo, todos los amigos de Hidalgo eran criollos exitosos que albergaban quejas contra la monarquía española. Muchos de ellos habían padecido reveses durante la Consolidación. El mismo Hidalgo, por ejemplo, había perdido una hacienda porque no podía saldar sus deudas. Sin embargo, lo que en verdad enfureció a los novohispanos fue el derrocamiento de Iturrigaray y la arrogancia de los españoles europeos, en particular de los empleados de clase baja de los comerciantes.[84] Los oficiales militares como Allende se sentían particularmente ofendidos por la expulsión de Iturrigaray, a quien respetaban por haber organizado las maniobras del ejército en 1806. Aunque los virreyes anteriores habían organizado maniobras similares, era la primera vez que un ejército tan grande se reunía en Nueva España, y fue ésta una visión que asombró a los americanos y les dio una sensación de poder. La caída de Iturrigaray fue una afrenta no sólo porque se trataba de la deposición de un funcionario que había honrado a los novohispanos, sino también porque

---

la página 51. Sobre la formación intelectual y cultural de Hidalgo, véase: Carlos Herrejón Peredo, "Hidalgo. Razones de la insugencia", en Carlos Herrejón Peredo (comp.), *Hidalgo. Razones de la insurgencia y biografía documental* (México: SEP, 1987), pp. 16-41.

84. Según Christon I. Archer, en 1811, después de la batalla de Calderón donde murió Manuel Flon, el conde de la Cadena, "un poeta anónimo recogió la intensidad de este sentimiento:

> Murió Flon, gañe el doblón
> Doblo a puesta, a que perece Calleja
> Allende volverá, y a Venegas prenderá
> ¿Y los europeos que hay?
> *Pagarán la prisión de Iturrigaray.*

Christon I. Archer, "Peanes e himnos de victoria de la guerra de independencia Mexicana. La Gloria, la crueldad y la 'demonización' de los gachupines, 1810-1821", en Rodríguez O., *Revolución, independencia y la nuevas naciones de América*, pp. 230-231 (cursivas mías).

era un pequeño grupo de gachupines el que había desestimado sin miramientos la importancia así como los derechos de los españoles americanos.[85]

La conspiración de 1809 en Valladolid azuzó un movimiento de índole parecida en Querétaro, donde Allende, Aldama y el corregidor licenciado Miguel Domínguez comenzaron a tener charlas informales. En su cargo de corregidor de la provincia de Querétaro, el licenciado Domínguez era una de las autoridades criollas con mayor rango en Nueva España. Miguel Domínguez había estudiado con Miguel Hidalgo en el Colegio de San Nicolás Obispo, en Valladolid, se había desempeñado como abogado en la Audiencia de México y como corregidor en Querétaro, y se había distinguido por ser un administrador justo y un reformador que mejoró las condiciones de trabajo en los obrajes de la provincia. Por su parte, los dos capitanes habían estado en el cantón de Jalapa con José Mariano Michelena –un amigo cercano de Allende– y se consternaron al enterarse de que, tras el derrocamiento de Iturrigaray, sus unidades serían enviadas de vuelta a sus provincias en un momento en que pendía sobre el reino la amenaza de la invasión extranjera. Según José Mariano Michelena, Allende apoyó la conspiración de Valladolid. Tras el fracaso de ese plan, Allende al parecer se convirtió en la fuerza motriz de un nuevo movimiento en San Miguel el Grande y Querétaro, un movimiento que buscaba defender los intereses novohispanos. Para mayo de 1810, los conspiradores habían reclutado a Hidalgo y a otros criollos rebeldes, entre los que se contaban militares, sacerdotes, mineros y hacendados, incluido el marqués de San Juan de Rayas.[86]

85. "Causa instruída contra el generalisimo D. Ignacio de Allende", en García, *Documentos históricos Mexicanos*, VI, pp. 21-22.

86. Hamill, *The Hidalgo Revolt*, pp. 101-116; Alamán, *Historia de Méjico*, I, pp. 237-501; Taylor, "Socio-Economic Instability", pp. 207-238. La formación de los eminentes líderes del movimiento se puede consultar en: Nicolás Rangel, "Estudios universitarios de los principales caudillos de la Guerra de Independencia", en *Boletín del Archivo General de la Nación*, II (enero-febrero de 1931), pp. 25-40. Guadalupe Jiménez Codinach sostiene que Allende fue el fundador del movimiento; véase: "De alta lealtad: Ignacio Allende y los sucesos de 1808-1811", en Marta Terán y José Antonio Serrano Ortega (eds.), *Las guerras de independencia en la América española* (Zamora, Morelia y México: El Colegio de Michoacán, Universidad Michoacana de San Nicolás de Hidalgo/INAH, 2002), pp. 63-77. Las listas de algunos de los participantes pueden encontrarse en: "Comunicaciones de D. Juan Ochoa, vecino de Querétaro denunciando la revolucion iniciada en Dolores" y "D. Juan Ochoa, de Querétaro, denuncia al virrey los preparativos para iniciar la revolución de independencia", en Hernández y Dávalos, *Colección de documentos*, II, pp. 64-65 y 66-68.

Según parece, los conspiradores debieron adaptar el plan de Valladolid a sus propios fines. De acuerdo con un documento publicado en *Hidalgo: La vida del héroe*, de Luis Castillo Ledón, y que apareció en 1948, los conspiradores acordaron tomar el control de Nueva España porque "ninguna esperanza que había de que la metrópoli triunfase del poder colosal de Bonaparte, y el riesgo que en consecuencia corría la Nueva España de quedar sometida a éste, con perjuicio de la pureza de su religión". El plan llamaba al establecimiento de juntas "en las principales poblaciones (...) que bajo el más riguroso secreto (...) propagasen el disgusto con el gobierno de España y los españoles, inculcando sobre todo los agravios recibidos en los últimos años". En el momento adecuado, las juntas tomarían el control del gobierno local:

> [L]os españoles todos debían ser expulsados del país y privados de sus caudales que se destinaban a las cajas públicas; el gobierno debía encargarse a una junta compuesta de los representantes de las provincias, que lo desempeñarían a nombre de Fernando VII: y las relaciones de sumisión y obediencia a la España, debían quedar enteramente disueltas, manteniéndose en el grado que se tuviese por oportuno e indicasen las circunstancias de fraternidad y armonía.[87]

El libro de Castillo Ledón, una obra que cuenta con un aparato crítico mínimo, ha ejercido influencia sobre muchos historiadores, entre ellos Hugh M. Hamill, autor de la obra científica *The Hidalgo Revolt*. Empero, existen razones para poner en duda la autenticidad del plan publicado por Castillo Ledón. El autor coloca comillas al principio y al final de un párrafo que él denomina "el plan"; sin embargo, éste se lee como si fuese el resumen de otro documento más que el documento mismo, que es por sí mismo dudoso. Además, el texto plantea una serie de preguntas. Si los supuestos autores eran hijos de padres españoles, ¿pretendían acaso expulsar a sus padres, expropiar sus posesiones para el Estado y, de esta manera, perder sus herencias? La referencia a las "relaciones de sumisión y obediencia a la España" es anacrónica. Ningún criollo educado creía en esos conceptos. En aquella época, el punto de vista más común era que Nueva España tenía un pacto con el rey y no con España.[88] Todos los documentos

87. Luis Castillo Ledón, *Hidalgo. La vida del héroe*, 2 vols. (México: Talleres Gráficos de la Nación, 1948), I, p. 142.
88. Mier, "Idea de la Constitución dada a las Américas, p. 57.

del periodo hacen hincapié en la autoridad de Fernando VII. Aunque algunos –apoyándose en el discurso tradicional– hablan de "vasallaje" ante el rey, ninguno sugiere la necesidad de "sumisión y obediencia a la España".

Lucas Alamán, quien estudió los documentos de la conspiración y se entrevistó con personas que vivían en la región en esos tiempos, nunca menciona el plan publicado más tarde por Castillo Ledón; lejos de ello, Alamán afirmaba que:

> En el plan de la revolución siguió Hidalgo las mismas ideas de los promovedores de la independencia en las juntas de Iturrigaray. Proclamaba a Fernando VII; pretendía sostener sus derechos y defenderlos contra los intentos españoles, que trataban de entregar el país a los franceses dueños ya de España, los cuales destruirían la región, profanarían las iglesias y extinguirían el culto católico. La religión pues hacía el papel principal.[89]

De lo anterior se sigue que el plan de 1810 era muy probablemente similar al de Valladolid de 1809 que, a su vez, se basaba en las propuestas hechas en la ciudad de México en 1808.[90]

Las explicaciones de los insurgentes sobre los motivos que los llevaron a actuar no consistían meramente en las justificaciones ofrecidas después de ser apresados. En uno de sus manifiestos, Hidalgo explicaba que habían tomado las armas para evitar que los europeos entregaran Nueva España a los franceses. Todo se debía, según lo declaraba Hidalgo, a que estaban:

89. Alamán, *Historia de Méjico*, I, p. 379.

90. La única declaración formal publicada por Hidalgo sobre la naturaleza del gobierno que deseaba establecer decía a la letra: "Establezcamos un congreso que se componga de representantes de todas las Ciudades, Villas y Lugares de este Reyno, que teniendo por objeto principal mantener nuestra Santa Religion, dicte leyes suaves, benéficas y acomodadas a las circunstancias de cada Pueblo", en "Manifiesto que el S. D. Miguel Hidalgo y Costilla, Generalisimo de las Armas Americanas, y electo por la mayor parte de los Pueblos del Reyno para defender sus derechos y los de su conciudadanos hace al Pueblo" facsímil reproducido en Hamill, *The Hidalgo Revolt*, p. 190. La declaración también aparece en Hernández y Dávalos, *Colección de documentos*, II, pp. 301-303. El facsímil no incluye una fecha. Hamill afirma que: "Pocos días después de su llegada a Guadalajara, Hidalgo utilizó la prensa recién adquirida para publicar un largo manifiesto que refutaba las acusaciones en su contra, llamaba a apoyarlo y proporcionaba algunas indicaciones sobre sus objetivos". *The Hidalgo Revolt*, p. 187. En la nota 22, página 246, Hamill indica la fecha como (Guadalajara, *circa* 1 de diciembre de 1810). La versión de Hernández y Dávalos incluye lo siguiente: "Valladolid, Diciembre 15 de 1810". Sin importar la fecha en que fuese publicado, el manifiesto no va más allá de lo propuesto por el Ayuntamiento de México en 1808.

> íntimamente persuadidos de que la nacion [española] iba a perecer miserablemente y nosotros a sus [*sic* por ser] viles Esclavos de nuestros enemigos mortales perdiendo para siempre nuestra Santa Religion, nuestro Rey, nuestra Patria, nuestra libertad, nuestras costumbres, y quanto tenemos sagrado y mas precioso que custodiar: consultando en las Provincias invadidas a todas las Ciudades, Villas, y Lugares, y vereis, que el objeto de nuestros constantes desvelos, es mantener nuestra Religión, el Rey, la Patria, y pureza de costumbres, y que no hemos hecho otra cosa... Para la felicidad del Reyno, es necesario quitar el mando, y el poder de las manos de los Europeos: este es todo el objeto de nuestra empresa, para la que estamos autorizados por la voz comun de la nacion.[91]

El temor de que los gachupines traicionaran a Nueva España y la entregaran a los franceses se volvió tan ubicuo que resulta imposible ignorarlo. Un ejemplo: el primer número del primer periódico insurgente, *El Despertador Americano*, declaraba:

> Europeos establecidos en América: desde el principio de la invasión de la Monarquía por los Franceses, no haveis cesado de darnos las mas fuertes, las mas violentas sospechas de que sois Reos (...) de alta traición (...) Hermanos errantes ¡compatriotas seducidos! no fomenteis una irrupción de los Españoles afrancesados en vuestra Patria, que la inundarian de todos los horrores del Vandalismo, y de la irreligión (...) *Nosotros somos ahora los verdaderos Españoles*, los enemigos jurados de Napoleón y sus secuaces, los que sucedemos legítimamente en todos los derechos de los subyugados [peninsulares] que ni vencieron, ni murieron por Fernando [VII][92]

Al parecer, los líderes de la insurrección en Dolores no detallaron el plan de acción. Más adelante, cuando fueron apresados, Hidalgo declaró que había iniciado el levantamiento impulsivamente. Allende esgrimió en su defensa que sus acciones eran correctas y legales porque el rey estaba ausente y los peninsulares iban a entregar Nueva España a los franceses, como lo demostraban el derrocamiento de Iturrigaray y el encarcelamiento de los patriotas americanos en la ciudad de México. Hidalgo y Allende parecían creer que su movimiento recibiría un apoyo entusiasta y generalizado.[93]

91. "Manifiesto del Sr. Hidalgo", en Hernández y Dávalos, *Colección de documentos*, I, p. 119.
92. "Número uno de *El Despertador americano. Correo político económico de Guadalaxara del Jueves 20 de Diciembre de 1810*", en Hernández y Dávalos, *Colección de documentos*, II, pp. 311-312 (cursivas mías).
93. "Declaración del cura Hidalgo", en Hernández y Dávalos, *Colección de documentos*, I, p. 10; "Causa instruída contra... Allende", en García, *Documentos históricos*, VI, pp. 24-33.

Los planes específicos de los conspiradores aún son poco claros. Hamill publicó una carta de Allende dirigida a Hidalgo y fechada el 31 de agosto de 1810 en la que se afirma: "En la junta que viene, voy a proponer que el levantamiento lo hagamos en San Juan [de los Lagos] en los días de la feria, donde sin estar desprevenidos en absoluto, nos haremos de buenos elementos".[94] La propuesta de Allende suena extraña. San Juan de los Lagos estaba lejos, en la intendencia de Guadalajara, una zona en la que los conspiradores contaban con poca influencia. Además, era un poco tarde para que los conspiradores estuvieran discutiendo el emplazamiento de la revuelta, pues Hidalgo ya había asignado a sus dependientes la recolección de armas para el movimiento.[95] Después de ser arrestado, el cura declaró que la fecha del levantamiento hubo de posponerse al 2 de octubre de 1810, pues las armas no estaban listas aún. Esto, casi dos meses antes de la feria de San Juan de Los Lagos, que se realizaba durante las dos primeras semanas de diciembre.

Como sucedió antes con Valladolid, a principios de agosto ya era un secreto a voces que en Querétaro se fraguaba una conspiración. En la ciudad de México, al tener noticia de ésta, el oidor Aguirre –que antes había recomendado no tomar ninguna acción contra los conspiradores de Valladolid– no consideró el caso lo suficientemente serio como para requerir acciones inmediatas. De manera similar, el intendente Riaño en Guanajuato supo de la conspiración durante algún tiempo, pero se mostró renuente a arrestar a sus amigos.[96] Si los acontecimientos no hubieran ido más allá, la mayoría de los participantes habría permanecido libre. A las autoridades reales no les espantaban las noticias de una nueva intriga. En toda Nueva España había numerosas conspiraciones; parecían ser manifestaciones del temor a que Francia conquistara la península y, después, Nueva España.

Dos acontecimientos modificaron la actitud condescendiente de las autoridades. Un nuevo virrey, Francisco Javier Venegas –uno de los héroes de

94. Hamill, *The Hidalgo Revolt*, p. 113. Una versión de la carta original en español puede encontrarse en: René Cárdenas Barrios, *1810-1821: Documentos básicos de la independencia* (México: Ediciones del Sector Eléctrico, 1979), pp. 171-174.
95. "Memorias del último de los primeros soldados de la independencia, Pedro José Soleto", en Hernández y Dávalos, *Colección de documentos*, II, p. 322.
96. Alamán, *Historia de Méjico*, I, pp. 371-372; Bustamante, *Cuadro histórico*, I, p. 25.

la victoria de Bailén– llegó a la ciudad de México, y varias denuncias detalladas fueron enviadas a las autoridades de México, Querétaro y Guanajuato entre el 9 y el 15 de septiembre. Dos de ellas, que incluían listas de los conspiradores, fueron enviadas el 10 y 11 de septiembre por el peninsular Juan Ochoa, regidor de Querétaro. Otra más fue enviada directamente a Venegas dos días antes de que asumiera formalmente el cargo.[97] Aunque para el 13 de septiembre ya era evidente que una conspiración grave estaba en marcha, las autoridades se demoraron. Este retraso permitió que algunos de los conspiradores pasaran a la acción. Allende, que se encontraba en San Miguel, viajó a Dolores para discutir con Hidalgo cómo debía proceder; el corregidor Domínguez y otros conspiradores de Querétaro no fueron arrestados sino hasta el 16 de septiembre. Aun así, doña María Josefa Ortiz de Domínguez, una activa conspiradora hasta ese momento y que también fue arrestada, logró filtrar un mensaje para advertirle a Aldama que la conspiración había sido descubierta. En la ciudad de México, el oidor y regente de la Audiencia, Aguirre, que aún creía que la conspiración no era de gravedad, instó a aplicar clemencia, pues temía que la represión desencadenara una revuelta violenta.[98]

Aldama llegó a Dolores a las dos de la madrugada del 16 de septiembre con la noticia de que las autoridades habían descubierto su conspiración y arrestado a los demás miembros en Querétaro. Hidalgo, Aldama y Allende, que estaba visitando al cura, decidieron emprender la revuelta en Dolores creyendo que la mayor parte de los novohispanos apoyaría su causa. Era domingo, día de mercado, y mucha gente se había reunido en el pueblo. Tras el tañido de las campanas de la iglesia, Hidalgo exhortó a la multitud a unirse a su rebelión, un acontecimiento que llegó a conocerse como el Grito de Dolores. Según Aldama, cerca de las ocho de la mañana:

> Ya se habrían juntado más de seiscientos hombres de pie y a caballo por ser día domingo y haber ocurrido a misa de los ranchos inmediatos, y el cura [Hidalgo] que los exhortaba a que se uniesen con él, y que le ayudasen a defender el reino porque [los españoles] querían entregarlo a los franceses: que ya se había acabado

97. Las denuncias pueden encontrarse en: Hernández y Dávalos, *Colección de documentos*, II, pp. 63-73.
98. Alamán, *Historia de Méjico*, I, pp. 360-371.

> la opresión, que ya no había más tributos, que a los que se alistaban con caballos y armas se les pagaría a peso diario, y a los de a pie a cuatro reales.[99]

Puede verse que el llamado de Hidalgo a las armas estaba basado en la creencia tradicional de que un mal gobierno debía ser destituido, al tiempo que la monarquía debía permanecer intacta. Hidalgo, como lo hicieran antes los conspiradores de Valladolid, propuso pagar a sus seguidores. "Lo que Hidalgo dijo en Dolores tal vez nunca sea conocido. No obstante, es razonable suponer que el clímax de su discurso incluía una o todas las frases que siguen: ¡Viva Fernando VII!, ¡Viva América!, ¡Viva la religión!, ¡Muerte al mal gobierno!".[100]

El exhorto del padre Hidalgo tuvo eco entre los pobres de las ciudades y del campo, ya que atendía al temor de los novohispanos de que los pilares mismos de su sociedad, el representante de Dios en la tierra –la Iglesia católica– y la corona estuviesen amenazados. "Los pobres de Nueva España y la elite compartían una cultura política común hasta un punto en verdad sorprendente. Estaban unidos, de hecho, por las mismas creencias básicas que compartían los pobres y que trascendían las fronteras entre los poblados, a saber, que el rey era el principal guardián de la justicia y que la Iglesia Católica era la única garantía de la salvación eterna".[101]

Creer en la bondad del rey permitía a todos los grupos defender sus intereses argumentando que actuaban en nombre del monarca y contra los funcionarios que distorsionaban o violaban el justo orden del rey. En realidad, desde tiempo atrás las acciones de los sublevados contra un gobierno indeseable invocaban la fórmula tradicional "Muerte al mal gobierno, viva el rey". Durante más de dos décadas, el clero y las autoridades reales habían denunciado el "ateísmo" de la revolución francesa y después la tiranía de Napoleón. El tirano y sus franceses "sin dios" habían apresado al rey Fernando VII y estaban conquistando España. En Nueva España, los gachupines habían derrocado al virrey del monarca y muchos novohispanos temían que los españoles pudieran

99. "Declaración rendida por Juan Aldama en la causa que se le instruyó por haber sido caudillo insurgente", en García, *Documentos históricos*, VI, p. 529.
100. Hamill, *The Hidalgo Revolt*, p. 123.
101. Guardino, *Peasants, Politics, and the Formation of Mexico's National State*, p. 58. Véase también: *The Time of Liberty: Popular Political Culture in Oaxaca, 1750-1850* (Durham: Duke University Press, 2005).

traicionarlos y entregar el virreinato a los franceses. Eran muchos los rumores sobre la traición gachupina. Era fácil, dadas las circunstancias, culpar a los españoles europeos de todos los males de Nueva España. También era lógico concluir que arrebatar el poder a los gachupines significaba actuar según los intereses de la Iglesia y la corona. Fue así como surgió una nueva fórmula: "Muerte a los gachupines, viva el rey".[102] Todos estos factores funcionaron como catalizadores del movimiento que estalló en el Bajío y que rápidamente cercó grandes áreas de la zona central de Nueva España.

Irónicamente, en la Isla de León, el Consejo de Regencia ya había tomado acciones para dar solución a algunas de las desigualdades que existían en el Nuevo Mundo. El 26 de mayo de 1810 el Consejo abolió el tributo indígena. Además, introdujo una reforma agraria:

> en quanto al repartimiento de tierras y de aguas, es igualmente nuestra voluntad que el virey a la mayor posible brevedad tome las mas exactas noticias de los pueblos que tengan necesidad de ellas, y con arreglo a las leyes, a las diversas y repetidas cédulas de la materia, y a nuestra real y decidida voluntad, proceda inmediatamente a repartirlas con el menor perjuicio que sea posible, de tercero, y con obligación de los pueblos de ponerlas sin la menor dilacion en cultivo.[103]

La regencia también ordenó a las autoridades publicar el decreto en "todos los idiomas de estos paises" de manera que fuera bien comprendido por toda la gente. El virrey Venegas retrasó la publicación del decreto hasta el 9 de octubre de 1810, pues le preocupaba que las "castas de mulatos, negros y demas" no fueran incluidas. Tras consultar a

> personas sábias y de sólida instrucción y conocimiento de la situacion de este reyno (...) y haciendo uso de las extraordinarias vice regias facultades con que me hallo autorizado; he tenido por conveniente declarar, como en efecto lo declaro, que la exencion del tributo y demas gracias concedidas en el mismo real decreto a los indios naturales de este reyno, deben entenderse extensivas a las castas de mulatos y negros y demas.[104]

102. Como señala Guardino: "La similitud entre este discurso contra lo francés y las proclamas de los insurgentes contra los gachupines resulta asombrosa". "Identity and Nationalism in Mexico", p. 321.
103. *Gazeta del gobierno de México* (9 de octubre de 1810), I, núm. 119, pp. 843-845.
104. *Ibid.*, p. 845. En parte, el virrey Venegas amplió la abolición del tributo para incluir a las castas porque sabía que eran numerosas e importantes en el Bajío. Quizá con ello esperaba granjearse la lealtad de los habitantes de la región.

De esta manera, la cuestión del tributo no debía constituir ya un agravio para los novohispanos. Sin embargo, la noticia se dio a conocer después del grito de Dolores.

Tras arrestar a los peninsulares que se desempeñaban como funcionarios reales, así como a otros españoles europeos en Dolores, casi 700 rebeldes marcharon hacia San Miguel el Grande. El grupo estaba conformado por miembros de un escuadrón del Regimiento de Dragones Provinciales de la Reina hasta entonces apostado en Dolores, la mayoría de quienes habían asistido a misa, rancheros que se sumaron en el trayecto y también 11 de los 12 gachupines residentes en Dolores. El otro peninsular, que resultó herido durante la insurrección, fue dejado atrás en el pueblo para que se recuperara. En el camino, Hidalgo tomó el estandarte de la Virgen de Guadalupe de la iglesia de Atotonilco y lo adoptó como bandera del movimiento.[105] Los insurgentes continuaron entonces su marcha hacia San Miguel el Grande. Algunos terratenientes criollos, ya fuera por miedo o por apoyo al movimiento, proporcionaron comida y vituallas a Hidalgo y sus seguidores. Los líderes insurgentes no se preocupaban por las provisiones porque los maíces estaban "maduros en los campos, y (...) las haciendas abundaban en ganados y en toda clase de mantenimientos".[106]

Los combatientes llegaron a San Miguel al caer la noche. Allende entró en su pueblo acompañado de unos cuantos hombres mientras Hidalgo y la mayoría de sus seguidores esperaban en las afueras. El comandante del Regimiento de Dragones de la Reina apostado en San Miguel, coronel José Narciso Loreto de la Canal –que tenía fama de ser el americano más rico de la región–

105. William B. Taylor ha demostrado que la Virgen de Guadalupe no era objeto de devoción en toda Nueva España. La imagen se volvió un símbolo nacional aceptado después de la independencia. Además, como observa el mismo Taylor: "algunos indígenas afectos a la imagen de [la Virgen de] Guadalupe se *oponían* activamente al ejército de Hidalgo (...) Cuando escucharon que el Padre Hidalgo usaba el nombre de la Virgen de Guadalupe, los indígenas de Zacapoaxtla [, Puebla] la declararon su patrona contra los insurgentes y le atribuyeron sus repetidas victorias sobre las fuerzas de Hidalgo". (Cursivas en el original.) William B. Taylor, "The Virgin of Guadalupe in New Spain: An Inquiry into the Social History of Marian Devotion", en *American Ethnologist*, vol. 14, núm. 1 (febrero, 1987), pp. 9-33. Sobre el papel que jugaron otros símbolos marianos, véase: Marta Terán, "Banderas de la independencia con imágenes marianas: las de San Miguel el Grande, Guanajuato, de 1810", en Ivana Frasquet (coord.), *Bastillas, cetros y blasones: La independencia en Iberoamérica* (Madrid: Mapfre/Instituto de Cultura, 2006), pp. 231-243.

106. Según Alamán: "Las haciendas de los americanos en los principios de la guerra sufrieron ménos, pero en el progreso de ella, todas fueron tratadas del mismo modo". *Historia de Méjico*, I, pp. 381-382; Taylor, "Socio-Economic Instability", pp. 244-247.

capituló y entregó a Allende los edificios gubernamentales y otras instalaciones. A continuación, Hidalgo y sus hombres entraron a la ciudad de manera pacífica y ahí permanecieron durante dos días con el fin de organizar sus fuerzas, que ahora incluían también al Regimiento de Dragones de la Reina entero, excepción hecha de la mayoría de los oficiales. Los españoles de San Miguel fueron arrestados y los prisioneros de la cárcel fueron liberados. Los oficiales de las fuerzas insurgentes, encabezados por Allende, se aseguraron de que sus efectivos mantuvieran el orden y la compostura. Al parecer sólo tuvo lugar un incidente grave. "La multitud" intentó saquear la casa de José Landeta, un europeo tildado de explotador. "Allende, Aldama y otros oficiales rápidamente pusieron fin al desorden y mantuvieron a la multitud bajo control."[107]

Hasta este momento, el movimiento representaba la asunción del poder por parte de los novohispanos en nombre de Fernando VII; esto es, se trataba de un movimiento de autonomía encabezado por los americanos. En este sentido, era similar a otros movimientos autonomistas de Sudamérica. De haber seguido este camino, es probable que la insurgencia se hubiera granjeado el apoyo de la mayoría de la población, incluidos los europeos, siempre y cuando sus derechos fuesen protegidos. El movimiento creció con rapidez. Se tenía noticia de varios pueblos que habían tomado el control del gobierno, secundando los objetivos de Hidalgo. Parecía ser que una revolución pacífica estaba en marcha. Pero, la situación cambió cuando Hidalgo y sus hombres llegaron a las afueras de Celaya, el 19 de septiembre. El cura envió el siguiente ultimátum:

> Campo de Batalla, Septiembre 19, 1810
>
> Señores del Ayuntamiento de Celaya:
>
> Nos hemos acercado a esta ciudad, con el objeto de asegurar las personas de todos los españoles europeos: si se entregasen a discreción serán tratadas sus personas con humanidad, pero si por el contrario, se hiciere resistencia por su parte y se

107. Taylor, "Socio-Economic Instability", pp. 246-247. Lucas Alamán, empero, afirma lo siguiente: "fueron saqueadas las casa de los europeos y reducidos estos a prision". *Historia de Méjico*, I, p. 382. He optado por la descripción que hace Taylor porque él estudió la "Declaración del Regidor José de Landeta", mientras que Alamán –que suele ser cuidadoso al referir sus fuentes– no cita a nadie en este caso.

mandare dar fuego contra nosotros, se tratarán con todo el rigor que corresponda a su resistencia: esperamos pronta respuesta para proceder.

Dios guarde a VV muchos años

Miguel Hidalgo Ignacio Allende

P.D. En el mismo momento en que se mande dar fuego contra nuestra gente, serán degollados setenta y ocho europeos que traemos a nuestra disposición.[108]

No es nada claro lo que motivó este cambio de actitud. Ni Hidalgo ni Allende habían utilizado este lenguaje tan violento en ocasiones anteriores. Allende, por el contrario, buscó mantener la calma durante la ocupación de su pueblo natal, San Miguel. Es cierto que los dos hombres albergaban resentimiento contra la corona por sus excesos en la recolección e instauración de nuevos impuestos, por poner en vigor el decreto de Consolidación y por haber fracasado en el buen gobierno en una situación de crisis internacional. Hidalgo, sin duda, resentía la abolición del fuero clerical, y Allende, como otros oficiales militares americanos, recordaba con amargura el derrocamiento de Iturrigaray. Ambos creían que no habían sido tratados con equidad por las autoridades nacidas en Europa ni por sus colegas peninsulares en Nueva España. No obstante, gozaban de posiciones privilegiadas y de la amistad de importantes europeos como Riaño y Abad y Queipo. El ultimátum pudo ser diseñado simplemente para amedrentar, pero sea como fuere abría un nuevo camino para la violencia en masa.

Las autoridades de Celaya carecían de los efectivos suficientes para defender la ciudad. Aunque tan pronto supieron que Hidalgo se acercaba solicitaron ayuda a Querétaro, los refuerzos no podrían llegar antes que los insurgentes. Por tanto, el coronel Manuel Fernández Solano, comandante del Regimiento de Infantería de Celaya, llamó al mayor número posible de sus hombres y se retiró hacia Querétaro acompañado de numerosos europeos. Al día siguiente, 21 de septiembre, Hidalgo entró formalmente en Celaya al frente de sus hombres, enarbolando la pintura de la Virgen de Guadalupe y flanqueado por Allende, Aldama y otros líderes; El Regimiento de la Reina le seguía ondeando un estandarte con la imagen de Fernando VII. Detrás de ellos cabalgaban otros hombres y a la saga los acompañaban hombres a pie. Después

108. La carta se encuentra en Alamán, *Historia de Méjico*, I, Apéndice. Doc. 16, pp. 50-51.

de tomar el control del poblado, los hombres de Hidalgo comenzaron a saquear las casas y las propiedades de los europeos. Aun cuando Allende, Aldama y otros oficiales intentaron restaurar el orden, se cree que Hidalgo mencionó que los hombres debían recibir algún tipo de recompensa.[109] O quizás el saqueo pretendía ser un acto de venganza por la huida de los europeos.

Al siguiente día, Hidalgo formalizó la organización del movimiento: convocó a una junta con las autoridades que quedaban –sólo había dos regidores, pues los otros eran españoles y debieron huir– y los vecinos prominentes de Celaya, en la que explicó los objetivos del movimiento de manera muy similar a como lo hizo en Dolores. Luego, los participantes nombraron a Hidalgo capitán general de América mientras que Allende recibió el rango de teniente general. También se nombró a otros oficiales de menor rango y se envió a algunos de ellos a otras zonas con el propósito de buscar apoyo para el movimiento. El acto concluyó con un desfile alrededor de la plaza y un discurso de Hidalgo para el público en general.[110] De esta manera, el cura asumió el estatus ¡de un autócrata!

El movimiento atrajo a nuevos seguidores de todas las clases sociales tanto de las ciudades como del campo. Lo que quedaba del Regimiento Provincial también se unió a la revuelta, incrementando así el número de hombres con entrenamiento militar dentro del ejército. Un testigo de la época calculaba que los hombres de Hidalgo eran 25 000.[111] Eric Wolf sostiene que "el ejército de Hidalgo estaba conformado efectivamente sobre los

109. Es difícil estimar los daños ocasionados por el saqueo. Juan Ochoa escribió al virrey Venegas: "en la Ciudad de Celaya: han saqueado los efectos de tienda, así de género como mestizas, de caldos y demas, los trastes y muebles de las casas; y todo a sido arrojado a las calles para que el Pueblo lo hiciese pillage, se rebase en el robo y la embriaguéz", en Hernández y Dávalos, *Colección de documentos para la historia de la Guerra de Independencia*, II, pp. 82-85. Alamán, a quien sigo en este punto, afirma simplemente: "La gente de este se espació por la ciudad a saquear las casas de los europeos", *Historia de Méjico*, I, p. 384. Hamill señala: "El ejército insurgente entró al poblado el 21 de septiembre y lo saqueó". *The Hidalgo Revolt*, p. 124. Taylor, quien recurre a las memorias de Pedro García, uno de los hombres de Hidalgo, pasa por alto la cuestión del saqueo. "Socio-Economic Instability", p. 249.

110. Alamán, *Historia de Méjico*, I, pp. 385-386; Taylor, "Socio-Economic Instability", pp. 249-250. Según José María de Liceaga, muchos de los oficiales y los hombres del ejército preferían que Allende fuera nombrado capitán general, pero declinaron en favor de Hidalgo. *Adiciones y rectificaciones a la Historia de México que escribió D. Lucas Alamán*, 2 vols. en uno, (Guanajuato, 1868), p.101.

111. Hamill, *The Hidalgo Revolt*, p. 135.

patrones sociales y económicos predominantes en la región del Bajío".[112] El cuerpo de mando estaba formado por los pocos oficiales de las unidades de milicia provincial que se unieron al movimiento y por mayordomos de las haciendas, acostumbrados a puestos de control. La infantería casi sin duda consistía de trabajadores urbanos y rurales: la caballería estaba conformada principalmente por vaqueros de haciendas y pueblos cercanos así como por hombres del Regimiento de Dragones de la Reina. Aunque debieron contarse algunos indígenas entre el grupo, la mayoría de los altos rangos y las filas del ejército estaba constituida por mulatos, mestizos y criollos. Si se considera la naturaleza de la Constitución étnica y racial de la región, parece evidente que la mayoría de los criollos participó en la revuelta como soldados rasos y no únicamente como líderes. Muchos de estos hombres, quizá la mayoría, eran trabajadores urbanos y rurales antes que campesinos. La distinción entre "trabajadores rurales" y "campesinos" es importante, ya que toma en cuenta las diferencias económicas, sociales y culturales entre los habitantes de los pueblos y el proletariado rural. La Gran Revuelta de 1810, al menos en su fase inicial, no debe ser considerada, por ende, como una gran rebelión *campesina*.

Aunque es imposible determinar con precisión el tamaño del ejército insurgente, resulta poco probable que fuese tan grande como se le retrata tanto en las fuentes primarias como en las secundarias. Sin duda, miles de hombres se unieron a él. Además, infinidad de mujeres les seguirían para encargarse de la logística que un ejército así requiere para funcionar. Es probable que trajeran niños consigo.[113] Así pues, el ejército insurgente habría estado conformado por hombres, mujeres y niños. La pregunta es, entonces, ¿qué tan grande podría ser este ejército insurgente si vivía de los cultivos? La única respuesta que uno puede aventurar en el presente es: grande.

Hidalgo –que ahora se consideraba a sí mismo casi absoluto como "Generalísimo de las Armas Americanas, y electo por la mayor parte de los

112. Wolf, "The Mexican Bajío in the Eighteenth Century", p. 193.
113. En los Andes, durante los primeros años del siglo XIX, se les llamaba "rabonas". Véase: Cecilia Méndez, *The Plebeian Republic: The Huanta Rebellion and the Making of the Peruvian State* (Durham: Duke University Press, 2005), pp. 210-211; y William F. Sater, *Andean Tragedy: Fighting the War of the Pacific, 1879-1884* (Lincoln: University of Nebraska Press, 2007). En México a estas mujeres se les llamaría "soldaderas" más tarde, durante la revolución de 1910.

Pueblos del Reyno para defender sus derechos y los de sus conciudadanos"– decidió no atacar los alrededores de Querétaro con su ejército falto de práctica, porque la ciudad era considerada como un bastión realista.[114] En lugar de ello, marchó hacia Guanajuato, la ciudad más rica de la región. La composición del ejército insurgente cambió sustancialmente conforme se acercó a Guanajuato; las unidades de milicia conformadas por criollos, mestizos, castas y pardos de Celaya, Salamanca, Irapuato, Valle de Santiago y Silao se unieron al movimiento.[115] Estos hombres, muchos de ellos con entrenamiento militar formal, establecieron ciertos orden y disciplina entre las filas insurgentes.

El intendente Riaño y los dirigentes de Guanajuato tuvieron noticia del levantamiento surgido en Dolores el día 18 de septiembre. Cuatro días más tarde, temerosos de que Hidalgo entrara a la ciudad y sin saber aún que la regencia había abolido el tributo, los miembros del ayuntamiento propusieron que se otorgara un "indulto al Real Tributo". Así, las castas y los indígenas no se verían necesariamente atraídos por el movimiento insurgente. Riaño aceptó la recomendación del ayuntamiento y el nuevo indulto fue publicado y exhibido en los lugares acostumbrados.[116] No obstante el intendente, tenía pocas esperanzas en la efectividad de la medida y desconfiaba de la lealtad de casi toda la población de Guanajuato; como él mismo lo dijera: "Aquí cunde la seduccion, falta la seguridad, falta la confianza". Riaño temía incluso que sus propias tropas "sean seducidas";[117] por tanto, decidió no confrontar a Hidalgo militarmente e hizo pocos esfuerzos por fortificar la ciudad o por granjearse el apoyo de los habitantes. En lugar de ello, la noche del 24 de septiembre, sin informar a los residentes de la ciudad, se parapetó en la alhóndiga de Granaditas, llevando consigo todas las tropas, la mayoría de los europeos y algunos criollos, el tesoro público y el tesoro privado, así como los archivos públicos. "Al amanecer el dia 25 quedó sorprendida la población... La cons-

114. El título se menciona en el "Manifiesto del Sr. Hidalgo, contra el edicto del Tribunal de la fé", en Hernández y Dávalos, *Colección de documentos para la historia de la guerra de independencia*, I, p. 124.

115. Taylor, "Socio-Economic Instability", pp. 250-255; Liceaga, *Adiciones y rectificaciones a la Historia de México*, pp. 101-102.

116. Taylor, "Socio-Economic Instability", pp. 253-254.

117. Riaño a Félix María Calleja, Guanajuato, 26 de septiembre de 1810, en Hernández y Dávalos, *Colección de documentos para la historia de la guerra de independencia*, II, pp. 110-111.

ternación fue general...".[118] Esa mañana el ayuntamiento intentó convencer al intendente de defender la ciudad y de no resguardarse en la alhóndiga. Para tal fin, convocó al cabildo, pero Riaño se negó a abandonar el granero; entonces, los miembros del ayuntamiento y otros individuos eminentes se reunieron ahí mismo con Riaño, pero éste se negó a escuchar sus peticiones, y declaró "que la ciudad y sus vecinos se defendiesen como pudiesen".[119] Así, la segunda ciudad más grande de Nueva España fue abandonada a merced de los insurgentes. Naturalmente, las clases bajas y algunos hombres de clase media y alta también dedujeron que sería prudente unirse a los hombres de Hidalgo.[120] Los mineros se integraron en masa al movimiento. Encabezados por Casimiro Chovell, el gerente de la mina La Valenciana y un distinguido egresado del Real Colegio de Minería en la ciudad de México, formaron un regimiento de cerca de 3 000 hombres.[121]

El intendente Riaño creía –quizá sea mejor decir esperaba– poder recibir ayuda de otros comandantes militares. La alhóndiga de Granaditas era una construcción fuerte que contaba con su propio pozo en el interior. La comida y el agua –muchos granos se almacenaban ahí– podrían mantener a 500 personas durante tres o cuatro meses. Así que Riaño y sus hombres podrían defenderse desde el interior de la alhóndiga al menos hasta que llegaran los refuerzos. Riaño solicitó ayuda al intendente Roque Abarca en Guadalajara y al brigadier Félix María Calleja en San Luis Potosí; el intendente diría más adelante: "Tengo a los insurgentes sobre mi cabeza: los víve-

118. Alamán, *Historia de Méjico*, I, p. 413.

119. Citado en Alamán, *Historia de Méjico*, I, pp. 415-416. Ayuntamiento de Guanajuato, *Pública vindicación del ilustre Ayuntamiento de Santa Fé de Guanajuato justificando su conducta moral y política en la entrada y crímenes que cometieron en aquella ciudad las huestes insurgentes agabilladas por sus corifeos Miguel Hidalgo, Ignacio Allende* (México: Mariano de Zúñiga y Ontiveros, 1811), pp. 17-20.

120. Según el Ayuntamiento de Guanajuato la "plebe" estaba decidida, en un inicio, a defender la ciudad. Sin embargo, al enterarse de que el Intendente Riaño no saldría a la defensa de Guanajuato, "la plebe, que (...) estaba atenta a todas estas operaciones, las inclinó a la mala parte y comenzó a decir publicamente: que los gachupines y señores (son sus términos de explicarse) querían defenderse solos y dexarlos a ellos entregados a el enemigo, y que aun los víveres les quitaban para que perecieran de hambre. Desde este fatal momento ya no se vió en la plebe aquel entusiasmo de que estaba animada por la comun defensa; una triste confusión se miraba en sus semblantes, y en menudos grupos se fueron retirando y dispersando por los barrios y los cerros". Ayuntamiento de Guanajuato, *Pública vindicación*, pp. 16-17.

121. Taylor, "Socio-Economic Instability", pp. 258-259; Brading, *Miners and Merchants in Bourbon Mexico*, pp. 342- 343.

D. FÉLIX MARÍA CALLEJA

res están impedidos, los correos interceptados".[122] Sin embargo, las fuerzas armadas de Nueva España no estaban preparadas para un levantamiento de esta índole en pleno centro del virreinato; en su origen habían sido diseñadas para detener una invasión extranjera. "La atracción masiva que suscitó la revuelta de Hidalgo sorprendió a muchos oficiales militares, como a todo el mundo. Anticipando una invasión francesa, muchas unidades de provincia y unos cuantos batallones de infantería regular habían sido movilizados y acantonados en Puebla, cerca de los poblados de montaña sobre [la ciudad de] Veracruz". Otras unidades fueron dispersadas en todo el reino sin ningún mando efectivo general. Además, el virrey Venegas recién había llegado y aún no conocía a sus comandantes militares, de modo que no comprendía bien a bien la región. En consecuencia, "los funcionarios y los comandantes del ejército contemplaron con pasmo cómo se extendía la insurgencia".[123]

El virrey Venegas ordenó a sus unidades en Puebla y San Luis Potosí marchar a la defensa de Guanajuato. Sin embargo, en todo el virreinato las autoridades reales gobernaban con desasosiego, pues las tensiones y el descontento abundaban en muchas zonas. Manuel de Flon, conde de la Cadena, no estaba seguro de marchar hacia Guanajuato, pues temía que a su partida se registrara una posible insurrección en la ciudad de Puebla. Calleja, que era el más cercano a la ciudad sitiada, carecía de suficientes efectivos entrenados y aunque comandaba dos regimientos, debía crear un ejército más fuerte para enfrentar a los insurgentes: "Se reunió con los comandantes de su brigada, juntó a vaqueros sin experiencia [militar] de las haciendas rurales y ordenó la construcción de armas".[124] La Décima Brigada de Milicia al mando de Calleja estaba compuesta por algunos efectivos provisionales, pero no tardó en convertirse en un ejército disciplinado y entrenado porque el comandante y sus oficiales subordinados eran hombres bien preparados y con experiencia en el ámbito militar. En contraste, Hidalgo y sus oficiales carecían de experiencia en tanto comandantes, a esto se sumaba que estaban al frente de un ejército enorme

122. Riaño a Calleja, Guanajuato, 26 de septiembre de 1810, en Hernández y Dávalos, *Colección de documentos para la historia de la guerra de independencia*, II, pp. 110-111.
123. Christon I. Archer, "'La Causa Buena': The Counterinsurgency Army of New Spain and the Ten Year's War", en Rodríguez O., *The Independence of Mexico*, p. 87.
124. *Ibid.*

y sin disciplina. Sin embargo, para pesar de Riaño, ni Calleja ni ningún otro comandante realista podría llegar a tiempo a la defensa de Guanajuato. Sin estar al tanto de la situación en que se hallaban las fuerzas realistas, a las once de la mañana del 28 de septiembre Riaño envió un comunicado desesperado a Calleja: "Voy a pelear, porque voy a ser atacado en este instante: resistiré cuanto pueda porque soy honrado: vuele V. S. a mi socorro, a mi socorro".[125]

Muy temprano, por la mañana del 28 de septiembre de 1810, el cura Hidalgo escribió dos cartas desde las afueras de Guanajuato al intendente Riaño –su antiguo amigo–. En la primera, el sacerdote explicaba que:

> El numeroso ejército que comando, me eligió Capitan General y Protector de la Nación en los campos de Celaya [...y por lo tanto, Hidalgo estaba] legítimamente autorizado por mi Nacion para los proyectos benéficos, que me han parecido necesarios a su favor. Estos son igualmente útiles y favorables a los Americanos, y a los Europeos que se han hecho ánimo de residir en este Reyno, y se reducen a proclamar la independencia y libertad de la Nacion...

A continuación, Hidalgo reafirmaba la distinción tradicional entre naturales y vecinos e indicaba que, si los peninsulares decidían optar por la vecindad, serían bienvenidos a permanecer en Nueva España. También usaba la palabra "independencia" para referirse a la autonomía, mas no a la separación respecto de la monarquía española. Hidalgo aseguraba a Riaño que "yo no veo a los Europeos como enemigos, sino solamente como un obstáculo, que embaraza el buen éxito de nuestra empresa". Sin embargo, los españoles europeos debían

> quedar en calidad de prisioneros, recibiendo un trato humano y benigno, como lo están experimentando los que traemos en nuestra compañía, hasta que se consiga la insinuada libertad e independencia, en cuyo caso entrarán en la clase de Ciudadanos, quedando con el derecho, a que se les restituyan los bienes que por ahora, para las urgencias de la Nacion, nos serviremos".[126]

125. Riaño a Félix María Calleja, Guanajuato, 28 de Septiembre de 1810, a las once de la mañana, en Hernández y Dávalos, *Colección de documentos para la historia de la guerra de independencia*, II, p. 118.
126. Miguel Hidalgo y Costilla a Juan Antonio de Riaño, Cuartel General en la Hacienda de Burras, 28 de septiembre de 1810, en Hernández y Dávalos, *Colección de documentos para la historia de la guerra de independencia*, II, pp. 116-117.

De no aceptar su oferta, Hidalgo se decía preparado para destruir a los españoles europeos. En una segunda carta, Hidalgo le recordaba a Riaño que

> la estimación que siempre he manifestado a usted, es síncera, y la creo debida a las grandes cualidades que le adornan (...) Usted seguirá lo que le parezca mas justo y prudente, sin que esto acarreé perjuicio a su familia. Nos batiremos como enemigos si así se determinare; pero desde luego ofrezco a la Señora Intendenta un asilo y proteccion decidida en cualquiera lugar que elija para su residencia, en atención a las enfermedades que padece. Esta oferta no nace de temor, sino de una sensibilidad, de que no puedo desprenderme.[127]

Al parecer, Hidalgo creía que su generosa oferta –generosa desde su punto de vista– sería aceptada y que podría entrar en Guanajuato pacíficamente, como lo había hecho en Celaya. No era un pensamiento descabellado. Su ejército era de decenas de miles; él mismo presumía de un ejército de 50 000 hombres. Además, el cura no parecía dispuesto a herir a los habitantes de la ciudad, en particular a su antiguo amigo y a la esposa enferma de éste. Empero, la oferta le pareció completamente distinta a Riaño. En primer lugar, no había forma de garantizar la seguridad de los españoles europeos apresados que viajaban con los insurgentes, pues podían ser heridos o asesinados a capricho por la multitud de seguidores de Hidalgo; además, en tanto que oficial realista, Riaño no podía rendirse ante los insurgentes. Así fue que contestó por separado a cada una de las cartas de su antiguo amigo; en la primera afirmaba: "No reconozco otra autoridad ni me consta que haya establecido, ni otro Capitan General en el Reyno de la Nueva España, que el Exmo. Sr. D. Francisco Xavier de Venegas Virey de ella, ni mas legítimas reformas que aquellas que acuerda la Nacion entera en las Cortes generales, que van a verificarse". En la segunda misiva, agradecía a Hidalgo afirmando: "no es incompatible el ejercicio de las armas con la sensibilidad: ésta exige de mi corazon la debida gratitud a las expresiones de usted en beneficio de mi familia, cuya suerte no me perturba en la presente ocasión".[128]

127. *Ibid.*, p. 117.
128. Riaño a Hidalgo, Guanajuato, 28 de septiembre de 1810, cartas 1 y 2, en Hernández y Dávalos, *Colección de documentos para la historia de la guerra de independencia*, II, p. 117.

La facilidad con que los insurgentes tomaron San Miguel y Celaya, así como otros pueblos pequeños, llevó a Hidalgo a juzgar equivocadamente la capacidad de su ejército. Hidalgo creía, según trasluce su manera de proceder, que los insurgentes podrían tomar Guanajuato de la misma manera en que habían tomado otras ciudades y pueblos: simplemente con la amenaza de la fuerza. Mucha "gente de la plebe" permanecía sentada en las alturas, alrededor de la alhóndiga, esperando el desenlace, "tan tranquila, como si esperasen ver una corrida de toros".[129] Poco después del mediodía algunas unidades de avanzada del ejército insurgente entraron a la ciudad por la estrecha cañada de Marfil, donde se encontraron con hombres armados al mando de Gilberto Riaño, hijo del intendente, quien les ordenó detenerse en nombre del rey. Cuando los insurgentes desobedecieron, Gilberto Riaño ordenó a sus hombres abrir fuego, derribando así a varios de ellos. Ambos bandos se retiraron entonces a emplazamientos seguros.

La lucha por Guanajuato daría inicio a una nueva fase del movimiento insurgente. No es fácil reconstruir la naturaleza exacta del conflicto en Guanajuato porque los testigos de la época y los historiadores que vinieron después realizaron una interpretación de los acontecimientos que justificara sus acciones o sus posturas políticas.[130] Por diversas razones, tanto Carlos María de Bustamante como Lucas Alamán hicieron hincapié en que los indígenas dominaban las filas insurgentes. Pero la evidencia con que contamos demuestra que la mayor parte de los insurgentes no era indígena ni tampoco campesina. En aquel momento, la mayoría de los seguidores de Hidalgo eran de mulatos, mestizos y criollos: probablemente principalmente fueran trabajadores del campo provenientes de la región agrícola más avanzada del virreinato: el Bajío. Muchos eran trabajadores urbanos y había un número importante de trabajadores especializados, como los mineros. Además, una minoría nada despreciable –cientos, quizás incluso un millar– eran soldados

129. Bustamante, *Cuadro histórico*, I, p. 35.

130. El relato que sigue es mi interpretación del material extraído de las siguientes fuentes: Ayuntamiento de Guanajuato, *Pública vindicación*, pp. 14-32; Pedro García, *Con el cura Hidalgo en la Guerra de Independencia* (México: FCE, 1982), pp. 59-73; Bustamante, *Cuadro histórico*, I, pp. 35-43; Alamán, *Historia de Méjico*, I, pp. 422-445; Liceaga, *Adiciones y rectificaciones*, I, pp. 103-134; Castillo Ledón, *Hidalgo. La vida del héroe*, pp. 37-58; Hamill, *The Hidalgo Revolt*, pp. 137-141; y Taylor, "Socio-Economic Instability", pp. 254-261. Para una interpretación distinta, véase: Tutino, *From Insurrection to Revolution in Mexico*, pp. 126-137.

entrenados de las distintas unidades de milicia provinciales. No se trataba de las hordas salvajes descritas por algunos historiadores. Casi sin duda, los soldados introdujeron, o al menos intentaron introducir, orden y disciplina entre las filas insurgentes.

Es probable que el 28 de septiembre, como lo señala Alamán, Hidalgo sólo diera instrucciones generales para tomar una posición de avanzada en las colinas que se elevaban sobre las posiciones realistas. También es probable que Allende y otros comandantes militares proporcionaran órdenes más específicas. Al parecer, fueron los efectivos de las milicias provinciales –más que los indígenas– quienes encabezaron la marcha. Sin embargo, los insurgentes –y sus opositores– carecían de la habilidad requerida para maniobrar en la estrecha cañada de Marfil y descender a la alhóndiga. Una vez iniciado el conflicto se volvió prácticamente imposible dar órdenes o enviar instrucciones porque los mensajeros no podían circular adecuadamente en el estrecho desfiladero. Las unidades insurgentes de vanguardia, que se toparon con fuego intenso, fueron empujadas hacia delante por miles de soldados irregulares que les seguían. Muchos insurgentes murieron o resultaron heridos y de estos últimos muchos murieron pisoteados por sus compañeros, que eran empujados hacia delante por los demás "como en una tempestad las olas del mar son impelidas las unas por las otras y van a estrellarse contra las rocas". Las fuerzas invasoras se desbordaron rápidamente por entre las calles parapetadas alrededor del granero. Los defensores fueron obligados a recular hacia la alhóndiga: "La caballería [real] fué completamente arrollada, sin poder hacer uso de sus armas y caballos". En un primer momento del asalto, el populacho de Guanajuato se unió a los insurgentes.[131]

Sin haber pasado mucho tiempo desde el inicio de la lucha, el intendente Riaño recibió un disparo y murió de inmediato; éste incidente generó una agria disputa en torno a quién le sucedería en el mando de los realistas, si el asesor licenciado Manuel Pérez Valdés, o el oficial militar de más alto rango, el sargento mayor Diego Berzabal, quien debía asumir el mando puesto que estaban en medio de una batalla. Sin una cadena de mando muy clara, una defensa sólida era imposible. Un grupo intentó rendirse levan-

131. Alamán, *Historia de Méjico*, I, pp. 428-429.

LUCAS ALAMÁN

tando una bandera blanca al tiempo que otro, encabezado por Gilberto Riaño, mataba a los atacantes lanzando bombas hechas con azogue desde una ventana del granero. La aparente duplicidad enfureció a los insurgentes, que redoblaron sus esfuerzos por tomar la fortaleza. Algunos mineros intentaban socavar las paredes de la alhóndiga. Otros entraron por la fuerza a las tiendas para buscar ramas de ocote –"una especie de pino tan resinoso que sirve para alumbrar"–; llevaron este material combustible a la puerta de madera de la alhóndiga y le prendieron fuego. Cuando la puerta comenzó a derrumbarse en medio de las llamas, el sargento mayor Berzabal formó a las tropas realistas que quedaban a la entrada para disparar descargas de fuego en un esfuerzo desesperado por mantener a los atacantes a raya. Las fuerzas realistas pelearon hasta el final matando e hiriendo a muchos insurgentes, pero fueron derrotadas por el ejército rebelde, que era más grande y que continuó embistiendo el granero.[132]

Una vez dentro de la alhóndiga, los atacantes asesinaron indiscriminadamente. Masacraron a soldados, españoles y criollos; muchos de ellos suplicaron por sus vidas. La matanza pudo haber sido peor si Allende y otros oficiales no hubiesen intervenido dando instrucciones de apresar, y no matar, a los que aún quedaban vivos. Los pocos hombres que escaparon a la muerte fueron desnudados, golpeados y así llevados a la prisión de la ciudad, de la que los insurgentes habían sacado a todos los convictos. Algunos de los heridos fueron atendidos, pero la mayoría falleció. Es difícil determinar el número de decesos; Carlos María de Bustamante calcula 200 soldados y 105 españoles, Lucas Alamán cree "que murió mayor numero de españoles", pero no proporciona una cifra. Las bajas en el bando de los atacantes son aún más imprecisas; los cálculos van desde más de mil a más de tres mil.[133] Tras la caída de la alhóndiga, muchos habitantes que parecían "europeos" fueron encarcelados, sin ninguna distinción entre peninsulares y americanos. La alhóndiga fue saqueada; los atacantes tomaron comida, plata, dinero y bienes. Así las cosas, los dirigentes de la insurgencia no pudieron confiscar la gran riqueza almacenada ahí para financiar el movimiento. Un testigo declaró que los líderes sólo retiraron de la

132. Ayuntamiento de Guanajuato, *Pública vindicación*, pp. 20-24.
133. Según el ayuntamiento "pasaron de tres mil muertos"; *Ibid.*, p. 22.

alhóndiga cinco o seis mil pesos en moneda y treinta barras de plata. Los soldados insurgentes se llevaron la mayor parte de las monedas y el metal.

La resistencia, aunque valiente y decidida, había estado mal organizada y mal ejecutada, quizá trastocada por la temprana muerte de Riaño en el conflicto. Hacia las cinco de la tarde, la contienda había llegado a su fin. Incluso si Calleja y otros comandantes hubiesen enviado tropas, los refuerzos no habrían llegado a tiempo para salvar a los defensores de la alhóndiga. Según Alamán: "La toma de la alhóndiga de Granaditas fue obra entera de la plebe de Guanajuato";[134] esta aseveración parece dudosa. Sin embargo, de ser cierto, la toma de la alhóndiga pudo ser reflejo de la furia de los habitantes comunes de la ciudad, abandonados a merced de los insurgentes, ya que Riaño decidió proteger antes a los ricos y poderosos que la gente del común. Resulta evidente que el intendente Riaño cometió un gran error al parapetarse en la alhóndiga de Granaditas, pues si hubiese confrontado a los insurgentes fuera de la ciudad con sus fuerzas disciplinadas y entrenadas, es posible que hubiera vencido o bien provocado suficientes bajas como para obligar a muchos de los seguidores de Hidalgo a desertar. Después de todo, la gran mayoría de los insurgentes no estaba organizada ni preparada. (Esta afirmación no es meramente especulativa. En contiendas subsiguientes los pequeños ejércitos bien entrenados de los realistas vencieron a las fuerzas insurgentes, tremendamente superiores en número. La diferencia no era la valentía sino la calidad del entrenamiento y los oficiales que comandaban a las fuerzas realistas.) Riaño no adoptó esta estrategia, y la ciudad de Guanajuato pagó caro su error.

Hidalgo, Allende y otros líderes habían perdido el control de la situación incluso antes de la caída de la alhóndiga. Tras la destrucción del granero, los insurgentes, la plebe, y quizá los lugareños descontentos con las autoridades, dueños de minas, comerciantes o vecinos, saquearon la ciudad durante dos días. No es fácil estimar los daños causados; quienes son favorables a Hidalgo –como es el caso de Bustamante, Pedro García y Castillo Ledón– minimizan la destrucción, mientras que quienes son críticos, como el ayuntamiento de Guanajuato, Alamán y Hamill, la subrayan. Está claro que el asalto se perpetró directamente contra las posesiones de los españoles europeos; sus

134. Alamán, *Historia de Méjico*, I, p. 432.

tiendas, sus casas y sus propiedades fueron atacadas. Al parecer, muchos de los perpetradores se contentaron con llevarse objetos que despertaban envidia. Las minas fueron dañadas seriamente, sin duda por el enojo de los mineros ante la forma en que los dueños los habían tratado en fechas recientes. Algunos criollos, como Lucas Alamán, fueron confundidos con europeos y estuvieron en peligro de ser arrestados y maltratados por la turba. Sin embargo, los americanos –incluido Alamán– fueron salvados por sus vecinos y amigos, que respondieron por ellos. Los españoles apresados no fueron agredidos tras su encarcelamiento. No existe evidencia alguna que indique violencia contra mujeres y niños; no se mencionan violaciones en ninguna de las crónicas consultadas. Aunque aterradora, la plebe no parece haber sido particularmente violenta. Lucas Alamán, por ejemplo, menciona que su casa fue amenazada debido a que un español tenía una tienda en la planta baja:

> En este conflicto mi madre resolvió ir a ver al cura Hidalgo, con quien tenia antiguas relaciones de amistad y yo la acompañé. Grande era para una persona decentemente vestida, el riesgo de atravesar las calles entre una muchedumbre embriagada de furor y licores: llegamos sin embargo sin accidente hasta el cuartel del regimiento del Príncipe [...donde] estaba alojado Hidalgo (...) Recibiónos con agrado, aseguró a mi madre de su antigua amistad, e impuesto de lo que se temía en la casa nos dio una escolta (...) al cual dio orden de defender mi casa.[135]

El saqueo de Guanajuato, aunque de grandes dimensiones, no era comparable en ningún sentido a la violencia que tenía lugar en Europa en esos mismos años. En junio de 1808, por ejemplo, los franceses tomaron la ciudad de Córdoba: "Los soldados entraron por la fuerza en las casas y masacraron a sus habitantes, violaron a las mujeres que encontraron a su paso, se volcaron sobre las cavas de vino y sin excepción se embriagaron y saquearon casas, iglesias y conventos". Los oficiales franceses también participaron en el saqueo llevándose consigo "carros y carretas de pinturas, tapices y objetos de metales de las iglesias y los edificios públicos, y bolsas de reales de la caja real, donde se encontraron ni más ni menos que diez millones de reales en especie".[136] Aunque el saqueo de Guanajuato no fue excesivo según los estándares

135. *Ibid.*, pp. 439-440.
136. Lovett, *Napoleon and the Birth of Modern Spain*, I, p. 189.

de la época, en poco tiempo se convirtió en un gran mito de violencia y odio; las noticias sobre la masacre aterrorizaron a las clases media y alta de Nueva España e incluso a muchos individuos de clase baja.

En un principio, cuando la revuelta de Hidalgo emergió como un movimiento criollo en pos de la autonomía, las clases alta y media de las ciudades novohispanas percibían el movimiento favorablemente. Pero el apoyo de la elite desapareció cuando se hizo patente que los líderes de la revuelta no serían capaces de contener a sus seguidores. El saqueo de Guanajuato marcó el punto de transformación de la revuelta. La elite, que recordaba vívidamente la violencia de la reciente revolución haitiana, temía una guerra de razas y clases. Los indígenas que tenían tierras comunales y los campesinos que tenían propiedades también temían perder todo a manos de los desposeídos alistados en la filas de Hidalgo.

Tras reestructurar la jerarquía civil y militar en Guanajuato, Hidalgo se encaminó hacia el sur, a Valladolid, para esquivar a las fuerzas comandadas por Calleja y a las unidades traídas desde Puebla por Manuel de Flon, conde de la Cadena. El 8 de octubre, el cura envió a Valladolid una vanguardia de unos 3 000 hombres al mando de Mariano Jiménez. Dos días más tarde, él mismo emprendió ese camino llevando consigo a su ejército, el dinero tomado en Guanajuato y a 38 españoles. (Otros peninsulares –247 según Alamán– permanecieron encarcelados en Guanajuato.) Resulta difícil determinar el tamaño del ejército de Hidalgo para ese entonces, ya que muchos de sus seguidores regresaron a trabajar a sus talleres, minas, fábricas y campos, aunque otros más se le unieron a lo largo del camino; es probable que entre todos sumaran unos 20 000 efectivos o más. Aún más difícil es establecer la composición del ejército insurgente en ese momento, pues casi todos los que fueron promovidos a rangos de oficiales provenían de las unidades de milicia provinciales y es probable que siguieran a Hidalgo hacia el sur. La caballería estaba formada por antiguos regimientos de milicia y jinetes de las haciendas del Bajío; también es posible que muchos insurgentes fueran trabajadores mulatos, mestizos y criollos que habían migrado al Bajío buscando trabajo. La dimensión del grupo indígena se desconoce, pues si bien al principio del movimiento su participación fue limitada, creció conforme los campesinos descontentos se unieron a la insurgencia.

La participación indígena en la revuelta varió dependiendo de la situación de cada región en particular. Las comunidades indígenas de la Intendencia de Michoacán, por ejemplo, tenían una larga tradición de oposición a las medidas que consideraban dañinas a sus intereses. Estas comunidades habían participado *en masse* en las revueltas de 1766 y 1767 contra las reformas de Gálvez; de hecho, el cacique Pedro Rosales había apoyado la conspiración de Valladolid de 1809. Según Marta Terán, las comunidades indígenas de Michoacán apoyaron el movimiento de Hidalgo porque éste prometía acabar con el tributo, renegociar el estatus de las tierras indígenas arrendadas y permitir a las comunidades guardar sus recursos financieros.[137] Es posible que el decreto del 26 de mayo de 1810 expedido por el Consejo de Regencia y que abolía el tributo indígena e introducía una reforma agraria haya llegado a Valladolid al mismo tiempo que Hidalgo, pero es improbable que la instrucción fuera ampliamente difundida. Así que resulta bastante lógico que una porción sustancial, quizás incluso mayoritaria, del ejército insurgente al que se enfrentaba Valladolid estuviera compuesto por indígenas de la región que aún no tenían noticia de que las autoridades reales habían concedido ya algunas de sus demandas más importantes.

Cuando las noticias de la rebelión en Dolores llegaron a Valladolid el 20 de septiembre de 1810, el intendente interino Terán convocó al ayuntamiento a una junta de emergencia.[138] Aunque preocupados por su propia seguridad a la luz de los primeros informes sobre la hostilidad hacia los españoles, el ayuntamiento, predominantemente peninsular, acordó enviar algunas tropas auxiliares a Celaya y Querétaro. Sin embargo, cuando tuvieron noticias de la masacre de gachupines en Guanajuato, reunieron de inmediato

137. Marta Terán, "El movimiento de los indios, de las castas y la plebe de Valladolid de Michoacán en el inicio de la guerra por la independencia, 1809-1810", en Terán y Serrano Ortega, *Las guerras de independencia en la América española*, pp. 273-293; Terán, "Los decretos de Hidalgo que abolieron el arrendamiento de las tierras de indios en 1810", en Terán y Páez, *Miguel Hidalgo*, pp. 277-290; y Terán, "¡Muera el mal gobierno!", pp. 397-427.

138. El siguiente pasaje sobre Valladolid se basa en: "Defensa del canónigo D. Sebastian de Betancourt y Leon, con un informe de lo ocurrido en Morelia desde el 18 de Septiembre al 28 de Diciembre de 1810", en Hernández y Dávalos, *Colección de documentos para la historia de la Guerra de Independencia*, III, pp. 406-423; Bustamante, *Cuadro histórico*, I, pp. 60-66; Alamán, *Historia de Méjico*, I, pp. 460-467; Mendoza Briones, "Fuentes documentales sobre la independencia", pp. 195-200; Castillo Ledón, *Hidalgo*, II, pp. 77-85; Terán, "¡Muera el mal gobierno!", pp. 397-427; y Chowning, *Wealth and Power in Provincial Mexico*, pp. 82-86.

a sus fuerzas para preparar la defensa de la ciudad. Terán, como Riaño, estaba preocupado principalmente por el bienestar de los europeos y de los individuos acaudalados a los que la plebe podría asaltar. Con el apoyo de las autoridades civiles y religiosas recaudó fondos para manufacturar lanzas y organizar la defensa de la ciudad. Bloqueó los caminos y destruyó los puentes. Así, el Regimiento de Infantería Provincial y las compañías de voluntarios armados con las lanzas y las espadas que estaban siendo manufacturadas, podrían defender Valladolid. No obstante, las elites, en particular la de los europeos, estaban asustadas. Para calmar sus temores, las principales autoridades civiles y religiosas se reunieron el 4 de octubre con "vecinos de distinción" para discutir el mejor modo de proteger a la ciudad y sus ciudadanos. Dado que muchos de los militares americanos más reconocidos resultaban poco fiables tras la conspiración de 1809, el grupo nombró al prebendado Agustín de Ledos comandante de caballería y al capitán retirado Juan Antonio Aguilera, comandante de los Urbanos. Aunque leales, los nuevos comandantes no eran los más calificados para ocupar dichos cargos. La situación, inestable, sembraba en los peninsulares el temor a ser víctimas de un movimiento popular. Sin embargo, el regidor alcalde mayor jubilado Matías Robles sostuvo que los peninsulares no serían autorizados a dejar la ciudad, como algunos propusieron. Ellos y los criollos compartían una responsabilidad común: la de defender Valladolid. Sería irresponsable de su parte huir "dejando el riesgo de la guerra a los Americanos honrados que los defienden".[139] Aunque algunos europeos abandonaron Valladolid, la mayoría permaneció en la ciudad.

Días más tarde, la situación cambió completamente cuando Valladolid recibió la noticia de que las fuerzas de Hidalgo habían llegado a Indaparapeo, un pueblo que distaba cinco leguas de Valladolid. Muchos peninsulares huyeron, entre ellos el intendente interino Terán y el obispo electo Abad y Queipo –quien el 24 de septiembre de 1810 hubiera excomulgado a Hidalgo, Allende, Aldama y Abasolo–.[140] Los europeos de Valladolid huye-

139. Citado en Mendoza Briones, "Fuentes documentales sobre la independencia", p. 197. Véase también: Moisés Guzmán Pérez, *Miguel Hidalgo y el gobierno insurgente en Valladolid* (Morelia: IIH/Universidad Michoacana de San Nicolás de Hidalgo, 2003), pp. 109-125.

140. "Primer edicto contra la revolución iniciada en Dolores por el Sr. Hidalgo, fulminado por D. Manuel Abad y Queipo, canónigo penitenciario, electo Obispo de Michoacán", en Hernández y Dávalos, *Colección de documentos para la historia de la Guerra de Independencia*, II, pp. 104-106.

ron en "terror pánico", como lo estaban haciendo muchos otros peninsulares del Bajío y Michoacán. Desde el punto de vista del brigadier Calleja, los españoles mostraron "poco interes, falta de patriotismo y criminal indiferencia", al dejar la tarea de defensa del reino a los americanos.[141]

El 15 de octubre, José María Anzorena –un acaudalado y prominente americano que se desempeñaba como alcalde de primer voto y que había sido nombrado intendente en funciones por Terán– convocó a los ciudadanos principales a una junta y les informó "que en la madrugada de aquel dia havia recibido un oficio de Aldama, que se decia Mariscal, intimándole la rendicion de la Ciudad, y que en caso de Resistencia entraria con su exercito a sangre y fuego".[142] Tras una larga discusión, la junta decidió que debía enviar representantes del clero, el ayuntamiento y el ejército para reunirse con los líderes insurgentes y acordar la entrega de la ciudad. Los representantes –el canónigo licenciado Sebastián Betancourt, el regidor y alférez real Isidro Huarte, y el capitán de Dragones José María Aranzibia– se reunieron con el mariscal Aldama en el pueblo de Indaparapeo. Betancourt inquirió por la salud de varios oficiales reales importantes que eran prisioneros, como el conde de la Casa de Rul, Diego García Conde, y José Félix Merino; le fue permitido visitarlos y determinar que no habían sufrido daños. Después, intentó convencer a Aldama de que era moralmente incorrecto perseguir a los europeos, y a tal efecto, dijo:

> estos hombres viven con nosotros, los mas estan radicados; tienen sus Mujeres e hijos criollos ¿que intentan ustedes hacer con ellos? su contestación fue: *Separarlos del Reyno y que se vayan.* ¿Dónde se han de hir? [*sic*] Replique yo entonces, mucha parte de España está ocupada por los Franceses, no tienen ya mas Patria que esta: *pues que busquen otra, contextó, y concluyó con este razonamiento: Esta V. mui preocupado por los gachupines, y crea V. Señor Betancourt, que si mi padre viniera, a mi Padre llevaria preso como estos.*[143]

141. Citado en Romeo Flores Caballero, *La contrarrevolución en la independencia: Los españoles en la vida política, social y económica de México (1804-1838)* (México: El Colegio de México, 1969), p. 69.
142. "Defensa del canónigo D. Sebastian de Betancourt y Leon, con un informe de lo ocurrido en Morelia", p. 408.
143. *Ibid.*, p. 409.

Más tarde, después de que Hidalgo y Allende llegaran, el canónigo solicitó "que no entrasen en ella [la ciudad de Valladolid] las tropas de Indios que serian como unos veinte mil (...).[144] Esta solicitud también fue rechazada.

Hidalgo y sus hombres entraron a Valladolid el 17 de octubre, sólo para descubrir que la catedral estaba cerrada y que en sus puertas se hallaba el edicto de excomunión. Hidalgo estaba escandalizado porque el cabildo eclesiástico no estaba ahí para recibirlo. Furioso, declaró: "¡Que infamia! Ellos la pagarán (...) se dan por vacantes todas las prebendas de esta Iglesia, menos la del señor conde [de Sierra Gorda] señor Gómez Limón, y la del señor Betancourt porque fue al parlamento".[145] El canónigo conde de Sierra Gorda, quien estaba a cargo del obispado, levantó la excomunión. También transfirió a Hidalgo el casi medio millón de pesos del tesoro de la catedral. Algunos efectivos del regimiento de infantería provincial y del regimiento de dragones se unieron al movimiento insurgente, contribuyendo así con un mayor número de hombres preparados a la organización y la disciplina de las fuerzas insurgentes. Hidalgo confirmó a Anzorena en su puesto de intendente y realizó algunos nombramientos más para el gobierno provincial de Michoacán.

Según Carlos María de Bustamante: "El dia en que se celebro la misa de gracias, por la tarde los indios se echaron tumultuariamente sobre las casas de los españoles (...) que destrozaron de tal modo, que hasta el cielo raso (...) hicieron pedazos. Por consiguiente se robaron dinero, alhajas, efectos de comercio, y menaje de casa, sin que se escapasen de su voracidad las despensas".[146] No cabe duda de que algunos indígenas participaron del pillaje, pero junto a ellos otros miembros del ejército insurgente muy probablemente contribuyeron. Además, es probable que la plebe de Valladolid haya aprovechado la oportunidad para asaltar la propiedad de aquellos a quienes consideraban sus explotadores. El saqueo de la ciudad duró dos días. Finalmente, Allende

144. *Ibid.*, p. 410.

145. *Ibid.*, p. 411. Según Guzmán Pérez: "Todo esto representó un acto de enorme relevancia para el futuro político del movimiento [Hidalgo] se arrogó el ejercicio del Regio Patronato", *Miguel Hidalgo*, p. 139. También puede verse como una indicación de la tendencia autocrática de Hidalgo.

146. Bustamante, *Cuadro histórico*, I, pp. 62-63. La única alusión a posibles violaciones se refiere al saqueo de Valladolid. Según Eric Van Young, Estevan Vidal, un rebelde capturado, declaró que los líderes insurgentes habían permitido "una hora de pillaje y una hora de fornicación". *La crisis del orden colonial: Estructura agraria y rebeliones populares de la Nueva España, 1750-1821* (México: Alianza, 1992), p. 341. Sin embargo, es poco probable que cualquiera de los líderes insurgentes, en particular Hidalgo, hubiese autorizado la violación de mujeres.

hubo de aplicar la fuerza para detener el pillaje; disparó un cañón contra la multitud e hirió así a varios de los perpetradores. Lentamente se reestableció la calma. El 19 de octubre, diez días después de que el virrey Venegas publicara el decreto de la regencia que abolía el tributo, Hidalgo expidió un bando que no sólo abolía el tributo sino también la esclavitud. El resultado fue que el líder insurgente se granjeó mayor apoyo popular.

Tras reestructurar la jerarquía civil y militar,[147] Hidalgo marchó hacia la ciudad de México; en el camino muchos grupos rebeldes se unieron a su ejército y se calcula que éste habría alcanzado los 80 000 efectivos cuando llegó a Toluca, el día 29 de octubre. El cálculo de la legión quizá sea exagerado, pues habría sido difícil para un ejército tan grande vivir de la tierra, dado que muchas comunidades rurales de la zona no hacían suya la causa insurgente. La ciudad de México se hallaba en gran medida indefensa porque las fuerzas de Calleja y de Flon, así como otros ejércitos y unidades de milicia realistas, estaban demasiado lejos como para llegar a tiempo para proteger la capital. Sólo una pequeña cadena montañosa se interponía entre los insurgentes y la metrópoli más grande del Nuevo Mundo. El coronel realista Torcuato Trujillo, al mando de un ejército de 2 500 hombres decidió defender la capital desde el Monte de las Cruces, una elevación por encima de los pasos hacia el valle de México. A las once de la mañana del 30 de octubre, los insurgentes atacaron. Hombres de los regimientos de infantería de Valladolid y Celaya, así como del batallón de Guanajuato, encabezaban el asalto, mientras que los regimientos de la reina, del príncipe y de Pátzcuaro cubrían los flancos. Como señala Alamán, dichas unidades "excedían al doble en número y eran de igual calidad a aquellas con que iban a batirse".[148] Tal vez Alamán esté en lo correcto acerca del número de hombres en los regimientos que se sumaron a la insurgencia. Sin embargo, pocos oficiales se unieron al movimiento. La ausencia de comandantes militares con preparación disminuyó la eficacia de las fuerzas rebeldes.[149]

147. Para una visión diferente del régimen de Hidalgo en Valladolid, véase: Guzmán Pérez, *Miguel Hidalgo y el gobierno insurgente en Valladolid*, pp. 128-180.

148. Alamán, *Historia de Méjico*, I, p. 475.

149. Según Juan Ortiz Escamilla: "En Monte de las Cruces, a pesar del triunfo insurgente, los jefes rebeldes se mostraron preocupados por las pérdidas y las deserciones. En la desesperación propusieron el mando de sus tropas

Una multitud armada con lanzas, palos, hondas y piedras seguía a las unidades de avanzada. La mayor parte de los historiadores se refiere a este grupo como los "indios". Muchos, quizá la mayoría, eran de hecho indígenas, pero es probable que gran número de mestizos, mulatos y criollos también formara parte del ejército. Las fuerzas realistas, firmes en su emplazamiento, abrieron fuego con metralla y mataron e hirieron a los miembros de la disciplinada vanguardia de las fuerzas insurgentes. El enorme número de soldados sin preparación en el bando rebelde interfería con las unidades entrenadas, ocasionando confusión. Los dos ejércitos se enfrascaron en una lucha sangrienta que duró todo el día. Allende y los demás comandantes rebeldes no podían controlar a sus tropas, valientes pero desordenadas. Si bien los insurgentes rodearon al ejército de Trujillo, los realistas, bien disciplinados, rompieron las filas del ejército de Hidalgo y al anochecer emprendieron la retirada hacia el valle de México. Aunque el ejército de Trujillo, devastado, no era ya capaz de defender la capital, los insurgentes también sufrieron grandes pérdidas.[150] Cerca de dos mil hombres murieron o resultaron heridos, muchos de ellos soldados preparados de las columnas de avanzada.[151] Innumerables rebeldes abandonaron el campo de batalla; de un día para otro tal vez la mitad de las fuerzas insurgentes desapareció.[152] La larga racha de victorias fáciles y de marchas triunfales tocaba a su fin. El ejército realista había demostrado de lo que era capaz un destacamento pequeño, pero bien entrenado y con disciplina.

Los insurgentes que quedaban se reagruparon antes de avanzar hacia la ciudad de México. Hidalgo envió a sus emisarios a los pueblos indígenas del valle con la esperanza de convocar a nuevos reclutas. A diferencia de los

---

a sus prisioneros, coronel Diego García Conde y al conde de Rul y éstos no aceptaron". *Guerra y gobierno. Los pueblos y la independencia de México* (Sevilla y México: Universidad Internacional de Andalucía/Universidad de Sevilla/El Colegio de México/Instituto José María Luis Mora, 1977), pp. 44-45.

150. Archer, "Bite of the Hydra", p. 89.

151. El coronel Torcuato Trujillo estimó que los insurgentes habían sufrido por lo menos dos mil bajas en muertos o heridos. Christon I. Archer, "La revolución militar de México: Estrategia, tácticas y logísticas durante la guerra de independencia, 1810-1821", en Josefina Zoraida Vázquez (coord.), *Interpretaciones de la Independencia de México* (México: Nueva Imagen, 1997), p. 134.

152. Ortiz Escamilla sostiene que una "gran cantidad de hombres murieron [en la batalla de Las Cruces] calculados en de 20 000. Además, durante la retirada hacia Cuahimalpa desertaron otros 20 000". *Guerra y gobierno*, p. 45. Sin embargo, de acuerdo con Christon I. Archer, "los rebeldes no parecen haber sufrido en el campo de batalla las pérdidas brutales de que habla la propaganda realista". Archer, "Bite of the Hydra", p. 89.

trabajadores rurales y urbanos del Bajío, y de las comunidades indígenas de Michoacán, los habitantes del centro de México no se lanzaron a las filas de Hidalgo; la mayoría de los pueblos indígenas expresó sin demora su apoyo a los realistas y algunos, incluso, se ofuscaron al saber que "entre los traidores hubiera gente indígena". La parcialidad de Tecpan de Santiago aseguró al virrey "que ninguno de sus hijos" marcharía con los rebeldes. Por su parte, Tlaxcala expresó su rechazo a los "escandalosos y detestables" actos de los insurgentes y aseguró al virrey que se opondría a la rebelión en esa zona.[153]

Si los habitantes de la meseta central, y en particular de los valles alrededor de la ciudad de México no se rebelaron, no fue por pasividad, como argumentan algunos historiadores, sino porque sus condiciones socioeconómicas eran más favorables que la de los habitantes del Bajío. La región central de Nueva España no había pasado por la transformación ni por la modernización de la agricultura que experimentó el Bajío. Las comunidades de los pueblos eran relativamente prósperas, aunque no tan acomodadas como la mayor parte de los trabajadores del Bajío. Puesto que estaban organizadas como repúblicas de indios, contaban con mayor autonomía y tenían la capacidad de negociar con las autoridades reales. Además, mantenían relaciones simbióticas con las heredades adyacentes de mayor tamaño.[154] Aunque sus quejas eran muchas y muy diversas, por lo general los pobladores del centro no las encauzaban por completo en contra de un grupo europeo explotador o dominante. El descontento y los agravios que sentían los pueblos y villas de Nueva España eran similares al descontento y los agravios que debieron ser atendidos en varias formas durante los años precedentes. En la meseta central, la mayor parte de la población rural prefería resolver sus disputas dentro del sistema legal existente.[155]

El virrey Venegas rechazó la demanda que hiciera Hidalgo de entregar la ciudad de México para evitar una batalla sangrienta. Pese a que las

153. "El ayuntamiento y vecinos de Tepeaca manifiestan al Virey cuáles son sus sentimientos contra la revolucion"; "La parcialidad del Tecpan de Santiago, manifiesta al Virey su patriotismo y entusiasmo por la causa del Rey"; y "El ayuntamiento de Tlaxcala ofrece todos sus recursos para combatir la revolucion iniciada por el cura Hidalgo", en Hernández y Dávalos, *Colección de documentos para la historia de la Guerra de Independencia*, II, pp. 120-122, 142 y 144.

154. Tutino, *From Insurrection to Revolution in Mexico*, pp. 138-151.

155. Sobre la naturaleza de las rebeliones tradicionales, véase por ejemplo: Taylor, *Drinking, Homicide and Rebellion in Colonial Mexican Villages*, pp. 115-151. Véase también: Miño Grijalva, "Acceso a la justicia y conflictos".

fuerzas realistas ya estaban en camino con refuerzos, Allende y otros comandantes insurgentes querían tomar la capital, pero Hidalgo los convenció del peligro que esto representaba, ya que la insurgencia podía ser atacada por las fuerzas de Calleja y Flon mientras peleaba en la capital. Hidalgo ordenó a sus hombres regresar el 3 de noviembre, de modo que dejaron a la ciudad de México sumida en el miedo, pero intacta.

Desde la capital, los insurgentes avanzaron hacia el norte, en dirección a Querétaro. El ejército de Hidalgo aún era imponente –tal vez unos 40 000 hombres seguían al cura– pero no era una fuerza militar bien organizada. Las serias pérdidas de oficiales y soldados entrenados acaecidas en Las Cruces afectaron seriamente la disciplina. El 7 de noviembre, el ejército bien disciplinado del general Calleja, compuesto por 7 000 efectivos regulares y de la milicia de San Luis Potosí, interceptó a los insurgentes en Aculco. Allende e Hidalgo habían planeado enfrentar al enemigo y retirarse con presteza para evitar pérdidas graves, pero lo que debió haber sido una retirada en orden se convirtió en una desbandada: los rebeldes abandonaron muchos de sus fusiles, la mayor parte de su artillería y municiones, y también sus provisiones en una huida desesperada de manos del enemigo. Calleja declaró haber matado a miles de insurgentes, pero un oficial que se hallaba en el sitio contó sólo "ochenta y cinco [muertos] y cincuenta y tres heridos de los que murieron diez".[156] No obstante, miles de insurgentes abandonaron la causa y regresaron a casa.

Así, a unas cuantas semanas del grito, la mayor parte de los criollos, mestizos, indígenas y castas repudiaron a Hidalgo. La transformación socioeconómica del Bajío y las condiciones especiales de Michoacán habían desarraigado profundamente a los desposeídos rurales y urbanos de la región, que consideraban su sufrimiento como una injusticia. Además, la ausencia del rey y el temor a la dominación francesa generaron un clima de inseguridad. A los habitantes del Bajío y Michoacán, el llamado a las armas hecho por Hidalgo y sus seguidores les parecía una oportunidad para reparar los agravios al tiempo que se castigaba a los explotadores. A lo anterior se sumaba que las acciones rebeldes prevendrían la temida traición de los peninsulares capaces de entregar

156. Alamán, *Historia de Méjico*, I, pp. 489-500, la cita puede hallarse en la página 496. Según Archer: "Las pérdidas realistas fueron un muerto y dos ligeramente heridos", Archer, "La revolución militar de México", p. 134.

Nueva España a los franceses. Empero, las condiciones no eran las mismas en otras zonas de Nueva España. La violencia en Guanajuato y la posibilidad de una guerra civil atemorizaron a todas las clases, castas y grupos étnicos, que percibieron la insurrección como una amenaza potencial a sus intereses.

Tras la batalla, los desorganizados rebeldes se dividieron en dos grupos: Hidalgo marchó hacia Valladolid, mientras que Allende regresó a Guanajuato. Pese al declive de su fuerza, el cura fue bien recibido en la ciudad, que se hallaba controlada por los funcionarios que él mismo había designado. El fracaso en la toma de la capital y la debacle de Aculco parecían haber transformado a Hidalgo en un líder rencoroso e iracundo capaz de recurrir al terror y matar a los prisioneros españoles.[157] Aunque en un inicio Hidalgo había hecho poco por refrenar la furia de sus hombres, tampoco la había alentado; sin embargo en Valladolid, ordenó la ejecución de los españoles apresados en la ciudad.[158] La mañana del 14 de noviembre, 41 españoles fueron degollados, entre ellos el ex intendente interino Terán, capturado cuando huía de Valladolid. Un segundo grupo de 42 peninsulares fue ejecutado el día después de que Hidalgo partiera hacia Guadalajara.[159]

Antes, al recibir noticias sobre la revuelta de Hidalgo en septiembre, el intendente Abarca, de Guadalajara, conformó una Junta Superior Auxiliar de Gobierno, Seguridad y Defensa. El organismo, compuesto por 15 personas de las principales corporaciones de la ciudad, organizó nuevas unidades de milicia para auxiliar a los ejércitos establecidos en filas de oposición a los insurgentes. El

157. Herrejón Peredo señala: "hay que reconocer que una vez desatada la violencia, Hidalgo se dejó arrastrar por ella y tiró por la borda las consideraciones morales, que ciertamente conocía, acerca del mal menor y el derecho de guerra. Matanzas como las de Valladolid y Guadalajara no encuentran justificación en ninguna doctrina de teólogo católico. La responsabilidad de Hidalgo en tales asesinatos es inexcusable. El frenesí revolucionario se apoderó de Hidalgo, y su personalidad sufrió grave transformación al golpe de la violencia y al verse aclamado por la incontable multitud (...) Frente a la serie de derrotas y matanzas, es preciso admitir que la organización y la moralidad de la causa habían pasado a segundo plano. Los demás dirigentes de la insurgencia fueron los primeros en sorprenderse ante la mutación tremenda del pacífico párroco", en "Hidalgo: Las razones de la insurgencia", p. 41.

158. Su biógrafo, Castillo Ledón, minimiza el crimen afirmando que "fue la condescendencia que tuvo con los indios de mandarles hacer entrega de una parte de los prisioneros españoles para que los sacrificasen". Castillo Ledón, *Hidalgo*, II, pp. 112-113.

159. "Noticias relativas a la matanza de españoles en Valladolid (Morelia)", en Hernández y Dávalos, *Colección de documentos para la historia de la Guerra de Independencia*, II, pp. 520-522.

obispo Juan Cruz Ruiz de Cabañas exhortó al clero en sus diócesis a oponerse a los rebeldes y organizó un regimiento, al que llamó Cruzada, compuesto por el clero y los fieles para combatir a la rebelión. El 24 de octubre, Ruiz de Cabañas amenazó con excomulgar a cualquiera que ayudara a los insurrectos.

Gran parte de la elite urbana y rural se oponía a Hidalgo, pero el descontento en el campo proporcionó un terreno fértil para la insurgencia. Conforme la ciudad de Guadalajara había crecido y prosperado, el aumento de la población y la expansión de la agricultura comercial derivaron en mayor número de campesinos sin tierra y sin trabajo. Las crisis periódicas en otros sectores de la economía exacerbaron este problema perenne. El aumento de los precios, la escasez ocasionada por las guerras europeas y la creciente competencia de productores extranjeros dañaron la industria de la región. El desempleo cada vez mayor vino acompañado de hambruna y enfermedad, pero las penurias materiales no fueron suficientes para explotar en la forma de una revuelta. Como ocurrió en el Bajío, el movimiento del padre Hidalgo resonó entre los pobres rurales porque atendía al miedo de todos los novohispanos de que los pilares mismos de su sociedad, el representante de Dios en la Tierra –la Iglesia católica– y la corona, estuviesen amenazados.

Algunas elites locales intentaron aprovechar el descontento rural y la insurgencia para fortalecer sus posiciones políticas y económicas. Así pues, lideraron diversos movimientos insurgentes en la provincia de Guadalajara; el más importante encabezado por José Antonio Torres, mayordomo de una hacienda del Bajío, conocido como "el amo".[160] Torres se unió a las fuerzas de Hidalgo en Irapuato y, el 25 de septiembre, obtuvo la aprobación del cura para llevar la insurgencia a la provincia de Guadalajara. Cuando Torres y sus hombres marchaban hacia el oeste, el movimiento atrajo a los trabajadores sin tierra y a los indígenas de los pueblos; para finales de octubre sus fuerzas ocuparon Zacoalco, cerca de Guadalajara. El 4 de noviembre, los hombres de Torres aniquilaron a las unidades de la Junta Superior Auxiliar y dos días más tarde otros insurgentes derrotaron a un segundo ejército de la ciudad de

160. Alamán se refiere a él como "un hombre de campo, nativo del pueblo de S. Pedro Piedragorda en la provincia de Guanajuato, y mayordomo de una hacienda en aquellas inmediaciones". *Historia de Méjico*, II, p. 4. Hamill y Taylor se refieren a él como "mestizo". Hamill, *The Hidalgo Revolt*, p. 147; William B. Taylor, "Banditry and Insurrection: Rural Unrest in Central Jalisco", en Katz (ed.), *Riot Rebellion, and Revolution*, p. 216.

Guadalajara, dejando las carreteras hacia la capital desprotegidas.[161] Consciente de la violencia que los insurrectos habían ejercido contra los europeos en Guanajuato y en otros lugares tomados por Hidalgo, el obispo Ruiz de Cabañas y 200 individuos eminentes, en su mayoría españoles, huyeron a San Blas. En consecuencia, el ayuntamiento y el cabildo eclesiástico, compuestos ahora por americanos, eran las únicas corporaciones representativas que quedaban en la ciudad. El ayuntamiento envió emisarios a negociar con los insurgentes. Después de que Torres proporcionara garantías para proteger las vidas y la propiedad y para mantener el orden, se le permitió entrar a la ciudad de Guadalajara, el 11 de noviembre.

Pese a las promesas de Torres, una vez en la ciudad los insurgentes arrestaron a los europeos y confiscaron sus pertenencias; sin embargo, "José Antonio Torres (...) demostró ser hábil para refrenar a los indígenas y las castas bajo su mando. La ocupación de Guadalajara fue ordenada: Torres no permitió el saqueo. Se organizó un comité para confiscar la propiedad de los gachupines de una manera eficiente. Torres tomó la precaución extra de hacer que su ejército acampara fuera de la ciudad".[162] Lo que es más importante: Torres no permitió ninguna matanza.

El éxito de Torres alentó a otros a rebelarse, entre ellos varios curas rurales. Uno de los más renombrados fue José María Mercado, cura de Ahualulco, quien persiguió a los españoles hasta San Blas.[163] Al sitiar el puerto el

161. Resulta complicado determinar la dimensión y la fuerza del ejército de Torres. Una crónica escrita por J. Hernández en 1867 dice que Torres "logró poner en pie [un ejército de] mas de tres mil cuya infanteria fue armada de palos, ondas y veinticinco o treinta fusiles (…) La caballeria se componia de algunos rancheros armados de lanzas, garrochas y soguillas". "Relación de la acción en las playas de Zacoalco entre las fuerzas independientes y realistas", en Hernández y Dávalos, *Colección de documentos para la historia de la Guerra de Independencia*, II, pp. 202-203. Aunque muchos autores minimizan la importancia de una caballería armada de lanzas, esta valoración es errónea. Los hombres armados con lanzas y a caballo constituían una fuerza poderosa. Décadas más tarde, Joel Poinsett, que conocía México bien, rogó a sus compatriotas no invadir esa nación porque: "El pueblo es guerrero (...) y su fuerza montada irregular es la mejor que haya visto. Enjambres de estos hombres a caballo, armados con largas lanzas que usan con gran destreza [causarían un gran daño a las fuerzas invasoras de los Estados Unidos]". Citado en J. Fred Rippy, *Joel R. Poinsett, Versatile American* (Durham: Duke University Press, 1935), pp. 226-227.

162. Hamill, *The Hidalgo Revolt*, p. 149.

163. Según Alamán: "Mucho llamó la atención el que Mercado tomase parte en la revolución, por que gozaba de mucha reputacion de virtud, y era director de los ejercicios espirituales en Guadalajara". *Historia de Méjico*, II, p. 11. Algunos historiadores, siguiendo las quejas de los oficiales reales, han sostenido que el clero incitó a las masas rurales a rebelarse. Véase, por ejemplo, Karl M. Schmidt, "The Clergy and the Independence of

28 de noviembre, el cura declaró que su lucha no era contra los europeos sino contra los enemigos de la patria y la fe, en particular contra aquellos que apoyaban la invasión francesa a España. Pero también amenazó a los defensores con "fuego, y sangre, y –declaró– no daré Quartel a nadie". Creyéndose en gran desventaja numérica, los españoles, incluido el obispo Ruiz de Cabañas, huyeron por mar. Mercado ocupó el puerto durante dos meses, del 1 de diciembre de 1810 al 31 de enero de 1811. Al tiempo que las nuevas fuerzas realistas avanzaban hacia San Blas, el padre Mercado accidentalmente cayó en un barranco y murió la noche del 31 de enero cuando el cura del puerto, Nicolás Santos Verdín, se rebeló contra los insurgentes. Las autoridades reales entraron a la ciudad poco tiempo después.

Antes de que esto ocurriera, el 26 de noviembre de 1810 Hidalgo llegó a la ciudad de Guadalajara invitado por Torres y la gente lo recibió con gran entusiasmo, con una impresionante ceremonia organizada por el ayuntamiento, el cabildo eclesiástico, la universidad y los colegios. Ahí, Miguel Hidalgo instauró lo que sería su breve gobierno –del 26 de noviembre de 1810 al 14 de enero de 1811–. En un inicio fue magnánimo y perdonó a los españoles; más adelante, los rumores de una conspiración dirigida por estos últimos provocaron "una reacción exagerada de Hidalgo", que ordenó arrestar a los europeos y comenzó a ejecutarlos el 12 de diciembre, día de la Virgen de Guadalupe. Ni "indios salvajes ni canalla" lo presionaron para ello, Hidalgo actuó voluntariamente. El número de ejecutados fue alto. Tiempo después, Hidalgo declararía que 350 españoles fueron muertos; Calleja y Bustamante elevan la cifra a 700 y Alamán afirma "que habian sido cosa de mil".[164] Horrorizados por las muertes, los individuos eminentes de la ciudad,

---

New Spain", en *Hispanic American Historical Review*, Vol. 34 (1954), pp. 289-312; y Nancy M. Farris, *Crown and Clergy in Colonial Mexico, 1759-1821: The Crisis of Ecclesiastical Privilege* (London: The Athlone Press, 1968), pp. 209-265. En su gran obra, *Magistrates of the Sacred*, William B. Taylor intenta evaluar el papel de los curas de parroquia durante la insurrección (en las páginas 449 a 535). Sin embargo, ninguno de estos estudiosos considera el papel preponderante del clero en el proceso político, especialmente en las elecciones constitucionales que se llevarían a cabo más tarde.

164. Alamán, *Historia de Méjico*, II, p. 105. Según José Antonio Torres "Esta terrible matanza empezó el DIA 13 de Diciembre (y no el 12 como dice Alamán)". "Apuntes biográficos de D. José Antonio Torres" en Hernández y Dávalos, *Colección de documentos para la historia de la Guerra de Independencia*, IV, pp. 175-184, cita en la p. 179. Agradezco a Marco Antonio Landavazo por esta información.

entre ellos el gobernador de la mitra, apelaron a Allende para poner fin a la masacre. Incapaz de prevenir o ponerle fin a las ejecuciones, éste consideró "darle un veneno [a Hidalgo] para cortar [...los] males que estaba causando, como los asesinatos que de su orden se ejecutaban en dicha ciudad [de Guadalajara] con los muchos mas que amenazaba su despotismo".[165] Sin embargo, no emprendió ninguna acción contra el cura.

Para financiar su gobierno, Hidalgo confiscó propiedades y exigió a las corporaciones proporcionar fondos. Cuando la universidad anunció que carecía de recursos, Hidalgo amenazó con usar "alguna violencia con todo el claustro" de dicha corporación. Naturalmente, la universidad reconsideró e hizo las contribuciones apropiadas. El líder insurgente dedicó la mayor parte de su tiempo a organizar su gobierno y a reorganizar sus tropas. Nombró a nuevos ministros, abolió los estancos y redujo la alcabala. Aunque en un esfuerzo por granjearse el apoyo de las comunidades indígenas propuso leyes para proteger sus tierras, Hidalgo no tenía un programa socioeconómico revolucionario; sus propuestas no eran radicales ni novedosas; de hecho, el gobierno en España ya había puesto en marcha algunas de esas medidas. Pese al carácter ligero de su reformismo, el movimiento de Hidalgo encontró muchos seguidores nuevos entre los campesinos de Guadalajara. Para finales del año, el ejército insurgente había crecido a más de 40 000 hombres.

Mientras tanto los realistas también ganaban fuerza. El brigadier Calleja atacó Guanajuato, expulsando a Allende de la ciudad el día 24 de noviembre. Antes de partir, los insurgentes masacraron a 138 prisioneros gachupines. Después de tomar la ciudad, Calleja ordenó que 69 ciudadanos de Guanajuato, sospechosos de ser colaboradores, fueran ejecutados; de ahí en adelante, cualquiera que solapara a los insurgentes se exponía a semejante pena. Cuando el terror y el contra-terror obligaron a la gente a tomar partido, la mayoría optó por la causa realista, más organizada y socialmente aceptable.

Allende y su maltrecho ejército se retiraron a Guadalajara, desde donde Hidalgo controlaba una vasta región del occidente. Los insurgentes se abocaron al reclutamiento y al entrenamiento de un nuevo ejército y reorganizaron su gobierno. Para mediados de enero, se decía del ejército rebelde que contaba con 80 000 hombres. Contraviniendo el consejo de

165. García, *Documentos históricos mexicanos*, VI, pp. 31-32.

sus comandantes militares, en especial de Allende, Hidalgo decidió atacar a las fuerzas realistas cuando éstas se acercaban a Guadalajara. El 17 de enero de 1811 los rebeldes se encontraron con el ejército de Calleja, de 6 000 hombres, en el puente de Calderón, once leguas al este de Guadalajara. Tras seis horas de cruento combate, el ejército de Calleja dominaba el terreno; los líderes insurgentes huyeron desordenadamente hacia el norte. Dos días después se citaron en Pabellón, una hacienda al noroeste de Aguascalientes, donde Allende y sus oficiales retiraron a Hidalgo del mando. Ignacio Allende asumió el cargo de generalísimo, pero mantuvo a Hidalgo como un cacique títere para apaciguar a las masas.

Pese a la reorganización, los rebeldes nunca retomaron la iniciativa. La mayor parte de los criollos, mestizos, mulatos e indígenas de las comunidades se oponía al movimiento. Durante varias semanas, los insurgentes intentaron conseguir apoyo en el norte. Finalmente, el 21 de marzo de 1811, las fuerzas realistas capturaron a los líderes insurgentes en un pueblo llamado, irónicamente, Nuestra Señora de Guadalupe de Baján. Los líderes, encadenados, fueron conducidos hasta Chihuahua, donde fueron juzgados, encontrados culpables y ejecutados; los realistas pusieron las cabezas de Hidalgo, Allende, Aldama y Jiménez en jaulas en cada una de las cuatro esquinas de la alhóndiga de Granaditas, en Guanajuato, donde permanecieron hasta la independencia a manera de macabro recordatorio de las consecuencias de la traición. En un último esfuerzo por desacreditar la revuelta, las autoridades anunciaron que Hidalgo se había retractado, suplicando el perdón de Dios por los crímenes que había cometido.

No es nada sencillo explicar cómo se transformó Hidalgo de un líder revolucionario que afirmaba no considerar a los españoles europeos como sus enemigos a un sanguinario ejecutor de peninsulares. Al principio de la insurgencia, Hidalgo ordenó a sus subordinados incautar las propiedades de los españoles europeos. "Aquellos peninsulares que se presentaban voluntariamente y dispuestos a cooperar recibirían cartas de buena conducta para que no fueran molestados, aquellos que no se presentaran voluntariamente serían apresados, y los que se resistieran activamente, ejecutados".[166] En contraste, en enero de 1811, Hidalgo ordenó a uno de sus lugartenientes tratar

166. Van Young, *The Other Rebellion*, p. 279.

con dureza a los españoles: "al que fuere inquieto, perturbador o seductor, o se conozcan otras disposiciones, lo sepultará en el olvido, dándole muerte con las precauciones necesarias, en partes ocultas y solitarias, para que nadie lo entienda".[167] Interrogado después de su captura, Hidalgo declaró que era responsable de la ejecución en Valladolid de cerca de 70 europeos, así como de las ejecuciones en Guadalajara de unos 350 europeos más. Además, dijo: "se ejecutaban [a los españoles] a horas desusadas y de lugares solitarios, para no poner en vista de los pueblos un espectaculo tan horrorozo y capaz de conmoverlos, pues, únicamente deseaban estas escenas los indios y la infima canalla".[168] Al preguntársele por qué dio tales instrucciones, Hidalgo contestó con frialdad "Que no tuvo más motivos que el de una condescendencia criminal con los deseos del ejercito compuesto de los indios y de la canalla".[169] ¡La respuesta era a todas luces falsa! Quizá la mayor parte de las fuerzas insurgentes que tomaron Valladolid y Guadalajara consistiera de "los indios y la canalla", pero gran número también era de mestizos, mulatos y criollos; además, es evidente que sólo un pequeño número de "los indios y la canalla" participó en los crímenes. Puesto que las ejecuciones se llevaban a cabo en secreto, la mayoría de los insurgentes no sabía nada de ellas y es muy probable que no hubieran consentido llevarlas a cabo. Torres, por ejemplo, actuó de manera totalmente distinta cuando tomó la ciudad de Guadalajara. Los requerimientos de Hidalgo para que las ejecuciones se llevaran a cabo "con las precauciones necesarias, en partes ocultas y solitarias, para que nadie lo entienda" y "para no poner en vista de los pueblos un espectaculo tan horrorozo y capaz de conmoverlos" son claramente una indicación de que la mayoría de los insurgentes –indios, mestizos, mulatos y criollos– no justificaba el asesinato. De otra manera, ¿por qué se requerían "las precauciones necesarias"? Como señala Carlos Herrejón Peredo: las matanzas "no encuentran justificación en ninguna doctrina de teólogo católico [, como lo era Hidalgo.] La responsabilidad de Hidalgo en tales asesinatos es inexcusable. El frenesí revolucionario se apoderó de

167. Citado en Alamán, *Historia de Méjico*, II, p. 102.
168. "Declaración del cura Hidalgo", en Hernández y Dávalos, *Colección de documentos para la historia de la Guerra de Independencia*, II, pp. 14-15.
169. *Ibid.*, II, p. 17.

Hidalgo, y su personalidad sufrió grave transformación al golpe de la violencia y al verse aclamado por la incontable multitud".[170]

Marta Terán sostiene que: "La matanza de europeos [fue llevada a cabo] a manos de verdugos indios, y no (...) de las castas o la plebe (...) En el odio a los europeos coincidió Hidalgo con los indios".[171] Para sostener esto, Terán recurre al argumento de los obispos Antonio de San Miguel y Manuel Abad y Queipo según el cual la extrema desigualdad de Nueva España era fuente de un "odio recíproco" entre las masas explotadas, principalmente indígenas, y los europeos explotadores, un argumento reiterado por Alexander von Humboldt. Sin embargo, investigaciones recientes demuestran que las condiciones socioeconómicas en el virreinato eran mucho más complejas y que había muchas gradaciones entre la riqueza desmesurada y la pobreza extrema.[172] Si bien podía haber tensión e incluso conflictos entre los indígenas y los peninsulares, parece poco probable que existiera un "odio recíproco" entre ambos grupos. El conflicto entre el pueblo común y los gachupines estaba conformado por el contacto de aquél con ciertos europeos. Los españoles que interactuaban regularmente con la población eran tenderos, justicias, administradores, militares, vicarios y párrocos. Aunque por lo general entablaban relaciones cordiales con indígenas y castas, había momentos en que se enfrentaban a ellos. Estos episodios de discordia alimentaban la hostilidad contra los españoles, particularmente durante periodos de inestabilidad económica o política. Tradicionalmente, cuando esta hostilidad estallaba en la forma de motines y disturbios, se manifestaba en ataques sobre la propiedad y en saqueos; sólo en contadas ocasiones la hostilidad escalaba hasta el asesinato.[173] Siendo así, resulta improbable que todos o la mayoría de los

170. Carlos Herrejón Peredo, "Hidalgo. Razones de la insurgencia", en Terán y Páez, *Miguel Hidalgo*, p. 77.

171. Terán, "El movimiento de los indios", p. 415.

172. Véanse, por ejemplo: Miño Grijalva, *El mundo novohispano*, pp. 270-380; y Enriqueta Quiroz, *Entre el lujo y la subsistencia: Mercado, abastecimiento y precios de la carne en la ciudad de México, 1750-1812* (México: Colmex/Instituto Mora, 2005), así como su artículo: "La moneda menuda en la circulación monetaria en la Ciudad de México, siglo XVIII", *Mexican Studies/Estudios Mexicanos,* vol. 22, núm. 2 (verano de 2006), pp. 219-249. Véase también: Jorge Silva Riquer, *La estructura y dinámica del comercio menudo en la ciudad de Valladolid. Michoacán a finales del siglo XVIII* (México: Universidad Michoacana de San Nicolás de Hidalgo/IIH/INAH, 2007). Empero, los historiadores de lengua inglesa retratan por lo general una imagen más lóbrega. Véase, por ejemplo, Garner en colaboración con Stefanou, *Economic Growth and Change in Bourbon Mexico*, pp. 246-258.

173. Para un examen detallado de los levantamientos en los pueblos, véase: Van Young, *The Other Rebellion*, pp. 351-452.

indígenas exigieran la ejecución indiscriminada de españoles europeos. El asesinato metódico de españoles fue perpetrado por una selecta minoría a las órdenes de Hidalgo y otros cuantos líderes insurgentes.[174]

Las atrocidades de los insurgentes provocaron el contra-terror realista. En un principio, los comandantes realistas como Calleja y el recién llegado José de la Cruz ejecutaron a los principales colaboradores insurgentes en los pueblos recuperados. Sin embargo, pronto fue evidente que eran demasiados los individuos que ayudaban o colaboraban con los insurgentes al ver su región amenazada: "era imposible ejecutar a toda persona que hubiera auxiliado a la rebelión [...En lugar de ello, las autoridades recurrieron] a ejecuciones ejemplares, sentencias de cárcel, azotes públicos y exposición pública en los cepos" para reafirmar la autoridad sobre las regiones ocupadas anteriormente por los insurgentes.[175]

Las fuerzas realistas entraron a Guadalajara el 21 de enero de 1811. Las elites de la ciudad denunciaron a Hidalgo e insistieron en que no habían participado voluntariamente en sus nefandas actividades. El brigadier Calleja restauró a las antiguas autoridades en sus cargos –menos al intendente Abarca, a quien acusó de negligencia– y castigó a quienes habían apoyado a los insurgentes. Además, arrestó a aquellos acusados de crímenes graves. Algunos de estos individuos, juzgados en Cortes marciales, fueron ejecutados. Los infractores menos peligrosos recibieron multas. Los miembros del ayuntamiento, por ejemplo, reembolsaron personalmente a la corporación los 1 000 pesos que gastaron de los fondos públicos para la recepción de Hidalgo. Algunos individuos, como Francisco Severo Maldonado, recibieron indultos por sus actividades en favor de los insurgentes tras acceder a apoyar al "gobierno legítimo". Más adelante, el virrey Venegas nombró al brigadier José de la Cruz comandante general de Nueva Galicia y presidente de la audiencia. El nuevo funcionario estableció una junta de seguridad para investigar delitos

174. Para una explicación distinta a la mía sobre el asesinato de españoles europeos, véase: Marco Antonio Landavazo, "El asesinato de *gachupines* en la guerra de independencia mexicana", en *Mexican Studies/Estudios Mexicanos*, vol. 23, núm. 2 (verano de 2007), pp. 253-282.

175. Archer, "Bite of the Hydra", p. 92. Véase también: "Peanes e himnos de victoria de la guerra de independencia mexicana. La gloria, la crueldad y la 'demonización' de los gachupines", pp. 229-257.

de infidencia y una junta de requisición para investigar el hurto de propiedad, particularmente de manos de los europeos.

La breve ocupación de Guadalajara por Hidalgo irrumpió en la vida política de la ciudad, pero no alcanzó a transformarla. Como los líderes de otras ciudades ocupadas por los insurgentes, la elite aceptó a Hidalgo con la intención de evitar una masacre. Aunque algunos miembros de las clases media y baja mostraron entusiasmo por su causa, Hidalgo ocupó la ciudad por un periodo demasiado breve como para realizar cualquier cambio significativo en las relaciones políticas, sociales o de propiedad. Pero el campo aún vivía en el signo del caos, pues aun cuando los principales insurgentes habían sido derrotados, pequeños grupos continuaban amenazando muchas zonas rurales de la provincia. El brigadier Cruz dedicó mucho tiempo a acabar con esos movimientos; como Calleja, recurrió al contra-terror y reestableció la autoridad real. Para marzo de 1812 las condiciones habían mejorado, permitiendo al obispo Ruiz de Cabañas y otros refugiados regresar a la capital. Cruz continuó dedicado a la pacificación de la provincia; para 1814 los insurgentes se concentraban principalmente en la zona del Lago de Chapala.[176]

Otros movimientos

Varias ciudades y pueblos brindaron su apoyo a la insurgencia antes del asalto a Guanajuato, generando temor entre las autoridades reales, que contemplaban la imposibilidad de mantener el orden. Como lo demuestra el ejemplo de Zacatecas, en varios casos el movimiento de Hidalgo proporcionó

176. La sección sobre la insurgencia en Jalisco se basa en los siguientes textos: Alamán, *Historia de Méjico*, II, pp. 80-146; Luis Pérez Verdía, *Historia particular del Estado de Jalisco*, 2 vols. (Guadalajara: Editorial Universidad de Guadalajara, 1989), II, pp. 14-129; José Ramírez Flores, *El Gobierno Insurgente en Guadalajara (1810-1811)*, 2ª ed. (Guadalajara: Editorial del Gobierno de Jalisco, 1980); Van Young, "Moving Toward Revolt" y William B. Taylor, "Bandidtry and Insurrection: Rural Unrest in Central Jalisco, 1790-1816", en Katz (ed.), *Riot, Rebellion and Revolution*, pp. 176-204 y 205-246; Carmen Castañeda, "Una elite de Guadalajara y su participación en la independencia", en *Encuentro*, 8, vol. II, núm. 4 (julio-septiembre de 1895), pp. 39-58; Castañeda, "Elite e independencia en Guadalajara", pp. 73-81; Hamnett, *Roots of Insurgency*, pp. 131-138; Jaime Olveda, *La oligarquía de Guadalajara* (México: Conaculta, 1991), pp. 153-165; Álvaro Ochoa, *Los insurgentes de Mezcala* (Zamora: El Colegio de Michoacán, 1985); y Christon I. Archer, "The Indian Insurgents of Mezcala Island on the Lake Chapala Front, 1812-1816", en Susan Schroeder (ed.), *Native Resistance and the Pax Colonial in New Spain* (Lincoln: University of Nebraska Press, 1998), pp. 84-128.

a grupos rebeldes el incentivo para usar la fuerza con el fin de exponer su descontento. Las noticias de la insurrección en Dolores llegaron a la ciudad de Zacatecas el 21 de septiembre de 1810. Como todas las autoridades superiores en el virreinato de Nueva España, el intendente Francisco Rendón creía que no contaba con fuerzas militares suficientes para contener el levantamiento local.

La Intendencia de Zacatecas tenía una historia de conflictos sociales y económicos. Españoles europeos poderosos dominaban la minería y el comercio. Desde finales del siglo XVIII los dueños de minas y los empresarios europeos, como Fermín de Apezechea, Bernardo de Iriarte y Manuel de Rétegui, se habían enfrentado a los mineros por la cuestión de los salarios y especialmente del partido. Los mineros protestaban airadamente porque su pago no era en efectivo y porque su beneficio tradicional, el partido, había sido eliminado. A decir verdad, el cura José María de Cos, que más adelante sería un insurgente de renombre, consideraba a los peninsulares como "extranjeros" culpables del "pillaje, el robo y otras fechorías". Al imputarles estos cargos, Cos definía a los europeos como extranjeros, no porque no fueran naturales de Zacatecas sino porque creía que no actuaban como buenos vecinos con la obligación de asegurar el bienestar de la ciudad. La hostilidad hacia esos peninsulares eminentes provino, pues, de un conflicto de clases, y no del deseo de suspender los vínculos con el rey. Toda la gente de la intendencia permaneció fiel a Fernando VII. En realidad, como lo demuestran las instrucciones para el diputado de Zacatecas a la Junta Central, los peninsulares del ayuntamiento subrayaron la igualdad entre la Nueva y la Vieja España. En este punto, los intereses de los americanos y los europeos debían ser los mismos.

Al tener noticia del movimiento de Hidalgo, el intendente Rendón se preparó para defender la ciudad de Zacatecas. Desafortunadamente, como hicieran Riaño y Terán, Rendón puso su preocupación por los poderosos europeos por encima de su deber para con la mayoría de la población. El intendente organizó a los peninsulares en unidades armadas que patrullaban la ciudad y recaudaban una suscripción pública para pagar la manufactura de las armas. Rendón también ordenó a los subdelegados formar compañías de mineros para defender Zacatecas y solicitó a los hacendados una fuerza de caballería de mil hombres. Aunque los artesanos manufacturaron cerca de 400 lanzas en dos semanas, sólo 21 vaqueros se habían alistado para el 5 de octubre de 1810. Estos hombres "fueron empleados en conducir a Durango cincuenta barras de plata del rey para ponerlas a salvo". Empero, las acciones de Rendón no hicieron sino reavivar el conflicto entre la elite europea más acaudalada y los criollos de clase media cuyos líderes habían sido retirados de sus cargos en el ayuntamiento en 1809. La clase trabajadora y los mineros de la ciudad tomaron partido por los criollos y en contra de la elite peninsular. Afortunadamente para esta elite, José Miguel de Rivera, conde de Santiago de la Laguna, un rico hacendado americano, llegó a la ciudad con 200 hombres a caballo; su ejército y su gran prestigio como prohombre ayudaron a mantener el orden. El 10 de octubre las noticias sobre los insurgentes que se aproximaban a Zacatecas sembraron terror entre la elite y todos los europeos. Para tranquilizar a la población, Rendón convocó a una junta compuesta por los miembros del ayuntamiento, las diputaciones de comercio y de minería, los funcionarios reales, los curas, los prelados de las órdenes religiosas y distinguidos vecinos para organizar la defensa de la ciudad. Sin embargo, tras una breve discusión, resultó evidente que Zacatecas no podría defenderse porque carecía de tropas bien entrenadas y no contaba con barreras naturales desde las cuales defender la ciudad. En consecuencia, los europeos acaudalados se prepararon para huir. Naturalmente, la plebe estaba furiosa pues se sentía abandonada. El coche del poderoso comerciante Ángel Abella, quien dejaba la ciudad en compañía de su familia y con dirección a Chihuahua, fue detenido y él amenazado de muerte. Una delegación se reunió con el conde de Santiago de la Laguna, quien ahora era reconocido como la más alta autoridad de la ciudad, y le solicitó permiso para matar a Abella. El conde se rehusó a autorizar el asesinato y, con algunas dificultades, convenció a la turba de permitir la partida de los gachupines. Después de este hecho, el intendente Rendón decidió huir junto con su familia.

Los criollos de clase media tomaron el control del ayuntamiento y formaron un gobierno autónomo, con la esperanza de proteger la ciudad de la violencia y la destrucción, ya fuera por mano de las fuerzas insurgentes o de las realistas que se hallaban en la zona. El gobierno autónomo nombró al conde de Santiago de la Laguna intendente interino y al doctor Cos como su representante para negociar con los insurgentes. Una de sus prioridades era asegurar que la ciudad de Zacatecas mantuviera un suministro de alimentos adecuado. El nuevo régimen se planteó no sólo para restaurar el orden sino también para proteger la vida y la propiedad de todos los habitantes de la intendencia, incluidos los peninsulares que aún permanecían en la ciudad.

El gobierno autónomo encabezado por el conde de Santiago de la Laguna buscaba prevenir el colapso de la economía; así, expropió la propiedad de los españoles que habían huido y la utilizó para cubrir las necesidades de la comunidad, asegurando que las minas y su equipamiento estuviesen protegidos y en condiciones productivas; además establecieron una casa de moneda para acuñar circulante y reemplazar los fondos tomados por los gachupines en su huida. El resultado de estas acciones fue que el ayuntamiento se granjeó el apoyo de la población zacatecana.

Al negociar con los insurgentes, el gobierno autónomo de Zacatecas evitó un conflicto sangriento. José María Cos, el comisionado de la ciudad, se reunió con el líder insurgente Rafael de Iriarte en la ciudad de Aguascalientes. Aquél informó a éste que el gobierno autónomo de Zacatecas defendía los sagrados derechos de la religión, el rey y la patria y favorecía la expulsión selectiva de los españoles europeos. La ciudad deseaba prevenir "una guerra entre hermanos" que debilitaría al reino, "quedando dentro de breve expuesto a ser imbadido por una mano extranjera". Iriarte contestó que "los Europeos tenian tramada la entrega de esta America al Extrangero" y, por ende, era necesario prevenir este acto que pondría en riesgo la sagrada fe. Iriarte le aseguraba a Cos que "el conservar este precioso Ramo de America a Nuestro Legitimo Soberano el Sr. D. Fernando Septimo" era una de los principales objetivos del movimiento. Además, "la expulsión de los Europeos delinquentes, tiene en efecto sus restricciones, segun la clase y circunstancias de los Indibiduos". De manera que no era necesario expulsar a todos los peninsulares, sino únicamente a aquellos que estaban preparados para traicionar la religión, al rey y a la patria.[177] Puesto que Zacatecas estaba de acuerdo con los principios del movimiento, Hidalgo nombró al conde de Santiago de la Laguna, intendente y teniente general de la intendencia.

Pero, pese a sus mejores esfuerzos, el gobierno autónomo de Zacatecas provocó la ira de Hidalgo. El conde de Santiago de la Laguna, un patriarca que gozaba de gran prestigio entre todas las clases y con amplio apoyo político, mantuvo el orden, evitó el saqueo y la violencia en la ciudad y se opuso a la ejecución

177. "Documentos que acreditan la comision que el Dr. Cos lleva del ayuntamiento y vecindario de Zacatecas para entenderse con los independientes", en Hernández y Dávalos, *Colección de documentos para la historia de la Guerra de Independencia*, II, pp. 195-196.

de los peninsulares que permanecieron en Zacatecas, así como la confiscación de sus propiedades. Su gobierno fue benéfico para Zacatecas porque no sólo mantuvo la calma sino que también logró mantener el buen funcionamiento de la economía: "hecho que favoreció a todos los actores económicos".[178] Sin embargo, los insurgentes no estaban complacidos con sus políticas magnánimas hacia los europeos. Hidalgo retiró del cargo a Santiago de la Laguna el 11 de enero de 1811 y ordenó su arresto y su traslado a Guadalajara, donde el líder insurgente residía a la sazón.[179] Una facción más radical, encabezada por Domingo Velásquez, tomó el control del ayuntamiento y cooperó con los insurgentes. Pero pronto la ciudad hubo de enfrentar al ejército realista, a mediados de febrero de 1811. Aunque el ayuntamiento envió a dos frailes para negociar con los realistas argumentando que Zacatecas "no se ha separado jamás del juramento de fidelidad que tiene prestado a nuestro legítimo soberano", el ejército realista –compuesto de "600 hombres de Caballería y 300 Indios de flecha"– atacó la ciudad el 17 de febrero. Según el capellán del ejército, José Francisco de Gandarilla: "Murieron muchisimos rebeldes (...) y nuestro quebranto consistió solo en un tambor y un Tarumar heridos".[180] Muchos autonomistas, incluidos los miembros del ayuntamiento formado después de que los europeos huyeran en octubre, así como el doctor Cos, abandonaron la ciudad y se unieron a los grupos insurgentes. Los realistas regresaron el control del ayuntamiento de Zacatecas a los estratos económicamente más poderosos de la región. A diferencia de sus predecesores, que habían huido en octubre de 1810, las nuevas elites gobernantes dieron continuidad a la política de negociación con los grupos insurgentes introducida previamente por el depuesto régimen autónomo.

La experiencia de Zacatecas no fue única. Muchos pueblos en la gran región del Bajío pasaron por tensiones socioeconómicas similares y, al ente-

178. Vega, *Los dilemas de la organización autónoma*, p. 67. Véase también, Terán Fuentes, "Por lealtad al rey, a la patria y a la religión. Los años de transición en la provincia de Zacatecas: 1808-1821" en *Mexican Studies/Estudios Mexicanos*, vol. 24, núm. 2 (verano 2008), pp. 289-323.

179. El conde de Santiago de la Laguna huyó más tarde, cuando los insurgentes fueron derrotados en Puente de Calderón. Después fue arrestado por los realistas por mostrarse demasiado indulgente con los rebeldes. Una vez más logró escapar. Tiempo después se entregaría a las autoridades realistas. Fue liberado un año después y murió en Zacatecas a finales de 1814.

180. "Carta sobre la conquista de Zacatecas el 17 de Febrero de 1811", en Hernández y Dávalos, *Colección de documentos para la historia de la Guerra de Independencia*, II, pp. 384-387.

rarse de la revuelta de Hidalgo, tomaron el control de sus regiones; como lo afirmó Lucas Alamán, los pueblos se rebelaron cuando los representantes de Hidalgo hicieron acto de presencia. Los autonomistas tomaron el control de San Luis Potosí, por ejemplo, tan pronto como Calleja y su ejército partieron al encuentro de las fuerzas de Hidalgo. Los realistas no recuperaron la ciudad sino hasta el 5 de marzo de 1811.

En varios casos, los clanes locales actuaron ya para proteger sus intereses, ya para sacar ventaja de la caótica situación, ya para asumir el control de sus regiones en beneficio de sus propios intereses. Hidalgo envió a Miguel Sánchez, mayordomo de una hacienda y uno de los conspiradores originales de Querétaro, a Huichapan para conseguir el apoyo del clan Villagrán, arrieros y propietarios de obrajes en la región. Julián, el patriarca, había estado activo en los asuntos locales, oponiéndose a los empresarios que intentaron tomar control del agua y la tierra, arrebatándoselos a los pobladores y arrieros locales. La familia se unió a la insurgencia, en parte debido a un incidente de violencia. El 20 de septiembre de 1810, José María Villagrán –conocido como *Chito*– asesinó a Antonio Chávez Napa, el alférez mayor del pueblo, cuando este último lo acusó de estar involucrado en un amorío con su esposa. *Chito* huyó. Sin embargo, las noticias sobre la revuelta de Hidalgo le proporcionaron a él y a su familia la oportunidad de tomar el control del pueblo en nombre de la insurgencia. Durante el tiempo que controlaron el pueblo, los Villagrán instituyeron un reino de terror en Huichapan.[181]

No todos los clanes eran como los Villagrán. Hidalgo comisionó a su antiguo discípulo, el cura José María Morelos, para llevar la insurrección a tierra caliente, en el sur. Morelos, que había trabajado como arriero en la región, inició ahí la insurgencia en octubre de 1810. El clan Galeana, que poseía extensas propiedades en la costa grande, en el actual estado de Guerrero, donde producían algodón, se unió a la insurgencia. Al parecer, los Galeana habían entrado en conflicto con los españoles europeos que dominaban el comercio del algodón y que surtían a la industria textil de Puebla. Los Galeana, Juan José, José Antonio, Hermenegildo –llamado cariñosamente *Tata Gildo* por sus trabajadores– y Fermín, movilizaron a sus parientes, dependientes y

181. Van Young, *The Other Rebellion*, pp. 179-199. Véase también: Hamnett, *Roots of Insurgency*, pp. 138-139.

trabajadores negros y mulatos en contra de las autoridades reales. Más tarde, Hermenegildo Galeana presentó a Morelos ante el clan Bravo, que, como los Galeana, era una familia terrateniente importante en la región. Leonardo, Miguel, Máximo, Víctor, Casimiro y Nicolás, hijo de Leonardo, se mostraron indecisos en un primer momento. Los Bravo se negaron a organizar un ejército realista, pero tampoco apoyaron la insurgencia. Sin embargo, un intento de arresto en su contra, y fuera de lugar, llevó a la familia al bando insurgente. El clan Osorno, de Llanos de Apan, como sus contrapartes en el sur, también era una familia terrateniente importante que había sido reclutada por Mariano Aldama, sobrino de uno de los conspiradores de Querétaro, Juan Aldama. Los Osorno, como los Galeana y los Bravo, se convirtieron en importantes líderes de la insurgencia que vendría después, al mando de Morelos.[182]

No todas las regiones respondieron del mismo modo. En varios casos, los pueblos se dividieron; algunos habitantes se unían a la insurgencia al tiempo que otros apoyaban al gobierno real. En pocos casos, los pueblos, divididos en su interior, pasaron por conflictos en los que un grupo expulsó al otro para tomar el control de la población. Los pueblos alrededor de la ciudad de México no respondieron favorablemente al llamado a las armas de Hidalgo a finales de octubre de 1810. De cualquier forma, para principios de 1811, la insurgencia había crecido geográficamente y, pese a los esfuerzos de sus líderes por coordinar las actividades, el movimiento se fragmentó. Los grupos y los caciques locales atendían a sus propios y variados intereses, que en ocasiones poco tenían que ver con la naturaleza original de la insurgencia. El orden real de Nueva España colapsó y cada grupo intentó sobrevivir de la mejor manera posible.

La naturaleza de las revoluciones de 1810

En un breve periodo, poco menos de un año y medio, los habitantes de Nueva España, como sus contrapartes de la península, habían experimentado una transformación política profunda. Comenzaron por rechazar a Napoleón y

182. Hamnett, *Roots of Insurgency*, pp. 138-149; Guardino, *Peasants, Politics, and the Formation of Mexico's National State*, pp. 56-57; y Virginia Guedea, *La insurgencia en el Departamento del Norte: Los Llanos de Apan y la sierra de Puebla, 1810-1816* (México: UNAM/Instituto José María Luis Mora, 1996), pp. 19-37.

reafirmar su lealtad al monarca español, Fernando VII. Pero rápidamente llegaron al punto de insistir sobre la necesidad de una representación equitativa en el gobierno de la Nación española mundial. Algunos incluso propusieron una reconstrucción radical del gobierno: la convocatoria a un parlamento representativo y constitucional –las Cortes–. Los deseos de estos últimos se habían cumplido: se convocó a Cortes Generales y Extraordinarias. Debían llevarse a cabo elecciones, y por vez primera representantes del Nuevo Mundo se unirían a los del Viejo para guiar a la nación en una lucha por su existencia misma. Aunque camuflado con el disfraz de defensor de las instituciones tradicionales, el proceso entero constituyó una separación drástica de la experiencia previa. La gente de Nueva y de Vieja España estaba emprendiendo una transformación política cuyo resultado último aún era imprevisible.

Antes de que los diputados novohispanos pudieran partir hacia las Cortes, un gran levantamiento tuvo lugar. La Gran Insurgencia de 1810 es difícil de comprender. La explicación más común es que los indígenas o campesinos se rebelaron contra la opresión española. Sin embargo, como ha demostrado Manuel Miño Grijalva, las comunidades nativas y la gente del campo en general rara vez se sublevaban y prefería recurrir al sistema judicial para plantear los agravios de que se sentían objeto. Miño Grijalva señala asimismo que la pobreza, la escasez y la "opresión" no necesariamente desembocaban en una revuelta o una insurrección.[183] Felipe Castro Gutiérrez ha observado que el problema al explicar la insurgencia de 1810 es que: "se ha demostrado que existían condiciones para el descontento, pero no que existiera el descontento en sí (...). La crisis de 1785-1786 fue muchísimo más grave, pero sin embargo no ocurrieron protestas masivas ni apareció ningún [líder carismático para dirigir la insurrección]".[184] Además, las rebeliones populares de 1767 a 1767, las más grandes previas a 1810, fueron reprimidas con gran rapidez por las autoridades. En este sentido, la insurgencia de 1810 surgió de una crisis política antes que de una crisis estructural.

183. Miño Grijalva, "Acceso a la justicia y conflictos".

184. Felipe Castro Gutiérrez, comunicación personal (7 de noviembre de 2006). Castro Gutiérrez también sugiere que "si buscamos explicaciones culturales, vendría mejor comparar el movimiento de 1810 con la '*grande peur*' francesa de 1789. Las similitudes son bastante notables (los rumores, la idea de un 'complot' contra el pueblo, la búsqueda e identificación de un culpable colectivo, la violencia que sigue a las grandes fracturas sociales aunque carece de un programa concreto, etcétera)".

La caída de la Monarquía española, la deposición de Iturrigaray y el peligro de la dominación francesa, con su amenaza a la religión, no sólo socavaron la autoridad real en Nueva España, sino que condujeron a algunos americanos a intentar hacerse del control del gobierno del Virreinato. Estas acciones desencadenaron la revuelta de 1810. Además, como lo hemos demostrado en este capítulo, en un inicio ni los indígenas ni los campesinos constituían la mayor parte de las fuerzas insurgentes. Las villas y los pueblos que se unieron al movimiento antes de la toma de Guanajuato no estaban pobladas principalmente por indígenas. La gente de las ciudades como Zacatecas y San Luis Potosí, que tomó el control de su gobierno, y los clanes que se unieron a la insurgencia tampoco eran indígenas. Los hombres de las unidades de milicia provincial que se sumaron al ejército de Hidalgo –miembros de los regimientos de infantería de Valladolid y Celaya y del batallón de Guanajuato, así como de los regimientos de la reina, el príncipe y Pátzcuaro– no eran ni indígenas ni campesinos. ¿Y por qué se unieron a la insurgencia? Ninguno de ellos rechazaba la monarquía española. Todos fueron a la batalla acompañados de estandartes que incluían imágenes del rey Fernando VII ahí donde sus filas fueron devastadas por ser ellos quienes formaban la vanguardia del ejército. Puesto que estos hombres pelearon con bravura y murieron o fueron heridos en combate, no podemos suponer que no comprendían lo que estaban haciendo o que mentían sobre su defensa de la causa. Toda la evidencia indica que temían que la península cayera en manos de los franceses sin dios y que los españoles europeos los traicionaran aceptando la dominación francesa. Esto quiere decir que temían que su religión, su sociedad y su cultura pudieran ser destruidas. Los indígenas y campesinos también expresaron preocupaciones similares; ellos también entendían la naturaleza de esta crisis, no ignoraban ni desestimaban el bienestar de Nueva España. Finalmente, por supuesto, otros grupos étnicos como los criollos, mestizos y mulatos también hicieron suyas las misma posturas. Esto no quiere decir que todos y cada uno de los grupos no tuviera quejas o razones para oponerse a varios aspectos del gobierno de la monarquía española en Nueva España; sin embargo, había una diferencia entre las quejas individuales o grupales que podían ser resueltas mediante la acción judicial y el miedo a que la propia sociedad no sobreviviera. Como Hidalgo mismo lo dijo: "el objeto de nuestros constantes desvelos, es mantener nuestra Religión, el Rey, la Patria, y pureza de costumbres".[185] El peor enemigo de los rebeldes, el general Félix María Calleja, comprendía esto claramente y decía: "[Los] naturales y aun los mismos europeos están convencidos de las ventajas que les resultarían de un *gobierno independiente* [autónomo;] y si la insurrección absurda de Hidalgo se hubiera apoyado sobre esta base, me parece según observo, que hubiera sufrido muy poca oposición".[186]

Al final del volumen IV de su magistral *Historia de Méjico*, que apareció en 1851, Lucas Alamán evaluó la insurgencia de esta manera: "No fué ella una guerra de nacion a nacion, como se ha querido falsamente representarla; no fué un esfuerzo heróico de un pueblo que lucha por su libertad para sacudir el yugo de un poder opresor: fue, sí, un levantamiento de la clase proletaria contra la propiedad y la civilización".[187] Alamán tiene razón en sus dos primeras aseveraciones. La insurgencia no fue ni una lucha entre México y España ni una lucha contra el opresor. Sin embargo, se equivoca al decir que fue "un levantamiento de la clase proletaria contra la propiedad y la civilización". Aunque muchos de los participantes en la gran insurgencia de 1810 pudieran considerarse proletarios, muchos otros no eran tales. Sin importar el estatus socioeconómico de los insurgentes, la evidencia indica que tanto líderes como seguidores actuaron con la intención de evitar que Nueva España cayera en manos de los franceses, para proteger la sagrada fe y para guardar el reino para Fernando VII. Sus acciones no fueron únicas. Toda la América española reaccionó exactamente de la misma manera. Las juntas autónomas de 1810-1811 –Caracas, Buenos Aires, Santiago de Chile, Quito, Cartagena y Santa Fe de Bogotá– asumieron el control de sus regiones en nombre de Fernando VII y con la intención de proteger la fe y evitar que los franceses los gobernaran.[188]

Dos amplios movimientos surgieron en 1810: una gran revolución política que buscaba transformar la monarquía española universal en un moderno estado nación con un gobierno representativo, y, en Nueva España, una insurgencia fragmentada que buscaba varios objetivos pero, sobre todo,

185. "Manifiesto del Sr. Hidalgo", en Hernández y Dávalos, *Colección de documentos*, I, p. 119.
186. Félix Calleja a Francisco Javier Venegas, Guadalajara, 29 de enero de 1811, en Bustamante, *Cuadro histórico*, I, pp. 130-131. Las cursivas aparecen en libro de Bustamante.
187. Alamán, *Historia de Méjico*, IV, p. 723.
188. Rodríguez O., *La independencia de la América española*, pp. 132-203.

conseguir la autonomía local o el gobierno propio. Estos dos procesos superpuestos –que una vez desencadenados eran ya irrefrenables– se influenciaron y alteraron mutuamente de diversas maneras durante más de una década. Ninguno puede ser entendido aisladamente.

V
LA REVOLUCIÓN GADITANA

Las Cortes Generales y Extraordinarias de la monarquía española se enfrentaban a un futuro incierto; a finales de enero de 1810 las tropas francesas se acercaban a Sevilla y, después de tomar la ciudad, avanzarían hacia Cádiz, donde las Cortes planeaban reunirse. Los vecinos del puerto trabajaron con ahínco para reforzar sus defensas, pero no se podía esperar que sus fuerzas armadas resistieran la furia de un ataque francés. Afortunadamente, un ejército al mando del Duque de Alburquerque marchaba raudo desde Extremadura a la defensa de Cádiz. Las tropas españolas, exhaustas, arribaron el 4 de febrero, un día antes de que el ejercito francés al mando del mariscal Victor llegara a las afueras de la ciudad. La guarnición ya reforzada y respaldada por los cañones de las armadas española y británica, apostadas a uno y otro lado del istmo, mantuvieron a los franceses a raya. Sin embargo, el ejército francés de 20 000 hombres no fue derrotado y formó un arco alrededor de Cádiz. La situación era tan incierta que las Cortes, inauguradas el 24 de septiembre de 1810, se reunieron en la Isla de León, en la Bahía de Cádiz. Incluso ahí, los diputados no estaban libres de la artillería pesada de los franceses, que abría fuego continuamente en ambas zonas.[1]

Las Cortes de Cádiz

A diferencia de las Cortes anteriores, el congreso que convino en la Isla de León era una asamblea nacional moderna;[2] se trataba de un solo organismo cuyos

1. Lovett, *Napoleon and the Birth*, I, pp. 361-367.
2. Aunque algunos tradicionalistas preferían que las Cortes reunieran a los tres estamentos, desde el siglo XVI ésa no era una práctica requerida. Cuando comenzó la revolución francesa, muchos reformadores insistieron en convocar a las Cortes de 1789 para enfrentar la crisis. Salustiano de Dios, "Corporación y Nación. De las

miembros representaban al mundo hispánico entero. Cuando las Cortes se reunieron había 104 diputados presentes, 30 de ellos representando a los territorios de ultramar; entre éstos se contaban 27 americanos y dos filipinos electos en Cádiz como suplentes, como diputado propietario sólo estaba en Cádiz Ramón Power, de Puerto Rico, el único de los 38 propietarios elegidos en América que llegó a tiempo para asistir a la sesión inaugural. Los otros 37 diputados fueron admitidos conforme llegaban. Al final, aproximadamente 220 diputados, incluidos 67 americanos, participaron en las Cortes Generales y Extraordinarias de Cádiz. Del total de delegados en las Cortes, un tercio era eclesiásticos, una sexta parte eran nobles y el resto eran miembros del tercer estado que, por sus profesiones, podrían ser considerados como una "clase media".[3]

Después de que la comisión de Poderes, constituida por cinco miembros –entre ellos Ramón Power–, revisara y aprobara las credenciales de los diputados, éstos se reunieron en el Real Palacio de la Regencia para inaugurar las Cortes. De ahí, escoltados por una guardia de honor compuesta por tropas de la Casa Real y del ejército apostado en la Isla de León, los diputados caminaron hacia la iglesia de San Pedro donde el cardenal de Escala, arzobispo de Toledo, celebró una misa de Espíritu Santo. Después, el obispo de Orense y presidente de la regencia, Pedro de Quevedo, "hizo una oración exhortatoria". Finalmente, Nicolás María de Sierra, secretario de Estado y del Despacho de Gracia y Justicia, tomó juramento a los diputados de la manera siguiente:

> ¿Jurais la santa religión católica, apostólica, romana, sin admitir otra alguna en estos Reinos? ¿Jurais conservar en su integridad la Nación española, y no omitir medio alguno para liberarla de sus injustos opresores? ¿Jurais conservar a nuestro

---

Cortes de Castilla a las Cortes de España", en Francisco Tomás y Valiente (comp.), *De la ilustración al liberalismo* (Madrid: Centro de Estudios Constitucionales, 1995), pp. 201 y 244-247. Véase también: Artola, *Los orígenes de la España contemporánea*, I, pp. 375-382.

3. Para una revisión de los diversos estimados sobre los miembros de las Cortes, véase: Lovett, *Napoleon and the Birth*, I, p. 371, nota 33. Federico Suárez reconoce a 67 diputados de ultramar en: *Las Cortes de Cádiz* (Madrid: Rialp, 1982), pp. 41-46, mientras que Rieu-Millán, en *Los diputados americanos en las Cortes de Cádiz*, 37, incluye sólo a 63, aunque no a los diputados que representaban a Filipinas. Según Miguel Artola, "Los firmantes del acta de apertura de las sesiones de Cortes no son sino 104. La Constitución lleva al pie 184 firmas, y el acta de disolución de las Cortes [Generales y Extraordinarias] del 14 de septiembre de 1813, reúne 223 nombres". *Los orígenes de la España contemporánea*, I, 404. Sobre los diputados americanos, véase: Berruezo, *La participación americana en las Cortes de Cádiz*, pp. 55-299, donde se realiza un detallado análisis de cada diputado de ultramar.

> amado soberano el Sr. D. Fernando VII todos sus dominios, y en su defecto a sus legítimos sucesores, y hacer cuantos esfuerzos sean posibles para sacarlo del cautiverio y colocarlo en el Trono? ¿Jurais desempeñar fiel y legalmente el encargo que la Nación ha puesto a vuestro cuidado, guardando las leyes de España, sin perjuicio de alterar, moderar y variar aquellas que exigiese el bien de la Nación?

Los diputados contestaron: "Sí juramos", y a continuación avanzaron, "de dos en dos a tocar el libro de los Santos Evangelios". Al concluir la ceremonia, el obispo de Orense, presidente de la regencia, declaró: "Si así lo hiciéreis, Dios os lo premie: y si no, os lo demande".

Tras un *Te Deum*, los diputados y la regencia se dirigieron al teatro de la Isla de León, que fungiría como sala de las Cortes y

> cuyas galerías estaban ocupadas del modo siguiente: la primera del piso principal de mano derecha por los embajadores e individuos del Cuerpo diplomático, la siguiente a ella por los grandes oficiales generales del ejército, las de mano izquierda por señoras de primera distinción, las de los otros dos pisos unas por señoras, y las demás por inmenso gentío distinguido, el cual en el acto de entrada de los Sres. Procuradores los aclamó con repetidas vivas a la Nación.[4]

La sala también resonó al grito de "vivan las Cortes". Los cañones españoles atronaron en su salutación y la respuesta de la artillería francesa pareció contribuir a la solemnidad del momento.[5]

El Consejo de Regencia tomó asiento bajo un dosel junto con los dos secretarios de Estado, mientras que los diputados se sentaron sin un orden específico, conforme ingresaron en el teatro. Una vez acomodados, el presidente de la regencia y obispo de Orense, Quevedo, dio un breve discurso en el que remarcaba la gravedad de la situación y exhortaba a los diputados a asumir el gran desafío de defender la nación ante los crueles invasores que de otra forma la destruirían. Entonces, la regencia entregó su renuncia y abandonó la sala.[6]

4. España, Cortes, *Diario de las sesiones de las Cortes Generales y Extraordinarias*, 24 de septiembre de 1810, p. 2. Evidentemente, nadie imaginaba que ahí se estaba gestando una gran revolución política. El amanuense que registró los acontecimientos en el *Diario de las sesiones de las Cortes* se refería a los diputados como "procuradores", lo que hubiera sido el caso en las Cortes anteriores.
5. Lovett, *Napoleon and the Birth*, I, p. 371.
6. España, Cortes, *Diario de las sesiones de las Cortes Generales y Extraordinarias* (24 de septiembre de 1810), p. 2.

Así, sorpresivamente, la regencia confió a los diputados el futuro de la monarquía española sin ninguna instrucción. La única limitación para los delegados consistía en el juramento que habían hecho para proteger su fe católica, mantener a la monarquía española intacta, reconocer a Fernando VII como rey, y realizar todos los cambios legales necesarios para el bienestar de la nación. Sin otras restricciones de por medio, los diputados estaban dotados de un poder extraordinario, y algunos creían que había llegado el momento de transformar la monarquía española en un Estado nación moderno.

La primera tarea de las Cortes fue organizarse. Tras elegir a un presidente y a un secretario, se dio lectura al texto de renuncia de la regencia; en él, los regentes declaraban que la tarea de defender la nación rebasaba sus capacidades. Ahora que había nacido un gobierno "cimentado sobre el voto general de la Nación", los regentes entregaban su autoridad a las Cortes. Los sorprendidos diputados se limitaron a tomar nota del deseo expresado por los regentes para retirarse de la vida pública, y no aceptaron ni rechazaron la renuncia. Pronto se hizo evidente que algunos diputados se habían reunido con anterioridad y que habían planeado ciertos cursos de acción para enfrentar las excepcionales circunstancias. Las primeras propuestas vinieron de los delegados de Extremadura.

> Enseguida tomó la palabra el Diputado *D. Diego Muñoz Torrero* y expuso cuán conveniente sería decretar que las Cortes generales y extraordinarias estaban legítimamente instaladas: que en ellas reside la soberanía; que convenía dividir los tres Poderes, legislativo, ejecutivo y judicial, lo que debía mirarse como base fundamental, al paso que se renovase el reconocimiento del legítimo Rey de España el Sr. D. Fernando VII como primer acto de la soberanía de las Cortes; declarando al mismo tiempo nulas las renuncias hechas en Bayona, no solo por la falta de libertad, sino muy principalmente por la del consentimiento de la Nación.[7]

Muñoz Torrero, un eclesiástico de Extremadura, procedió entonces a ampliar la propuesta con "sólidos fundamentos sacados del derecho público". Otros diputados respaldaron sus argumentos. Finalmente, Muñoz Torrero indicó que se había preparado una minuta de la propuesta y solicitó al diputado Manuel Luján, también de Extremadura, que leyera el docu-

7. *Ibid.*, p. 3.

mento. Además de los puntos incluidos en la propuesta de Muñoz Torrero, la minuta planteaba que las Cortes mantuvieran a la regencia como poder ejecutivo y que, por ende, los regentes fueran invitados a la "sala de sesiones a reconocer la soberanía nacional de las Cortes". Fue éste un cambio fundamental que, al tiempo que rechazaba la renuncia del ejecutivo –la regencia–, subordinaba el poder del ejecutivo a una legislatura. La minuta también ratificaba "por ahora todos los tribunales y justicias establecidas" así como a "las autoridades civiles y militares". Para finalizar, declaraba "que las personas de los diputados son inviolables". Después de un largo debate que se extendió hasta bien entrada la noche, los diputados aprobaron las propuestas.

Una diputación de tres miembros de las Cortes fue comisionada para llevar a los regentes a la sala a fin de que éstos "presta[ran] el juramento a las Cortes". "Cerca de media noche" arribaron cuatro regentes. El presidente y obispo de Orense, Quevedo, se negó a asistir aduciendo que estaba demasiado enfermo como para presentarse. Los cuatro regentes que asistieron, y que fueron recibidos con honores, prestaron el reconocimiento y juramento a las Cortes, tal como este organismo lo había determinado: "acercándose a la mesa los cuatro regentes, hincando la rodilla al lado del Presidente de las Cortes, poniendo la mano en el libro de los Santos Evangelios, y respondiendo afirmativamente a cada cláusula de la fórmula que leyó el Secretario".[8] De esta manera, las Cortes demostraban estar por encima de la regencia.

El obispo de Orense no prestó juramento ante las Cortes. De hecho, consideraba que la acción había sido subversiva y que constituía un ataque a la corona. De ahí que el 25 de septiembre presentara una nueva renuncia en la que declaraba su repudio a la usurpación de la soberanía por parte de las Cortes. Los demás miembros de la regencia no renunciaron, pero indicarían más tarde su desacuerdo con la dirección que tomaban las Cortes, cuestionando "las facultades propias" de cada poder; las Cortes replicaron así: "no se han puesto limites a las facultades propias del Poder executivo", e instruyeron a la Regencia a que "us[ara] todo el poder que sea necesario para la defensa,

8. *Ibid.*, pp. 3-4. Véase también: Manuel Chust, *La cuestión nacional Americana en las Cortes de Cádiz* (Valencia y México: Centro Francisco Tomás y Valiente/Fundación Instituto de Historia Social/UNAM, 1999), pp. 47-49; y el excelente artículo de Manuel Chust Calero e Ivana Frasquet, "Soberanía, nación y pueblo en la Constitución de 1812", en *Secuencia. Revista de Historia y Ciencias Sociales*, 57 (septiembre-diciembre 2003), pp. 39-60.

seguridad y administración del estado en las críticas circunstancias del día". Un mes más tarde, tras la estela de intransigencia dejada por los regentes, las Cortes aceptaron su renuncia original y nombraron un segundo Consejo de Regencia compuesto por el general del ejército Joaquín Blake, el jefe de escuadra Gabriel Ciscar, y el capitán de fragata Pedro Agar, quien representaba a los territorios de ultramar.[9]

En esta primera sesión, las Cortes llevaron a cabo una profunda revolución. En tanto representantes del pueblo, asumieron la soberanía nacional. El parlamento dividió el gobierno en tres ramas: la legislativa, la ejecutiva y la judicial. La regencia fungiría como poder ejecutivo hasta el regreso de Fernando VII, el monarca legítimo y jefe del ejecutivo de la nación. Pero el poder legislativo se había vuelto ya el sector dominante del gobierno.

Por la mañana del segundo día, el 25 de septiembre muy temprano, un diputado americano –el quiteño José Mejía Llequerica, suplente por Nueva Granada– completó la revolución política al proponer una manera formal de dirigirse a los tres poderes del gobierno. Mejía Llequerica sometió a discusión una minuta preparada durante la noche anterior: "Leido el proyecto, y discutido en sus tres puntos, fué aprobado uno por uno, quedando resuelto que las Cortes tuviesen el tratamiento de *Majestad*; el Poder ejecutivo, durante la ausencia de Fernando VII, el de *Alteza*, y el mismo los Tribunales Supremos de la Nación".[10] Los títulos tenían gran importancia: las Cortes, que habían asumido la soberanía del rey, ahora se apropiaban del título del monarca –Su Majestad–. El representante del rey en tanto poder ejecutivo, es decir, la regencia y por implicación el rey mismo, se vieron reducidos al título de Alteza, un término utilizado también para el poder judicial.

El nuevo parlamento se enfrentaba a una gigantesca labor, pues debía reestructurar el gobierno al tiempo que proseguía con la guerra en España y resguardaba las posesiones de ultramar. Puesto que las Cortes eran *extraordinarias*, debían establecer reglas y normas. El segundo día, los miembros

9. Decretos de las Cortes del 27 de septiembre y del 28 de octubre de 1810, en Cortes de la Monarquía Española, *Colección de los decretos y órdenes que han expedido las Cortes Generales y Extraordinarias* (Cádiz: Imprenta Real, 1811), pp. 33-35 y 37.

10. España, Cortes, *Diario de las sesiones de las Cortes Generales y Extraordinarias* (25 de septiembre de 1810), p. 5. (Las cursivas son del original.)

de este organismo nombraron a una comisión de cinco diputados para que preparase un reglamento que gobernara a las Cortes mismas. Incluso antes de que se aprobara el reglamento, dentro y fuera de éstas ya se hablaba de la necesidad de preparar un "código de leyes" que pusiera fin al despotismo e introdujera prácticas justas y liberales.[11] Después de muchas discusiones, el 23 de diciembre las Cortes nombraron a una comisión de 15 individuos, entre ellos cinco americanos, para alistar un proyecto de Constitución política de la monarquía. La comisión, que procedió con gran mesura, se llevó meses para completar su proyecto, mismo que fue presentado el 18 de agosto de 1811. En los debates que vendrían, y que duraron varios meses, los diputados abordaron asuntos fundamentales como el papel de las Cortes, del rey y del poder judicial; la naturaleza del gobierno provincial y local; la naturaleza de la ciudadanía y los derechos políticos; la naturaleza del comercio, el papel de la educación y del ejército, así como los impuestos. Durante los debates en torno a los artículos de la propuesta constitucional, los diputados se vieron forzados a establecer compromisos políticos entre grupos de intereses e ideologías en pugna, representados todos ellos en la monarquía española. A lo largo de dichos debates, las Cortes se trasladaron a la ciudad de Cádiz, el 24 de febrero de 1811, para ocupar la iglesia de San Felipe Neri, recién renovada para su uso. La Constitución, que fue aprobada por voto mayoritario, artículo por artículo, se promulgaría ahí el 19 de marzo de 1812.

En las Cortes se formaron tres grupos: los *liberales*, que proponían transformar la nación en una monarquía constitucional moderna; los *serviles*, que preferían la antigua forma de gobierno; y un tercer grupo, los *eclécticos*, que asumían diferentes posturas según los temas tratados. Los representantes del Nuevo Mundo no constituían un grupo separado, excepto cuando se trataba de "la cuestión americana", es decir, de cuál había de ser la relación apropiada entre España y las posesiones ultramarinas de la monarquía. E incluso en esta cuestión existían diferencias entre los mismos americanos. Los representantes del Nuevo Mundo ganaron fuerza con la llegada de los diputados propietarios. Dos novohispanos –José Miguel Guridi y Alcocer y José Miguel Ramos Arizpe– y dos centroamericanos –Antonio Larrazábal, de Guatemala y Florencio Castillo, de Costa Rica– se unieron a Mejía Llequerica como líderes del

11. Suárez, *Las Cortes de Cádiz*, p. 94.

grupo reformista americano "radical". Otros diputados del Nuevo Mundo, incluido el tradicionalista Vicente Morales Duárez, a menudo los respaldaban en lo referente a asuntos americanos, aunque no cuando se trataba de los derechos de las castas de origen africano.

Los diputados de Nueva España no sólo eran los representantes más numerosos de cualquier reino americano –21 de 67– sino que también eran los más activos.[12] Seis novohispanos fungieron como presidentes de las Cortes, seis se desempeñaron como vicepresidentes y uno como secretario. Tres novohispanos trabajaron en la comisión para preparar el proyecto constitucional. La delegación de Nueva España incluía a 14 eclesiásticos, tres funcionarios, dos militares y dos comerciantes. Políticamente estaba dividida. Aunque la mayoría era liberal y algunos eran liberales radicales, dos miembros del clero –Antonio Joaquín Pérez (de Puebla) y Salvador Sanmartín (de Guadalajara)– se unieron a los serviles y en 1814 firmaron el *Manifiesto de los persas*, que abogaba por la restauración del absolutismo con la figura de Fernando VII. Sin embargo, aun cuando los novohispanos estuvieran divididos en torno a muchas cuestiones, a menudo se unían en nombre de los intereses americanos.[13]

La cuestión americana

La cuestión americana enfrentó a europeos y americanos, pues la mayoría de éstos exigía igualdad para el Nuevo Mundo mientras que gran parte de los españoles rechazaba cualquier propuesta que apartara el control del Parlamento de los peninsulares.[14] Este tema salió a la luz el segundo día de las Cortes y volvió una y otra vez durante los debates sobre los diversos artículos constitucionales.

Desde un inicio, los americanos cuestionaron la desigualdad en la representación de España y del Nuevo Mundo en las Cortes. El día 25 de sep-

12. Octaviano Obregón estaba presente el 24 de septiembre de 1810 en su calidad de suplente. Sin embargo, también resultó electo por Guanajuato como diputado propietario. Las Cortes lo reconocieron como tal en diciembre de 1810, cuando llegaron sus credenciales. Véase: Charles Berry, "The Election of Mexican Deputies to the Spanish Cortes, 1810-1822", en Nettie Lee Benson, *Mexico and the Spanish Cortes, 1810-1822* (Austin: University of Texas Press, 1966), p. 16.

13. Berry, "The Election of Mexican Deputies", pp. 15-16; Manuel Chust, "Legislar y revolucionar. La trascendencia de los diputados novohispanos en las Cortes Hispánas, 1810-1814", en Virginia Guedea (coord.), *La independencia de México y el proceso autonomista novohispano, 1808-1824* (México: UNAM/Instituto José María Luis Mora, 2001), pp. 23-82.

14. Chust, *La cuestión nacional Americana*.

tiembre, un día después de inauguradas las sesiones, los americanos liderados por Mejía Llequerica adujeron que los decretos del 24 y 25 de septiembre, en los que se reestructuraba el gobierno de la monarquía española, no debían publicarse sino hasta que el estatus de América se clarificara. En una apuesta por ganar una representación equitativa, los americanos exigieron que se instrumentara una nueva normativa electoral en la que la representación estuviese directamente vinculada al tamaño de la población, y que las Cortes organizaran nuevas elecciones en América conforme las nuevas normas. Después de un breve debate, el presidente de las Cortes nombró a un comité de diez americanos, con Mejía Llequerica al frente, para que preparara un informe que sería evaluado en la sesión de la noche. Al atardecer, éste informó que el comité creía pertinente notificar a América no sólo acerca de los decretos revolucionarios recién aprobados, sino también para asegurar al Nuevo Mundo "de su igualdad de derechos con los españoles europeos, de la extension de su representación nacional como parte integrante de la Monarquía, y en fin, de la amnistía, o por mejor decir, olvido que convendría conceder a todos los extravíos ocurridos en las desavenencias de algunos países de América".[15] Otros diputados americanos

15. Las citas pueden hallarse en "España, Cortes", *Diario de las sesiones de las Cortes Generales y Extraordinarias* (25 de septiembre de 1810), pp. 6-7. De cualquier forma, Servando Teresa de Mier reprodujo el texto de la propuesta original que fue publicada en *El Cosmopolita*:

"Siendo las provincias ultramarinas de la monarquía partes integrantes de la nación *y sus naturales habitantes libres* iguales en derechos a los de esta Península, declaran la Cortes Generales y Extraordinarias del Reyno:

1. Que el método adoptado ahora de diputados suplentes, y por consiguiente el actual número de 30, no se ha preferido y empleado sino por la urgentísima necesidad de instalar sin más demora este augusto Congreso.

2. Que para completar el número de diputados propietarios, que por justicia corresponden a dichas provincias, conforme el espíritu de la instrucción de la Junta Central de 1° de enero de este año (la qual hacen las Cortes extensiva a esos dominios), manda que se observe esta vez y siempre que en España misma la forma de elección presentada para los de esta Península, *en inteligencia que se contará para esto indistintamente con todos los libres súbditos del Rey*.

3. Que no habiendo nacido, como es cierto, las turbaciones de algunas provincias de América del intento de separarse de la madre patria, mandan las Cortes que se sobresea en todas las providencias y causas que con este motivo se hayan expedido, y que por lo mismo cesen en el momento de la publicación de este decreto todas la comisiones y órdenes relativas a la sujeción de aquellos pueblos y a la pesquisa y castigo de los sindicados por dichas turbaciones, confirmandose simultáneamente todas las autoridades, constituidas allí, *conforme a las leyes y a la necesidad de las actuales circunstancias*.

4. Que por la misma urgencia que ha obligado a poner suplentes de América, y en consideración a la buena fe y legítimo título con que vienen los diputados nombrados en ella según el método señalado por el Consejo de Regencia en 14 de febrero último, se habilitan y admitirán como propietarios los que hayan salido de los respectivos puertos de su procedencia, queriendo las Cortes que el número de éstos se descuente

también insistieron en "la necesidad, justicia y conveniencia de acompañar el decreto de instalación y siguiente con declaraciones de esta naturaleza".

Con su propuesta, los americanos pretendían que se elevara el número de diputados del Nuevo Mundo tomando como modelo las elecciones peninsulares, en las que se elegía a un diputado por cada 50 000 habitantes. Además, los diputados americanos hacían hincapié en que se debía contener como habitantes a todos los súbditos libres del rey, incluidos los indígenas y las castas de origen africano. Los peninsulares se opusieron de inmediato a esta medida, pues los reducía a un grupo minoritario y transfería el control del gobierno al Nuevo Mundo. Conforme el sistema existente, los españoles superaban en número a los americanos, mientras que según un sistema de "igual" representación el Nuevo Mundo, obtendría una ventaja de tres a dos.[16] Muchos europeos y al menos un americano, el peruano Vicente Morales Duárez, consideraron la medida como "intempestiva".[17] Para ellos era imperativo publicar los decretos de inmediato y sostenían que la cuestión americana podía ser pospuesta. Cuando el tema se sometió a votación, perdieron quienes pugnaban por las elecciones.[18]

Mejía Llequerica volvió de nuevo al tema de la representación el 1 de octubre de 1810 y como este problema estaba ligado a la cuestión racial, el debate subió tanto de tono que las Cortes votaron para debatir la cues-

---

del total de los que corresponden a sus provincias según la población de casa una". Servando Teresa de Mier, *Historia de la Revolución de Nueva España* (Edición Crítica, A. Saint-Lu y M.C. Bénassy-Berling, coords.) (París: Publications de la Sorbonne, 1999), pp. 528-529.

16. El problema radicaba, en parte, en los cálculos inexactos de las poblaciones de España y América. En aquella época, España tenía una población de unos 10.5 millones de personas, mientras que, según las cifras exageradas de Humboldt, aceptadas como cifras precisas por los participantes en el debate, el Nuevo Mundo tenía una población de casi 16 millones.

17. Vicente Morales Duárez describió la propuesta como: "obra de la otra América, muy meditada desde antes que yo apareciera, desplegó sus disparates en la madrigada del 26 por un papel tan aparatado como acreedor al desprecio, dando margen a su susurro contra los americanos. Entonces el diputado del Perú [Morales Duárez] vuela a la tribuna y dice: El diputado del reino de [Nueva] Granada [Mejía Llequerica] absténgase por ahora [de] la voz general de la América siñéndose únicamente al reino que le ha confiado sus poderes. Hablando yo con los del Perú, contradigo en aquello (...) My pays siempre fiel y respetuoso al trono no necesita de modos, comentarios ni nuevas fórmulas para recibir con mayor júbilo la gloriosa noticia de la feliz instalación del Congreso más augusto de la nación, y para tributarles los más puros y sinceros omenajes del mejor basallo". Citado en James King, "The Colored Castes and American Representation in the Cortes of Cádiz", en *HAHR*, 33:1 (febrero, 1953), p. 40, nota 14.

18. España, Cortes, *Diario de las sesiones de las Cortes Generales y Extraordinarias* (25 de septiembre de 1810), pp. 6-7.

ción en sesiones secretas. El representante de Lima, Vicente Morales Duárez, se oponía a que las castas de origen africano tuvieran derechos políticos, lo que resultaba lamentable para la causa americana. Pese a los elocuentes discursos de Mejía Llequerica, considerado uno de los más diestros oradores en las Cortes, y pese al respaldo casi unánime de los delegados americanos, la oposición fue imperante.[19] Las castas de origen africano no serían tomadas en cuenta. Pero el 15 de octubre se llegó a un acuerdo en el tema de la representación, cuando se estableció que "los naturales que sean originarios de dichos dominios europeos o ultramarinos son iguales en derechos a los de esta peninsula". Las castas que se habían "originado" en África no eran, por ende, consideradas como "naturales" de los dominios españoles. Puesto que se pensaba que las castas de origen africano sumaban unos 5.5 a seis millones de individuos, el acuerdo equilibraba las poblaciones de España y las Américas en materia de representación. Aunque 21 españoles apoyaron la demanda de los americanos para que se organizaran elecciones de inmediato y se aumentara el número de representantes de América, la mayoría peninsular se rehusó a ello, pues sus miembros consideraban que ante la urgencia de la guerra en España el retraso no era nada aconsejable. Los europeos apaciguaron a los americanos reafirmando que los dominios españoles en ambos hemisferios conformaban una sola monarquía, y ofreciendo olvidar las "conmociones" en el Nuevo Mundo.[20] Aunque no recibieron la igualdad de inmediato, este acuerdo tranquilizó por un breve periodo a los americanos. Los europeos –en

19. El 2 de octubre, Mejía Llequerica llegó hasta el extremo en su defensa de la causa de la igualdad para las castas:
"Estiéndase la igualdad a todas las castas libres: esto digo por ahora, que los esclavos son tambien hombres, y algun dia la política, la justicia, y la religión Cristiana enseñarán los modos con que deben ser considerados. Como se mejoran los frutos inxertándolos, así las castas cruzadas de América. ¿Por qué se ha de mirar su sangre como impura? Yo solo encuentro impura la de los enfermos, y mui pura la de los hombres laboriosos, la de los labradores: mas pura sin duda que la de los ociosos, aunque fueran magnates o Soberanos. La sangre de los pardos es roxa, y esta es la de los guerreros, la de los sanos, la pura y noble sangre".
"Durante su discurso, Mejía Llequerica se hincó con dramatismo implorando a sus colegas que otorgasen a las castas el derecho de igualdad. Aunque se dice que su oratoria ocasionó el derrame de lágrimas en las galerías, no resultó suficiente para sus compañeros diputados. Uno de ellos declaró: 'Aquí no se viene a mover los corazones, sino a demostrar verdades'". El *Diario de las Sesiones* no reprodujo su discurso, pero otros sí lo hicieron. Véase: Servando Teresa de Mier, *Cartas de un Americano, 1811-1812* (México: PRI, 1976), p. 74. Véase también: Mier, *Historia de la Revolución*, pp. 530-531; y King, "The Colored Castes", pp. 41-42.
20. El decreto del 15 de octubre de 1810 dice, a la letra:
"Las Cortes generales y extraordinarias confirman y sancionan el incuso concepto de que los dominios españoles en ambos hemisferios forman una sola y misma monarquía, una misma y sola nacion, y una sola familia, y que por

particular los liberales– se sentían satisfechos y agradecidos por el acuerdo, ya que aseguraba que la legitimidad de las Cortes no se vería amenazada durante el sitio francés, cada vez más severo.

Sin embargo, los diputados americanos no estaban dispuestos a abandonar su objetivo: la representación equitativa. Así que convencieron a Morales Duárez, cuyas posturas eran aceptables para la mayoría española, de convertirse en su portavoz, y el 16 de diciembre de 1810 presentaron un programa de once reformas que habría de ser la base de los futuros debates sobre la cuestión americana. Las propuestas eran las siguientes: igual representación, libertad de cultivos y de manufacturas, libre comercio y navegación, libre comercio entre América y Filipinas (las posesiones asiáticas), libre comercio entre América, Filipinas y Asia, abolición de los monopolios, libertad de extracción del azogue, acceso igualitario de los americanos a los cargos civiles, eclesiásticos y militares; asignación de la mitad de dichos cargos a los nativos del reino, creación de juntas consultivas de propuestas en América para designar a los funcionarios públicos y restauración de la orden jesuita en el Nuevo Mundo.[21]

---

lo mismo los naturales que sean originarios de dichos dominios europeos o ultramarinos son iguales en derechos a los de esta península, quedándo a cargo de las Cortes tratar con toda oportunidad, y con un particular interes de todo quanto pueda contribuir a la felicidad de los de ultramar, como tambien sobre el número y forma que deba tener para lo sucesivo la representación nacional en ambos hemisferios. Ordenan asimismo las Cortes que desde el momento en que los paises de ultramar, en donde se hayan manifestado conmociones, hagan el debido reconocimiento a la legítima autoridad soberana, que se halla establecida en la madre Patria, haya un general olvido dexando sin embargo a salvo el derecho de tercero. Lo tendrá así entendido el Consejo de Regencia para hacerlo imprimir, publicar y circular, y para disponer todo lo necesario a su cumplimiento". *Colección de los decretos y ordenes que han expedido las Cortes*, I, 36. Véase también: King, "The Colored Castes", pp. 146-148; y Chust, *La cuestión nacional Americana*, pp. 50-53.

21. Las propuestas eran las siguientes:
"1º En consecuencia del decreto de 15 del próximo Octubre se declara: que la representación nacional de las provincias, ciudades, villas y lugares de la tierra firme de América, sus islas y las Filipinas, por lo respectivo a sus naturales y originarios de ambos hemisferios, así españoles como indios, y los hijos de ambas clases, debe ser la misma en el órden y forma, aunque respectiva en el número que tienen hoy y tengan en lo sucesivo, las provincias, ciudades , villas y lugares de la península, e islas de la España europea entre sus legítimos naturales: 2º Los naturales y habitantes libres de América, pueden sembrar y cultivar cuanto la naturaleza y el arte les proporcione en aquellos climas, y del mismo modo promover la industria manufacturera y las artes en toda su extensión: 3º Gozarán las Américas la mas amplia facultad de exportar sus frutos naturales e industriales para la península y naciones aliadas y neutrales, y se les permitirá la importación de cuanto hayan menester, bien sea en buques nacionales o extranjeros, y al efecto quedan habilitados todos los puertos de América: 4º Habrá un comercio libre entre las Américas y las posesiones asiáticas , quedando abolido cualquier privilegio exclusivo que

Las demandas americanas encarnaban la búsqueda de derechos plenos en materia de política y economía, incluidos el control de la economía local, el libre comercio y el acceso a los cargos públicos. Durante el siguiente año y medio, las Cortes debatieron largamente sobre estos temas. La cuestión americana no podía ser ignorada, ya que las insurgencias en el Nuevo Mundo ponían en peligro la unidad de la monarquía. Muchos de los diputados españoles creían que las reformas eran necesarias para pacificar a los rebeldes y evitar que otros se unieran a la insurrección.

La primera y la más importante de las once propuestas, que llamaba a la igualdad de representación entre la península y ultramar, se limitaba a otorgar representación "a sus naturales y originarios de ambos hemisferios, así españoles como indios, y los hijos de ambas clases". Es probable que la mayoría de los diputados americanos considerara que esta fórmula sería lo mejor que ellos podrían conseguir. Puesto que la formulación de la propuesta no excluía explícitamente a los individuos de ascendencia africana, algunos americanos esperaban volver al tema en un momento más propicio; Ramón Feliú, diputado suplente de Perú, por ejemplo, afirmaría más tarde:

---

se oponga a esta libertad: 5º Se establecerá igualmente la libertad de comerciar de todos los puertos de América e islas Filipinas a los demas del Asia, censando tambien cualquier privilegio en contrario: 6º Se alza y suprime todo estanco en las Américas, pero indemnizándose al erario público de la utilidad líquida que percibe en los ramos estancados, por los derechos equivalentes que se reconozcan sobre cada uno de ellos: 7º La explotacion de las minas de azogue será libre y franca a todo individuo, pero la administración de sus productos quedará a cargo de los tribunales de minería, con inhibición de los vireyes, intendentes, gobernadores y tribunales de real hacienda: 8º Los americanos, así españoles como indios, y los hijos de ambas clases, tienen igual opcion que los españoles europeos para toda clase de empleos y destinos así en la corte como en cualquiera lugar de la monarquía, sean de la carrera política, eclesiástica o militar: 9º Consultando particularmente a la proteccion natural de cada reino, se declara que la mitad de sus empleos ha de proveerse necesariamente en sus patricios, nacidos dentro de su territorio: 10º Para el mas seguro logro de lo sancionado, habrá en las capitales de los vireinatos y capitanías generales de América, una junta consultiva de propuestas, para la provision de cada vacante respectiva, en su distrito, al turno americano, a cuya terna deberán ceñirse precisamente las autoridades a quienes incumba la provision, en la parte que a cada uno toque. Dicha junta se compondrá de los vocales siguientes del premio patriótico: el oidor mas antiguo, el rector de la universidad, el decano del colegio de abogados, el militar de mas graduación y el empleado de real hacienda mas decorado: 11º Reputándose de la mayor importancia para el cultivo de las ciencias y para el progreso de las misiones que introducen y propagan la fé entre los indios infelices la restitucion de los jesuitas, se concede para América por las Cortes".
Estas propuestas no aparecieron en el *Diario de las sesiones de las Cortes*. No obstante, Alamán las reproduce en su *Historia de Méjico*, III, pp. 13-15. En aquel momento, las propuestas fueron impresas y distribuidas por todos los ayuntamientos de América por medio de sus diputados. Véase: Chust, "Legislar y revolucionar", pp. 28-29; y John Preston Moore, *The Cabildo in Peru under the Bourbons* (Durham: Duke University Press, 1966), pp. 208-209.

> Y aunque en la primera de las proposiciones que presentaron [los diputados americanos] en 16 de diciembre no incluyeron a los españoles originarios de África, no fue porque no lo deseasen; sino porque habiendo manifestado ántes su opinión, creyeron entonces conveniente limitarse a pedir, no todo aquello que querían, que habian pedido y se les habia negado, sino aquello que juzgaron menos distante de la voluntad de las Cortes, y por consiguiente menos inasequible.[22]

El debate en torno a la primera propuesta comenzó el 9 de enero de 1811 y continuó animadamente y en ocasiones con rispidez hasta el 7 de febrero. Pese a que la propuesta fue deshechada en una votación preliminar el 18 de enero, con 64 votos en contra y 56 en favor, unos 20 europeos apoyaron a los americanos, quizá porque creían que estas concesiones eran necesarias para mantener la lealtad del Nuevo Mundo. Algunos diputados presentaron sus votos por escrito para justificar su postura. Evaristo Pérez de Castro, diputado europeo suplente de Valladolid, proporcionó a los americanos la oportunidad de renovar el debate al declarar:

> Es mi voto que las Cortes declaren el derecho que pertenece a los americanos de tener en las Cortes nacionales una representacion enteramente igual en el modo y forma a la de la Península, y asimismo que en la Constitución que va a formarse se establezca el método de representación, el cual ha de ser perfectamente igual en ambos hemisferios.[23]

No obstante, Pérez de Castro insistía en que el trabajo de las Cortes no debía retrasarse más. Los diputados americanos no se sintieron disuadidos y, una vez más, convencieron al diputado Morales Duárez de encabezar sus argumentos, quien habló por primera vez el 23 de enero para declarar que:

> Los americanos que fijaron la proposicion del dia, miraron solo a los verdaderos intereses de su Patria (...) Pero estando penetrados los americanos de la union y conformidad de deseos y sentimientos que ahora más que nunca deben reinar entre unos y otros vasallos de V. M., y queriendo dar una idea del verdadero deseo que tienen de alejar toda sombra de seduccion, de separacion y de partido, *renuncian ya y retiran dicha ampliación* [de representación] *y adhieren en todas sus partes a la*

22. *Diario de las sesiones de las Cortes* (5 de septiembre de 1811), pp. 1779-1781.
23. *Ibid.*, (23 de enero de 1811), p. 419.

> *proposicion hecha por un Sr. Diputado europeo, cual es el voto del Sr. Perez de Castro, al que se conforman y proponen a V. M. los americanos como suyo.*[24]

Los diputados americanos se extendieron en la defensa de sus argumentos, y los peninsulares, incluidos muchos liberales, perdieron la paciencia. Argüelles no hacía sino expresar su irritación al declarar:

> La América, considerada hasta aquí como colonia de España, ha sido declarada su parte integrante, sancionándose igualdad de derechos entre todos los súbditos de V. M. que habitan en ambos mundos. Esta mutación maravillosa no ha bastado a calmar los ánimos e inquietudes de los señores americanos; V. M. ha sido excesivamente liberal, con una especie de emancipación tan generosa que ninguna otra Nacion de Europa ofrece ejemplo semejante.[25]

El debate enfureció a muchos europeos porque éstos creían que los americanos ponían en peligro a España al solicitar la organización de elecciones en ese momento, justo cuando sus defensas apenas podían resistir a los franceses. Desde esta perspectiva, resultaba poco realista esperar que los peninsulares suspendieran la actividad de las Cortes, en particular la redacción de la Carta Magna, durante meses y quizás hasta un año mientras se llevaban a cabo las elecciones en el Nuevo Mundo.

Antonio Joaquín Pérez, eclesiástico y diputado tradicionalista de Puebla, presidió la sesión del 7 de febrero de 1811 cuando se realizó la votación definitiva. Ya que la mayor parte de los europeos quería aprobar el principio de igualdad, pero ellos no estaban dispuestos a retrasar el proceso de redacción de una Carta Magna para la nación española, la propuesta fue dividida en dos partes. La primera, que versaba sobre la igualdad de representación entre la península y América, fue aprobada por una abrumadora mayoría: 123 votos en favor y cuatro en contra. Sin embargo, la segunda parte, que habría aplicado dicho principio a las Cortes Generales y Extraordinarias que tenían lugar en ese mismo momento, recibió 69 votos en contra y 61 en su favor. Está claro que un número considerable de españoles apoyaba la causa

24. *Ibid.*
25. Citado en Chust, "Legislar y revolucionar", p. 31.

americana. Y, de hecho, ésta habría triunfado a no ser por las acciones del presidente de las Cortes. Según Mier, que estaba presente: "D. Antonio Joaquín Pérez, diputado de Puebla, cortó la discusión para votar, y mientras, valido de la autoridad del presidente, los exhortó a mantenerse firmes por la negativa, respondiendo él con su cabeza que México no lo llevaría a mal".[26]

En lo relativo a América, el "partido americano", como se llamaba a veces a los diputados del Nuevo Mundo, no sólo se enfrentaba a la oposición de los diputados españoles en las Cortes, sino también de los comerciantes de Cádiz y de algunos peninsulares en América. Los burócratas reales del Nuevo Mundo a menudo rechazaban las reformas propuestas aduciendo que resultaban provechosas para los insurgentes. Otros españoles en América también se mostraron hostiles frente a la demanda de igualdad del Nuevo Mundo. El ataque más cáustico hacia América fue la infame "Representación del Consulado de México", a la que se dio lectura en una sesión pública de las Cortes el 16 de septiembre de 1811, durante una discusión sobre el Artículo 29 de la Constitución, que asentaba la base de "igualdad" para la asignación de representantes.

La "Representación" del consulado comenzaba con un relato de la historia indígena que habría enorgullecido a cualquiera de los *philosophes* antiamericanos. Según el Consulado, antes de la llegada de los europeos, los indígenas habían sido bestias anárquicas y salvajes. Más de doscientos años de esfuerzo por mejorarlos habían dado escasos resultados, dada la inferioridad genética de los nativos. Por ende, los tres millones de indígenas de Nueva España no eran aptos para gobernarse a sí mismos. El indígena, afirmaba el Consulado:

> está dotado de una pereza y languidez (...) y jamás se mueve si el hambre o el vicio no le arrastran: estúpido por Constitución, sin talento inventor, ni fuerza de pensamiento, aborrece las artes y oficios, y no hacen falta a su modo de existir; borracho por instinto (...) carnal por vicio de imaginación y desnudo de ideas puras sobre la contingencia, pudor o incesto, provee sus deseos fugaces con la muger que encuentra más a mano: tan descuidado, como insensible a las verdades religiosas (...) y con desamor para todos los prójimos, no economiza sino los crímenes que pueden traerle castigo inmediato.

26. Mier, *Historia de la Revolución de Nueva España*, p. 533. Véase también: Chust, "Legislar y revolucionar", p. 31.

Dos millones de individuos pertenecientes a las castas eran considerados igualmente despreciables:

> Con más proporción para adquirir dinero, con más dinero para saciar sus vicios; con más vicios para destruirse, no es de admirar que sean más perdidos y miserables. Ebrios, incontinentes, flojos, sin pundonor, agradecimiento ni fidelidad, sin nociones de la religión y de la moral, sin lujo, aseo ni decencia, parecen aún más maquinales y desarreglados que el indio mismo.
>
> (...) Un millon de blancos que se llaman Españoles Americanos, muestran la superioridad sobre los otros cinco millones (...) más por sus riquezas heredadas (...) por su lujo, (...) y por su refinamiento en los vicios, que por diferencias substanciales de indole...
>
> ¿Qué hay de común, qué equiparación cabe o qué analogía puede encontrarse en los derechos, situación, espíritu, finura, exigencias, intereses, instituciones, hábitos y localidades de la España conquistadora, y de las colonias conquistadas? (...) Es preciso confesar que las leyes propias para la Madre Patria no son las mejores para sus Américas (...).[27]

Escandalizados por los acerbos insultos, varios diputados americanos "calificaron aquel papel de subversivo, calumnioso e incendiario".[28] Los diputados americanos quisieron abandonar las Cortes *en masse*, pero el presidente se los prohibió. Los guardias los enviaron de regreso. La discusión sobre el Artículo 29 fue suspendida mientras los delegados americanos preparaban sus réplicas. Al día siguiente, el diputado gallego José Alfonso López presentó un acuerdo que asignaba igual número de diputados para España y para sus territorios de ultramar. López proponía una ley "por la que los países de Ultramar envien al Congreso 100 o 150 Diputados para unirse con un número igual de otros 100 o 150 Diputados de la Península, cuyo reparto por provincias, comarcas y distritos se hace con mucha facilidad (...) teniendo a la vista el censo del todo de la población de ambas regiones".[29]

De haber sido el debate menos intenso y menos personal, la propuesta de López habría sido aceptada como un acuerdo razonable. Pero los

27. "Informe del Real Tribunal del Consulado de México sobre la incapacidad de los habitantes de N.E. para nombrar representantes a las Cortes", Hernández y Dávalos, *Colección de documentos*, II, pp. 450-466.
28. *Diario de las sesiones de las Cortes* (16 de septiembre de 1811), 1863. El *Diario* no publicó el Informe del Consulado de México.
29. *Diario de las sesiones de las Cortes* (17 de septiembre de 1811), p. 1868.

americanos, liderados por los novohispanos insistieron en reconocer los derechos de las castas de origen africano, a quienes describían como ciudadanos buenos, decentes y trabajadores. Ramos Arizpe, por ejemplo, que se llamaba a sí mismo *el Comanche* por sus orígenes en el noreste novohispano, declaró:

> Yo conozco descendientes de Africa dignamente condecorados con el sacerdocio; yo estoy cansado de ver a muchos empleados en todas carreras; yo los he visto ser jueces justos y celosos regidores en los ayuntamientos, especialmente en lugares modernos, que ellos mismos han fundado; yo he visto a sus familias enlazadas con muy distinguidos españoles; yo conozco a la infinidad de esas castas casadas con mujeres llenas de virtudes morales y domesticas, y a sus bellísimas hijas adornadas de tantas gracias y donaire como el de las hermosas andaluzas. No siembre *V. M.* la disension y discordia entre esas innumerables familias, ni cubra de lágrimas y amargura el semblante y corazon de tal útiles individuos.[30]

José Simeón de Uría, un eclesiástico que representaba a Guadalajara, fue igualmente enérgico; según él:

> Nuestras castas son las depositarias de nuestro bien y felicidad; nos suministran brazos que cultivan la tierra que produce sus abundantes frutos, los que nos extraen de sus entrañas, a costa de imponderables afanes, la plata que anima al comercio y que enriquece a V. M. Salen de ellas los artesanos ... dan en aquellos países el servicio de armas, son en actualidad la robusta columna de nuestra defensa y de los dominios de V. M. donde se estrellan los formidables tiros de la insurreccion de algunos de nuestros hermanos.[31]

Otros diputados estaban de acuerdo con este último punto y declararon que las milicias de pardos a menudo eran las únicas fuerzas que protegían grandes regiones de América de los insurgentes. Además, como sostenía José Beye de Cisneros, un eclesiástico representante de México, excluir a los descendientes de africanos, significaría excluir a la mayor parte de la población americana. Beye de Cisneros afirmaba que, de los 16 millones de personas que según los cálculos de Humboldt habitaban el Nuevo Mundo, "los diez son castas (lo demás es engañarse)". Desde su punto de vista, el proceso de

30. *Ibid.* (10 de septiembre de 1811), 1809.
31. *Ibid.* (4 de septiembre de 1811), 1762.

mestizaje continuaría conforme los otros seis millones de españoles e indígenas contrajeran matrimonio con los individuos de ascendencia africana.[32]

Algunos diputados de ambos bandos veían la lucha por los derechos políticos de las castas de origen africano como un simple conflicto entre americanos y europeos por la mayoría en las Cortes. Ramón Feliú, diputado suplente de Perú, decía: "está claro el fin que se proponen [los europeos] cual es dejar siempre a la América con una representacion más diminuta y escasa que la que debe corresponderle". Por su parte, el diputado catalán Felipe Aner, sostenía que los americanos apoyaban a las castas de origen africano "para que de este modo les corresponda tener en las Cortes una tercera parte más de Diputados que la España europea".[33] Al final, la mayoría española rechazó la propuesta americana, reafirmando su negativa al derecho de representación de las castas de origen africano. Si bien los europeos estaban dispuestos a asignar igual número de diputados a cada lado del Atlántico, no estaban listos para convertirse en una minoría dentro de sus propias Cortes.

Los americanos también pelearon por el poder político en lo referente al acceso a los cargos gubernamentales. El 9 de febrero de 1811, las Cortes aprobaron uno de los aspectos importantes de la propuesta americana de diciembre de 1810 y concedieron a los españoles americanos, a los indígenas y mestizos los mismos derechos que los españoles a detentar cargos civiles, eclesiásticos y militares. Aun así, la mayoría rechazó la propuesta de reservar la mitad de dichos cargos en el Nuevo Mundo para los americanos. Liberales peninsulares y del Nuevo Mundo encontraban molesto el dar preferencia a un grupo, pues creían que los "españoles", sin importar su lugar de nacimiento, debían tener los mismos derechos. Así pues, dar preferencia a los naturales de América parecía inapropiado. Como lo señaló Juan José Guereña, un eclesiástico que representaba a Durango: "yo quisiera (...) que así en las provisiones que se hagan en la península, como en las respectivas a la América, sean atendidos indistintamente españoles europeos o americanos que estén adornados de las correspondientes buenas calidades (...) Por la política si hemos de ser consecuentes en principios, siendo todos una nación en ambos hemisferios".[34]

32. *Ibid.* (6 de septiembre de 1811), 1789.
33. *Ibid.* (5 de septiembre de 1811), 1779-1781.
34. Citado en Rieu-Millán, *Los Diputados americanos*, p. 269.

Finalmente, los diputados llegaron a un acuerdo. El Artículo 1º de la Constitución rezaba: "La Nación española es la reunion de todos los españoles de ambos hemisferios". El Artículo 5º decía:

> Son españoles. Primero: Todos los hombres libres nacidos y avecindados en los dominios de las Españas y los hijos de éstos. Segundo: Los extranjeros que hayan obtenido de las Cortes carta de naturaleza. Tercero: Los que sin ella lleven diez años de vecindad ganada según la ley en cualquier pueblo de la Monarquía. Cuarto: Los libertos desde que adquieran la libertad en las Españas.

La Constitución que estaban redactando los diputados reflejaba las cuestiones irresolutas en cuanto a los americanos de ascendencia africana. Éstos eran "españoles" y tenían derechos en tanto miembros de la nación española, pero no tenían derechos políticos. El Artículo 18, que definía la ciudadanía, estipulaba que: "Son ciudadanos aquellos españoles que por ambas lineas traen su origen de los dominios españoles de ambos hemisferios y están avecindados en cualquier parte de los mismos dominios". El Artículo excluía claramente a los descendientes de africanos. Pero el Artículo 22 señalaba: "A los españoles que por cualquier linea son habidos y reputados por originarios de Africa les queda abierta la puerta de la virtud y el merecimiento para ser ciudadanos". De esta manera, las personas de ascendencia africana podrían llegar a ser ciudadanos, pero los requisitos eran estrictos:

> En consecuencia, las Cortes concederán carta de ciudadano a los que hicieren servicios calificados a la patria, a los que se distingan por su talento, aplicación y conducta, con la condición de que sean hijos de legítimo matrimonio de padres ingenuos, de que estén casados con mujer ingenua y avecindados en los dominios de las Españas, y de que ejerzan alguna profesión, oficio o industria útil con un capital propio.[35]

En pocas palabras, los miembros de las castas de origen africano que aspiraran a ser ciudadanos debían cumplir más requisitos que los demás.

Empero, no todos los españoles originarios de África eran libres. Muchos de ellos eran esclavos. El 25 de mayo de 1811, Guridi y Alcocer

35. "Constitución Política de la Monarquía Española", en *Leyes fundamentales de México, 1808-1991* 16ª ed., Felipe Tena Ramírez (ed.) (México: Porrúa, 1991), pp. 60-63.

propuso abolir la esclavitud. Enfrentados a la oposición de los representantes de las regiones esclavistas –el Caribe, Venezuela, la costa de Nueva Granada y Perú– que se mostraban inflexibles en su rechazo al fin de la esclavitud o del comercio con esclavos, Guridi y Alcocer y otros diputados recomendaron la eliminación más bien gradual de dicha institución. Como una alternativa, el gran liberal español Agustín Argüelles sugirió poner fin al comercio de esclavos. Se nombró entonces, por solicitud de Mejía Llequerica, una comisión que considerara el asunto. Pero, pese a los argumentos elocuentes y a menudo conmovedores en favor de la abolición, triunfó la negativa. Al final, las Cortes creyeron que mantener la esclavitud era políticamente conveniente.[36] Como declaró Esteban Palacios, tío de Simón Bolívar y suplente por Caracas: "En cuanto a que se destierre la esclavitud, lo apruebo como amante de la humanidad; como amante del orden político, lo repruebo".[37]

La Constitución

Los líderes de las Cortes estaban decididos a establecer una sola nación en la vasta monarquía española universal. Para lograr este objetivo, las Cortes debían reestructurar varias partes de la monarquía; en 1810 la estructura institucional de la monarquía española se colapsó. La Junta Central y la Regencia habían reconocido por necesidad a las juntas provinciales formadas en la península para combatir la invasión francesa. Sin embargo, no reconocieron a la mayor parte de las juntas instauradas en América porque dichos organismos no reconocían la legitimidad del gobierno en España. La regencia sólo reconoció a las dos juntas americanas que, a su vez, reconocían la legitimidad de su gobierno: Quito y Santiago de Chile. Las Cortes debían crear entonces una estructura institucional que permitiera a las provincias españolas que ya eran gobernadas por juntas y a las provincias americanas controlar la administración local al tiempo que mantenían fuertes vínculos con el gobierno nacional.

Los diputados americanos jugaron un papel central en la reestructuración política de la monarquía española. En un principio intentaron que

36. Chust, "Legislar y revolucionar", pp. 37-40.
37. Citado en Rieu-Millán, *Los Diputados americanos*, p. 168. Véase también: Manuel Chust Calero, "De esclavos, encomenderos y mitayos. El anticolonialismo en las Cortes de Cádiz", en *MS/EM*, 11:2 (verano, 1995), pp. 179-202.

las juntas formadas en el Nuevo Mundo obtuvieran reconocimiento. El 14 de diciembre de 1810, Mejía Llequerica propuso sin éxito que las normas establecidas para las juntas peninsulares se hicieran extensivas a América. Después de que se promulgara una normativa formal para las provincias españolas, el 4 de marzo de 1811 Ramos Arizpe, encomendado por la ciudad de Saltillo para establecer más provincias en el norte de Nueva España, tomó la iniciativa y abogó por la creación de instituciones regionales a las que llamó "diputaciones provinciales". Las diputaciones provinciales serían cuerpos administrativos formados por miembros elegidos en la localidad y un ejecutivo designado por el gobierno nacional. La propuesta suscitó gran controversia, pues muchos españoles, entre ellos liberales importantes como Argüelles y el Conde de Toreno, temían que un organismo de tales características fragmentara la nación al otorgar a las localidades demasiado poder.[38] Estos españoles no querían que las diputaciones provinciales constituyeran el primer paso hacia el confederalismo; por el contrario, a los americanos les preocupaba que el jefe político, es decir, el funcionario nombrado por el gobierno nacional para presidir la diputación provincial, pudiera dominar al organismo en detrimento de las provincias.

El debate en torno a las diputaciones provinciales enfrentó a aquellos que favorecían un gobierno unitario con quienes abogaban por los intereses de las provincias. Así las cosas, algunos diputados españoles de provincias no castellanas y que buscaban más autonomía para sus regiones se unieron a los americanos en defensa de mayor poder para las diputaciones provinciales. Como se había propuesto, la diputación provincial, presidida por el jefe político, estaría formada por siete miembros y por el intendente; no obstante, muchos diputados americanos querían que tuviese más miembros, ya que por una parte concebían a esta institución como un organismo casi legislativo y, por otra, los reinos del Nuevo Mundo variaban enormemente en cuanto a su tamaño y su composición étnica. El debate se volvía aún más complejo dado que la definición de lo que era una provincia no era igual en España que en América. En la península, los reinos tradicionales se convirtieron en provincias, pero los americanos no igualaron los reinos con provincias. En el Nuevo Mundo, los reinos, como Nueva España, estaban formados por una

38. Artola, *Los orígenes*, I, pp. 417-423; y Chust, "Legislar y revolucionar", pp. 64-73.

DR. MIGUEL RAMOS ARIZPE

serie de provincias, tal como lo indicaban sus doce intendencias. Puesto que cada diputación provincial trataría directamente con Madrid, establecer doce diputaciones en Nueva España equivalía a desmembrar el reino, a menos que se estableciera algún mecanismo para coordinar las actividades de las diputaciones provinciales en cada reino. Para la mayoría española un arreglo de este tipo constituía una forma de federalismo que amenazaba la unidad de la nación española y, por ende, se oponían a él.

Finalmente, las Cortes aprobaron el establecimiento de 19 diputaciones provinciales para los territorios ultramarinos: Nueva España, Nueva Galicia, Yucatán, San Luis Potosí, Provincias Internas de Oriente, Provincias Internas de Occidente, Guatemala, Nicaragua, Cuba con las dos Floridas, Santo Domingo y Puerto Rico, Nueva Granada, Venezuela, Quito, Perú, Cuzco, Charcas, Chile, Río de la Plata y Filipinas. La nueva institución estaba formada por siete diputados electos, con un jefe político que presidía y un intendente de la capital provincial como un miembro más. Al crear las diputaciones provinciales, las Cortes abolieron los virreinatos, transformaron las audiencias de organismos judiciales y casi administrativos a tribunales superiores de justicia, y dividieron el mundo hispánico en provincias que trataban directamente con el gobierno nacional en España. Aunque el cargo de virrey fue eliminado, los principales funcionarios de las antiguas capitales virreinales mantuvieron gran autoridad militar en los reinos en tanto capitanes generales y jefes políticos superiores.[39]

La segunda institución de gobierno local creada por las Cortes, el ayuntamiento constitucional, sustituyó a las elites que heredaban los puestos, y que hasta ese entonces controlaban el gobierno de las ciudades, por funcionarios electos por voluntad popular. El ayuntamiento constitucional amplió drásticamente la participación política en el mundo hispánico. Conforme se sometía la Constitución a debate, se hizo evidente que los puestos tradicionales, como el de regidor hereditario, serían abolidos. Esto preocupaba a los americanos porque sus compatriotas monopolizaban dichos cargos en el Nuevo Mundo. Pero, al darse cuenta de que el proceso electoral beneficiaba a los naturales de sus regiones, los americanos aceptaron la transformación. De ahí en adelante,

39. Nettie Lee Benson, *La Diputación Provincial y el federalismo mexicano* (México: El Colegio de México, 1955), pp. 11-21; Rieu-Millán, *Los Diputados americanos*, pp. 239-253.

sus esfuerzos estarían abocados a evitar que los jefes políticos dominaran los ayuntamientos, como lo habían hecho los intendentes en el pasado.[40]

Novohispanos como Ramos Arizpe no sólo querían introducir los nuevos gobiernos constitucionales en las ciudades sino también aumentar el número de ayuntamientos en sus provincias. Históricamente, los gobiernos municipales de la península habían sido cruciales en el desarrollo de regiones autónomas y con viabilidad económica. De ahí que los diputados españoles apoyaran el establecimiento de gobiernos municipales en localidades de población reducida.[41] En la península, la introducción de ayuntamientos constitucionales no afectó de manera importante el grado de participación política, pues España poseía ya numerosos ayuntamientos, pero en el Nuevo Mundo el efecto fue dramático, pues ahí sólo las ciudades principales habían tenido ayuntamientos.

El debate en torno a la reestructuración del comercio ilustra la complejidad de los intereses económicos dentro de la monarquía. Los británicos, aliados de España en contra de los franceses, querían la autorización para comerciar libremente con América. Algunos peninsulares y algunos americanos que mantenían vínculos con los consulados del Nuevo Mundo, controlados por los españoles, estaban de acuerdo en relajar temporalmente las restricciones al comercio y, de esta manera, enfrentar las crisis económicas y fiscales del momento, pero no estaban dispuestos a eliminar el monopolio comercial existente. Otros españoles y americanos cuyas regiones de origen no se beneficiaban de los patrones tradicionales del comercio, abogaban por una suspensión permanente de las restricciones comerciales. Los comerciantes de Cádiz preferían la primera postura y se oponían tajantemente a la segunda. Aunque la mayoría de los americanos quería acabar con el monopolio de los comerciantes españoles, tuvieron dificultades para coincidir en una visión unitaria que les permitiera cumplir su objetivo. Así, los americanos estaban divididos por intereses personales y regionales en lo referente al tema del comercio; mientras que el libre comercio beneficiaba a ciertas zonas, en particular a los puertos del Caribe, los representantes de otras regiones temían que sus patrias

40. Véase: Cunniff, "Mexican Municipal Electoral Reform"; y Rieu-Millán, *Los Diputados americanos*, pp. 217-231.
41. Manuel Chust, "La vía autonomista novohispana. Una propuesta federal en las Cortes de Cádiz", en *Estudios de Historia Novohispana*, 15 (1995), pp. 168-174; y de él mismo: "América y el problema federal en las Cortes de Cádiz", en José A. Piquera y Manuel Chust (eds.), *Republicanos y repúblicas en España* (Madrid: Siglo XXI

resultaran dañadas. A algunos les preocupaba que una marina mercante local no pudiese competir con las marinas mercantes de las grandes potencias, como Gran Bretaña, en tanto que otros temían que sus manufacturas, en especial los textiles de Nueva España y Quito, fueran avasalladas por las telas europeas, más baratas. No obstante, otros americanos y sus representantes ante las Cortes buscaban una liberalización mucho más amplia del comercio.

Los comerciantes gaditanos se unieron a sus colegas españoles del Nuevo Mundo en contra del libre comercio. El debate tenía implicaciones políticas de primer orden en Nueva España, donde algunos individuos asociados con el Consulado de México habían jugado un papel central en 1808 al evitar la formación de una junta en Nueva España, deponer al virrey Iturrigaray, apresar a los autonomistas y tomar el gobierno del virreinato. Los miembros del Consulado de México y los diputados novohispanos en las Cortes se odiaban los unos a los otros. Muchos delegados de Nueva España denunciaron al Consulado en las Cortes; empero, éste tenía un hábil defensor en Cádiz, Juan López de Cancelada, quien, con base en su larga experiencia en Nueva España, atacaba las causas americanas en su periódico *El Telégrafo Americano*.

Los comerciantes de Cádiz enfrentaron los intentos por instaurar el libre comercio con el argumento de que esto arruinaría la economía española. López de Cancelada publicó un panfleto titulado *Ruina de Nueva España si se declara el comercio libre con los estrangeros*, en el que demostraba que ambas Españas padecerían de permitirse a los extranjeros comerciar libremente dentro de la monarquía. Los americanos respondieron en las Cortes y en la prensa con argumentos en favor de la liberalización del comercio. El 1 de agosto de 1811 los diputados del Nuevo Mundo presentaron ante el parlamento una propuesta que abogaba por las reformas económicas, incluido el libre comercio. Pero cuando las medidas fueron sometidas a votación el 13 de agosto, los votos dieron 87 en contra y 43 a favor; algunos españoles apoyaron las medidas, mientras que algunos americanos se opusieron y ocho diputados de Nueva España optaron por abstenerse.[42]

---

de España, 1996), pp. 45-75. Sobre la importancia de los ayuntamientos en España, véase: Helen Nader, *Liberty in Absolutist Spain: The Habsburg Sale of Towns, 1516-1700* (Baltimore: Johns Hopkins University Press, 1990). Véase también: Manuel Morán Orti, *Poder y gobierno en las Cortes de Cádiz, 1810-1813* (Pamplona: Ediciones Universidad de Navarra, 1986).

42. Rieu-Millán, *Los Diputados americanos*, pp. 188-209; John H. Hann, "The Role of the Mexican Deputies in the Proposal and Enactment of Measures of Economic Reform Applicable to Mexico", en Benson, *Mexico*

Como lo muestra la discusión anterior, la redacción de la Constitución hispánica de 1812 fue un proceso beligerante. Pese a sus fuertes convicciones opuestas, que llevaban a un debate enardecido, los delegados de España y América en las Cortes Generales y Extraordinarias, que sesionaron del 24 de septiembre de 1810 al 20 de septiembre de 1813, generaron un documento que transformó la monarquía española. La Constitución de 1812 no era un documento exclusivamente español; se trataba de una Carta Magna para todo el mundo hispánico. En realidad, la Constitución de Cádiz no habría tomado esa forma sin la participación de los representantes del Nuevo Mundo, en particular de los novohispanos. Los argumentos y las propuestas de los diputados americanos convencieron a muchos españoles de optar por cambios sustanciales en América, así como en la península.

Entonces y ahora muchos críticos han desestimado equivocadamente la Constitución de Cádiz como un documento no representativo de los deseos y necesidades de los pueblos de España y América. Pero la Carta era en verdad "un esfuerzo de pragmatistas decididos a crear una nación española moderna tomando en cuenta sus tradiciones y experiencias".[43] Los aspectos más revolucionarios de la Constitución de 1812 eran hacer del poder ejecutivo y del judicial subordinados del poder legislativo, además de introducir la participación política masiva. A diferencia de la Constitución de Estados Unidos, que establecía tres poderes de gobierno equivalentes, la Carta de Cádiz creó tres ramas de poder muy desiguales. El poder judicial recibió muy poco poder y el ejecutivo estaba supeditado al legislativo. De hecho, la soberanía nacional fue confiada a las Cortes. Se aseguró la participación política masiva de dos formas. En primer lugar, el gobierno local creció drásticamente porque los centros de población con mil habitantes o más obtuvieron el derecho a formar ayuntamientos. Esta transformación tendría su mayor efecto en América, que tenía menos ayuntamientos que la península, y en segundo lugar, se otorgó a todos los varones adultos, exceptuando aquellos

---

and the Spanish Cortes, pp. 153-168; Michael P. Costeloe, "Spain and the Latin American Wars of Independence: The Free Trade Controversy, 1810-1820", en *HAHR*, 61:2 (mayo, 1981), 209-216; y Chust, "Legislar y revolucionar", pp. 76-81.

43. Rodríguez, *The Cádiz Experiment*, p. 94. Para un ejemplo reciente de crítica hacia el trabajo de las Cortes, véase: Timothy E. Anna, *Spain and the Loss of America* (Lincoln: University of Nebraska Press, 1983), capítulo 3.

de ascendencia africana, el derecho al sufragio sin ningún requerimiento de alfabetización o propiedad, lo que amplió el espectro de la política popular más allá de lo que cualquier otro gobierno del mundo occidental hubiera permitido en aquella época.

Aunque los nuevos procesos políticos liberales recurrieron a ceremonias religiosas –misas, oraciones y *Te Deums*– y contaron con la ayuda de curas en el proceso electoral, y aunque los eclesiásticos, en particular los curas, resultaron electos frecuentemente en todos los ámbitos, la Iglesia en tanto institución no obtuvo más poder. Por el contrario, las Cortes abolieron la Inquisición, introdujeron la libertad de prensa y limitaron los privilegios eclesiásticos. Los hombres de la Iglesia participaron en la nueva política, no como miembros de su institución sino como ciudadanos de la nación española. Hoy en día resulta difícil para nosotros entenderlo, pero las ceremonias religiosas y los políticos eclesiásticos formaban parte del surgimiento de una orden "secular" liberal. Todo ello contribuía al proceso de "legitimación" del nuevo sistema. Ni los liberales ni los exaltados consideraban la participación del clero en las nuevas políticas como algo inapropiado. En este sentido, era adecuado que el obispo de Mallorca Bernardo Nadal y Crespí, presidente de las Cortes, declarara el 19 de marzo de 1812, al promulgarse la Constitución: "¡Loor eterno, gratitud eterna al Soberano Congreso Nacional! (...) ¡Ya feneció nuestra esclavitud! Compatriotas míos, habitantes de las cuatro partes del mundo, ¡ya hemos recobrado nuestra dignidad y nuestros derechos! ¡Somos españoles! ¡Somos libres!".[44]

Al evaluar los logros y las limitaciones de las Cortes siempre es útil comparar el parlamento hispánico con los de otras naciones. Si bien la mayoría española fue incapaz de otorgar a los americanos la representación equitativa basada en la población, los peninsulares fueron más allá que los líderes de cualquier otra nación europea. Sin duda, Gran Bretaña, lugar de origen del gobierno representativo moderno, nunca consideró otorgar a sus posesiones norteamericanas ninguna representación en el parlamento, y mucho menos la igualdad. La Constitución de 1812 negaba a las personas de ascendencia africana derechos políticos y representación. Desde este punto de vista, las Cortes actuaron de la misma manera que otras naciones occidentales, que

44. Citado en Suárez, *Las Cortes de Cádiz*, p. 129.

también excluyeron a la población de origen africano de la ciudadanía plena. Empero, conforme la Constitución hispánica, los libertos que alcanzasen logros extraordinarios podrían convertirse en ciudadanos de pleno derecho.

Los españoles liberales y sus colegas americanos estaban decididos a crear una nación moderna en América, de la misma manera que en España. Pese a las muchas advertencias que los funcionarios reales del Nuevo Mundo y los tradicionalistas en España y América emitieran en torno a las condiciones especiales del hemisferio occidental, las definiciones de los indígenas y los mestizos que los consideraban menos humanos fueron rechazadas. La Constitución de 1812 reconocía a los indígenas y los mestizos como ciudadanos de pleno derecho de la nación española. En contraste, la monarquía británica no reconocía a los indígenas como súbditos de la corona, y Estados Unidos no les otorgó la ciudadanía sino hasta 1924. Antes de esa fecha, en el gobierno británico y también tras la independencia, los indígenas radicados en el territorio que hoy conocemos como Estados Unidos fueron definidos como extranjeros.[45]

Gran Bretaña se mostró incluso poco dispuesta a otorgar a los habitantes blancos de sus colonias americanas cualquier tipo de representación en el parlamento. España, en cambio, accedió a dotar al Nuevo Mundo con el mismo número de representantes que la Península. Ningún español, empero, habría aceptado una medida que redujera a España a una minoría en sus propias Cortes. Puesto que había de elegirse un diputado por cada 70 mil habitantes, al privar a las castas de origen africano de derechos políticos, los peninsulares redujeron el tamaño de la población ultramarina con derecho a voto a un número similar al suyo, manteniendo así una representación *equitativa para ellos mismos* en el parlamento. No obstante, si la población de ascendencia africana resultaba menor de lo que creían, o si las autoridades del Nuevo Mundo la consideraban para efectos de representación –algo que sabemos sucedió en partes de Nueva España, Guatemala y Guayaquil–, los españoles acabarían siendo una *minoría* en sus propias Cortes.[46]

45. Patricia Seed, "'Are These Not Also Men?': The Indians' Humanity and Capacity for Spanish Civilization", en *Journal of Latin American Studies*, 25:3 (octubre, 1993), p. 651. Véase también: Mónica Quijada, "Una Constitución singular, La Carta gaditana en perspectiva comparada" en *Revista de Indias*, vol. LXVIII, núm. 242 (enero-abril 2008), pp. 15-38.

46. Sobre la participación de las castas en las elecciones, véase: Guedea, "Las primeras elecciones populares"; Jordana Dym, *From Sovereign Villages to National States: City, State, and Federation in Central America, 1759-1839*

La Constitución de 1812, la Carta Magna más radical del siglo XIX, abolió las instituciones señoriales, la Inquisición, el tributo indígena, el trabajo forzado –como la mita en Sudamérica y el servicio personal en España– e instauró el control del Estado sobre la Iglesia. La Constitución creó un Estado unitario con leyes iguales para todas las regiones de la monarquía española, restringió sustancialmente la autoridad del rey y confió a la legislatura de un poder decisivo. Al otorgar el derecho a voto a todos los hombres, salvo los de ascendencia africana, sin exigirles alfabetización ni propiedades, la Constitución de 1812 superó a todos los gobiernos representativos existentes, como los de Gran Bretaña, Estados Unidos y Francia, en la concesión de derechos políticos para la vasta mayoría de la población masculina.

El nuevo orden constitucional en América

El nuevo orden constitucional se construyó durante un periodo de inestabilidad política y en un momento en que las noticias y la información se difundían rápida y ampliamente. Muchos de los funcionarios reales de Nueva España, que durante dos años habían librado una extensa y brutal campaña de contrainsurgencia, veían las acciones de las Cortes como un obstáculo a su capacidad de defender el gobierno. Desde su punto de vista, las decisiones tomadas por las Cortes, que a la sazón representaban el gobierno legítimo de la monarquía española, socavaban su autoridad y beneficiaban a los insurgentes. El tenor del discurso oficial que provenía de España resultaba particularmente inquietante para los funcionarios encargados de mantener el orden. Un ejemplo lo es el decreto del 14 de febrero de 1810 que convocaba a elecciones en las Cortes y declaraba: "desde este momento Españoles Americanos, os véis elevados a la dignidad de hombres libres (...) vuestros destinos ya no dependen ni de Ministros, ni de los Virreyes ni de los Governadores; están en vuestras manos".[47] Para las autoridades de Nueva España, esto parecía más un manifiesto insurgente que un decreto gubernamental.

(Albuquerque: University of New Mexico Press, 2006), pp. 127-156; y Jaime E. Rodríguez O., "De la fidelidad a la revolución: el proceso de independencia de la Antigua Provincia de Guayaquil, 1809-1820", en *Procesos*, 21 (II semestre, 2004), pp. 35-88.

47. *Gazeta de México*, I, núm. 56, (18 de junio de 1810), p. 413.

Al igual que las autoridades reales, la población de América en general se hallaba frente a una nueva realidad política. Por medio de las publicaciones de España y de otras zonas del virreinato de Nueva España las noticias viajaban prestamente. A partir de 1810, el número de folletos y periódicos que circulaba en Nueva España creció de manera exponencial.[48] Los habitantes de Nueva España, no sólo aquellos de las ciudades y pueblos más importantes, sino también los de las comunidades campesinas, recibían sin demora las noticias sobre las decisiones de las Cortes.[49] La prensa libre de España, en particular la de Cádiz, así como las actas de las Cortes publicadas, que circulaban ampliamente en América, inflamaban las pasiones. Para las autoridades reales, el debate en torno a la soberanía ya era lo suficientemente subversivo, pero a esto se sumaba que los liberales españoles insistían en denunciar los trescientos años de esclavitud que habían padecido. Poco importaba que los peninsulares hubiesen usado la frase para describir el periodo que sobrevino después de que la mítica democracia española hubiera sido aniquilada por Carlos I.[50] En el Nuevo Mundo muchos americanos interpretaron estas palabras como referencia a los trescientos años de dominio español. Los discursos de los diputados del Nuevo Mundo así como los artículos periodísticos que acusaban la falta de representación adecuada para el Nuevo Mundo y que exigían la deposición y el castigo para los funcionarios reales, enfurecían a las autoridades de América.[51] Después de que se promulgara la Constitución, los funcionarios reales debieron lidiar con el fenómeno de la participación política masiva. La Carta Magna de 1812 amplió el electorado e incrementó drásticamente el espectro de la actividad política. El nuevo documento instauraba un gobierno representativo en tres ámbitos: la municipalidad, la provincia y la monarquía;

48. Guedea, *En busca de un gobierno alterno*, pp. 128-134. El crecimiento masivo de las publicaciones se hace evidente en: Amaya Garritz, Virginia Guedea, y Teresa Lozano (eds.), *Impresos novohispanos, 1808-1821*, 2 vols. (México: UNAM, 1990), I; y en Rocío Meza Oliver y Luis Olivera López (eds.), *Catálogo de la colección LaFragua de la Biblioteca Nacional de México, 1800-1810* (México: UNAM, 1993); y de ellos mismos, *Catálogo de la colección LaFragua de la Biblioteca Nacional de México, 1811-1821* (México: UNAM, 1996).
49. Terry Rugeley, *Yucatán's Maya Peasantry & the Origins of the Caste War* (Austin: University of Texas Press, 1996), p. 39.
50. Los peninsulares se referían a la derrota de las ciudades castellanas en 1521; véase: José Antonio Maravall, *Las comunidades de Castilla* (Madrid: *Revista de Occidente*, 1963).
51. Rieu-Millán, *Los Diputados americanos*, pp. 304-328; Guerra, *Modernidad*, pp. 305-318; Rodríguez, *The Cádiz Experiment*, pp. 55-56.

de esta manera, el poder político se transfería del centro a las localidades y gran número de personas se incorporaba por vez primera al proceso político. Aunque a muchos funcionarios reales les causara disgusto el documento, no podían ignorar la Constitución de la monarquía española. Entre los meses de agosto, septiembre y octubre de 1812, en las regiones controlados por los realistas– y en medio del tañido de campanas, las salvas de cañón, el *Te Deum* y la misa en la catedral, además de otras ceremonias– la Constitución se leyó formalmente a las autoridades civiles, militares y eclesiásticas, y también al público. A continuación, los presentes juraron obedecerla.[52]

Las primeras elecciones constitucionales

Las Cortes españolas proporcionaron a los autonomistas americanos un medio pacífico para obtener un gobierno local. Temerosos de alimentar los conflictos de clase y raza que ya incendiaban varias zonas del continente, la mayor parte de los autonomistas acogió el nuevo gobierno representativo que, al tiempo que imponía límites a la monarquía, poseía también legitimidad. Su actitud es comprensible. Los autonomistas de América querían un gobierno representativo moderado, a la manera de algunas elites de otras naciones occidentales; no abogaban por la revolución social ni por la guerra de razas o de clases, pero estaban decididos a gobernar sus tierras. Para conseguirlo, en 1812 se organizaron con el fin de ganar las elecciones para ayuntamientos constitucionales, diputaciones provinciales y Cortes. A diferencia de las elecciones de 1809 para la Junta Central y de las de 1810 para las Cortes, ambas organizadas por los ayuntamientos, estas elecciones constitucionales eran los primeros comicios populares organizados en la América española.

El nuevo proceso electoral era extremadamente complejo, dado que se requería organizar elecciones para tres cuerpos distintos: los ayuntamientos constitucionales, las diputaciones provinciales y las Cortes ordinarias. La Constitución establecía dos procesos electorales distintos, uno para los miembros de los ayuntamientos constitucionales, y otro para las elecciones

52. Pueden encontrarse informes sobre las juras de ciudades y provincias de toda Nueva España en: Alba, *La Constitución de 1812*, I, pp. 30-96. Véase también el interesante artículo de Ivana Frasquet, "Cádiz en América: Liberalismo y Constitución", en *Mexican Studies/Estudios Mexicanos*, 20:1 (invierno, 2004), pp. 21-46.

Diputaciones Provinciales
1812-1814

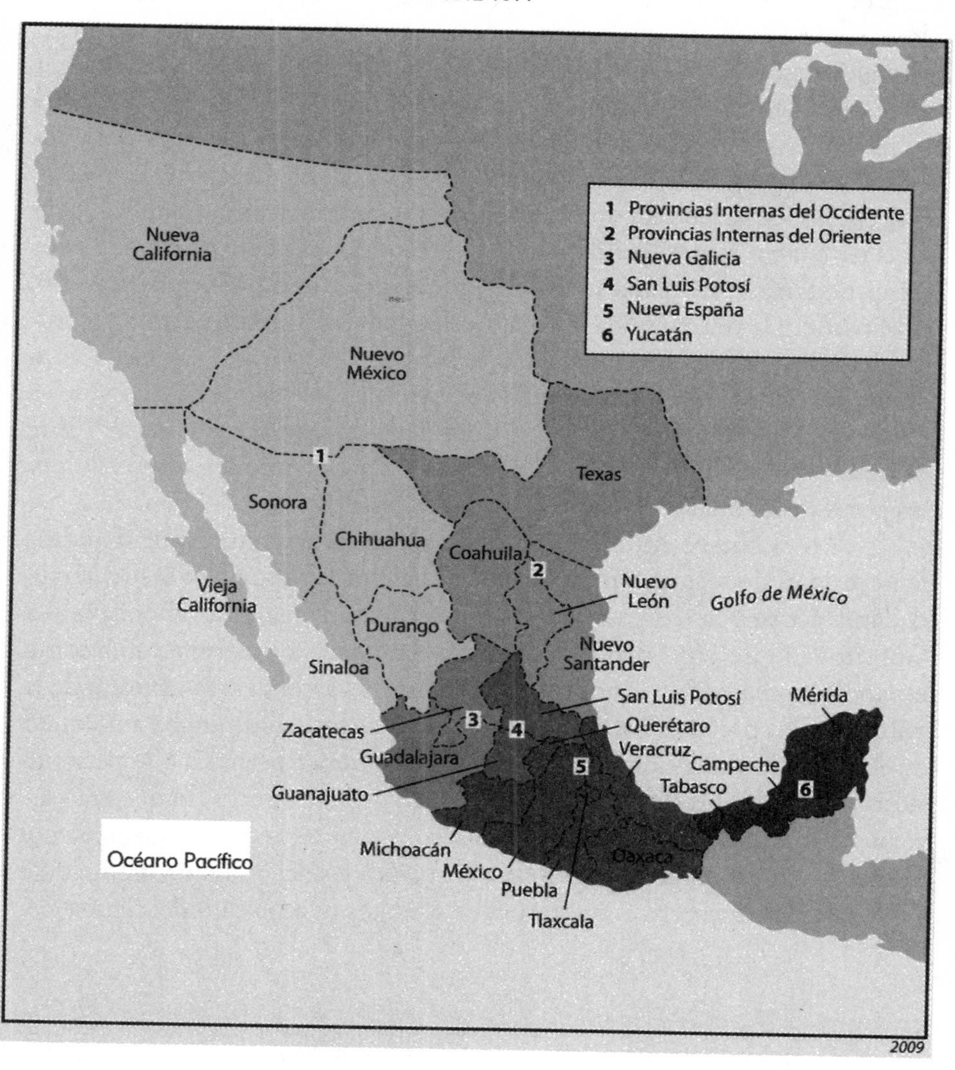

de diputados a las Cortes y a la diputación provincial. El primero de ellos era un proceso de dos etapas: en el ámbito parroquial, los votantes elegían a los electores de parroquia, quienes se reunían más tarde en la ciudad para elegir a los alcaldes, regidores y síndicos del ayuntamiento. Las ciudades grandes se dividían en varias parroquias –por ejemplo, la ciudad de México tenía 14 parroquias y Guadalajara tenía cuatro– mientras que las ciudades y los pueblos más pequeños tenían al menos una parroquia. El segundo proceso, es decir, la elección de diputados a Cortes y a la diputación provincial, consistía de cuatro etapas: primero, en la parroquia, los votantes elegían a los compromisarios, quienes a su vez elegían a los electores parroquiales; luego, en el partido, los electores parroquiales seleccionaban a los de partido y, finalmente, estos últimos se reunían en la capital de la provincia para elegir a los diputados de los dos organismos. En primer lugar elegían a los diputados a Cortes y, al día siguiente, a los diputados de la diputación provincial.[53] Este proceso permitía que todos los ciudadanos políticamente activos –incluidos los pobres y los analfabetas– participaran en las elecciones.

En el Nuevo Mundo, el proceso electoral se complicaba debido a la necesidad de reconciliar las disposiciones constitucionales sobre la ciudadanía activa y la reorganización territorial con la realidad americana. La Constitución de 1812 definía a todos los habitantes de la monarquía como españoles, pero excluía a aquellos individuos de ascendencia africana de la participación política. Empero, la cuestión racial, se difuminaba a menudo en el Nuevo Mundo, donde el estatus socioeconómico permitía a las personas de ascendencia africana incorporarse a otros grupos étnicos, lo que era particularmente cierto en provincias prósperas y dinámicas como Guanajuato y Veracruz. En consecuencia, las juntas preparatorias del antiguo virreinato de Nueva España ignoraban con frecuencia el requisito de excluir del censo elec-

53. Algunos historiadores no creen que la monarquía española tuviera una larga tradición de gobierno representativo. En consecuencia, se tiende a creer que el nuevo sistema electoral se basaba en las instituciones de otras naciones. Sin invocar fuente alguna, Antonio Annino, por ejemplo, afirma que: "La Constitución de Cádiz había tomado el sistema electoral de la Carta francesa de 1792: el voto indirecto de segundo grado para las Cortes y de primer grado para los municipios". Annino, "Prácticas criollas y liberalismo en la crisis del espacio urbano colonial", p. 123. En realidad, el sistema electoral introducido por las Cortes se basaba en el sistema que Carlos III instaurara para las elecciones de regidores honorarios y síndicos personeros del común en 1776. Véase: María Dolores Rubio Fernández, *Elecciones en el antiguo régimen* (Alicante: Universidad de Alicante, 1989).

toral a las personas de ascendencia africana. El tema de la división territorial también resultaba problemático. Aunque los diputados americanos insistían en que los reinos del Nuevo Mundo tenían muchas provincias, los diputados europeos igualaban a los reinos americanos con las provincias de España. Después de un largo debate, las Cortes acordaron establecer 19 diputaciones provinciales para los territorios de ultramar y prometieron lo siguiente: "Se hará una división más conveniente del territorio español por una ley constitucional luego que las circunstancias políticas de la Nación lo permitan".[54] Las nuevas diputaciones provinciales variaban considerablemente en materia de tamaño y población. Lo que era más importante: algunas abarcaban varias antiguas provincias –unas de ellas bastante grandes– dentro de su territorio. Por ejemplo, el antiguo virreinato de Nueva España, que tenía doce intendencias y varios gobiernos regionales, fue dividido en las siguientes seis diputaciones provinciales, conforme a las fronteras de las antiguas audiencias y otros gobiernos: Nueva España, Nueva Galicia, Yucatán, San Luis Potosí, Provincias Internas de Oriente y Provincias Internas de Occidente.[55]

Las primeras elecciones constitucionales tuvieron lugar en 1812. Tras recibir los decretos que ordenaban elecciones para las Cortes ordinarias de 1813, y tras consultar con el real acuerdo, el 10 de octubre de 1812 el ex virrey Francisco Javier Venegas –reducido ahora a capitán general del antiguo virreinato de Nueva España y jefe político superior de la provincia de Nueva España– envió copias de dichos documentos a los jefes políticos de las diputaciones provinciales de Nueva Galicia, Yucatán, Provincias Internas de Oriente y Provincias Internas de Occidente. Puesto que el decreto de la regencia omitió a San Luis Potosí de la lista de capitales de diputaciones provinciales, el antiguo virreinato de Nueva España estableció cinco diputaciones provinciales y no las seis que las Cortes habían aprobado.[56] Las nuevas diputaciones pro-

54. "Artículo 11 de la Constitución de la Monarquía Española", en Tena Ramírez, *Leyes fundamentales de México*, p. 61; Chust, *La cuestión nacional Americana*, pp. 127-345; Rieu-Millán, *Los Diputados Americanos*, pp. 239-253.

55. Algunos historiadores creen equivocadamente que el antiguo reino de Guatemala, que había sido una capitanía general independiente, formaba parte del virreinato de Nueva España. Esto no es correcto. Dicha región recibió dos diputaciones provinciales: Guatemala y Nicaragua. Desafortunadamente este error comenzó con mi maestra Nettie Lee Benson, en su estudio pionero *La Diputación Provincial y el federalismo mexicano* (México: El Colegio de México, 1955).

56. El Artículo I de la Instrucción de la Regencia enlistaba las capitales de las diputaciones provinciales que habrían de conformar juntas preparatorias. Por razones que no se han esclarecido, dicha instrucción no incluyó a cuatro

vinciales del antiguo virreinato de Nueva España no tardaron en prepararse para las elecciones.

La Diputación Provincial de Nueva España abarcaba el territorio de la Audiencia de México excepción hecha de Yucatán, que tenía su propia diputación. Aun cuando era más pequeña que el antiguo virreinato de Nueva España, esta diputación abarcaba un amplio territorio que incluía a varias antiguas intendencias. La Regencia –al reconocer que la mayoría de las diputaciones provinciales americanas era efectivamente de reinos– estableció que en las provincias de ultramar "cada Junta Preparatoria hará *para este solo efecto* la división más cómoda del territorio de su comprensión en *Provincias*".[57] Por ende, la Junta Preparatoria de la Diputación Provincial de Nueva España dividió su territorio en "provincias", tomando como base las fronteras de las antiguas intendencias: México, Puebla, Valladolid, Guanajuato, Oaxaca, Veracruz y San Luis Potosí, así como las provincias de Tlaxcala y Querétaro.[58] En razón de ello, los funcionarios locales siguieron refiriéndose a sus regiones como "provincias" antes que como "partidos", según lo mandara la Constitución; su proceder no sólo reflejaba intransigencia, sino más bien la realidad de que las antiguas provincias incluían a más de un partido.

La Junta Preparatoria de la Diputación Provincial de Nueva España estaba formada por el antiguo virrey –ahora jefe político superior– Francisco Xavier Venegas; el canónigo José Mariano Beristáin, nombrado por el cabildo eclesiástico sede vacante; Ramón Gutiérrez del Mazo, intendente corregidor de México; Juan Cervantes y Padilla, alcalde regidor más antiguo; José Antonio Méndez Prieto, regidor decano; José María Fagoaga, alcalde del crimen; y

---

de las 19 diputaciones provinciales que se habían asignado a Ultramar. La diputación provincial del antiguo Virreinato de Nueva España que no estaba incluida en el decreto de la Regencia, San Luis Potosí –que también incluía la Provincia de Guanajuato–, no recibió instrucciones para conformar una junta preparatoria. Por ende, el antiguo virreinato de Nueva España habría de formar cinco diputaciones provinciales en lugar de las seis que le fueron asignadas. Alba, *La Constitución de 1812 en la Nueva España*, I, pp. 147-161.

57. "Instrucción conforme, a la cual deberán celebrarse en las Provincias de ultramar las elecciones de Diputados de Cortes para las ordinarias del año próximo de 1813", Archivo General de la Nación, México (en adelante AGNM): Historia, Vol. 445- ff. 83-85. (Las cursivas son mías.)

58. "Instrucción que para facilitar las elecciones de Diputados para las próximas Cortes generales del año de 1813 ha formado la Junta Preparatoria de México [*sic* por Nueva España] y remite a los Señores Intendentes de las Provincias de México, Puebla, Valladolid, Oaxaca, San Luis [Potosí] y Guanajuato, Gobernador de Tlaxcala y Corregidor de Querétaro", en AGN: Historia, Vol. 445, ff. 106-109.

dos vecinos buenos, el mariscal de Castilla y marqués de Ciria, y el conde de Bassoco. La Junta se reunió el 11 de noviembre de 1812 y decidió hacer uso del censo de 1792 levantado por el virrey Revillagigedo, pues se trataba del censo más reciente que distinguía entre las "castas de origen africano" y otros grupos. Una vez excluida la población de ascendencia africana, los miembros de las órdenes regulares, los sirvientes domésticos, los criminales convictos y los deudores públicos, todos los cuales no tenían derecho a voto, se contó a 2 886 238 almas como votantes de la Diputación Provincial de Nueva España en las elecciones a Cortes y a la Diputación Provincial. La Junta Preparatoria dictaminó que, sobre la base de un diputado por cada 70 000 almas, Nueva España tenía derecho a elegir a 41 diputados a Cortes. Entonces, asignó el siguiente número a cada una de sus "provincias" con base en su población (Cuadro 3).[59]

Cuadro 3

Provincias según población

Provincia	*Número de diputados*	*Número de suplentes*
México	14	4
Puebla	7	2
Oaxaca	6	2
Guanajuato	5	1
Valladolid	3	1
Veracruz	2	1
San Luis Potosí	2	1
Tlaxcala	1	1
Querétaro	1	1

Las juntas preparatorias de las "provincias" de la Diputación Provincial de Nueva España se enfrentaban a una compleja labor pues para fines electorales debían dividir las antiguas provincias en distritos, a los que se denominaba "partidos" en Nueva España, y "parroquias" en la Constitución. Luego, con base en la población políticamente apta, debían establecer el

59. Alba (ed.), *La Constitución de 1812 en la Nueva España*, I, pp. 156-157. Véase también: Charles R. Berry, "The Election of the Mexican Deputies to the Spanish Cortes, 1810-1812", en Nettie Lee Benson, *Mexico and the Spanish Cortes, 1810-1822* (Austin: University of Texas Press, 1966), p. 22.

número de compromisarios de cada parroquia de sus "partidos" y el número de electores de parroquia que debían ser seleccionados por los compromisarios de cada partido. Según la Constitución debía nombrarse un elector por cada 200 personas políticamente aptas. Si una parroquia tenía derecho a seleccionar a un elector, la junta parroquial podría elegir a 11 compromisarios por medio de un voto plural; si una parroquia podía elegir a dos electores, entonces tenía derecho a 21 compromisarios, y si podía elegir a tres, podría entonces seleccionar a 31 compromisarios. Las poblaciones pequeñas que contaban con 21 habitantes elegibles podrían tener un compromisario; aquellas poblaciones con 30 y hasta 40 habitantes elegibles podrían tener dos; poblaciones con 50 o 60 habitantes elegibles tendrían tres compromisarios, y así progresivamente hasta alcanzar un máximo de 31 compromisarios. Por su parte, las poblaciones con menos de 20 habitantes políticamente aptos "se unirán con las más inmediatas para elegir compromisario". Este proceso electoral indirecto requería que las juntas electorales de parroquia seleccionaran a los compromisarios, que a su vez elegirían a los electores de parroquia. Estos individuos debían viajar entonces a la capital de partido –Puebla, Valladolid, etcétera– donde debían reunirse para seleccionar a los electores de partido, quienes a su vez viajarían a la capital de la provincia de Nueva España –la ciudad de México– y elegirían a los diputados a Cortes de la provincia y a los diputados de la Diputación Provincial.[60] No obstante, la Junta Preparatoria de la Diputación Provincial de Nueva España eliminó la última fase del proceso electoral al autorizar a sus "provincias" mismas la elección de diputados a Cortes y a la Diputación Provincial.

Las elecciones en la ciudad de México

La junta electoral de la ciudad de México, compuesta por el intendente Gutiérrez del Mazo y por el ayuntamiento determinó que las primeras elecciones parroquiales, esto es, las elecciones para el ayuntamiento de la ciudad de México, se llevarían a cabo el domingo 29 de noviembre de 1812. El organismo también determinó que los capitalinos tenían derecho a elegir a 25 elec-

60. "Constitución política de la Monarquía Española", en Felipe Tena Ramírez (ed.), *Leyes fundamentales de México*, 16ª edición (México: Porrúa, 1991), capítulos II a V, pp. 64-72.

tores parroquiales, quienes a su vez seleccionarían a 16 regidores, dos alcaldes y dos procuradores síndicos. Dada la complejidad del sistema electoral, los grupos que apoyaban a candidatos particulares se vieron en la necesidad absoluta de organizar campañas. Se debía elegir a tantos individuos como electores parroquiales, que los grupos prepararon listas para que sus adherentes recordaran de qué manera emitir sus votos. Esto era totalmente legal. Como declaró el intendente Gutiérrez del Mazo: "todos y cada uno de los vecinos de esta capital, que se hallen en el ejercicio de todos los derechos de ciudadano (...) que se unan en los parajes que se expresarán en sus respectivas Parroquias, a las siete de la mañana con el objeto de nombrar electores, a cuyo fin cada uno llevará en la mente o por escrito el nombre del sujeto a quien quiera dar su voto".[61]

Para la primera fase de las elecciones, la capital fue dividida en 14 parroquias: El Sagrario, San Miguel, Santa Catalina Mártir, Santa Veracruz, San José, Santa Ana, Santa Cruz, San Sebastián, Santa María, San Pablo, Santa Cruz Acatlán, Salto del Agua, Santo Tomás de la Palma y San Antonio de las Huertas. Cada parroquia, salvo El Sagrario, formó una junta electoral presidida ya fuera por un miembro del ayuntamiento o por un representante de la ciudad y por el cura párroco. Debido a sus dimensiones, El Sagrario fue dividida en cuatro juntas. Se levantaron parajes cubiertos con mantas en los alrededores de la iglesia parroquial; a menudo, las paredes de la iglesia fungían como parte de los parajes. Cada uno de éstos contaba con un retrato de Fernando VII, una mesa y sillas; sobre la mesa se colocaba la Constitución, las instrucciones de la elección y un libro de asiento para registrar los votos. Además, se colocaron varias bancas a los lados de las mesas donde los votantes podían esperar su turno. En la parroquia El Sagrario, los parajes se situaron junto al edificio de la Diputación, en la plazuela del Colegio de Niñas, en la plazuela de Santo Domino y en la plazuela de San Pedro y San Pablo.[62]

Las elecciones comenzaron con plegarias. Los funcionarios electorales, el párroco y el público asistieron a una solemne misa de Espíritu Santo, en la que el cura subrayó la importancia de las elecciones. Como las Cortes lo habían dispuesto, las instrucciones de la junta para organizar las elecciones otorgaban una notable autoridad a los curas. Éstos tenían la misión de esta-

61. Alba, *La Constitución de 1812*, p. 227.
62. *Ibid.*, pp. 226-230; Benson, "The Contested Mexican Election of 1812", p. 339.

blecer el número de ciudadanos en su parroquia, determinar quiénes eran los individuos con derecho a votar, y "explicar a sus feligreses el objeto de estas juntas, y la dignidad a que en ellas son elevados los vecinos de cada pueblo, como que en su voto y voluntad toma origen el alto carácter de los representantes de la Nación Soberana".[63]

Tradicionalmente, el clero en general y los curas párrocos en particular desempeñaban un papel importante en la vida política de la región. Ellos constituían un grupo con formación que comprendía las necesidades y preocupaciones tanto de la comunidad local como de la sociedad en general. Los curas representaban a sus parroquias y también las mantenían informadas. Aunque a menudo eran ellos quienes conducían a sus feligreses en asuntos lo mismo espirituales que prácticos, en muchos casos también se guiaban por los deseos de su comunidad. En las ocasiones en que los curas no accedían a los deseos locales, se suscitaban conflictos entre ellos y sus parroquianos y, en unos cuantos casos, los curas fueron expulsados de sus parroquias por feligreses iracundos. La crisis de 1808 y la Constitución de 1812 proporcionaron a los eclesiásticos la oportunidad de incursionar en campos nuevos y más amplios de la política. Los eclesiásticos, en cuanto políticos, participaban en todos los niveles, desde la parroquia y la provincia hasta la monarquía. Como sus hermanos seculares, mantenían posturas diversas. Además, después de 1808, los políticos eclesiásticos no representaban por lo general los intereses de la Iglesia en tanto institución. De hecho, algunos de los políticos anticlericales más violentos eran hombres de la Iglesia.[64]

Después de la misa en su iglesia parroquial, los funcionarios y la gente regresaban a sus lugares de votación. El proceso electoral se parecía a

63. Muchos curas exhortaban a sus feligreses a honrar y obedecer la Constitución. Serafín García Cárdenas, por ejemplo, manifestó: "Esta ley fundamental (...) el mas bien combinado, el mas sensillo, justo, liberal y perfecto que se conoce, o se conoció jamás en las naciones cultas, no es en si otra cosa que una emanación inmediata de los principios de la ley divina felizmente aplicados al estado español". E instó a la concurrencia: "Leed continua y atentamente este precioso código. Conservad con religiosa veneración este monumento eterno de la sabiduría, justicia, humanidad y política española para dejarlo en herencia a vuestros hijos". Muchos curas se referían a la Carta de Cádiz como "nuestra santa Constitución". Archivo General de Indias (en adelante AGI): México, p. 1482.

64. William B. Taylor ha escrito una excelente obra (Magistrates *of the Sacred*) sobre los curas párrocos que ilumina su papel como políticos en los pueblos durante el siglo XVIII. Véase también la interesante discusión de los sacerdotes insurgentes en: Van Young, *The Other Rebellion,* pp. 201-308.

un cabildo abierto. Los votantes elegibles seleccionaban a un secretario y dos escrutadores. Luego, el presidente leía los artículos relevantes de la Constitución y continuación preguntaba "si algún Ciudadano tenía que exponer alguna queja relativa a cohecho o soborno para que la elección recaiga en determinada persona". Si el público contestaba que no, la votación daba inicio. Después de emitidos los votos, los funcionarios se dirigían a las casas consistoriales, donde contaban los votos y anunciaban los nombres de los ganadores al público expectante. Todos los elegidos fueron americanos; doce eran sacerdotes, cinco abogados, varios de ellos funcionarios del gobierno y dos eran ex gobernadores de las dos parcialidades de indios. De estos diputados, muchos tenían una postura crítica frente al gobierno, y algunos estaban vinculados a Los Guadalupes, una sociedad secreta de autonomistas que tenía contacto cercano con los insurgentes.[65]

La gente reaccionó ante las elecciones con gran regocijo. Grandes multitudes esperaban los resultados afuera de las casas consistoriales. Esa noche, a las 20:30, cuando conocieron el desenlace de las elecciones, los habitantes de la ciudad expresaron abiertamente sus opiniones y su apoyo a los ganadores. Mucha gente cruzó la ciudad gritando vivas para los electores, la América, la nación y la Virgen de Guadalupe. Algunos también gritaron vivas por los insurgentes y declararon que el pueblo era soberano. Unos cuantos dieron voces de muera el mal gobierno y los europeos. A lo largo y ancho de la ciudad, la gente rindió homenaje a los nuevos electores; empero el ambiente festivo no agradaba a todos; así al escuchar a un hombre gritar "mueran los europeos", un granadero del Comercio golpeó al susodicho; en

65. Los electores de parroquia eran: por El Sagrario, doctor José María Alcalá, Jacobo Villa Urrutia, Dr. José Julio García Torres, y Antonio López Matoso; por San Miguel, doctor José Manuel Sartorio y Carlos María de Bustamante; por Santa Catarina Mártir, Juan de Dios Martínez y Francisco Arroyave; por Santa Veracruz, Pedro Cárdenas y Luciano Castoreña; por San José, Juan de Dios Alaníz y José Antonio Mendoza; por Santa Ana, Dr. Ignacio Sánchez Hidalgo; por Santa Cruz, José María Villalobos y Blas de la Fuentes; por San Sebastián, Manuel Victorio Texo y José Terradas; por Santa María, José Norzagaray; por San Pablo, Mariano Leca y Dr. Marcos Cárdenas; por Santa Cruz Acatlán, Francisco Galicia; por Salto del Agua, doctor José María Torres Torija y Mariano Orellana; por la Palma, Dionisio Cano y Moctezuma; y por San Antonio de las Huertas, el Conde de Jala. "Electores para el ayuntamiento de México", en Hernández y Dávalos, IV, pp. 675-676. Véanse también: Benson, "The Contested Mexican Election of 1812", pp. 339-341; Guedea, "Las primeras elecciones populares", pp. 9-12; y Richard A. Warren, *Vagrants and Citizens. Politics and the Masses in Mexico City from Colony to Republic* (Wilmington: SR Books, 2001), pp. 33-42.

otro lugar, cuando el prebendado Juan de Irisarri escuchó a un muchacho de unos diez años gritar "ahora sí que nosotros mandamos", le atizó un golpe en la cabeza al tiempo que le decía: "Toma, canalla, para que mandes". Estos incidentes eran una excepción. La mayoría estaba satisfecha con los resultados. Cientos de personas acudieron a la catedral para insistir en que las campanas de ésa y otras iglesias tañeran sus campanas para celebrar las victorias electorales. Las autoridades accedieron con cierta renuencia, pero se negaron a la petición popular de que la artillería lanzara salvas en celebración del acontecimiento. Pese a las reservas de algunos, las festividades no derivaron en actos violentos ni en daños a la propiedad.[66]

Las elecciones hicieron manifiesto el gran deseo de los capitalinos de gobernarse a sí mismos. En este sentido, los españoles europeos tenían buenas razones para temer que su estatus estuviese en peligro. Puesto que la victoria había sido sólo para los americanos y dado que los españoles europeos presentaron cargos por irregularidades y fraude, el jefe político superior Venegas ordenó una investigación.[67] De los 17 presidentes, once no reportaron irregularidades en las juntas electorales de sus parroquias. En la mayoría de las parroquias, los vecinos habían vigilado la votación para asegurarse de que fuera llevada a cabo según las reglas. Sin embargo, varios presidentes de parroquia informaron que el número de votantes era menor que el esperado, mientras que uno indicó que había sido mayor. Los críticos de la elección sostenían que ésta era evidencia de que algunos individuos habían votado en la parroquia equivocada. Otros acusaban que algunos ciudadanos habían votado en más de un paraje. Los críticos también acusaban que en las parroquias mayoritariamente indígenas, como San Antonio de las Huertas, las personas de ascendencia africana habían votado.[68] Según afirmó el presidente de la junta

66. Guedea, "Las primeras elecciones populares", pp. 7-16; Virginia Guedea, "El pueblo de México y la política capitalina, 1808 y 1812", en *Mexican Studies/Estudios Mexicanos* 10:1 (invierno, 1994), pp. 51-57; y Guedea, *En busca de un gobierno alterno*, pp. 142-146.

67. Véase el extenso reporte del virrey Venegas sobre la naturaleza de las elecciones en la ciudad de México, el 29 de noviembre de 1812, AGI: Estado.31, n. 17, ff. 1-47.

68. Un semanario de la ciudad de México aseguraba, en un artículo intitulado "sobre el nombramiento de electores municipales", que las elecciones habían sido vergonzosas y tumultuarias. El semanario afirmaba que se había cometido fraude en el momento en que las listas de candidatos fueron entregadas a los iletrados. Además, acusaba a los presidentes de la junta parroquial de permitir a mulatos, libertos, esclavos y sirvientes domésticos ejercer el voto aun cuando la Constitución lo prohibía. Finalmente, declaraba que algunos indi-

electoral de parroquia: "los vecinos de los suburbios o barrios de esta ciudad los más son (...) de color pajizo, que se confunden con los indios, y aun están enlazados con ellos".[69] Otros cargos por fraude se basaban en el hecho de que muchos votantes llegaron a las casillas con "papeletas" en las que estaban escritos los nombres de sus candidatos. Muchas de estas listas no sólo contenían los mismos nombres, sino que aparentemente habían sido escritas por la misma mano. La situación variaba de una junta a otra: en Santa Cruz Acatlán sólo se supo de tres papeletas, mientras que la junta de la Diputación de la parroquia del Sagrario recibió 595 papeletas.[70] Es evidente que algunos grupos se habían organizado para elegir a ciertos individuos a los que preferían; esto era cierto no sólo entre los americanos, sino también entre los españoles europeos. La distribución de papeletas fue una práctica extendida en aquellas zonas de la ciudad con población mixta. Además, las parroquias que recibieron el mayor número de papeletas eligieron a abogados, en contraste con otras parroquias donde resultaron electos eclesiásticos y antiguos gobernadores indígenas.[71] Aunque la distribución de papeletas no estaba prohibida según la normativa electoral, los individuos y grupos que perdieron la elección utilizaron la existencia de papeletas como una evidencia de fraude.

El jefe político superior Venegas, incapaz de demostrar el fraude, pero seguro de que los electores de parroquia –todos ellos americanos– elegirían un ayuntamiento constitucional enteramente americano, emprendió acciones para socavar la elección, pues temía que tal ayuntamiento beneficiara a los insurgentes. Con el apoyo del real acuerdo, Venegas suspendió la libertad de prensa y ordenó la confiscación de algunas publicaciones que mantenían una postura crítica hacia las autoridades reales. Además, ordenó la detención de dos autores prolíficos: José Joaquín Fernández de Lizardi y Carlos María de

---

viduos habían votado en cuatro o cinco juntas electorales de parroquia distintas. *El amigo de la patria*, 5 (5 de diciembre de 1812), pp. 74-75. Estos cargos fueron reiterados más tarde por la Audiencia de México y por muchos historiadores, desde Lucas Alamán hasta Alfredo Ávila. Alamán, *Historia de Méjico*, III, pp. 289-291; y Ávila, *En nombre de la nación*, pp. 122-123.

69. Citado en Guedea, "El pueblo de México y la política capitalina", p. 47.
70. Benson, "The Contested Mexican Election of 1812"; Guedea, "Las primeras elecciones populares", pp. 1-28; Annino, "Prácticas criollas en la crisis del espacio urbano colonial", pp. 121-158; y Warren, *Vagrants and Citizens*, pp. 33-42.
71. Annino, "Prácticas criollas en la crisis del espacio urbano colonial", pp. 148-154

Bustamante, los críticos más eminentes del Antiguo Régimen. El segundo, que había sido seleccionado como elector de parroquia, huyó de la ciudad y se unió a los insurgentes. Las autoridades también detuvieron al elector de parroquia Juan de Dios Martínez aduciendo que mantenía correspondencia con su pariente político, el insurgente Julián Villagrán. Aún más: las autoridades forzaron a Jacobo Villaurrutia, también seleccionado como elector de parroquia, a partir de inmediato hacia Veracruz y de ahí a la península, ya que había sido nombrado oidor en la Audiencia de Sevilla. Aunque los miembros del antiguo ayuntamiento y los electores de parroquia pugnaban porque proceso electoral se concluyera, Venegas propició los atrasos ordenando más investigaciones por presunto fraude electoral y en lugar de resolver la cuestión, actuó como si aún fuese virrey: fue él quien reforzó el control de la capital estableciendo una Junta de Seguridad y Buen Orden el 7 de enero de 1813.[72]

La mayoría de los historiadores piensa que la suspensión *de facto* de la Constitución ordenada por Venegas se aplicaba a todo el antiguo virreinato. Pero esto no es así. Al parecer, la suspensión se aplicó únicamente a la provincia de México. Las provincias de Veracruz y Puebla, que yo mismo he estudiado, y que formaban parte de la Diputación Provincial de Nueva España, eligieron a sus ayuntamientos constitucionales.[73] En Tlaxcala, las elecciones para ayuntamientos constitucionales se llevaron a cabo a finales de 1812 y en 1813.[74] Es probable que otras provincias de la Diputación Provincial de Nueva España que

72. Guedea, *En busca de un gobierno alterno*", pp. 136-157.

73. "Elecciones municipales", Actas del Ayuntamiento, 1812, caja 101, Vol. 133, ff. 246-267, Archivo Histórico Municipal de la Ciudad de Veracruz; "Actas del Ayuntamiento de Jalapa", 24 de diciembre de 1812, Archivo Histórico del Ayuntamiento de Jalapa. "Lista de los Señores Alcaldes, Regidores, y Procuradores Síndicos, que han de componer el nuevo Ayuntamiento Constitucional para el año próximo de 1813", Libro del Cabildo, 1813 (Diciembre 27 de 1812), Archivo Histórico del Ayuntamiento de Puebla. Según Alicia Tecuanhuey Sandoval sólo se establecieron ocho ayuntamientos constitucionales en la provincia de Puebla: Puebla, Cholula, Atlixco, Huejotzingo, San Juan Tianguismanalco, Santa Isabel Cholula, Tochimilco y San Martín Texmelucan. "Puebla 1812-1825. Organización y contención de ayuntamientos constitucionales", en Juan Ortiz Escamilla y José Antonio Serrano Ortega, *Ayuntamientos y liberalismo gaditano en México* (Zamora y Xalapa: Colmich/Universidad Veracruzana, 2007), p. 345. Para una interpretación distinta de las elecciones, véase: Inmaculada Simón Ruiz, "La lucha por el poder político y los efectos de la introducción del sistema representativo en la ciudad de Puebla, 1812-1814", en *Secuencia*, 56 (enero-abril, 2004), pp. 53-60.

74. Wayne J. Robins, "Cambio y continuidad en el Ayuntamiento de la ciudad de Tlaxcala, 1810-1825", *Historia y Grafía*, 6 (1996), pp. 87-109. Ávila sostiene que "Wayne Robins resalta la permanencia en Tlaxcala del antiguo cabildo de la república en el ayuntamiento constitucional". *En nombre de la nación*, pp. 114-115. Sin embargo,

no se hallaran controladas por los insurgentes también organizaran elecciones para ayuntamientos constitucionales. Si bien conforme la Constitución, estas otras diputaciones provinciales eran independientes de la ciudad de México, la mayoría parece haber suspendido las elecciones.[75]

Las elecciones en Yucatán

La Diputación Provincial de Yucatán fue la única que instauró en toda su extensión el sistema constitucional en 1812, convirtiéndose así en la primera región que estableciera su nuevo gobierno provincial. En Mérida, la jura de la Constitución tuvo lugar el día 15 de octubre; Campeche, Valladolid y otros poblados yucatecos realizaron la jura en las semanas siguientes. La junta electoral de Mérida, conformada por el intendente y capitán general brigadier Manuel Artazo y por el ayuntamiento de la ciudad, determinó que las elecciones parroquiales ahí se llevarían a cabo el domingo 15 de noviembre en tres parroquias: el Centro, San Cristóbal y Santiago. Tal como lo señalaba la Constitución, cada junta de parroquia estaba presidida por un miembro del ayuntamiento y el cura párroco. La votación dio inicio muy temprano por la mañana del 15 de noviembre y se prolongó hasta las 14:30 de la tarde: "[E]n atención a la incompetencia de la expresada hora mandó su señoría (...) se difiriese para el siguiente día de mañana el escrutinio en las Casas Consistoriales, citándose como se hizo a los ciudadanos para que asistiesen a presenciar la exactitud y legalidad con que debe verificarse [la elección]". Por razones que no son claras, la selección final de electores parroquiales no se dio sino hasta el día 19 de noviembre. De los 25 electores de parroquia seleccionados nueve eran comerciantes, cinco eran eclesiásticos y el resto era de funcionarios. La mitad era "sanjuanista", como se les llamaba ahí a los liberales. A diferencia de lo que

Robins opina diferente; dice: "En la época que hemos analizado se detectan dos grupos en pugna por el poder: el Cabildo indígena, dominado por 'caciques principales', y el Cabildo constitucional, integrado por mestizos e indígenas...". Robins, "Cambio y continuidad en el Ayuntamiento de la ciudad de Tlaxcala", p. 107. Véase también: Raymond Buve, "Una historia particular. Tlaxcala en el proceso del establecimiento de la primera República Federal" en Ortiz Escamilla y Serrano Ortega, *Ayuntamientos y liberalismo gaditano en México*, pp. 62-65.

75. Rodríguez O., *"Rey, religion, Yndependencia, y Unión"*, pp. 28-29. Véase también: Roger L. Cunniff, "Mexican Municipal Electoral Reform, 1810-1822", en Nettie Lee Benson (ed.), *Mexico and the Spanish Cortes, 1810-1822*, pp. 70-72.

sucedía en la ciudad de México, los eclesiásticos no ejercían gran influencia en Mérida. Los electores de parroquia se reunieron el domingo siguiente, 22 de noviembre de 1812, para elegir a los 16 miembros del ayuntamiento de Mérida y al secretario. Nueve de los elegidos serían sanjuanistas.[76] Durante los meses siguientes se establecieron en toda la Diputación Provincial de Yucatán 156 ayuntamientos, la mayor parte de ellos en comunidades indígenas.[77]

La junta preparatoria de la diputación provincial de Yucatán se reunió el 19 de octubre de 1812 para dar inicio al difícil proceso de preparación de un censo electoral previo a la elección de diputados a las Cortes y a la diputación provincial. Tras meses de trabajos se completó el censo electoral de la Diputación Provincial de Yucatán. La Junta Preparatoria asignó a la diputación siete diputados propietarios y dos suplentes a las Cortes. También dividió la zona en siete partidos: Mérida, Campeche, Valladolid, La Costa, Sierra Alta, Tihosuco y Camino Real Alto.

El complejo procedimiento de las elecciones parroquiales, de partido y provinciales en Yucatán se llevó a término siguiendo la normativa estipulada por la Constitución. Tal como lo establecía la carta magna, las elecciones de parroquia se llevaron a cabo "el primer domingo del mes de diciembre" y las elecciones de partido "el primer domingo del mes de enero proximo siguiente".[78] Finalmente, los electores de partido se reunieron en Mérida en su calidad de miembros de la junta electoral de la Provincia "el segundo

76. "Actas del Ayuntamiento Constitucional de Mérida" (15, 19 y 22 de noviembre de 1812), Centro de Apoyo a la Investigación Histórica de Yucatán; "Elecciones municipales". Manuel A. Lanz, *Compendio de la Historia de Campeche* (Campeche: Tipografía El Fénix, 1905), p. 156. Véase también: J. Ignacio Rubio Mañe, "Los sanjuanistas de Yucatán I: Manuel Jiménez Solís, el padre Justis," *Boletín del Archivo General de la Nación*, segunda serie, tomo IX, núms. 1-2 (1968), pp. 220-222 y Arturo Güemes Pineda, "La emergencia de los ayuntamientos consticionales gaditanos y la sobrevivencia de los cabildos mayas yucatecos, 1812-1824" en Ortiz Escamilla y Serrano Ortega, *Ayuntamientos y liberalismo gaditano en México*, pp. 89-129.

77. María Cecilia Zuleta, "Estudio introductorio", en *La Diputación Provincial de Yucatán*, p. 21; Rugeley, *Yucatán's Maya Peasantry*, pp. 38-48; Marco Bellingeri, "Las ambigüedades del voto en Yucatán. Representación y gobierno en una formación interétnica, 1812-1829", en Antonio Annino (coord.), *Historia de las elecciones en Iberoamérica, siglo XIX* (Buenos Aires: Fondo de Cultura Económica, 1995), pp. 240-260; Güemes Pineda, "La emergencia de los ayuntamientos consticionales gaditanos y la sobrevivencia de los cabildos mayas yucatecos", pp. 94-99; véase también Arturo Güemes Pineda, *Mayas. Gobierno y tierras frente a la acometida liberal en Yucatán, 1812-1847* (Zamora y Yucatán: El Colegio de Michoacán/Universidad Autónoma de Yucatán, 2005), pp. 101-114; y Karen D. Caplan, "The Legal Revolution in Town Politics: Oaxaca and Yucatán, 1812-1825", en *Hispanic American Historical Review*, 83: 2 (2003), pp. 255-293.

78. "Constitución de la Monarquía Española", en Tena Ramírez, *Leyes fundamentales de México*, pp. 65 y 67.

domingo de marzo" para seleccionar a los diputados a Cortes y, al siguiente día, a los miembros de la diputación provincial.

Después de meses de esfuerzo, los electores de partido se reunieron en la ciudad de Mérida, no el segundo sino el tercer domingo, 29 de marzo de 1813, para elegir a los siete diputados y a los dos suplentes a Cortes, y a los siete para la diputación provincial. Los protocolos se llevaron a cabo

> en las Galerias de la casa [la casa de gobierno] del Señor Don Manuel Artezo, Brigadier de los Exercitos Nacionales, Capitan General, y Gefe Político Superior de esta Provincia, y a puerta abierta (...) Se dio principio, nombrando a pluralidad de votos un secretario y dos escrutadores (...) igualmente para la comisión de tres individuos que deben examinar las certificaciones del Secretario y Escrutadores (...) En seguida se leyeron (...) en alta voz los cuatro capítulos de la Constitución Política que tocan de las elecciones, y todas las Certificaciones de las Actas de las mismas hechas en las cabezas de partido remitidas por los respectivos Presidentes. Los Electores presentaron las certificaciones de su nombramiento, y entregándose éstas al Secretario y Escrutadores para su examen e informe en el siguiente día, y las certificaciones de estos a los individuos de la comisión para el mismo efecto, se concluyó este acto...

El día siguiente fue dedicado también a examinar las credenciales y a certificar las actas de las elecciones de partido. El 30 de marzo, los electores de partido:

> se dirigieron con su Presidente el Excelentísimo Señor Jefe Político Superior Don Manuel Artezo a la Santa Iglesia Catedral en donde se cantó una Misa Solemne de Espíritu Santo, y el Ilustrísimo Sr. Obispo hizo un discurso propio de las circunstancias. Concluido este acto religioso volvieron a las Galerias de donde salieron, y a puerta abierta preguntó Su Excelencia si algún Ciudadano tenía que exponer alguna queja relativa a cohecho, o soborno para que la elección recaiga en determinada persona; y habiendo contestado unánimemente que no, se procedió en seguida (...) a la elección [...Eligieron a los siete diputados propietarios –uno de ellos, José Martínez de la Pedrera era peninsular– y a los dos suplentes. Después de la elección] se disolvió la Junta trasladándose a la misma Santa Iglesia Catedral a asistir al *Te Deum* llevando a los elegidos entre el Excelentísimo Señor Presidente, los Escrutadores, y el Secretario (...)[79]

79. Los diputados a Cortes eran: Ángel Alonso y Pantiga, Juan Nepomuceno Cárdenas, José Martínez de la Pedrera, José Miguel Quijano, Pedro Manuel de Regil, Juan Rivas y Vértiz, y Eusebio Villamil. Los suplentes eran:

La junta electoral de provincia regresó al día siguiente, el 31 de marzo, para elegir a los diputados a la Diputación Provincial de Yucatán, "Y haciendo a puerta abierta por el mismo método y orden que fueron electos los Diputados de Cortes", los miembros de la junta procedieron a votar, seleccionando así a los siete miembros de la diputación provincial y a tres suplentes.[80] Una vez más, la solemne ocasión terminó con un *Te Deum* en la santa catedral. La mencionada junta envió entonces una "copia de esta Acta a la Diputación permanente de las Cortes y se publicaron dichas elecciones (...) pasándose copia de ella a las Cabeceras de Partido". A diferencia del ayuntamiento de Mérida, la Diputación Provincial estaba dominada por "rutinarios" o tradicionalistas que más adelante entrarían en conflicto con el ayuntamiento liberal de Mérida. También en contraste con dicho ayuntamiento, la mayoría de los miembros de la diputación provincial (cuatro) era eclesiástica; los otros tres eran: una comerciante, otro boticario y otro funcionario. El nuevo gobierno provincial inició sus funciones el 23 de abril de 1813.[81]

Las elecciones en Nueva Galicia

El sistema constitucional no fue instaurado en las demás diputaciones provinciales sino hasta marzo de 1813, cuando Félix María Calleja reemplazó a Venegas. Al tener noticia de que Calleja había restaurado la Carta de Cádiz en la ciudad de México, José de la Cruz, jefe político superior de la Diputación Provincial de Nueva Galicia –que abarcaba la Audiencia de Nueva Galicia, que a su vez incluía las provincias de Guadalajara y Zacatecas, los partidos de Colotlán y Nayarit, así como el corregimiento de Bolaños– proclamó la Constitución en el mes de mayo de 1813. Inmediatamente, De la

---

Raimundo Pérez y Diego Solís. "Acta de la Junta Preparatoria de Mérida, Yucatán, 1813-1814", en Archivo del Congreso de Diputados de las Cortes (en adelante ACDC): Documentos Electorales, n. 31, leg. 5.

80. Los diputados a la Diputación Provincial de Yucatán eran: Juan José Duarte (capital), Ignacio Basilio Rivas (La Costa), Diego de Hore (Valladolid), José María Ruz (Sierra Alta), Manuel Pacheco (Tihosuco), Francisco de Paula Villegas (Camino Real Alto) y Andrés Ibarra (Campeche). Los suplentes: José Joaquín Pinto, Francisco Ortiz, y José Francisco Cicero. María Cecilia Zuleta (ed.), *La Diputación Provincial de Yucatán; Actas de las sesiones, 1813-1814, 1820-1821* (México: Instituto José María Luis Mora, 2006), p. 57.

81. ACDC: Documentos Electorales, n. 31, leg. 5; Benson, *La Diputación Provincial*, 25; Zuleta, *La Diputación Provincial de Yucatán*, p. 58. Véase también: Betty Luisa Zanolli Fabila, "La alborada del liberalismo yucateco. El I. Ayuntamiento Constitucional de Mérida, 1812-1814" (México: tesis de maestría, UNAM, 1993), pp. 62-80.

Cruz nombró a una Junta Preparatoria de la provincia de Nueva Galicia, la que determinó que, debido a que "la estrechez del tiempo no permitía formar un nuevo censo de la población", se recurriría a los padrones levantados en 1804. Con base en una población con derecho a voto de 641 998 almas, la provincia de Nueva Galicia tenía derecho a elegir a nueve diputados propietarios y tres suplentes a las Cortes.

La Junta Preparatoria modificó los procedimientos constitucionales para adaptarlos a la realidad local; al asignar seis diputados propietarios y dos suplentes para Guadalajara, y tres propietarios y un suplente para Zacatecas, reconocía el carácter casi autónomo de las intendencias. Dicho organismo también determinó que "el gobierno de Colotlán y Nayarit con Bolaños no se halla en el caso de poder eligir por su diputado en Cortes según lo dispuesto en el artículo 33 de la Constitución", pues carecía de población suficiente. Sucede que el Artículo hacía referencia a una *provincia*, y no a un partido. De haber seguido los procedimientos constitucionales, Colotlán y Nayarit junto con Bolaños habrían seleccionado a electores de partido que, a su vez, habrían participado en la votación final en la provincia en Guadalajara.[82] Cuando organizó las elecciones para los siete representantes a la Diputación Provincial, la Junta Preparatoria volvió a dividir la provincia de Nueva Galicia en sus antiguas intendencias. Dicha junta asignó cuatro diputados propietarios y dos suplentes a Guadalajara y tres propietarios y un suplente a Zacatecas.[83] Como la Junta Preparatoria de la Diputación Provincial de Nueva España, la de Nueva Galicia eliminó la última etapa del proceso electoral al autorizar a las provincias de Guadalajara y Zacatecas elegir a los diputados a Cortes y a la Diputación Provincial.

La Junta Preparatoria de Nueva Galicia dividió la provincia de Guadalajara en 27 partidos: Guadalajara, Tlaxomulco, Acaponeta, Lagos, San Sebastián, Tonalá, Colima, Tuxacacuesco, Etzatlán, Tomatlán, Mascota, Cuquío, Zapotlán el Grande, La Barca, Hostotipaquillo, Ystlan, Santa María

82. El Artículo 33 dice, a la letra: "Si hubiere alguna provincia cuya población no llegue a setenta mil almas, pero no baje de sesenta mil, elegirá por sí un diputado; y si bajare de este número, se unirá a la inmediata para completar el de setenta requirido". En Tena Ramírez, *Leyes fundamentales de México*, p. 64.

83. "Expediente de la Junta Preparatoria de Elecciones", Archivo Municipal de Guadalajara (en adelante AMG); "La Junta Electoral de esta Provincia [de Guadalajara]", AGI: Estado 43, n. 43.

del Oro, San Blas, Tepic, Sentispac, Tala, Zapopan, Tequila, Sayula, Ahuacatlán y Autlan. Cada partido se subdividía en una o más parroquias.[84]

Las elecciones para el ayuntamiento constitucional de Guadalajara, que tuvieron lugar el 6 de junio de 1813, muestran la influencia del clero sobre el proceso. Con fines electorales, la ciudad fue dividida en cuatro parroquias: Analco, Mixicalcingo, Guadalupe y Sagrario de la Catedral. Los curas exhortaron a sus feligreses a asumir las grandes responsabilidades de la ciudadanía, por ejemplo, el doctor José Francisco Arroyo, interino del Santuario de la Virgen de Guadalupe, por ejemplo, declaró:

> Ciudadanos: vais a exercer este dia memorable el primer acto de la dignidad a que os ha elevado la Constitución (...) Vuestro voto ha de ser enteramente libre, enteramente vuestro. Pero debe ser al mismo tiempo racional, desapacionado y en todo decente por vuestro crédito, por vuestra propia utilidad y por la comun.
>
> Los diputados parroquiales han de conferenciar y discernir quienes son los ciudadanos, en cuyas manos convenga depositar la administración de justicia, la conservación de la seguridad y del órden, el manejo de los bienes y caudales propios de la ciudad, el cuidado y solicitud de la felicidad comun. Ved, pues, si os importa elegir bien; eligiendo hombres ilustrados, íntegros, virtuosos, benéficos y amantes del público.[85]

"La votación comenzó a las 8 de la mañana, y finalizó a las 11 poco mas o menos en todas las parroquias." A diferencia de lo sucedido en las elecciones de 1812 en la ciudad de México:

> A pesar de la numerosa concurrencia, y de ser la primera vez que los ciudadanos hacían las altas funciones que les competían, y les ha otorgado la Constitución española; durante todo el tiempo de la votación se observó tal orden, facilidad y serenidad, como si ya estubiesen muchos años há acostumbrados a practicar lo mismo; y [como señalaron los editores de *El Mentor de la Nueva Galicia*] la imparcialidad, justicia y

84. "La Junta Electoral de esta Provincia", AGI: Estado 43, n. 43. La junta Preparatoria cometió un error al asignar 27 electores de partido a Guadalajara. El Artículo 63 de la Constitución estipulaba: "El número de electores de partido será triple al de los diputados que se han de elegir". Con base en la población, Nueva Galicia tenía derecho a nueve diputados, lo cual quería decir que podría seleccionar a 27 electores de partido. Sin embargo, la Junta asignó seis diputados para Guadalajara y tres para Zacatecas. De ahí que Guadalajara sólo tuviera 18 electores de partido y Zacatecas nueve.
85. *El Mentor de la Nueva Galicia* (14 de junio de 1813), pp. 25-26.

unión verdaderamente fraternal entre los españoles de uno y otro emisferio, vecinos de la ciudad, fue tal, que ciertamente merece servir de modelo a todas las poblaciones.[86]

De los 17 electores de parroquia, 13 eran eclesiásticos, tres eran curas párrocos y cinco eran doctores. Está claro que la mayoría de los ciudadanos de Guadalajara consideraba que el clero sería el mejor representante de sus intereses. Más tarde, el 13 de junio, los electores parroquiales eligieron a los 16 miembros del ayuntamiento constitucional de Guadalajara. Si bien los electores eran predominantemente eclesiásticos, seleccionaron a un ayuntamiento secular: sólo había un clérigo y los demás miembros del ayuntamiento representaban a la elite de la región, contándose entre ellos a comerciantes y terratenientes.[87]

Se sabe poco acerca de las elecciones en los ayuntamientos rurales de la provincia de Guadalajara. Sin embargo, es obvio que se organizaron elecciones locales, ya que sin ellas habría resultado imposible seleccionar a los electores de partido que ahí se reunieron para elegir diputados a las Cortes y a la diputación provincial. Además, los documentos existentes señalan que en algunos partidos se estableció más de un ayuntamiento constitucional. Si consideramos que la intendencia de Guadalajara tenía 240 pueblos, es probable que alrededor 200 tuviesen derecho a formar ayuntamientos constitucionales en los 26 partidos rurales de la provincia.[88]

86. *Ibid.* (14 de junio de 1813), p. 25.

87. Fueron elegidos: "alcaldes ordinarios, de primer voto, licenciado Crispín Velarde; de segundo voto, D. Joaquín Corral; regidores –D. Miguel Pacheco; D. Manuel Tuñon; Lic Antonio Fuente; D. Juan Manuel Caballero; Lic. José Francisco González; D. Domingo Ibarrondo; D. Ignacio Sanmartín; D. Juan José Cambero; D. Rafael Villaseñor; Lic. Juan Corcuera; D. Santiago Alcocer; y D. Gregorio de la Fuente; Síndicos Procuradores– D. Pedro Vélez y Zúñiga y D. Mariano Flores". *El Mentor de la Nueva Galicia* (21 de junio de 1813), p. 29; Castañeda, "Elite e independencia en Guadalajara", pp. 82-83. Los informes detallados sobre las elecciones, tanto al ayuntamiento como a las Cortes y la diputación provincial, pueden encontrarse en el Archivo Municipal de Guadalajara.

88. El Archivo del Congreso de Jalisco tiene varios expedientes sobre creación de ayuntamientos en diversos pueblos. Véase: "Expediente sobre creación de Ayuntamientos en el Pueblo de Tlaltenango, y sus lìmites", caja 1: Gobernación, 1-5; "Expediente sobre creación de Ayuntamientos en los Pueblos del Partido de Tonalá", caja 1: Gobernación, pp. 1-6; "Expediente sobre creación de Ayuntamientos en el Pueblo de Zapotlan, y sus lìmites", caja 1: Gobernación, pp. 1-8; "Expediente sobre creación de Ayuntamientos en el Pueblo de Etzatlán y sus límites", caja 1: Gobernación, pp. 1-9. Véase también: Luz María Pérez Castellanos, "Ayuntamientos gaditanos en la Diputación Provincial de Guadalajara," en Ortiz Escamilla y Serrano Ortega, *Ayuntamientos y liberalismo gaditano en México*, pp. 284-295. Dorothy Tank de Estrada afirma que en 1803 la Intendencia de Guadalajara –que en aquel entonces incluía a Aguascalientes– tenía 240 pueblos. *Pueblos de indios y educación en el México colonial, 1750-1821* (México: El Colegio de México, 1999), p. 286.

La intendencia de Zacatecas, la otra parte de la diputación provincial de Nueva Galicia, organizó elecciones en julio y agosto de 1813. La capital, la ciudad de Zacatecas, eligió a su ayuntamiento el 11 de julio. Empero, el nuevo orden constitucional, no modificó el predominio político de los ricos: "el mismo grupo que se había apoderado del ayuntamiento en 1809-1810 conservó su control", de hecho, el peninsular Manuel de Rétegui, empresario y dueño de numerosas minas, resultó electo alcalde de primera elección.[89] Se ha encontrado evidencia de la organización de elecciones en otras once villas y pueblos: Aguascalientes, Juchipila, Fresnillo, Jerez, Sombrerete, Nieves, Pinos, Mazapil, Colotlán y Bolaños, y Tlaltengo; sin embargo, Dorothy Tank de Estrada indica que existían 40 pueblos en la Intendencia de Zacatecas, lo que sugiere que otros pueblos, además de los antedichos, también formaron ayuntamientos constitucionales.[90]

Las elecciones de diputados de Nueva Galicia a las Cortes de 1813-1814 y a la diputación provincial tuvieron lugar durante el mes de agosto de 1813. Pese a su complejidad, las elecciones parroquiales y de partido para diputados a las Cortes y a la diputación provincial se llevaron a cabo con presteza. En primer lugar, los ciudadanos eligieron a los compromisarios en el ámbito parroquial.[91] Éstos, a su vez, eligieron a los electores de parroquia, quienes viajaron a las cabeceras de los partidos para seleccionar a los electores de

89. Vega, *Los dilemas de organización*, pp. 134-135.

90. *Ibid.*, p. 136; Tank de Estrada, *Pueblos de indios*, p. 286.

91. El *Aviso al público* que fue emitido demuestra la naturaleza de la colaboración entre los funcionarios del ayuntamiento y los curas durante el proceso electoral: "Para reducir a afecto las Juntas Electorales de Parroquia que deben preceder a las de Diputados en Cortes, se ha señalado el Domingo primero de Agosto inmediato a las siete de la mañana; en cuyo dia y hora, se han de verificar en esta forma: la primera en la Iglesia de la Universidad, precidida por el Sr. Alcalde de primero voto Licenciado D. José Crispin Velarde: la segunda en la escuela pública del Santuario de Ntra Sra. de Guadalupe, por el Sr. Alcalde de segundo voto D. Joaquín Corral: la tercera respectiva al curato de Analco en la casa del Presbítero D. Ignacio Cervantes, por el Sr. Regidor D. Ignacio Samartin: y la cuarta en la casa curial de la Parroquia de Mexicalzingo, por el Sr. Regidor D. Santiago Alcocer; las tres primeras con asistencia de sus propios Párrocos, y la cuarta con la del Presbítero D. Lucas Robles, substituto del propietario enfermo. A ese fin se prebiene a todos los ciudadanos, que se hallaren en esta Capital, y curatos suburbios, en uso de sus derechos, concurran a los parajes señalados de sus respectiva Parroquia, con los nombres escritos, o en la memoria de los individuos que elijan por Compromisarios para que con prontitud los digan" (Guadalajara 29 de julio de 1813). Nótese que se alentaba a los votantes a llevar "los nombres escritos" de los compromisarios. Éste fue un tema que derivó en acusaciones por fraude en las elecciones de la ciudad de México. Guedea, "Las primeras elecciones populares", pp. 9-10. Véase también: "Expediente instruido sobre las Juntas electorales de Parroquia y la de Partido de esta Ciudad", AMG, E.1/1813, pp. 27, 88.

partido. El 4 de septiembre estos electores de partido se reunieron en la sala capitular de Guadalajara para elegir a los diputados y el jefe político José de la Cruz fungió como presidente de la junta electoral de provincia. La mayoría de los participantes, 15 de los 26 electores de partido, era de eclesiásticos, incluido el representante de la ciudad de Guadalajara; los demás eran funcionarios.[92] Los electores presentaron la documentación a un secretario y dos escrutadores, quienes revisaron sus credenciales. Al día siguiente, los electores de partido se reunieron para elegir a los diputados a Cortes. Votaron por las plazas de manera individual. Los primeros dos fueron elegidos por clara mayoría, pero los demás requirieron una segunda vuelta.[93]

La junta electoral de provincia regresó a la sala capitular el día siguiente, 6 de septiembre, para elegir a los diputados de la Diputación Provincial de Nueva Galicia, a puerta abierta y con los mismos método y orden que fueron electos los diputados de Cortes, procedieron a votar. Los cuatro diputados y los dos suplentes resultaron electos por clara mayoría.[94]

Los días 11 y 12 de septiembre de 1813, Zacatecas organizó sus elecciones para diputados a Cortes y a la diputación provincial. Como lo estipuló la Junta Preparatoria de la Nueva Galicia, los ciudadanos de dicha

92. La junta electoral de provincia estaba compuesta por: Guadalajara: doctor Juan José Moreno, Chantre de Santa Yglesia Catedral; Tlaxomulco: Bachiller José María Berrueco, cura; Acaponeta: Manuel Saenz de la Lastra; Lagos: Bachiller Manuel Jauregui, cura; San Sebastián: Remigio Sánchez de Porres, cura; Tonalá: doctor Manuel Moreno, cura; Colima: Bachiller José María Geronimo Arzae, cura electo de Almoloyan; Tuxcacuesco: Dr. Salvador Apodaca, cura; Etzatlán: Narciso Arango, cura interino de Almoloyan; Tomatlan: Miguel de Espinosa; Mascota: Benigno Martinez; Tepatitlan: Cleto Aldrete; Cuquío: Bachiller Francisco Gutierrez, cura de Yahualica; Zapotlan el Grande: doctor Rafael Murgucuía, cura interino; La Barca: Dr. Diego Aranda, cura de Atotonilco; Hostotipaquillo: José Chafino; Ystlan: Juan María Ocampo; Santa María del Oro: Bachiller José Felipe Roxas, cura interino; San Blas: Miguel Gil de Azcona; Tepic: Bachiller Benito Antonio Velez, cura; Sentispac: José Ignacio Camba, subdelegado; Tala: Bachiller Serafin García Cárdenas, cura; Zapopan: doctor Miguel Gutierrez; Tequila: Capitán de Patriotas Joaquín López; Sayula: Bachiller Francisco Gómez, cura de Teocuitatlan; Autlan: Lic. José Gregorio Medina, secretario de la Junta. "La Junta Electoral de esta Provincia [1813]", AGI: Estado, 43, n. 43.

93. El Dr. Juan José Cordón, el Dr. Domingo Sánchez Rezas, el Dr. Francisco Antonio de Velasco, el doctor José María Aldama, el Lic. Juan de Díos Cañedo, y el Dr. Diego Aranda fueron elegidos como diputados propietarios; y D. Serafín García Cárdenas y el Dr. José Cesáreo de la Rosa como suplentes. "La Junta Electoral de esta Provincia [1813]", AGI: Estado, 43, n. 43; Alba, *La Constitución de 1812*, I, pp. 173-179.

94. El Dr. José Simeón de Uría, D. Juan Manuel Caballero, D. Tomás Ygnacio Villaseñor, y D. José Chafino fueron elegidos como diputados propietarios; y el Dr. Toribio González, y el Br. Benito Antonio Vélez como suplentes. "La Junta Electoral de esta Provincia [1813]", AGI: Estado, 43, n. 43.

provincia eligieron a tres diputados propietarios y un suplente a Cortes, así como a tres propietarios y un suplente a la diputación provincial.[95] La mayoría de quienes resultaron electos tanto en Guadalajara como en Zacatecas era de eclesiásticos, casi todos ellos doctorados por la Universidad de Guadalajara;[96] uno de ellos, Sánchez Reza, resultó electo por ambas provincias. Tras las elecciones, todos los vocales de la Diputación Provincial se reunieron en Guadalajara, capital de Nueva Galicia. El 20 de septiembre de 1813, la Diputación Provincial de Guadalajara acudió a una misa y se instaló formalmente en medio de profusas ceremonias.[97]

Los contrastes entre las elecciones de Guadalajara y las de la ciudad de México son asombrosos. En primer lugar, a diferencia de la ciudad de México, donde las tensiones surgidas en 1808 entre americanos y europeos llevaron a la formación de dos partidos contendientes –el americano y el europeo–, en Guadalajara las elites se mantuvieron unidas y no se suscitó ningún conflicto electoral. En Guadalajara, la contienda más notable era entre el reino de Nueva Galicia y la ciudad capital de México. La elite americana y la europea, así como la población en general, se mantuvieron unidas en su pugna por lograr mayor autonomía respecto de dicha ciudad. Para todos ellos, el gobierno de España era un aliado capaz de garantizarles la independencia que buscaban. En segundo lugar, la gente de Guadalajara, como la de muchos otros lugares de la monarquía española, mezcló ciertos patrones tradicionales con las nuevas instituciones y procesos liberales. Sus criterios para elegir a los representantes se ciñeron a las convocatorias de 1809 a la Junta Central y de 1810 a las Cortes, lo que refleja el uso de normas tradicionales. Aparente-

95. El Dr. Pedro Larrañaga, el Dr. Domingo Sánchez Resa, y el Intendente honorario de ejército Fermín Antonio de Apezechea resultaron electos diputados propietarios a las Cortes y el Dr. José Cesáreo de la Rosa, suplente. El Conde de Santa Rosa, el Dr. Jacinto Martínez, y el Dr. Rafael Riestra fueron elegidos como diputados propietarios a la Diputación Provincial y el Dr. Felipe Chavarino como suplente. Alba, *La Constitución de 1812*, I, p. 180.

96. Castañeda, "Elite e independencia en Guadalajara", pp. 83-84.

97. Diputación Provincial al virrey Félix María Calleja, Guadalajara 20 de septiembre de 1813, AGI: México, 1814. El ayuntamiento constitucional debió organizar una elección especial el 26 de septiembre, pues el regidor Juan Manuel Caballero fue elevado a la Diputación Provincial y el síndico procurador Pedro Vélez elegido como su secretario. El jefe político Cruz convocó a los electores de parroquia, seleccionados en el proceso anterior, y ellos eligieron a Francisco Cerro como regidor y a José Anastasio Reynoso como síndico procurador. "Libro de Actas Capitulares de Guadalajara, 1813" (26 de septiembre de 1813). Desafortunadamente, las actas de la Diputación Provincial de Nueva Galicia correspondientes a los años 1813-1814 no han sido localizadas.

mente, fue su carácter y su estatus, antes que sus posturas políticas, lo que llevó al triunfo a los elegidos. En Guadalajara se seleccionó a individuos "de notoria probidad, talento e instrucción y exentos de toda nota que pueda menoscabar la opinión pública".[98] Los criterios cambiaron con la Constitución de 1812 y la convocatoria a Cortes ordinarias de 1813-1814, donde se estipulaba que un individuo seleccionado como elector parroquial o de partido debía ser un "ciudadano, mayor de veinticinco años, vecino y residente" en la parroquia o el partido. Además, había otros dos requisitos para resultar electo a Cortes: "residencia a lo menos de siete años [y...] tener una renta anual proporcionada, procedente de bienes propios". Los diputados a la diputación provincial requerían "residencia lo menos de siete años, y que tenga lo suficiente para mantenerse con decencia".[99] A diferencia del hincapié hecho sobre la moral y los valores sociales como requisitos para una función eficaz en las dos primeras elecciones, en las del periodo constitucional –en las que los principios liberales salieron a flote– la atención se trasladó a la ciudadanía, la residencia y, en el caso de los diputados a Cortes y a la diputación provincial, a su capacidad de mantenerse a sí mismos lejos de casa. No obstante, los habitantes de Guadalajara eligieron de nuevo según el carácter y el estatus. Es probable que con el paso del tiempo el electorado tomara en consideración las posturas políticas de los candidatos. Sin embargo, esta transformación no resulta evidente en los documentos que se han consultado para la presente obra.

Las elecciones en las Provincias Internas

Pese a su aislamiento en el lejano norte y pese a la insurgencia activa en partes de Nuevo León y Texas, las dos Provincias Internas también organizaron elecciones constitucionales. Es muy probable que en ambas regiones se hayan establecido ayuntamientos constitucionales. El 20 de septiembre de 1813 la Junta Preparatoria de la Diputación Provincial de las Provincias Internas de Oriente instruyó a sus provincias –Nuevo León, Nuevo Santander, Coahuila y

98. Citado en *Ibid.*, pp. 2 y 4.
99. "Constitución de la Monarquía Española", artículos 45, 75, 91, 92 y 330, en Tena Ramírez, *Leyes fundamentales de México*, pp. 60-104.

Texas– establecer ayuntamientos constitucionales y levantar censos electorales para sus regiones como parte de los preparativos para las elecciones de diputados a Cortes y a la diputación provincial. Debido a la inestable situación en varias provincias y a la urgente necesidad de organizar las elecciones, las juntas preparatorias locales decidieron formar partidos con base en el reciente censo eclesiástico levantado por el obispo Martín de Porras. Las elecciones de parroquia y de partido transcurrieron con lentitud en las diversas provincias de la Diputación Provincial de las Provincias Internas de Oriente. A decir verdad, Nuevo León no completó sus elecciones de partido sino hasta el 20 de febrero de 1814. Los electores de provincia se reunieron en Monterrey, capital de la diputación provincial, el 20 de marzo de 1814 para seleccionar a los diputados para las Cortes de 1815-1816. Al día siguiente eligieron a los miembros de la diputación provincial, que funcionó del 10 de junio hasta finales de agosto de 1814, cuando Fernando VII ordenó que la institución se disolviera.[100] De manera que, a diferencia de las Diputaciones Provinciales de Nueva España y de Nueva Galicia, la Diputación Provincial de las Provincias Internas de Oriente completó todas las fases del proceso electoral.

Sobre la Diputación Provincial de las Provincias Internas de Occidente –compuesta por las provincias de Durango, Chihuahua, Sinaloa y Sonora, Nuevo México y las dos Californias– se sabe muy poco. Al parecer, la Junta Preparatoria de dicha diputación autorizó a sus provincias elegir a sus diputados a Cortes y a la diputación provincial, con lo que eliminó la etapa final del proceso electoral. Los informes sobre las elecciones para estos organismos indican que el proceso se llevó a cabo en diversas provincias durante el mes de marzo de 1814.[101] Si la Diputación Provincial se reunió en su capital, la ciudad de Durango, habrá sido sólo durante algunos meses, ya que las órdenes de abolir la Constitución fueron distribuidas en todo el virreinato de Nueva España durante los meses de agosto y septiembre de 1814.

100. Benson, *La Diputación Provincial*, pp. 28-30.

101. "Acta de la Junta Electoral de la Provincia de Nueva Vizcaya" (17 de marzo de 1814), AGI: Guadalajara, p. 297; y "Acta de la Junta Electoral de la Provincia de Sonora y Sinaloa" (25 de marzo de 1814), AGI: Guadalajara, p. 197.

Las elecciones de ayuntamiento en Nueva España

Los diputados novohispanos que se hallaban en las Cortes, y que recibían con regularidad información de sus ayuntamientos, protestaron con vehemencia por los retrasos electorales en Nueva España. Debido a ello, la Regencia ordenó a las autoridades de la ciudad de México que procedieran a organizar las elecciones de inmediato. Así que, apenas hubo asumido el cargo, Calleja no tuvo otra alternativa más que restaurar la Constitución.[102] En marzo de 1813 se llevaron a cabo elecciones para los ayuntamientos constitucionales en toda la provincia de México. (Las otras "provincias" de la Diputación Provincial de Nueva España habían elegido sus ayuntamientos constitucionales un año atrás.) Al restaurar el orden constitucional, el jefe político superior Calleja esperaba cumplir dos metas: quería convencer a los novohispanos descontentos de que la carta de Cádiz les otorgaba importantes derechos, y quería asegurarse de que resultaran electos algunos españoles europeos. Así pues, estableció una "Comisión de Consulta para el Arreglo de los Tribunales" cuyo fin sería resolver cualquier problema que se suscitara. La comisión estaba formada por Manuel de la Bodega y Molinar, oidor de la Audiencia de México; Miguel Guridi y Alcocer, antiguo diputado a Cortes y actual cura de Tacubaya y provisor vicario general del arzobispado; Juan Ramón Oses, fiscal de lo criminal en la Audiencia de México; y José Galilea Yáñez, alcalde del crimen y asesor general del virreinato de Nueva España. La ilustre comisión se aseguró de que los problemas electorales fuesen resueltos de manera satisfactoria. Y lo logró. Un ejemplo: Huejotzingo-Texmelucan y Atlixco-Tochimilco, en la antigua Intendencia de Puebla, atendieron a los viejos procedimientos para elegir a los funcionarios del ayuntamiento, excluyendo así a un número importante de habitantes criollos y mestizos que vivían lejos de la cabecera de partido. La comisión determinó que se organizaran nuevas elecciones que incluyeran a todos los grupos. Cuando

102. Félix María Calleja al ministro de Gracia y Justicia, México, 16 de junio de 1813, AGI: México, p. 1481. Calleja, que deseaba mantener todos los poderes del virrey, solicitó una clarificación de su autoridad. La extensa respuesta de la regencia confirmaba la nueva estructura de poder. Calleja era ahora jefe político superior de la Diputación Provincial de Nueva España y capitán general de todo el antiguo virreinato de Nueva España. Poseía autoridad militar sobre las demás diputaciones provinciales, pero no tenía ninguna otra autoridad sobre ellas. Véase: "Testimonio del Expediente instruido sobre la autoridad y facultades del Excmo. Señor Virrey [*sic*] sobre los Jefes Políticos y Diputaciones Provinciales del Virreynato", en AGI: México, p. 1483.

los pueblos pequeños solicitaron que sus curas presidieran las elecciones, la comisión determinó que, de acuerdo con la Constitución, sólo las autoridades civiles tenían derecho a supervisar las elecciones.[103]

Forzado a instrumentar la Constitución, Calleja esperaba al menos que la restauración le ayudara a granjearse el apoyo de los ciudadanos de la capital y que, de esta manera, se evitara la diseminación de la insurgencia. Esto resultaba imperativo, pues los insurgentes habían ganado poder y ocupado grandes áreas en el sur. No obstante, el jefe político superior estaba convencido de que sería imprudente "exponer al pueblo a nuevas pruebas con otra votación popular"; su miedo al posible efecto disruptivo de la participación popular estaba bien fundado pues un análisis del censo electoral de la ciudad de México para 1813 demuestra que 93% de la población masculina adulta tenía derecho a votar,[104] Así que, cuando reanudó las elecciones para ayuntamiento de la ciudad de México, cuatro meses después de que fueran suspendidas y con el fin de "combinar el cumplimiento de esta parte de la Constitución con la tranquilidad general", Calleja no restauró la libertad de prensa, como lo exigía la Constitución.[105]

Los electores de parroquia seleccionados en la ciudad de México el 29 de noviembre de 1812 fueron reconvocados el 4 de abril de 1813 para designar a los alcaldes, regidores y síndicos de la ciudad. Martínez fue liberado de prisión y a Villaurrutia, que aún no partía hacia Nueva España, le fue permitido regresar a la capital para participar en la elección. A Bustamante, que se había unido a los insurgentes, se le impidió participar. Aunque Calleja presionó a muchos electores y logró que el arzobispo exhortara a los eclesiásticos a seleccionar europeos, todo ello no le sirvió de nada; una vez más, los americanos salieron triunfantes.[106] Como fue el caso del ayuntamiento de

103. René García Castro, "Procesos electorales y representación política liberal: el primer consejo electoral mexicano, 1812-1814", en *Coatepec*, vol. 4, núm. 2 (Otoño-Invierno, Nueva época, 1995), pp. 63-72.

104. François-Xavier Guerra, "El soberano y su reino: Reflexiones sobre la génesis del ciudadano en América Latina", en Hilda Sábato (coord.), *Ciudadanía política y formación de las naciones. Perspectivas históricas de América Latina* (México: FCE, 1999), p. 45.

105. Citado en Juan Ortiz Escamilla, "Un gobierno popular para la ciudad de México. El Ayuntamiento Constitucional de 1813-1814", en Virginia Guedea (coord.), *La independencia de México y el proceso autonomista novohispano, 1808-1824* (México: UNAM/Instituto José María Luis Mora, 2001), pp. 119-120.

106. Los siguientes individuos resultaron electos: alcaldes –conde de Medina y Antonio Velasco; Regidores– Juan Ignacio González Vertiz de Guerra, conde de Valenciana, José María Garay, Tomás Salgado, Francisco

Guadalajara, aun cuando muchos electores de parroquia seleccionados previamente, en noviembre de 1812, eran eclesiásticos, no eligieron a miembros de la Iglesia para los cargos gubernamentales de la ciudad de México. entre los seleccionados había terratenientes, comerciantes, abogados y dos antiguos gobernadores indígenas, Francisco Antonio Galicia y José Santos Vargas Machuca. Entre los miembros del ayuntamiento también se contaban tres de Los Guadalupes y algunos de sus simpatizantes, como Francisco Antonio Galicia.[107] A todas luces, no era éste el ayuntamiento que Calleja deseaba.

A lo largo y ancho de la provincia de México y en otras provincias de la Diputación Provincial de Nueva España que no habían hecho lo propio, se llevaron a cabo elecciones para ayuntamientos.[108] Durante el periodo que va de 1813 a 1814 se llevaron a cabo elecciones parroquiales en todo el valle de México, resultando éstas en la instauración de 77 ayuntamientos constitucionales, la mayoría de los cuales se conformaron en pueblos indígenas; sin embargo, 18 eran multiétnicos e incluían a indígenas, españoles, mestizos y pardos.[109] El nuevo orden amenazaba en ocasiones a las elites indígenas. En varios casos, las autoridades de las antiguas repúblicas de indios se negarón a entregar al poder a los nuevos funcionarios electos, en otros, para consternación de las antiguas autoridades, los ganadores no eran indígenas. Tensiones de esta especie se suscitaron en las Huastecas hidalguense y veracruzana, donde se

---

Manuel Sánchez de Tagle, conde de la Presa de Jalpa, Juan Antepáran, Francisco Galicia, marqués de Valle-Ameno, Juan Vicente Gámez Pedroso, José Ignacio Adalid, Francisco Villanueva Cáceres y Obando, José Santos Vargas Machuca, Juan Orellana, José María Prieto de Bonilla, y Juan Pérez Juárez; y síndicos –Rafael Marquéz y Antonio López Salazar. Alamán, *Historia de Méjico*, III, Apéndice 10, p. 42. Véase también *Ibid.*, 412. Sobre las actividades de José Ignacio Adalid véase: Virginia Guedea, "Ignacio Adalid un *equilibrista* novohispano", en Jaime E. Rodríguez O. (ed.), *Mexico in the Age of Democratic Revolutions, 1750-1850* (Boulder: Lynne Rienner, 1994), pp. 71-96.

107. Sobre las actividades de Galicia, véase: Virginia Guedea, "De la fidelidad a la infidencia: Los gobernadores de la parcialidad de San Juan", en Jaime E. Rodríguez O. (ed.), *Pattterns of Contention in Mexican History* (Wilmington: SR Books, 1992), pp. 95-123.

108. Tal parece que los americanos se hicieron del poder en la mayor parte de los ayuntamientos constitucionales. Calleja, por ejemplo, se quejaba de las elecciones en Querétaro, donde "todo Europeo y Americano honrado" quedó excluido. "El resultado a sido formar un cuerpo de individuos, todos Americanos, los mas de mala conducta, notados por quiebras y otros defectos publicos y privados, y algunos sumariados y presos anteriormente por delitos de infidencia, de por un efecto del liberal sistema de gobierno fueron indultados..." Calleja al Ministro de la Gobernación de Ultramar, México, Junio 22 de 1813, AGI: México, p. 1322.

109. Claudia Guarisco, *Los indios del valle de México y la construcción de una nueva sociabilidad política, 1770-1835* (Zinacantepec: El Colegio Mexiquense, 2003), pp. 130-150.

formaron 21 ayuntamientos constitucionales. La mayor parte de ellos era de pueblos indios; empero, algunos eran multiétnicos –estaban compuestos por mulatos, indios de fuera de los poblados, mestizos y españoles–. En el caso de Huejutla, el subdelegado solicitó que se realizara una nueva elección, pues el cura párroco había manipulado la anterior con el fin de asegurar que uno de sus parientes políticos resultara seleccionado alcalde.[110]

Oaxaca, que había sido ocupada por los insurgentes, fue la última provincia de la Diputación Provincial de Nueva España en elegir un ayuntamiento constitucional. Tras las victorias realistas, los insurgentes abandonaron Oaxaca en marzo de 1814. El intendente José María Murguía y Galardi entregó la ciudad de Antequera al comandante realista Melchor Álvarez a finales de ese mismo mes, quien publicó la Constitución hispánica el 12 de abril, y llevó a cabo las elecciones para el ayuntamiento constitucional de Antequera el día 16. Para fines electorales, la ciudad fue dividida en cuatro cuarteles mayores y los vecinos de éstos eligieron a los 32 electores de parroquia asignados a la ciudad quienes a su vez, eligieron a los 16 miembros del ayuntamiento constitucional de Antequera. La primera elección popular en la capital de Oaxaca arrojó resultados interesantes: la mitad de los elegidos era de españoles europeos y la mitad de americanos, incluido un indígena –Casimiro Cruz Hernández– y un mestizo –Ángel Calvo–.[111] Esta elección también parece haber constituido el precedente de dos partidos políticos socioeconómicos, llamados más tarde los "aceites" y los "vinagrillas". A diferencia de las elecciones organizadas durante el control insurgente, que fueron dominadas por los grupos de elite, los resultados de estas nuevas elecciones constitucionales reflejaban el cambio en las relaciones de poder dentro de la ciudad. Aunque puede ser que se establecieran ayuntamientos constitucionales en pueblos rurales, resulta poco plausible que éstos iniciaran sus funciones antes de que la Constitución fuese suspendida.[112]

110. Antonio Escobar Ohmstede, "Del gobierno indígena al Ayuntamiento constitucional en las Huastecas hidalguense y veracruzana, 1780-1835", en *Mexican Studies/Estudios Mexicanos*, vol. 12, núm. 1 (invierno, 1996), pp. 13-16.

111 "Convocatoria", en Rosalba Montiel (ed.), *Documentos de la guerra de independencia en Oaxaca* (Oaxaca: Archivo General del Estado de Oaxaca, 1986), pp. 195-197; Silke Hensel, *Die Entstenhung des Foderalismus in Mexiko. Die politische Elite Oaxacas zwischen Stadt, Region un Staat, 1786-1835* (Stuttgart: Franz Steiner Verlag, 1997), pp. 134-137; Peter Guardino, "'Toda libertad para emitir sus votos': Plebeyos, campesinos, y elecciones en Oaxaca, 1808-1850", en *Cuadernos del Sur*, año 6, núm. 15 (junio, 2000), p. 95.

112. Según Hensel, también se organizaron elecciones para diputados a Cortes y a diputación provincial en agosto de 1814. Pero esto no suena posible. Las elecciones para tales organismos requerían el levantamiento de un

Las elecciones a Cortes y a Diputación Provincial en Nueva España

La Diputación Provincial de Nueva España fue la última en formar un gobierno provincial. Organizar las elecciones parroquiales, de partido y provinciales para los diputados a Cortes y a la Diputación Provincial en el vasto territorio de la Diputación Provincial de Nueva España, no fue tarea fácil. La Junta Preparatoria de Nueva España había dividido la región en "provincias", cada una de las cuales llevó a cabo sus propias elecciones de parroquia, partido y provincia para diputados a Cortes y a la Diputación Provincial. Grandes zonas como Michoacán, Guanajuato y Veracruz se hallaban en parte, o en gran parte, controladas por los insurgentes de manera que sólo se podían organizar elecciones en las áreas controladas por los realistas. Oaxaca no pudo llevar a cabo dichas elecciones, porque durante 1813 estuvo por entero controlada por los insurgentes. En consecuencia, la Junta Preparatoria de la Diputación Provincial de Nueva España incrementó el número de diputados de la provincia más poblada, esto es, México, de uno a dos.[113]

Puesto que Nueva España había eliminado la última fase –la etapa provincial– de las elecciones para diputados a las Cortes y a la Diputación, cada una de las provincias de la diputación actuó de manera independiente. En un intento por controlar las elecciones en la ciudad de México, el 9 de enero de 1813 el jefe político superior Calleja dio instrucciones a los curas de la capital para que informaran a la junta electoral sobre el número de feligreses en

---

censo electoral que dividiera la provincia en partidos. A continuación, las elecciones debían ser organizadas en el ámbito parroquial, de partido y provincial. Esto implicaba un complejo proceso que llevaba mucho tiempo. En el caso del Reino de Quito, que yo mismo he estudiado, este proceso llevó varios meses. Además, según indica Guardino: "No he encontrado evidencia de que hubiera elecciones constitucionales en ningún pueblo del distrito [de Villa Alta]". Si esto es así, entonces tampoco podrían haberse organizado elecciones para diputados a Cortes y a la diputación provincial. Hensel, *Die Entstenhung des Foderalismus*, pp. 137-138; Guardino, "Toda libertad para emitir sus votos", 93; Jaime E. Rodríguez O, "La revolución hispánica en el Reino de Quito: Las elecciones de 1809-1814 y 1821-1822", en Marta Terán y José Antonio Serrano (eds.), *Las Guerras de Independencia en la América Española* (Zamora, Morelia y México: El Colegio de Michoacán/INAH/Universidad Michoacana de San Nicolás de Hidalgo, 2002), pp. 494-503.

113. La medida desató una protesta de oaxaqueños residentes en la ciudad de México, quienes sostenían que un nativo de Oaxaca residente en la capital debía ser elegido para representar a la región en la Diputación Provincial. Véase: Guedea, "Las primeras elecciones populares en la ciudad de México,", p. 27. "Acta de la Junta Preparatoria de México [*sic* por Nueva España] de 7 de julio de 1814", en Alba (ed.), *La Constitución de 1812 en la Nueva España*, I, pp. 218-221.

sus parroquias; después, solicitó al ayuntamiento constitucional preparar "con toda la brevedad y exactitud posibles" un padrón electoral. Finalmente, para evitar las muchedumbres y las manifestaciones populares de entusiasmo que habían acompañado a las elecciones de noviembre de 1812, las elecciones de parroquia se programaron para un periodo de tres días, y cada parroquia fue subdividida en varias casillas que recibieron la votación en distintos momentos. Las elecciones en la del Sagrario se llevaron a cabo el domingo 4 de julio en 18 casillas. Las de San Miguel, Santa Veracruz, San José y Santa Catarina Mártir fueron celebradas el lunes 5 de julio; en las primeras tres parroquias hubo cuatro casillas y en las últimas dos hubo seis. Finalmente, las elecciones parroquiales restantes tuvieron lugar el miércoles 7 de julio –las de Soledad de Santa Cruz, San Sebastián y San Pablo tuvieron tres casillas las de Santa Ana, Salto del Agua y Santo Tomás la Palma contaron cada una con dos casillas; y las de Santa María, Santa Cruz Acatlán y San Antonio de las Huertas no fueron subdivididas–. Las precauciones parecen haber sido gratuitas; en julio de 1813 votó menos de una cuarta parte de quienes lo hicieran en noviembre de 1812. Según Alamán, "Los europeos, previendo el resultado que habian de tener y no queriendo exponerse a nuevo desaire, se abstuvieron de votar".[114] Empero, lo más probable es que el bajo número de votantes fuera consecuencia de la terrible epidemia que asolaba entonces a la ciudad de México.[115]

Puesto que los votantes debían elegir a 31 compromisarios, varios grupos se organizaron en apoyo a candidatos específicos. Según la documentación disponible, resulta evidente que tanto americanos como europeos se organizaron con anterioridad a las elecciones y prepararon sus listas de votantes. Alamán señala que no se registraron manifestaciones, pero afirma que existía confusión y desorden respecto de quién tenía derecho a votar. No obstante, las elecciones fueron ratificadas sin importar que todos los compromisarios electos fuesen americanos... lo mismo que "los ciento cincuenta y ocho electores de parroquia nombrados por ellos". Algunos de los seleccionados eran autonomistas reconocidos y varios de ellos formaban

114. Alamán, *Historia de Méjico*, III, p. 421.

115. Donald B. Cooper, *Epidemic Disease in Mexico City, 1761-1813: An Administrative, Social, and Medical Study* (Austin: University of Texas Press, 1965), pp. 171-182.

parte de la sociedad de Los Guadalupes.[116] Las elecciones de partido celebradas el 11 de julio en la ciudad de México confirmaron este patrón. La junta electoral de partido eligió al canónigo doctor José María Alcalá –el hombre que había encabezado las elecciones anteriores– y a Francisco Manuel Sánchez de Tagle –un ex regidor– como electores de partido. Ambos eran conocidos por su postura crítica ante el régimen.[117]

La junta de electores de partido, que fungió como junta electoral de la provincia de México se reunió el 16 de julio de 1813 con sólo 27 de los 42 electores de provincia. Otros dos llegarían más tarde. Ocho partidos de la provincia de México estaban ocupados por los insurgentes y no podían organizar elecciones, además de que no había información que indicara que los otros 12 "partidos libres" hubieran celebrado los comicios. Tras una cuidadosa consideración, la Junta Preparatoria de la Diputación Provincial de la Nueva España determinó que, dadas las circunstancias, la elección debía llevarse a cabo el 18 de julio "con los electores que hasta ahora se han presentado y los demás que vengan" en los días siguientes.[118] De los 29 electores presentes, 18 eran eclesiásticos y cinco eran europeos. Estos últimos habían resultado electos en partidos fuera de la capital.

Tras completar el proceso de revisión de las credenciales de los electores, la junta electoral convino el día 18 de julio para seleccionar a los 14 diputados y a los dos suplentes a Cortes asignados a la provincia de México. Al iniciar la sesión, el elector europeo de Texcoco, Juan Madrid y Quiñones, leyó

116. Guedea, "Las primeras elecciones populares en la ciudad de México", pp. 16-19; Richard Warren, "Elections and Popular Political Participation in Mexico, 1808-1836", en Vincent C. Peloso y Barbara A. Tenenbaum (eds.), *Liberals, Politics & Power: State Formation in Nineteenth-Century Latin America* (Athens: University of Georgia Press, 1996), p. 37; Alamán, *Historia de Méjico*, III, pp. 421; Ávila, *En nombre de la nación*, pp. 127-128.

117. Alamán, *Historia de Méjico*, III, pp. 421-422; Guedea, "Las primeras elecciones populares en la ciudad de México", pp. 18-19. No queda claro por qué a la capital, a la ciudad más grande del hemisferio occidental, le fueron asignados sólo dos electores de partido, el mismo número que a los partidos menos poblados de Ixtlahuaca, Texcoco, Chalco, Tulancingo, Cuernavaca, Mextitlán, Temascaltepec, Tenango del Valle y Huichapan. "Noticia de electores de Partido, que hasta ahora han nombrado sus electores, de los que no tienen noticia que los hayan nombrado, y de los que no se puede esperar que los nombren por razones que se diran:", en Alba, *La Constitución de 1812*, I, pp. 167-169. Calleja puso en marcha una investigación sobre Alcalá al verse incapaz de evitar su elección; véase: "Reservada en averiguacion de los procedimientos que se advirtieron en las Elecciones de Diputados de Cortes y de Provincia, hechas en el mes de Julio del presente año y el influjo que en ellas tubo el Dr. Don José M. Alcalá", en AGI: México, p. 1481.

118. Alba, *La Constitución de 1812*, I, pp. 170-171.

una minuta que él mismo había preparado y en la que declaraba la nulidad de la junta por falta de electores. Sólo un elector, Manuel Ascorve, un europeo también procedente de Texcoco, apoyó la objeción de Madrid y Quiñones; así que la junta electoral procedió. Pese a la oposición de los electores europeos, todos aquellos seleccionados como diputados y suplentes a las Cortes fueron americanos: "Los americanos consiguieron en todos los casos de dieciocho a veintitrés votos; los europeos de tres a nueve".[119] Todos los candidatos europeos eran defensores acérrimos del antiguo régimen, como el licenciado Juan Martín de Martineña, el fiscal Francisco Xavier Borbón, el inquisidor Bernardo del Prado y Obejero, y el mismo Madrid Quiñones. La mayor parte de los candidatos americanos poseía títulos de nobleza, y uno de ellos, Dionisio Cano y Moctezuma, era un ex gobernador indígena. Entre los seleccionados como diputados a Cortes se contaban 11 abogados, seis eclesiásticos y un noble propietario, el marqués del Apartado, quien se hallaba a la sazón en Europa. Dos de los abogados elegidos eran miembros del ayuntamiento constitucional de México y dos eran miembros de la sociedad de Los Guadalupes. Aunque entre todos representaban diversas posturas, los diputados americanos defendían con tesón el nuevo orden constitucional, como informó el intendente Gutiérrez del Mazo, quien presidiera la elección: el acto concluyó "con mucho aplauso del público y admirable quietud y armonía".[120] El resultado desilusionó a Calleja, pues estas elecciones, como las anteriores para ayuntamientos, demostraron que no era posible elegir a europeos porque la mayoría de los votantes prefería a los americanos. Así las cosas, Calleja intentó socavar los resultados electorales rehusándose a proporcionar los fondos necesarios para que los recién electos diputados de la provincia de México viajaran a la península para asistir a las Cortes, que ahora se reunían en Madrid.

119. Guedea, "Las primeras elecciones populares en la ciudad de México", p. 21.

120. *Ibid.*; "Noticia de los que salieron electos Diputados (propietarios y suplentes) a Cortes, por la Provincia de México", Alba, *La Constitución de 1812*, I, pp. 172-173. Charles R. Berry afirma que en su Informe al Ministro de Gracia y Justicia, del 18 de agosto de 1814, Calleja indicaba que otros tres diputados habían sido electos: Ignacio Adalid, José María Fagoaga y José María Alcalá. Sin embargo, los dos primeros fueron llevados a juicio por conspiración y no se les permitió viajar a España. En este caso, Berry confunde a los diputados elegidos a las Cortes de 1813-1814 con los elegidos para las sesiones de 1815-1816. Berry, "Election of Mexican deputies", p. 24, nota 5.

La junta electoral se reunió al día siguiente, 19 de julio de 1813, para elegir a los diputados de la provincia de México a la Diputación Provincial de Nueva España. El patrón de votación fue el mismo que el de el día anterior;[121] así no sólo resultaron electos tres americanos, sino que los tres eran eminentes autonomistas: José Miguel Guridi y Alcocer se había distinguido en las Cortes de Cádiz como líder en la defensa de los derechos americanos; José María Fagoaga, activo durante las elecciones de 1812, era un importante autonomista y miembro de la sociedad secreta de Los Guadalupes; finalmente, el suplente José del Cristo y Conde, también miembro de esa organización, se había declarado autonomista desde 1808. Los electores europeos cuestionaron de inmediato los resultados; Madrid y Quiñones puso en duda la elección de Guridi y Alcocer argumentando que era un eclesiástico y que había servido en las Cortes de Cádiz. Tras una tensa discusión, las acusaciones fueron descartadas y las autoridades, lideradas por el intendente Gutiérrez del Mazo, lograron establecer una actitud conciliatoria. La reunión terminó con vivas del público para quienes resultaron electos.

Pese a todo, los europeos no acallaron su renuencia; algunos de ellos se rehusaron a firmar las actas de las sesiones y otros sustrajeron sus firmas. Tres de ellos, Madrid y Quiñones, Ascorve y José Antonio Pol y España, un elector de Tacuba, presentaron protestas por escrito dirigidas a Calleja. Éstos acusaban que se había recurrido al "cohecho o convenio" para asegurar que fueran sólo americanos los que ganaran las elecciones; también se quejaban de que el público los hubiera ridiculizado durante las celebraciones. Además, Pol y España afirmaba "que pretender hacerse de todos los empleos por medio de la Constitución y haber tomado las armas contra el gobierno no era sino una cosa misma...".[122] Las autoridades de la junta electoral –Alcalá, Guridi y Alcocer, Sánchez de Tagle y el presidente intendente Gutiérrez del Mazo– contestaron a todos los cargos punto por punto. Pero esto no satisfizo a Calleja, quien ordenó aún más investigaciones que sólo sirvieron para retrasar la formación de la Diputación Provincial de Nueva España. A esto se sumó que el 18 de noviembre de 1813 los oidores de la Audiencia de México enviaron una "representación" a las Cortes para solicitar que se

121. Guedea, "Las primeras elecciones populares en la ciudad de México", p. 21.
122. *Ibid.*, p. 23.

suspendiera la Constitución en Nueva España porque habían sido "nulas todas las elecciones, porque hubo en ellas cohecho..." y porque grupos aliados a los insurgentes se habían aprovechado del sistema. Los miembros de la Audiencia acusaban a los rebeldes de arreglárselas para que individuos que no eran ciudadanos votaran por sus candidatos –"hombres sospechosos o enemigos de la patria"– al tiempo que se aseguraban "de que todos los americanos beneméritos y todos los europeos, juntamente con los indios, queden excluidos". Los oidores incluían una larga lista de abusos, "intrigas y desórdenes escandalosos" que habrían ocurrido durante las elecciones en todo el reino. Además, insistían una y otra vez en que "los indios han sido excluidos".[123] Los historiadores, desde Alamán hasta hoy día, han recurrido a estas acusaciones para afirmar que las elecciones fueron corruptas y fraudulentas.[124]

Pese a su recelo, las autoridades se vieron obligadas a organizar elecciones para los representantes a las Cortes de 1815-1816 y para renovar a la mitad de los miembros de la Diputación Provincial. El 22 de noviembre de 1813, el intendente Gutiérrez del Mazo notificó a Calleja que: "Conforme el Artículo 37 de la Constitución Política de la Monarquía Española se deben celebrar las Juntas Electorales de Parroquia para la elección de Diputados en Cortes el primer domingo de Diciembre...".[125] Las elecciones se llevaron a cabo el 5 y 7 de diciembre de 1813; como en las ocasiones anteriores, ganaron los americanos. Las elecciones finales de diputados a Cortes se celebraron el domingo 14 de marzo de 1814, y las de Diputación Provincial, el domingo siguiente. Además, la Provincia de México hubo de elegir a dos nuevos representantes a la Diputación Provincial porque uno de sus diputados –José María Fagoaga– y un suplente –José Antonio del Cristo– resultaron electos para las Cortes de 1815-1816.[126]

123. "Representación de los oidores de México a las Cortes de España contra la Constitución de 1812", en Bustamante, *Cuadro histórico*, II, pp. 343-423.

124. Benson rechaza este argumento; véase: "The Contested Mexican Election", 341-343. Sin embargo, Alfredo Ávila ha hecho eco en fecha reciente de las acusaciones de los oidores; véase: *En nombre de la nación*, pp. 122-132.

125. Ramón Gutiérrez del Mazo a Félix María Calleja, México 22 de Noviembre de 1813, en AGN: Historia, Vol. 445, f. 323r-v.

126. "Sobre la celebración de Juntas Parroquiales, de Partido, y de Provincia para la elección de Diputados de la Cortes ordinarias en los años de 1815, y 1816", AGN: Historia, Vol. 445, ff. 317-340. Los diputados electos fueron: José Antonio Cristo, José María Bucheli, José María Fagoaga, Juan Bautista Arechederreta, Manuel Sotarriva, Francisco Manuel Sánchez de Tagle, Juan Gómez Navarrete, Mariano Primo de Rivera, José Anto-

Las elecciones en las otras provincias de la Diputación Provincial de Nueva España no resultaron tan contendidas. Al tener noticia de que el jefe político Calleja había restaurado enteramente la Constitución, la Junta Preparatoria de Puebla estableció de inmediato las elecciones parroquiales para el 25 de abril y las elecciones de partido para el 1 de mayo de 1813. Los electores de partido se reunieron en la ciudad de Puebla el 9 de mayo para presentar sus credenciales. Al día siguiente, 10 de mayo, eligieron a siete diputados y dos suplentes a Cortes, y el día 11 eligieron a un vocal a la Diputación Provincial de Nueva España. Como resultado de sus acciones decididas, tres diputados de Puebla llegaron a España a tiempo para participar en las Cortes de 1813-1814.[127]

Aun cuando el jefe político Calleja informó a José Mariano Marín, vocal de Puebla, que la Diputación Provincial de Nueva España estaría instalada formalmente el 19 de julio de 1813, esto no sucedió, ya que las otras provincias de dicha diputación no habían llevado a término el proceso electoral.[128] En algunas regiones como la ciudad de México, San Luis Potosí y Tlaxcala, los resultados fueron puestos en duda, lo que ocasionó largas demoras. Pasó cerca de un año antes de que hubiera una resolución. La experiencia por la que hubo de pasar el diputado de Tlaxcala a esta diputación demuestra la poca voluntad de las autoridades reales de la ciudad de México para distinguir entre aquellos ciudadanos leales que cuestionaban algunas acciones del gobierno y los insurgentes. Tlaxcala organizó elecciones para su diputado a las Cortes ordinarias de 1813-1814 el domingo 25 de julio de 1813. Al día siguiente se

---

nio Caveza de Baca, Félix Lope de Vergara, Ignacio Adalid, José María Valdivieso, José Ignacio Naxera y Luciano Castorena. Los suplentes fueron Luis Valle, José Francisco Fagoaga, Manuel Góngora y Florentino Conejo. "Lista de los señores que han sido nombrados diputados en Cortes y Suplentes", AGN, Historia, Vol. 445, f. 405. Véanse también los informes de Calleja, en: "Testimonio de las actas de las Elecciones de Diputados en Cortes, y vocales de la Junta provincial para los años de 1815 y 1816"; "Reservada de infidencia contra el Oydor honorario Don José María Fagoaga"; y "averiguación de la conducta del Regidor Dn. Ignacio Adalid con el Cabecilla Eugenio Montaña", en AGI: Indiferente, 1523.

127. Los diputados que llegaron a tiempo eran Tomás Franco de la Vega –quien murió en Madrid–, Miguel García Paredes y Antonio Joaquín Pérez. "Acta electoral de Puebla de Los Angeles", ACDC: Documentos Electorales, n. 35, leg. 5. Dado que la gran mayoría de los diputados propietarios del antiguo Virreinato de Nueva España no pudo llegar a tiempo para asistir a las Cortes de 1813-1814, esta institución eligió a 13 suplentes para representar a esas diputaciones provinciales. Véase: "Nueva España", ACDC: Documentos Electorales, n. 33, leg 5. Véase también: "Testimonio del Expediente sobre habilitacion de fondos para el viaje a España de los Diputados de Cortes para la Provincia de Puebla", en AGI: México, p. 1481.

128. Calleja, presionado por la Regencia para que concluyera las elecciones, culpó a los insurgentes del retraso. Calleja al Ministro de Gracia y Justicia, México, octubre de 1813, AGI: México, p. 1480.

eligió al licenciado Bernardo González Pérez de Angulo como representante a la Diputación Provincial, pero cuando el recién electo diputado viajó a la capital para unirse a dicho cuerpo, se enteró de que se había expedido una orden de arresto en su contra aduciendo subversión,[129] y si bien se defendió hábilmente contra los cargos, el fiscal ordenó su detención. La Junta Preparatoria solicitó entonces a la comisión de consulta determinar si la elección del licenciado González era válida. Tras largas discusiones se determinó que no lo era, de modo que en una reunión informal del día 19 de noviembre, la junta resolvió que el encarcelamiento dejaba sin efecto los derechos de ciudadano del licenciado. De ahí que, según concluyeron, su elección a la Diputación Provincial era nula y debía organizarse una nueva.[130] En consecuencia, la provincia de Tlaxcala no tuvo otra opción que convocar nuevamente a sus electores, que finalmente eligieron al licenciado José Daza y Artazo.

Debido al largo retraso para completar las elecciones de la Diputación Provincial de Nueva España, algunas provincias procedieron a elegir diputados en mayo de 1814 para las Cortes de 1815-1816 y representantes para renovar esa diputación.[131] La provincia de Puebla estaba tan decidida a participar de las instituciones establecidas por la Constitución de Cádiz que no esperó ni al jefe político superior ni a las otras provincias para entrar en acción. En mayo y junio de 1814, la Junta Preparatoria de Puebla llevó a cabo elecciones de parroquia y de partido para diputados a las Cortes de 1815-1816 y a la mencionada diputación. Los electores de partido se reunieron en la ciudad de Puebla el 13 de junio de 1814 para elegir a sus diputados a Cortes; al día siguiente eligieron a su representante ante la Diputación Provincial.[132]

129. González Pérez de Angulo era acusado de escribir la "Representación sobre inmunidad por este Venerable Clero", que rechazaba la ley del 25 de junio de 1812 que suprimía el fuero de los eclesiásticos descubiertos en actividades insurreccionales. Véase: "Representación…", en Hernández y Dávalos, *Colección de documentos*, IV, pp. 308-314. (Agradezco a Brian Connaughton por referirme a este documento.)

130. "Presentación en esta capital del Lic. D. Bernardo Gonzalez electo Diputado de Provincia de Tlaxcala", AGN: Historia, Vol. 445, ff., 354-372, cita en f. 372.

131. AGN: Historia, Vol. 445, ff. 247-268, 317-340 y 460-502. Sobre San Luis Potosí, véase: José de Othon a Calleja, Nov. 26 de 1813, en AGI: Estado, 40, n. 58. Véase también: Ávila, *En nombre de la nación*, pp. 127-128.

132. "Lista de los señores diputados nombrados por la Junta Electoral de Esta Provincia de Puebla de los Angeles, para las Cortes ordinarias que ha de celebrar la Soberana Nación Española en los años de 1815 y 1816" y "Lista de los señores vocales de la Diputación Electoral de esta Provincia de Puebla de los Angeles", en AGNM: Historia, Vol. 445, ff. 438-439.

Para junio de 1814, la mayor parte de los conflictos electorales fue resuelta; sin embargo, algunos representantes ante la Diputación Provincial aún no habían llegado. El 7 de julio sólo estaban en la ciudad de México "dos vocales nombrados por México, su suplente y el de Querétaro y Tlaxcala". Empero, la Junta Preparatoria de Nueva España, determinó que esos cinco individuos eran suficientes para instalar la Diputación Provincial, y que los demás diputados de Puebla, Veracruz y Valladolid se incorporarían a dicho organismo conforme arribaran a la capital.[133] La Diputación Provincial de Nueva España, que finalmente se reunió el 13 de julio de 1814, funcionó por un breve periodo antes de que el 5 de octubre llegara la instrucción real de restaurar el antiguo régimen.[134]

Una vez establecidas, las diputaciones provinciales del antiguo virreinato de Nueva España realizaron elecciones periódicamente para renovar el autogobierno establecido por la Constitución. Tal como lo estipulaba la Carta de Cádiz, las elecciones para los miembros de los ayuntamientos de 1814 fueron celebradas en diciembre de 1813, y las elecciones para diputados a las Cortes de 1815-1816 y para renovar a la mitad de los miembros de las diputaciones provinciales comenzaron en diciembre de 1813 y concluyeron en marzo de 1814.

El proceso electoral, quizá más que cualquier otra actividad, politizó al antiguo virreinato de Nueva España. El éxito de las primeras elecciones populares animó a los ciudadanos de las provincias –la vasta mayoría de los hombres adultos– a participar en las elecciones que vendrían. Pese a la insurgencia que ocupaba grandes regiones del antiguo virreinato, la mayoría de los novohispanos optó por el nuevo sistema político antes que por la violencia como por medio para obtener un gobierno propio. Aunque en México y Guadalajara se registraron tensiones entre las audiencias dominadas por los europeos y los ayuntamientos controlados por los americanos, las elecciones no polarizaron a la población en los demás lugares. No existe evidencia alguna de un conflicto generalizado entre americanos y europeos, como el que se suscitó en la ciudad de México, o entre elites y grupos populares,

133. "Acta de la Junta Preparatoria de México", Alba, *La Constitución de 1812,* I, pp. 218-221.

134. Benson, *The Provincial Deputation*, pp. 14-19; Guedea, "Las primeras elecciones populares", pp. 16-28. Desafortunadamente, las actas de esta primera Diputación Provincial de Nueva España no han sido localizadas. Las actas que se hallan en el Archivo del Congreso del Estado de México comienzan con las del gobierno provincial restaurado, el 20 de julio de 1820. Véase: Carlos Herrejón Peredo (ed.), *Actas de la Diputación Provincial de Nueva España, 1820-1821* (México: IIL, 1985).

como el que surgiera en Oaxaca. Si bien los americanos resultaron victoriosos en la mayor parte de las elecciones, los novohispanos en general eligieron a los hombres por su carácter y su posición y porque confiaban en ellos para buscar el bienestar general del reino.

El nuevo régimen constitucional

Las autoridades tuvieron reacciones diversas ante el nuevo orden constitucional. En España, y presionada por los diputados novohispanos, la Regencia insistió en repetidas ocasiones en que los comicios se llevaran a cabo según la letra de la ley; en la ciudad de México algunas personas, como los dos ex virreyes y los miembros de la audiencia y del Consulado de México, eran acérrimos detractores de los derechos americanos y detestaban la Constitución; no obstante, aun cuando en su calidad de españoles europeos temían perder sus posiciones de poder ante los americanos, les asustaba mucho más la insurgencia, que parecía imbatible. Fue este grupo el que lanzó una serie de objeciones al proceso de transformación, pero al final se vio compelido a aceptar el sistema constitucional. Empero, no todos los europeos se oponían al nuevo orden ni al ascenso de los americanos al poder, así como no todos los americanos apoyaban la Constitución. La situación variaba en las distintas regiones del antiguo virreinato de Nueva España. El intendente Gutiérrez del Mazo, por ejemplo, apoyó el nuevo sistema constitucional y fungió como mediador entre el ayuntamiento de México, controlado por los americanos, y Calleja. En Guadalajara, el jefe político superior Cruz proporcionó su apoyo al ayuntamiento constitucional y a la Diputación Provincial en sus esfuerzos por gobernar la región. En Yucatán, el jefe político superior Artazo instrumentó la Constitución y mantuvo una postura neutral aun cuando prefería la tradicional de los miembros de la Diputación Provincial a la de los vocales del ayuntamiento constitucional de Mérida. Si bien muchos funcionarios reales se adaptaron al nuevo sistema político, la complejidad de los cambios institucionales y procesales no permitió una transformación completa. Muchas tradiciones y prácticas del antiguo régimen permanecieron y se mezclaron con el nuevo orden constitucional.

La Constitución de 1812 creó dos nuevas instituciones de gobierno local: la diputación provincial y el ayuntamiento constitucional. Ambos organismos fueron defendidos en las Cortes por los diputados americanos, en particular por los novohispanos, quienes deseaban mayor autonomía para su tierra. Los habitantes del antiguo virreinato de Nueva España eligieron a individuos eminentes para desempeñarse en estos cuerpos de gobierno, con la esperanza de que esos hombres buenos y honrados buscaran el bienestar general de la sociedad. Los elegidos para servir en las diputaciones provinciales y en los ayuntamientos constitucionales asumieron sus responsabilidades con entusiasmo. Tal como la gente a la que representaban, los miembros de los nuevos cuerpos de gobierno hicieron de sus viejas aspiraciones, en particular de su deseo de autonomía, una de sus labores. Para lograr esta meta, los miembros de las diputaciones provinciales y de los ayuntamientos constitucionales reafirmaron la autoridad de las nuevas instituciones. Esto llevó inevitablemente al conflicto entre las nuevas estructuras administrativas y los antiguos organismos, en particular aquellos cuyo estatus había declinado, como era el caso de las audiencias. Los ayuntamientos constitucionales de las capitales de provincia, que estaban acostumbrados a representar a sus regiones, a veces entraban en conflicto con los nuevos gobiernos provinciales, es decir, las diputaciones provinciales.[135]

135. Antonio Annino sostiene que existía una diferencia entre las Cortes y las dos instituciones de gobierno local: la diputación provincial y el ayuntamiento constitucional; la primera era una institución política, mientras que las dos segundas eran meramente administrativas. "Cádiz y la revolución territorial de los pueblos mexicanos, 1812-1821", en Annino (coord.), *Historia de las elecciones en Iberoamérica*, p. 189. Alfredo Ávila afirma además que: "la Constitución no otorgó carácter representativo ni a los ayuntamientos constitucionales ni a las diputaciones provinciales. Sólo las Cortes representaban a la nación y, en consecuencia, eran soberanas". *En nombre de la nación*, p. 115. Más adelante, agrega: "Según el artículo 335 de la Constitución, las facultades de las diputaciones provinciales serían estrictamente administrativa [...N]o se dejaba en manos de las diputaciones ninguna posibilidad de autonomía", *Ibid.*, 119. Tanto Annino como Ávila confunden los términos "representación", "político" y "administrativo". Además, Ávila confunde "soberanía" con "autonomía". Es cierto que las Cortes asumieron la soberanía de la nación. Sin embargo, esto no significa que los otros dos organismos gubernamentales estuviesen limitados a seguir las instrucciones de las Cortes. Puesto que las condiciones y las necesidades de cada localidad variaban, ambos cuerpos debían actuar de manera política y tenían que poner en marcha "ordenanzas" o leyes dentro de sus jurisdicciones. Aunque no poseían soberanía, representaban a sus regiones y gobernaban en ellas. Es cierto que existía una cadena formal de autoridad; empero, ésta no evitó que los ayuntamientos –antes y después de la promulgación de la Carta de Cádiz– se comunicaran directamente con las Cortes o las autoridades nacionales. En 1810, Orizaba y Córdova, por ejemplo, protestaron ante la regencia y las Cortes exigiendo su derecho a elegir a un diputado al Parlamento, pues argumentaban ser capitales cabezas de partido. Más adelante, en 1820, el ayuntamiento de Puebla envió una representación a las Cortes insistiendo en que tenía derecho a una diputación provincial. Véase: Ayuntamiento de Puebla,

Conforme la Constitución de 1812, las autoridades de mayor rango en una provincia eran el jefe político y la Diputación Provincial, de modo que la introducción de esta nueva institución, que poseía autoridad sobre el ayuntamiento, produjo confusión y conflictos en las provincias. El nuevo sistema dividió la autoridad ejecutiva en las provincias entre un antiguo funcionario, el intendente, que sería responsable ahora de la administración financiera del área, y un nuevo funcionario, el jefe político, quien asumió las responsabilidades en las áreas de "policía" –o tranquilidad pública, obras y suministros públicos, etcétera–, "justicia" y, en algunos casos poco usuales, "guerra". La situación se complicaba aún más por el hecho de que el jefe político, quien residía en la capital de la provincia y presidía el ayuntamiento de la ciudad, también presidía la diputación provincial. Sin embargo, la capacidad del jefe político para ejercer influencia sobre estas instituciones era limitada, ya que en ambos cuerpos poseía sólo voz y no voto.[136]

La Diputación Provincial, que rendía cuentas al gobierno nacional de España directamente y también por el intermedio de su jefe político, tenía la función de operar como organismo administrativo con amplia responsabili-

---

Representación que hace a S. M. las Cortes el (...), para que en esta ciudad, cabeza de provincia, se establezca Diputación provincial, como dispone la Constitución (Puebla: Imprenta del Gobierno, 1820). Los grados de autoridad del actual gobierno de Estados Unidos son parecidos a los que estableciera la Constitución de Cádiz y pueden ser útiles para clarificar la naturaleza de sus divisiones. Las leyes promulgadas por el Congreso Federal se aplican a toda la nación y sobreseen a las promulgadas por los gobiernos estatales y de las ciudades en toda la nación. Algo parecido sucede con las leyes estatales, que se aplican en toda la entidad y sobreseen a las leyes municipales. No obstante, cada ámbito de gobierno representa a sus constituyentes y promulga leyes aplicables a sus zonas de autoridad. Las ciudades promulgan "ordenanzas", es decir leyes para sus zonas. En este sentido, hay representatividad y autogobierno, o autonomía, para cada ámbito de gobierno. Empero, la relación es distinta, si existe una "soberanía compartida"; éste era el caso de la primera Constitución de Estados Unidos, de los Artículos de la Confederación. La pregunta por dónde recaía la soberanía surgiría más tarde en el México independiente cuando las antiguas provincias transformadas en estados exigieron soberanía para ellas mismas. Las constituciones de 1824 establecieron un acuerdo en el que el gobierno nacional compartía la soberanía con el gobierno estatal. Se trataba de un sistema "confederado" más que "federal".

136. Manuel Chust examina las intenciones tanto de los americanos como de los peninsulares al crear las diputaciones provinciales. *La cuestión nacional americana en las Cortes de Cádiz* (Valencia y México: Fundación Instituto Historia Social/UNAM, 1999), pp. 218-238; "Del Gobierno interior de las provincias y de los pueblos", *Constitución política de la Monarquía Española*, en Felipe Tena Ramírez (ed.), *Leyes fundamentales de México, 1808-1991*, 16ª ed. (México: Porrúa, 1991), pp. 95-99. La normativa se explica con mayor amplitud en: "Instrucciones para el gobierno económico-político de las provincias", en *Colección de decretos y órdenes de las Cortes de Cádiz*, 2 vols. (Madrid: Publicaciones de las Cortes Generales, 1987), II, pp. 907-928.

dad de supervisión. Su primer tarea era "cuidar el establecimiento de Ayuntamientos" en aquellos pueblos con mil almas o más. La Diputación Provincial también tenía la responsabilidad de supervisar a los ayuntamientos en lo referente a impuestos y gastos, salud, justicia y obras públicas, además de asegurarse de que en los pueblos se establecieran "escuelas de primeras letras". Otra función de este organismo era resolver las disputas que pudieran suscitarse en los ayuntamientos, particularmente en lo que concernía a las finanzas. En el ámbito provincial, la diputación era responsable de coordinar las obras públicas provinciales y nacionales, mediante el levantamiento de censos y el desarrollo de estadísticas de su provincia, así como con la preparación de planes para fomentar la agricultura, la industria, las artes y el comercio.[137] Aunque concebidas como cuerpos administrativos, las diputaciones provinciales pronto asumieron la defensa de los intereses de sus provincias.

El gobierno de las ciudades cambió profundamente con el régimen constitucional. En el antiguo régimen, aun cuando las plazas de regidores se vendían y eran hereditarias, los funcionarios eran responsables del "buen gobierno, bien común y policía" –o sea, tranquilidad pública, obras públicas, abastecimiento, etcétera– de la ciudad. Sin embargo, el ayuntamiento no era responsable que lo que hoy llamaríamos la administración general de la ciudad, pues había muchas otras corporaciones, como el consulado, la universidad, los colegios, los conventos, los hospitales y las cofradías, cuyos miembros asumían distintos deberes en ese aspecto. El antiguo régimen era una sociedad de grupos, cada uno de ellos con sus propios privilegios y responsabilidades.[138] La Constitución transformó estas relaciones, y ahora los ciudadanos individuales constituían el cuerpo político, de ahí que el papel del ayuntamiento constitucional fuera representar a la ciudadanía y no a los grupos. La evidencia que tenemos a nuestra disposición indica que los ayun-

137. "Constitución de la Monarquía Española", en Tena Ramírez, *Leyes fundamentales de México, 97-99*. "Instrucciones para el gobierno económico-político de las provincias", en *Colección de decretos y órdenes de las Cortes*, pp. 914-919. Véase también Ascensión Martínez Riaza, "Las Diputaciones Provinciales americanas en el sistema liberal español" en *Revista de Indias*, vol. LII, núm. 195/196 (mayo-diciembre 1992), pp. 647-691.

138. Sobre la naturaleza del Antiguo Régimen, véase: Lempériere, "República y publicidad a finales del Antiguo Régimen (Nueva España)"; y Guerra, "De la política antigua a la política moderna. La revolución de la soberanía", en Guerra, Lempériere, *et al.*, *Los espacios públicos en Iberoamérica*, pp. 54-79 y 109-139.

tamientos constitucionales tomaban muy en serio sus responsabilidades y actuaban para promover el bienestar de sus ciudades y pueblos.[139]

Poco se sabe sobre los ayuntamientos rurales. Sin embargo, toda la evidencia indica que sus líderes conocían y comprendían las profundas transformaciones acaecidas en el mundo hispánico. Está claro que los habitantes de las zonas rurales se dieron cuenta de los beneficios que obtendrían al formar ayuntamientos constitucionales. Es probable que los nuevos "ciudadanos de la Nación española" asumieran el control de sus ayuntamientos y aprovecharan el sistema constitucional para beneficiarse de sus programas, por ejemplo, de la distribución de tierras.[140] Durante el periodo que va de 1812 a 1814 se establecieron 156 ayuntamientos en Yucatán, 77 en los pueblos del valle de México y 27 en las huastecas. Además, sabemos que se organizaron elecciones en los pueblos a lo largo y ancho del territorio, pues habría sido imposible llevar a término las elecciones de diputados a las Cortes y a las diputaciones provinciales sin haber organizado antes los comicios parroquiales y de partido. Nuestro conocimiento sobre las elecciones en las provincias de Oaxaca, Yucatán, Puebla, Guadalajara y Veracruz indica que las nuevas elecciones populares tuvieron un profundo efecto en el ámbito de los poblados, pues abrieron nuevas vías para la movilidad tanto social, como económica y política. Empero, en el ámbito del partido los habitantes tendían a elegir a curas y funcionarios como sus representantes, pues aparentemente creían que, aun siendo capaces de gobernar sus localidades, requerían individuos instruidos y mejor preparados, en quienes pudieran depositar su confianza, para representarlos en la diputación provincial y en las Cortes.[141]

139. Anna, *The Fall of the Royal Government in Mexico City*, 115-139; Juan Ortiz Escamilla, "Un gobierno popular para la ciudad de México. El ayuntamiento constitucional de 1813-1814", en Virginia Guedea (coord.), *La independencia de México y el proceso autonomista novohispano, 1808-1824* (México: UNAM/Instituto José María Luis Mora, 2001), pp. 117-134; Rodríguez O., *"Rey, religion, Yndependencia, y Unión"*, pp. 42-50; Zanolli Fabila, "La alborada del liberalismo yucateco", pp. 84-175; Vega, *Los dilemas de la organización autónoma*, pp.133-138; y Simón Ruiz, *Los autores políticos poblanos contra el centralismo*, pp. 115-143.

140. Desgraciadamente, la mayor parte de los estudios sobre las comunidades indígenas no examina este periodo en detalle, y prefieren considerar períodos más largos. Además, por lo general se concentran en el conflicto entre los antiguos líderes indígenas y las nuevas autoridades.

141. Escobar Ohmstede, "Del gobierno indígena al Ayuntamiento constitucional", pp. 13-17; Rugeley, *Yucatán's Maya Peasantry*, pp. 40-48; Michael T. Ducey, "Village, Nation and Constitution: Insurgent Politics in Papantla, Veracruz, 1810-1821", en *Hispanic American Historical* Review, vol, 79, núm. 3 (agosto, 1999),

El régimen constitucional en Guadalajara

La mayor parte de los historiadores, que han interpretado esta transformación política desde la perspectiva de la ciudad de México, donde las principales autoridades reales socavaron el sistema constitucional, ha llegado a la conclusión de que el régimen gaditano fue un fracaso.[142] Pero la experiencia tapatía nos proporciona una perspectiva diferente. El general Cruz, importante contrainsurgente, presentó su renuncia el 10 de mayo de 1813, el mismo día en que se publicó la Constitución en la ciudad de Guadalajara. Cruz esgrimió como causa su rivalidad con el recién nombrado virrey Félix María Calleja. Pero en realidad a Cruz tampoco le placía el sistema constitucional que, según él, ofrecía a los insurgentes y a los individuos desleales la oportunidad para atacar al gobierno.[143] No obstante, "grupos importantes de gentes" escribieron a las autoridades instándoles a que le nombraran jefe político de Nueva Galicia, a lo que el consejo de regencia accedió.[144] Cruz hizo una concesión, se adaptó al sistema constitucional y permaneció al mando hasta el año de 1821. En adelante, Cruz defendería la autonomía de la región no sólo en cuestiones políticas y jurídicas sino incluso militares. El general estaba decidido a limitar la autoridad de Calleja dentro de Nueva Galicia, "Desde entonces (...) estimuló por todos los medios el espíritu de independencia de los hijos de este Reino, fomentando el comercio y haciendo de Guadalajara un centro de administración y actividad con elementos propios".[145]

No todos los funcionarios reales mostraron tanta flexibilidad. Durante la ocupación de Guadalajara por los insurgentes, las divisiones salieron a flote cuando los europeos huyeron de la ciudad y los americanos se quedaron atrás para lidiar ellos solos con Torres e Hidalgo. A esto se sumaba que la Constitución de Cádiz había transformado las relaciones

---

pp. 463-493; Guardino, "'Toda libertad para emitir sus votos'", pp. 87-114; Rodríguez O., *"Rey, religion, Yndependencia, y Unión"*, pp. 33-34; Caplan, "The Legal Revolution in Town Politics", pp. 275-280.

142. Véase: Anna, *The Fall of Royal Government in Mexico City*, pp. 103-172. Para una visión más positiva, véase: Ortiz Escamilla, "Un gobierno popular para la ciudad de México", pp. 117-134.

143. José de la Cruz al secretario de Estado y del Despacho de la Gobernación de Ultramar, Guadalajara, 10 de mayo de 1813, AGI: Guadalajara, p. 297.

144. José María Muriá, *Historia de las divisiones territoriales de Jalisco* (México: INAH, 1976), p. 51.

145. Pérez Verdía, *Historia particular del Estado de Jalisco*, II, p. 131.

de poder entre las instituciones. La audiencia, dominada por los españoles, perdió su posición en tanto cuerpo administrativo más importante y se convirtió en una mera corte de apelaciones. Sus miembros, naturalmente, no estaban contentos con esta reducida autoridad.

El ayuntamiento constitucional de Guadalajara, que se reunió por vez primera el 13 de junio de 1813, trató de afirmar su estatus desde el primer momento. El día 17 de junio se celebraba Corpus Christi, y ese día las corporaciones de la ciudad marchaban por orden de rango hacia la catedral para celebrar la sagrada ocasión. En el pasado, la audiencia había encabezado la marcha, y el capitán general y presidente de dicho organismo, José de la Cruz, guiaba la procesión; pero, tal como lo señalara el ayuntamiento, según la Constitución "la misma Audiencia ha quedado reducida a un mero Tribunal de Justicia (...) quedando en consecuencia sin aquella alta representación que anteriormente le competía". Puesto que la Diputación Provincial aún no había sido elegida, el ayuntamiento constitucional de Guadalajara se consideraba como la más alta autoridad. Por ende, determinó "que ni en la función de este dia (...) ni en ninguna otra (...) vaya el Ayuntamiento con sus Masas por la Audiencia", como había hecho en el pasado. En lugar de ello, el ayuntamiento asumiría una posición privilegiada en la ceremonia.[146]

El regente de la audiencia, actuando como presidente, presentó una queja contra el ayuntamiento en la que declaraba que dicha corporación estaba poniendo en peligro los "principios de paz y armonía". Sin embargo, el ayuntamiento se mantuvo firme e insistió en que ya no le debía ningún respeto al tribunal. El ayuntamiento declaró que "todo a variado (...) El Tribunal de la Audiencia ha quedado reducido a juzgar en segunda y tercera instancia los negocios de su inspección". Esta disputa llevó a confrontaciones posteriores en las que el ayuntamiento y la audiencia contendieron sobre la jurisdicción del tribunal en varios casos.[147] En esta querella se ponían en juego cuestiones fundamentales de poder político, así, los miembros del ayuntamiento constitucional insistieron en que la Constitución había arrebatado a la audiencia su autoridad política, reduciéndola al papel de una corte de

146. "Libro de Actas Capitulares de Guadalajara, 1813" (17 de junio de 1813), AMG.
147. *Ibid.* (2 de julio de 1813 y *passim*).

apelaciones. Al mismo tiempo, afirmaban que la diputación provincial era ahora la más alta autoridad de la provincia.

Al igual que el ayuntamiento constitucional de Guadalajara, la Diputación Provincial estaba controlada por los americanos. Aun cuando Cruz presidía sobre ambos organismos, nunca trató de dominarlos. El jefe político, que tenía voz pero no voto, favoreció los intereses locales y al parecer estuvo dispuesto a permitir que las nuevas instituciones operaran libremente. Cruz tenía amplias responsabilidades militares, no sólo en Nueva Galicia, sino en Valladolid y Guanajuato, que también exigían su atención. Las Cortes decretaron que una sola persona no podía estar investida con el mando político y militar, salvo en aquellos casos en que el territorio se "hallare amenazado por el enemigo". En tal situación, "podrá el Gobierno (...) reunir temporalmente el mando político al militar". Tal era el caso de Cruz y otros oficiales de América en aquellas zonas donde la insurgencia crecía sin freno. Así que Cruz dedicó gran parte de su tiempo a controlar los focos insurgentes que aún estaban en zonas de los que él era responsable militarmente. De esta manera, la Diputación Provincial pudo administrar con amplio margen de maniobra la provincia de Nueva Galicia.[148]

Aunque el ayuntamiento constitucional de Guadalajara era sólo uno de los numerosos ayuntamientos constitucionales de la provincia, siguió comportándose como si fuera la capital con voz y voto. Así las cosas, trató de colaborar con la Diputación Provincial en el gobierno de la región. El ayuntamiento se aprestó a proponer que la Diputación Provincial asumiera la responsabilidad de dos áreas importantes: la salud pública y la distribución de la tierra. La epidemia que asolaba entonces a Nueva España preocupaba a esos organismos, y ambos tomaron medidas para evitar que la

148. "Instrucciones para el gobierno económico-político de las provincias", en *Colección de decretos y órdenes de las Cortes de Cádiz*, 2 vols. (Madrid: Publicaciones de las Cortes Generales, 1987), pp. 907-928. Cruz tenía la reputación de ser un general contrainsurgente sanguinario. En noviembre de 1810, durante los primeros meses de la insurgencia, defendió una política de "un ejemplarisimo terror". Sin embargo, se dio cuenta de que "la represión sanguinaria no era la respuesta correcta para restaurar la paz". Más aún, tras verse forzado a asumir las responsabilidades del gobierno civil en Valladolid, "Cruz descubrió que la política civil lo dejaba totalmente exhausto". Christon I. Archer, "Politization of the Army of New Spain during the War of Independence, 1810-1821", en Jaime E. Rodríguez O. (ed.), *The Evolution of the Mexican Political System* (Wilmington: Scholarly Resources, 1993), pp. 17, 21.

enfermedad se extendiera por la provincia. Para proteger a la población adquirieron vacunas y otros medicamentos, establecieron patrullas para evitar que los individuos enfermos entraran a la zona y se aseguraron de que hubiese médicos disponibles para tratar los casos de contagio. Sus esfuerzos parecen haber sido exitosos y la epidemia fue controlada. Al mismo tiempo, en un intento por reducir la inquietud popular en la provincia, en particular entre las comunidades indígenas, el ayuntamiento instó a la Diputación Provincial para "que en este territorio se verifique a la prontitud posible, el cumplimiento [...de los decretos de las Cortes...] que tratan del repartimiento de tierras a los naturales" y de la abolición del trabajo forzado. La Diputación accedió y de inmediato, ordenó poner fin al trabajo forzado en la provincia. Y, aunque aún no había realizado una medición de los territorios y la población de la zona, ordenó que las tierras públicas cercanas a los pueblos fuesen distribuidas "a los Indios que sean casados o mayores de veinte y cinco años", "con proporción a lo que cada uno pueda cultivar, segun sus facultades". Dichas limitaciones eran necesarias "por no haver por ahora fondos con que habilitarlos". Finalmente, se tomaron medidas para garantizar la asistencia para viudas y huérfanos en los pueblos.[149]

Además de sus actividades normales la Diputación Provincial también emprendió proyectos de largo plazo. Las Cortes habían expedido decretos que exigían a la Diputación Provincial levantar un censo detallado de la provincia, retrazar las fronteras de los partidos para que la población se distribuyera mejor y para nombrar a un número apropiado de jueces de letras en cada partido. Para llevar a cabo estas tareas, la Diputación Provincial solicitó la ayuda de la Iglesia y la Audiencia. Para el censo, colaboró con el obispo, y para la reestructuración de los partidos y el aumento en el número de jueces de letras colaboró con la Audiencia. Aunque parece que el censo no se completó, el obispo Ruiz de Cabañas entregó un informe par-

149. "Libro de Actas Capitulares de Guadalajara, 1813" (septiembre y octubre de 1813), AMG; *Colección de decretos y órdenes de las Cortes*, pp. 712-714; ACJ: caja 3, Gobernación, 1ª Desgraciadamente, la documentación que se encuentra en el Archivo del Congreso de Jalisco es limitada. No existen indicaciones sobre la distribución de las tierras a finales de 1813 y en 1814. Cuando la Constitución fue restaurada en 1812, el proceso de distribución de las tierras también se reanudó. ACJ, caja 7, Gobernación, 7-1.

cial que sintetizaba los datos recabados por los párrocos de sus diócesis.[150] Con base en esa información, la Diputación Provincial comisionó a Juan Manuel Caballero y Rafael Dionisio Riestra para reestructurar los partidos. Tras varios meses, los comisionados entregaron su plan para la diputación, el 5 de mayo de 1814. Su propuesta, que garantizaba "que cada Partido ciña sus límites a los Pueblos y lugares que estuviesen más inmediatos a su Cabecera", fue discutida y aprobada por la Diputación Provincial y a continuación enviada a la audiencia, que la aprobó en su junta del 8 de mayo.[151]

La diputación provincial reconoció que el nuevo sistema constitucional resultaba oneroso, dado que la provincia no sólo debía proporcionar fondos para sus diputados a Cortes sino que también debía recaudarlos para mantener a las nuevas instituciones –la diputación misma y los numerosos ayuntamientos constitucionales–. Por ende, llevó a cabo una cuidadosa revisión de los recursos financieros existentes y recomendó algunas maneras de aumentar la base impositiva. El informe presentado recalcaba la importancia y la riqueza de Nueva Galicia y afirmaba implícitamente que los intereses de la región se veían minados por su subordinación a la ciudad de México. También señalaba que, para organizar "la guerra se han establecido nuebas imposiciones por el Superior Gobierno de México sobre todos los alimentos y demas articulos de primera necesidad, aumentando los derechos en los que ya reposaban algunos, y gravando los que se hallaban exemptos". En consecuencia, "no prodran los Ayuntamientos Constitucionales ni la Diputación Provincial contar con productos de Propios y Arbitrios ni establecerlos" hasta

150. Ruiz de Cabañas al secretario de Estado de la Gobernación de Ultramar, Guadalajara, 29 de mayo de 1813, AGI: Indiferente General, 1525. Al parecer, también se solicitó a los ayuntamientos constitucionales su participación en el levantamiento del censo. El ayuntamiento constitucional de Guadalajara, al recibir la solicitud de la diputación provincial, nombró "a los Alcaldes de los veinte y quatro quarteles de Esta Ciudad para que a la mayor brevedad posible, procedan a formar Padron de las personas que havitan en su respectivo Quartel, con distinción de Españoles, y Ciudadanos Españoles, de hombres y mugeres, de impuberes, jovenes, y mayores de edad". "Libro de Actas Capitulares de Guadalajara, 1813" (16 de noviembre de 1813), AMG.

151. "Expediente instruido a fin de hacer la distribución de Partidos, de formar el Censo y estadistica de las Provincias de la comprension de la Diputación Provincial de este Reyno de Nueva Galicia y de que se formen Ayuntamientos donde corresponde que los haya", AMG, Censo 2/1813-1814; "Plan formado para la demacación, división, y arreglada distribución de los partidos de las Provincias de Guadalajara y Zacatecas del Reyno de Nueva Galicia por los individuos vocales de la Diputación Provincial del mismo reyno...", en Muriá, *Historia de las divisiones territoriales*, pp. 151-159.

que la lucha terminara. La agricultura también había sido afectada por los impuestos decretados en años anteriores para financiar proyectos especiales. De tal modo tras un cuidadoso análisis de las necesidades y recursos de Nueva Galicia, la Diputación Provincial recomendó una tarifa de "un cinco por ciento de los efectos procedentes de quallquiera Reyno del Mar del Sur (...) y un tres por ciento (...) de los efectos de Manila". La nueva imposición no sólo aumentaría la recaudación sino que protegería a la industria local, en particular los textiles, que se enfrentaban a la competencia cada vez mayor de las importaciones de Panamá, Guayaquil y Manila. La Diputación Provincial subrayaba que los fondos generados por Nueva Galicia debían permanecer en la región y no ser absorbidos por la ciudad de México. Finalmente, posponía "para tiempos mejores" la consideración de importantes proyectos, como edificios de gobierno, caminos y otras obras públicas.[152]

La instrumentación del sistema constitucional coincidió con la restauración del orden y del bienestar económico. Los habitantes de la ciudad y de la provincia de Guadalajara creyeron que el nuevo sistema aseguraría la paz y la prosperidad, en vista de que pese a que la insurgencia había afectado negativamente a la agricultura y la minería, el comercio había crecido significativamente después de 1812. La ciudad de Guadalajara era el centro de distribución para muchas áreas de Nueva España: "El creciente mercado urbano de finales del siglo XVIII funcionaba como un dínamo en la economía rural".[153] La apertura del puerto de San Blas al comercio con Asia vía Manila, con Sudamérica, en particular Guayaquil, y con el Caribe vía Panamá amplió de manera importante el comercio en Guadalajara, que creció exponencialmente desde 1812 y hasta 1815, cuando José María Morelos ocupó el puerto de Acapulco. En 1811, la ciudad de Guadalajara adquirió una Casa de Moneda que acuñó millones de pesos de plata, hasta que fue suspendida en 1818. El nuevo comercio generó riqueza no sólo para las elites locales, sino para los militares de alto rango como José de la Cruz y Pedro Celestino Negrete, quienes controlaban los caminos de y a San Blas. La creciente

152. "Diputación Provincial de Nueva Galicia a Sres. Secretarios del Augusto Congreso de la Cortes de la Nación Española, Guadalajara 5 de enero de 1814", AGI: Guadalajara, p. 317.

153. Eric Van Young, *Hacienda and Market in Eighteenth-Century Mexico: The Rural Economy of the Guadalajara region, 1675-1820* (Berkeley: University of California Press, 1981), p. 356.

prosperidad de la región contribuyó a reforzar la identidad local e inflamó el deseo de independencia respecto de la ciudad de México.[154]

La importancia del orden constitucional

Pese a la confusión, los conflictos y los atrasos, las primeras elecciones constitucionales del antiguo virreinato de Nueva España contribuyeron a la formación de una nueva cultura política. Los ciudadanos participaron en el gobierno tanto en el ámbito local como en el provincial. Casi mil ayuntamientos constitucionales se instauraron en todo el territorio.[155] En algunas zonas como los territorios de las diputaciones provinciales de Yucatán y Nueva Galicia y en algunas provincias de la Diputación Provincial de Nueva España, como Puebla, se llevaron a cabo hasta tres elecciones sucesivas para ayuntamientos durante el periodo que va de 1812 a 1814. Por lo menos dos elecciones se celebraron en otros lugares. Durante esos años se establecieron cinco diputaciones provinciales; éstas celebraron dos comicios durante el periodo, el primero para establecer y el segundo para renovar los gobiernos provinciales. Los novohispanos también eligieron a 42 diputados a las Cortes ordinarias de 1813-1814 celebradas en Madrid y a un número cercano para las Cortes de 1815-1816. Cientos de miles de ciudadanos, incluidos indígenas, mestizos, castas y negros, participaron del gobierno tanto en el ámbito local como en el provincial.[156]

154. Pérez Verdía, *Historia particular del Estado de Jalisco*, II, pp. 131-133; Lindley, *Haciendas and Economic Development*, pp. 89-101; Olveda, *La oligarquía de Guadalajara*, pp. 165- 175; Castañeda, "Elite e independencia en Guadalajara", pp. 84-85.

155. "Lista de los Ayuntamientos que se han instalado en la Provincia de México"; "Lista de los Ayuntamientos que comprende la Provincia de Puebla"; "Provincia de San Luis Potosí", AGN: Ayuntamientos, Vol. 163. René García Castro, "Liberalismo y Constitución gaditana. La reorganización del espacio político en México, 1812-1814", en René Patricio Cardoso Ruiz *et al.* (coords.), *Primer Centenario de la Reconciliación Ibero-Americana (1898-1998)* (Toluca: Universidad del Estado de México, 2000), pp. 301-323. Agradezco a René García por permitirme consultar su obra aún no publicada, "La nueva geografía del poder en México: Provincias y ayuntamientos constitucionales, 1812-1814" (México, 1994). Véase también: Alicia Hernández Chávez, *La tradición republicana de buen gobierno* (México: FCE, 1993), p. 25.

156. Si bien la Constitución de 1812 excluía a los hombres de ascendencia africana del derecho a voto, los informes indican que en México, Veracruz y otras ciudades y pueblos del antiguo virreinato de la Nueva España estos individuos acudieron a votar.

Algunos historiadores como François-Xavier Guerra han sostenido que las elecciones constitucionales no constituyen un ejemplo de ciudadanos "modernos" en el ejercicio de sus derechos, sino acciones de vecinos tradicionales representando a sus pueblos. Desde su punto de vista, las elecciones no fueron modernas porque "no hay candidatos, ni programas, ni campañas electorales".[157] Las investigaciones recientes demuestran que este argumento es incorrecto, pues las elecciones para ayuntamientos en la ciudad de México en 1812-1813 y en 1814 evidencia de que tanto los candidatos como las campañas electorales formaron parte del proceso electoral. Dos grupos se enfrentaron en esa ciudad: los americanos y los europeos. En Yucatán las elecciones enfrentaron a los tradicionalistas –los "rutineros"– contra los liberales –los "sanjuanistas"–. El más claro ejemplo de campañas políticas "modernas" está en Oaxaca, dado que ahí, en 1814 se formaron dos partidos políticos socioeconómicos: los "aceites" y los "vinagrillas". Como es de sospecharse, los aceites conformaban el partido de los grandes comerciantes, terratenientes y otras elites, mientras que los vinagrillas eran de los grupos populares.[158]

Los habitantes del antiguo virreinato de Nueva España conocieron la naturaleza y la importancia del autogobierno y de la autonomía local por medio de la experiencia personal. Su apreciación del autogobierno se ampliaría y maduraría con el paso del tiempo. Resulta irónico que los estudiosos hayan tendido a ignorar esta gran revolución política y se hayan concentrado en cambio casi exclusivamente en las insurgencias. Se mire desde donde se mire, la revolución política fue más profunda y extensa que las insurgencias, que han sido hasta hoy la materia primaria de los historiadores.

La caída del gobierno constitucional

Una vez promulgada la Constitución, la sesión extraordinaria de las Cortes debió darse por terminada. Sin embargo, la realidad inmediata obligó a los miembros de dicho organismo a continuar en funciones, pues la Constitu-

157. Guerra, "El soberano y su reino", p. 53.
158. Guedea, "Las primeras elecciones populares en la ciudad de México", p. 26; Zanolli Fabila, "La alborada del liberalismo yucateco", pp. 62-207; Guardino, "'Toda libertad para emitir sus votos'", pp. 87-114; Rodríguez O., "'Ningún pueblo es superior a otro'", pp. 261-277.

ción estipulaba que las Cortes inaugurarían su reunión anual en el mes de marzo. Puesto que la Carta Magna fue adoptada en marzo de 1812, resultaba imposible elegir a los miembros para una nueva sesión ese mismo año, por ende, los diputados permanecieron en sus cargos.

El proceso electoral de tres ámbitos –parroquial, de partido y provincial– era lento y engorroso. La guerra en la península y la insurgencia en América acrecentaban las dificultades. Dado que se necesitaba más tiempo para organizar elecciones y para permitir que los nuevos representantes viajaran a España, las Cortes expidieron un decreto que posponía la inauguración de la nueva sesión del parlamento hasta el 1 de octubre de 1813. Aun con esta precaución, no todos los representantes elegidos pudieron llegar a tiempo, así pues, a algunos diputados de las Cortes anteriores les fue permitido permanecer como suplentes mientras se esperaba el arribo de los delegados propietarios.[159]

Si todas las provincias de América con derecho a elegir diputados lo hubieran hecho, el Nuevo Mundo habría estado representado por cerca de 149 diputados; una cifra cercana al número de delegados españoles. Desafortunadamente, las circunstancias en América impidieron que todas las elecciones se llevaran a término. Sólo 65 diputados del Nuevo Mundo participaron en las Cortes ordinarias del 1 de octubre de 1813 al 10 de mayo de 1814. De ellos, 23 habían sido electos según el nuevo sistema constitucional y 42 eran suplentes: Cuba tenía tres representantes, las Floridas uno, Puerto Rico uno, Santo Domingo uno, Nueva España veinte, Guatemala siete, Venezuela tres, Nueva Granada uno, Panamá uno, Quito uno, Guayaquil uno, Perú 19, Charcas uno, Montevideo uno, Río de la Plata tres y Chile uno.

La primera sesión regular de las Cortes, que convino el 1 de octubre de 1813 y se clausuró el 19 de febrero de 1814, dio continuidad al proceso de reforma que comenzara en la sesión extraordinaria previa. Durante este tiempo, los franceses fueron expulsados de España, lo que permitió a las Cortes trasladarse a Madrid. Conforme otras provincias españolas fueron liberadas y organizaron sus elecciones, llegaron a las Cortes más diputados, lo mismo moderados que serviles. Cuando la segunda sesión regular de las Cortes se reunió en Madrid el 1 de marzo de 1814, casi toda España era libre. La mayor parte del Parlamento creía que la reforma había llegado lo sufi-

159. Berry, "The Election of Mexican Deputies", pp. 21-28.

cientemente lejos. Algunos diputados serviles consideraban que los liberales se habían excedido; estos delegados no veían al rey como un "perro rabioso" que debera ser enjaulado por restricciones legislativas, y creían que ningún monarca toleraría el papel que se le había asignado al rey en la Constitución. No obstante, la abrumadora mayoría estaba comprometida con los principios de la monarquía constitucional. Los diputados estaban convencidos de que las Cortes representaban al pueblo y estaban seguros de que nadie podría recusar la autoridad de la asamblea nacional. La revolución había sido llevada a cabo y ya no podría ser revertida.[160]

Para mala fortuna de las Cortes, a diferencia de la mayoría de la gente en Nueva España, los habitantes de la península española no tuvieron una experiencia plena de las nuevas instituciones de gobierno instauradas por la Constitución. Gran parte del país había estado dominada por Francia hasta 1814. Todo lo que se había logrado en los seis años anteriores –la guerra de liberación nacional y las acciones de las Cortes– se había logrado en nombre de Fernando VII. En todos los lugares la gente esperaba el regreso del "deseado" rey. El monarca era un símbolo importante, pero era también una personalidad desconocida de modo que cuando las guerras napoleónicas llegaron a su fin, Fernando VII preparó su regreso. ¿Cómo reaccionaría el monarca ante la revolución llevada a cabo durante su ausencia?

La mayoría de los diputados creía que el rey había de aceptar el nuevo orden, de ahí que las Cortes decretaran que debía jurar lealtad a la Constitución en Madrid antes de que se le reconociera como legítimo soberano de España. Una minoría estaba en desacuerdo: sesenta y nueve diputados –incluidos diez americanos, entre ellos cuatro novohispanos: Antonio Joaquín Pérez (de Puebla), Ángel Alonso y Pantiga (de Yucatán), José Cayetano de Foncerrada (de Valladolid), y Salvador Sanmartín (suplente por Nueva España)– enviaron al rey un documento que se ha llegado a conocer como el "Manifiesto de los Persas", pues comenzaba diciendo: "Era costumbre en los antiguos persas pasar cinco días en anarquía despues del fallecimiento de su rey, a fin de que la experiencia de los asesinatos, robos y otras desgracias

160. Artola, *Los orígenes*, I, pp. 618-620; Lovett, *Napoleon and the Birth of Modern Spain*, II, pp. 809-810; María Cristina Diz-Lois, *El Manifiesto de 1814* (Pamplona: Ediciones Universidad de Navarra, 1967), pp. 28-39.

les obligase a ser más fieles a su sucesor".[161] En el "Manifiesto" los diputados instaban a Fernando a no aceptar la Constitución de 1812; así los "persas" favorecían el absolutismo que, según argumentaban, difería del gobierno arbitrario porque el poder del monarca estaba limitado por los derechos del pueblo. Los "persas" sostenían también que todas las medidas de las Cortes, incluida la Constitución misma, contravenían las tradiciones, leyes e historia de España. Ellos creían que el rey debía declarar nulas e inválidas todas las acciones de la asamblea nacional, y entonces, a fin de instituir reformas, Su Majestad debía convocar a Cortes tradicionales, con los tres estados.

Fernando VII regresó a una nación que había librado en su nombre una guerra de seis tortuosos años. Aunque no lo conocían, los habitantes esperaban del rey que fuera el más fino de los hombres y el mejor de los gobernantes; sólo una pequeña minoría temía que el monarca fuese distinto. Fernando fue lo suficientemente cuidadoso como para no comprometerse hasta saber más sobre las Cortes. Así que, mientras viajaba hacia Madrid, esperaba la ocasión para actuar. La oportunidad se presentó en Valencia el 17 de abril de 1814. Como era costumbre, el populacho recibió al monarca con gran entusiasmo. Entonces, Francisco Javier Elío –capitán-general de Valencia, un absolutista que odiaba las Cortes, donde los liberales le habían lanzado severas críticas por sus actividades en Sudamérica y más tarde en España– ofreció apoyar al rey con sus tropas si su deseo era abolirlas. Fernando dudó, pero al descubrir que los "persas", gran parte del ejército regular y muchos tradicionalistas, así como la burocracia, lo respaldaban, tomó una decisión. El 4 de mayo de 1814, Fernando VII abolió las Cortes y todas sus acciones.[162]

La estructura constitucional se colapsó. El ejército regular persiguió a los liberales y la gente no los defendió; por el contrario, en muchos lugares las masas destruyeron con fervor los símbolos de la Constitución.[163] El gobierno constitucional representativo cayó por varias razones: en primer lugar, había

161. "Representación y manifiesto que algunos diputados a las Cortes Ordinarias firmaron en los mayores apuros de su opresión en Madrid para que la Majestad del Sr. D. Fernando VII a la entrada en España de vuelta de su cautividad, se penetrase del estado de la Nación, del deseo de sus provincias y del remedio que creían oportuno". En Diz-Lois, *El Manifiesto de 1814*, pp. 193-277.

162. José Luis Comellas, *Los primeros pronunciamientos en España* (Madrid: Consejo Superior de Investigaciones Científicas, 1858), pp. 45-49; Lovett, *Napoleon and the Birth of Modern Spain*, II, pp. 808-828.

163. Comellas, *Los primeros pronunciamientos*, pp. 58-105.

pasado poco tiempo y las instituciones aún no se habían granjeado el apoyo de la gente. Dado que gran parte de España había estado ocupada por los franceses hasta 1813, el gobierno constitucional tuvo poca oportunidad para ejercer su autoridad sobre el país. De ahí que ni las diputaciones provinciales ni los ayuntamientos constitucionales funcionaran el tiempo suficiente para demostrar su valía en el ámbito local. En segundo lugar, los ejércitos de guerrilla que podrían haber defendido a las Cortes estaban luchando contra Napoleón en Francia, mientras que el ejército regular, que les era hostil, apoyaba a Fernando VII. En tercer lugar, la jerarquía del clero español, que había apoyado algunas reformas previas, se volvió contra las Cortes cuando vio amenazados sus intereses. Finalmente, la gente mantuvo una fe inocente en la figura del monarca; no sabía que los había traicionado mientras estaba en Francia ni que se convertiría en un déspota. Los habitantes de la nación española pensaron que si ellos habían soportado seis años de inmensos sacrificios en su nombre, si él se ponía a las Cortes, debía tener buenas razones, así es que no lo cuestionaron.

En América las autoridades reales ordenaron entusiastas la abolición del orden constitucional. Como en España, se aprestaron a perseguir a todos aquellos sospechosos de infidencia. Algunos americanos intentaron mantener vivo el sistema constitucional. Aún en marzo de 1817 las autoridades de Nueva España seguían ordenando la abolición de ayuntamientos constitucionales. Sin la Constitución como obstáculo, los funcionarios reales procedieron a aplastar la insurgencia. Aunque todavía existían focos de resistencia, para finales de 1816 la mayor parte del continente había regresado al control realista. Sólo Río de la Plata mantuvo su autonomía en virtud de su aislamiento respecto del poder real.

VI
LA INSURGENCIA FRAGMENTADA

La derrota del movimiento encabezado por Hidalgo y Allende no restauró el orden ni brindó tranquilidad a los habitantes de Nueva España. Aún estaba en duda la supervivencia de la monarquía española, así como la legitimidad de los funcionarios reales en América. La gran insurgencia de 1810 debilitó al gobierno virreinal y alentó a los grupos inconformes a tomar el control de sus regiones. Como las autoridades reales habían asegurado los centros urbanos, surgieron insurgencias rurales –o guerras de guerrillas– en todo el virreinato.[1] Pese a los esfuerzos de varios grupos por establecer un mando único, las fuerzas de guerrilla proliferaron, fragmentadas y lideradas por caciques locales. Ningún ejército insurgente alcanzó nunca el enorme número de seguidores que tuvo Hidalgo; unos cuantos grupos insurgentes llegaron a contar en ocasiones con algunos miles de hombres, pero la mayoría operaba con decenas o centenares de efectivos. Estos ejércitos asaltaban pueblos, aldeas y haciendas y frecuentemente huían antes de que las fuerzas realistas pudieran contraatacar. Como lo ha señalado Christon I. Archer:

> Aunque hubo miles de sitios, escaramuzas, emboscadas y asaltos, sólo unas cuantas batallas merecen ese nombre (...) La caballería fue más importante en las guerras

1. Un interesante debate sobre la naturaleza de las ciudades durante la época de la insurgencia puede encontrarse en: Eric Van Young, "Islands in the Storm: Quiet Cities and Violent Countrysides in the Mexican Independence Era", en *Past and Present,* 118 (febrero, 1988), pp. 130-155. Ahí, Van Young sostiene que las ciudades de Nueva España no se inclinaron por la revuelta. Sin embargo, Christon I. Archer argumenta que éstas padecieron una violencia considerable en: "Ciudades en la tormenta: El impacto de la contrainsurgencia realista en los centros urbanos, 1810-1821", en Salvador Broseta, Carmen Corona y Manuel Chust (eds.), *Las ciudades y la Guerra, 1750-1898* (Castellón: Universitat Jaume I, 2002), pp. 335-360. Véase también: Virginia Guedea, "The Conspiracies of 1811: How the Criollos Learned to Organize in Secret", en Christon I. Archer (ed.), *The Birth of Modern Mexico, 1780-1824* (Wilmington: SR Books, 2003), pp. 85-105. Guedea aborda los intentos de los conspiradores por tomar el control del gobierno de la ciudad de México en 1811.

> novohispanas que en las europeas, ya que los rebeldes pocas veces mantenían su posición para pelear y el país era muy grande. Las operaciones militares eran sumamente difíciles, pues había pocos caminos adecuados para el tráfico con ruedas.[2]

La procedencia de los líderes insurgentes y sus seguidores era diversa. La mayoría era de habitantes de las zonas rurales liderados por curas, mayordomos de las haciendas, rancheros y caciques. Los insurgentes de la región de Tierra Caliente eran en gran parte negros y mulatos. Los hombres se unían a la insurgencia por distintas razones: algunos eran bandidos que utilizaban la rebelión como un mecanismo para ganar importancia o para justificar el pillaje en gran escala; otros eran individuos desempleados o subempleados, hombres jóvenes y casados, que consideraban el levantamiento como una oportunidad de ascenso. En algunos casos, los habitantes de los pueblos albergaban quejas contra las autoridades locales, los comerciantes y los grandes terratenientes; las condiciones locales a menudo determinaban la clase de individuos que apoyaban la rebelión y el periodo de tiempo durante el cual lo hacían.[3] Muchos de quienes se unieron al movimiento abandonaron la insurgencia tras unos cuantos meses y regresaron a sus hogares, otros participaron durante largos periodos y se convirtieron en luchadores disciplinados, algunos cambiaron de bando varias veces, dependiendo de si los realistas o los insurgentes controlaban la región. No era extraño que los realistas capturaran y concedieran la amnistía a un hombre en repetidas ocasiones. Antes que regresar a casa, estos individuos se reintegraban a las fuerzas insurgentes; a veces los rebeldes simplemente cambiaban de bando o desertaban. La mayor parte de los grupos insurgentes estaba conformadas por hombres procedentes de la región que eran más eficaces dentro de sus propios territorios. Si bien algunos líderes, como José María Morelos, lograron ganarse la lealtad de comandantes subordinados de gran talento, y, por su intermedio, fueron capaces de tener presencia en varias regiones, la mayoría de los líderes insurgentes tendía a funcionar de manera individual y se esforzaba poco por actuar en concierto

2. Christon I. Archer, "Introduction: Setting the Scene for an Age of Warfare", en *The Wars of Independence in Spanish America* (Wilmington: SR Books, 2000), p. 27. Véase también: Lemoine, *Morelos y la revolución de 1810,* pp. 201-202.
3. John Tutino, "Buscando independencias populares: Conflicto social e insurgencia agraria en el Mezquital mexicano, 1800-1815" en Terán y Serrano Ortega, *Las guerras de independencia en la América española,* pp. 295-321.

con otros grupos. Los realistas se mostraron incapaces de poner fin a la insurgencia, pero los rebeldes se mostraron igualmente incapaces de sostener el esfuerzo coordinado necesario para vencer a las fuerzas realistas.

Los once años de insurgencia acarrearon tremendos costos humanos, sociales, y económicos. La ferocidad que caracterizó al movimiento de Hidalgo y a la reacción realista se convirtió en la norma de los siguientes años. Líderes insurgentes como el padre José Antonio Torres y comandantes realistas como Agustín de Iturbide destacaban por su brutalidad.[4] En la región de Ozumba, al oeste de Puebla, por ejemplo, el comandante insurgente Francisco Ayala ejecutó a los europeos y envió sus cabezas a Morelos. El líder insurgente giró instrucciones a Ayala para que éste fijara sus cabezas en posiciones visibles a manera de advertencia para aquellos que apoyaran a los realistas. Más adelante, el capitán realista José Gabriel Armijo, un americano de San Luis Potosí, derrotó y ejecutó a Ayala y a sus dos hijos. Los grupos insurgentes también intimidaban a los habitantes del campo y robaban comida, suministros y equipo a los trabajadores rurales, lo que llevaba a algunos habitantes a solicitar armas a los realistas para defenderse. Entre los comandantes realistas había quienes no trataban a los habitantes del campo mejor que los insurgentes.[5] Empero, los hombres violentos casi nunca permanecían leales a ningún bando. Uno de los líderes rebeldes más sobresalientes fue José Vicente Gómez, quien operó en la región de Puebla, a lo largo de la ruta hacia Veracruz, desde 1812 hasta 1816. Alamán lo describe como "uno de los mas atroces asesinos de aquel tiempo, que adquirió la horrenda fama con el nombre 'del capador', porque castraba a los prisioneros españoles a quienes no quitaba la vida, diciendo que lo hacía para que no propagaran su casta".[6] Cuando las fuerzas

4. Christon I. Archer, "Royalist Scourge or Liberator of the Patria? Agustín de Iturbide and Mexico' War of Independence, 1810-1814," *Mexican Studies/Estudios Mexicanos*, vol. 24, núm. 2 (verano 2008), pp. 325-361.
5. Por supuesto, no todos eran hombres inmisericordes. Por ejemplo, el 25 de agosto de 1812, al derrotar a un regimiento de Campeche encabezado por Juan Labaqui en Puente Rey, Nicolás Bravo capturó a 300 prisioneros. Morelos, al enterarse de que Leonardo Bravo, el padre de Nicolás, había sido ejecutado junto con otros dos hombres el 13 de septiembre en la ciudad de México, ordenó a Nicolás Bravo tomar represalias ejecutando a sus prisioneros realistas. Sin embargo, en lugar de obedecer la orden del capitán general Morelos, Bravo perdonó a los prisioneros y los dejó en libertad. La mayor parte de los hombres, embriagados de alegría, se unieron al ejército de Bravo. Alamán, *Historia de Méjico*, III, pp. 259-261, 221-252. Véase también: Hamnett, *Roots of Insurgency*, pp. 161-165.
6. Alamán, *Historia de Méjico*, II, p. 568; Christon I. Archer, "Banditry and Revolution in New Spain, 1790-1821," *Biblioteca Americana*, 1 (noviembre 1982), pp. 59-89; Hamnett, *Roots of Insurgency*, pp. 47-149; Taylor, Banditry and Insurrection: Rural Unrest in Central Jalisco," 203-246; y Van Young, *The Other Rebellion*, pp. 141-308.

de Manuel Mier y Terán fueron derrotadas en noviembre de 1816, Gómez, que fue capturado, solicitó y recibió un indulto para él mismo y para sus 68 hombres. Con estos individuos instauró más adelante una compañía realista llamada Fieles de Santiago Culcingo y fue ascendido al rango de capitán. De ahí en adelante se opuso a los insurgentes.

En la esfera económica, la industria minera estaba paralizada y durante décadas no pudo recuperar sus grados de producción anteriores a 1810. Al comenzar el siglo, la plata representaba aproximadamente diez por ciento de la producción doméstica. Para 1821 había disminuido a cinco por ciento de una producción doméstica mucho menor. Esta caída golpeó a grandes sectores de la economía, incluidas las manufacturas, la agricultura y los servicios, que habían crecido para satisfacer las demandas del sector minero. Tanto los realistas como los insurgentes se hicieron de cargamentos de plata para financiar sus fuerzas. Los enfrentamientos y la inseguridad de la época alteraron las redes financieras y provocaron la bancarrota de comerciantes, hacendados y otros hombres de negocios. La violencia le costó a Nueva España una generación de comerciantes españoles que dejaron el país llevando consigo su capital. El comercio entre las regiones se tornó sumamente difícil: la importante ruta comercial entre Veracruz y México se cerraba con frecuencia, a veces durante meses; a menudo, se requería que los convoyes militares transportaran suministros básicos a la capital del virreinato y a las capitales de provincia. En ocasiones, las zonas urbanas carecían de alimentos frescos debido a la destrucción de las cosechas y a las exigencias que los productores locales recibían de parte de insurgentes y realistas. Estos problemas económicos, en particular los de la industria minera, constituirían un factor importante en el fracaso de los gobiernos posteriores a la independencia.[7]

7. Jaime E. Rodríguez O., *Down from Colonialism: Mexico's Nineteenth Century Crisis* (Los Ángeles: Chicano Studies Research Center, 1983); Rafael Dobado y Gustavo A. Marreno, "Mining Led Growth in Bourbon México, the Role of the State, and the Economic Cost of Independence" (Boston: David Rockefeller Center for Latin American Studies, Working Paper Series 0607-1 de junio de 2007); y Romeo Flores Caballero, *La contrarrevolución en la independencia. Los españoles en la vida política, social y económica de México (1804-1838)* (México: El Colegio de México, 1969), pp. 66-82.

La contrainsurgencia

Las autoridades reales respondieron de diversas formas a los peligros planteados por la insurgencia. Tras la invasión francesa a la península ibérica, el gobierno virreinal reforzó sus ejércitos. Para mantener la seguridad en la capital, el virrey en funciones, Pedro Garibay, autorizó la formación de diez compañías de voluntarios, compuestas por cien hombres cada una y llamadas Voluntarios de Fernando VII. En septiembre de 1809, el nuevo virrey en funciones; arzobispo Francisco Xavier Lizana y Beaumont, fundó la Junta de Seguridad y Buen Orden. El virrey Francisco Venegas aumentó la seguridad haciendo obligatorio el pasaporte para entrar en la ciudad de México. El 31 de enero de 1811, Venegas amplió las fuerzas de milicia instaurando batallones de "patriotas" para defender las ciudades y pueblos de Nueva España. Estas fuerzas armadas, encargadas de mantener el orden público en las zonas urbanas y la seguridad en los caminos, debían recibir el apoyo de y estar constituidas por ciudadanos, comerciantes y hacendados respetables.[8]

En un principio, los comandantes de los ejércitos realistas, como Félix María Calleja y el recién llegado José de la Cruz, horrorizados por la ejecución de los peninsulares, recurrieron al terror para restaurar el orden. Tras retomar Guanajuato en noviembre de 1810, por ejemplo, Calleja ordenó diezmar a los hombres presuntamente culpables de cometer crímenes. Algo parecido hizo Cruz, quien ejecutó a varios de los insurgentes capturados en Valladolid. En muchos otros casos, los insurgentes capturados fueron masacrados, los pueblos y los campos fueron quemados, las tiendas destruidas y cualquier objeto que pudiese ser usado como arma fue confiscado. Sin embargo, pronto fue evidente que el terror por sí solo no pondría fin a la insurgencia.[9] El brigadier

8. Virginia Guedea, "Los indios voluntarios de Fernando VII", en *Estudios de historia moderna y contemporánea de México*, 10 (1986), pp. 16-18; Van Young, "Islands in the Storm: Quiet Cities and Violent Countryside in the Mexican Independence Era", p. 142; Archer, "Ciudades en la tormenta: El impacto de la contrainsurgencia realista en los centros urbanos, 1810-1821", pp. 335-360; y Hamnett, "Royalist Counterinsurgency and the Continuity of Rebellion", pp. 21-24.
9. Christon I. Archer, "'La Causa Buena': The Counterinsurgency Army of New Spain and the Ten Year's War", en Jaime E. Rodríguez O. (ed.), *The Independence of Mexico and the Creation of the New Nation* (Los Ángeles: UCLA Latin American Center, 1989), pp. 85-102; y del mismo autor, "En busca de una victoria definitiva: El ejército realista de Nueva España, 1810-1821", en Marta Terán y José Antonio Serrano Ortega (eds.), *Las guerras de independencia en la América española*, pp. 424-435.

Cruz, quien había peleado contra los franceses en España, se hallaba ahora en el papel de un contrainsurgente; Cruz sabía que para salir victorioso necesitaba movilidad, velocidad y flexibilidad. Así pues, creó los "destacamentos volantes", unidades de caballería de elite, para perseguir a las bandas de guerrilleros; en el lapso de un mes formó tres destacamentos volantes: "Estas fuerzas montadas empleaban la velocidad del rayo, el engaño y el encubrimiento de la noche para confundir a los insurgentes y aparecerse en áreas donde podían atacar rápidamente y retirarse. Los pueblos, las haciendas y los ranchos ubicados en territorio rebelde perdieron todos sus caballos, sus armas de fuego y sus armas blancas, incluso los pequeños cuchillos de cocina".[10]

Las tácticas de guerrilla de los insurgentes obligaron al ejército realista a dividir sus fuerzas. Los rebeldes casi nunca libraban batallas oficiales. Más bien tomaban por asalto convoyes, pueblos y haciendas y huían antes de que llegaran las fuerzas realistas. Para enfrentar estos ataques dispersos, las unidades regulares y de milicia se dividieron en contingentes más pequeños con el fin de defender los pueblos, las villas y las haciendas y de perseguir a los insurgentes. El brigadier Calleja, comandante del Ejército del Centro, no tardó en darse cuenta de que un ejército fragmentado no podría pelear eficazmente contra las numerosas bandas rebeldes. El 8 de junio de 1811, Calleja expidió el *Reglamento Político Militar* en el que se instauraba un sistema escalonado de defensa basado en el ejército regular y las milicias de "patriotas" organizadas en los centros urbanos y los distritos rurales. Puesto que el ejército no podía estar en todas partes, Calleja esperaba que los habitantes se protegieran a sí mismos; este sistema de defensa permitiría al ejército real concentrar sus fuerzas en contra de los grupos y los enclaves insurgentes más grandes. La militarización del país resultaría costosa, así que se exigió a los ayuntamientos locales que establecieran "fondos de arbitrios provisionales" que habrían de ser administrados por una comisión de tres individuos y un tesorero. Financiar el nuevo sistema de defensa implicó una pesada carga para las zonas escasamente pobladas. El costo anual de manutención de un hombre de milicia era de aproximadamente 260 pesos; por ende, mantener en acción a una fuerza de 50 hombres exigía 13 000 pesos. El monto total del nuevo sistema alimentaría a la larga el descontento entre los seguidores del régimen. Al

10. Archer, "'La Causa Buena'", pp. 94-95.

mismo tiempo, el crecimiento de la insurgencia mermó la autoridad civil, ya que los comandantes realistas y rebeldes hacían uso de su poder para extraer dinero, hombres y víveres de las regiones a su mando y para reducir el alcance de la jurisdicción civil. Pese al costo, no todas las elites locales se opusieron a estas prácticas; algunos recurrieron al sistema en beneficio de sus intereses y los de su familia. Estar al mando de una fuerza de milicia generaba más poder e influencia para los líderes de las provincias. Incluso los indígenas formaron unidades "patriotas", pues esto les daba –sobre todo a los líderes– mayores importancia e influencia en sus regiones.[11]

Hacia una insurgencia organizada

Hidalgo había dirigido la insurgencia como un líder autócrata. Aun cuando él y otros hombres formaron un gobierno incipiente durante su breve estancia en Guadalajara, dicho régimen terminó tras la derrota en Puente Calderón, cuando Allende y sus oficiales arrebataron el mando a Hidalgo en enero de 1811. La derrota, la captura y la ejecución que sobrevendrían dejaron la estructura de autoridad de los insurgentes en ruinas. Ignacio López Rayón –llamado Rayón por lo general–, un abogado que había servido como secretario de Estado insurgente con la asistencia de José María Liceaga, antiguo miembro de los Dragones de México, asumió el mando de lo que quedaba de la insurgencia de Hidalgo y Allende en el norte. En un principio Rayón intentó reconciliarse con el general Calleja; el 22 de abril de 1811, le envió una carta firmada por él mismo y por Liceaga en la que explicaba que el objetivo principal de la insurgencia había sido evitar la ocupación francesa de Nueva España y resguardar la región para "nuestro muy amado el Sr. D. Fernando 7o". La carta también señalaba que el movimiento estaba decidido a evitar "la entrega [de Nueva España] que según alguna fundada opinion estaba ya tratada, y al verificarse por algunos Europeos miserablemente fascinados de la astuta sagacidad Bonapartista". Así, Rayón y Liceaga invitaban a Calleja a cooperar en la formación de "un Congreso o Junta nacional" para

11. *Ibid.* pp. 96-98. El plan de Félix Calleja ha sido traducido al inglés por Archer y aparece en: Félix Calleja, "Political-Military Regulations that Must be Observed, New Spain, 1811", en Archer, *The Wars of Independence in Spanish America*, pp. 87-92. Véase también: Ortiz Escamilla, *Guerra y gobierno*, pp. 80-86.

defender la sagrada fe, al rey y a la patria. La oferta reafirmaba la propuesta hecha por el ayuntamiento de México en 1808. La carta concluía declarando que todos los europeos capturados habían sido liberados y que Rayón, Liceaga y sus hombres deseaban consolidar "un gobierno permanente, justo, equitativo y conveniente". Calleja, perplejo sin duda ante el tono de la propuesta, respondió que ni él ni su gobierno negociarían con insurgentes violentos, crueles y destructivos que carecían de una autoridad legítima. No obstante, informaba a Rayón y Liceaga que, como el "Supremo Gobierno de la nacion", es decir, las Cortes, había expedido un indulto general, él les concedería el perdón cuando entregaran sus armas.[12]

Los líderes insurgentes no tenían ninguna intención de rendirse. Rayón trasladó a sus tropas, que quizás ascendieran a varios miles de efectivos, a Zitácuaro, un pueblo ubicado en una cima fácil de defender. Ahí Rayón estableció su nuevo gobierno.[13] Aunque él y sus hombres ganaron algunas batallas contra el ejército realista y aunque Morelos había obtenido importantes victorias en el sur, en ese momento era evidente que se requería un "centro de autoridad" para coordinar la insurgencia fragmentada. Rayón, además, quería encabezar el movimiento y necesitaba un título que fuera reconocido y respetado por los numerosos grupos insurgentes. Así pues, escribió a Morelos y a otros líderes insurgentes invitándolos a asistir a una reunión para establecer una Suprema Junta Nacional. Morelos concedió la necesidad de tal organismo. Y, como no le fue posible asistir, nombró al cura doctor José Sixto Verduzco como su representante; asimismo, recomendó que la junta estuviese compuesta por tres vocales, antes que por cinco, como lo sugería el bando, pues sería difícil gobernar con un grupo más grande.[14] En este sentido, Morelos concebía la junta como un cuerpo ejecutivo. El 19 de agosto de 1811, trece jefes insurgentes o sus representantes –en el caso

12. Ignacio Rayón y José María Liciaga a Félix María Calleja, Zacatecas, 22 de abril de 1811; y Calleja a Rayón y Liceaga, Hacienda del Carro, 29 de abril de 1811, en Hernández y Dávalos, *Colección de documentos para la historia de la guerra*, III, pp. 279-281.

13. Moisés Guzmán Pérez, *La Junta de Zitacuaro, 1811-1813. Hacia la institucionalización de la insurgencia* (Morelia: Universidad Michoacana de San Nicolás de Hidalgo, 1994), pp. 48-56.

14. José María Morelos a Ignacio Rayón, Tuxtla (13 de agosto de 1811), en Ernesto Lemoine, *Morelos. Su vida revolucionaria a través de sus escritos y otros testimonios de la época* (México: UNAM, 1991), p. 180.

de Morelos, Toribio Huidobro y José Antonio Torres– se reunieron en Zitácuaro para formar una junta o congreso, como también se le llamaba.[15]

El grupo aceptó la recomendación de Morelos y eligió solamente a tres vocales, pero se reservó el poder de nombrar a miembros adicionales de ser necesario. Rayón obtuvo doce votos, Liceaga once y Verduzco siete. Morelos recibió sólo un voto. Sin embargo, la elección de la junta no estaba planeada como un acto revolucionario. El documento fundacional de la Junta se titulaba "El Sr. D. Fernando Septimo y en su Real nombre la Suprema Junta Nacional Americana para la conservacion de sus Derechos, Defensa de la Santa Religion e indemnizacion y libertad de nuestra oprimida Patria".[16] Los recién electos vocales concluyeron "con juramento de fidelidad al Rey D. Fernando VII, y ante su retrato, que bajo docel se colocó en la sala capitular de aquella Villa".[17] Además, los electores juraron obedecer a la Suprema Junta, como lo hicieran los funcionarios locales y las tropas. Aunque las autoridades locales y los residentes la apoyaban, muchos insurgentes no coincidían con sus ideas. Varios líderes rebeldes que en ese entonces operaban en el Bajío, entre ellos el clan Villagrán de Querétaro, no sólo se rehusaron a reconocer al organismo sino que se opusieron a él. El célebre insurgente Albino García, quien se uniera a Hidalgo en Salamanca, Guanajuato, en septiembre de 1810, dijo, en referencia a las pretensiones de los miembros de dicha junta, en particular Rayón, que "no había mas junta que la de los rios, ni mas alteza que la de un cerro".[18] Su comentario reflejaba las tensiones socioeconómicas dentro del movimiento insurgente y los objetivos dispares de sus integrantes. En última instancia, la insurgencia no fue capaz de obtener una victoria militar debido a que estos conflictos impidieron la colaboración entre varios grupos insurgentes.

El establecimiento de la Suprema Junta complació a los autonomistas de la capital, quienes, pese a los riesgos sociales que planteaba la insurgencia, continuaron la defensa de sus intereses por medio de organizaciones clandesti-

15. Guzmán Pérez, *La junta de Zitacuaro*, p. 58.
16. "Bando sobre la ereccion de la primera Junta Nacional en Zitácuaro" y "Bando estableciendo la primera junta nacional en Zitácuaro", en Hernández y Dávalos, *Colección de documentos para la historia de la guerra*, III, pp. 403-404 y 340.
17. "Declaracion del Lic. Don Ignacio Rayón", en Hernández y Dávalos, *Colección de documentos para la historia de la guerra*, p. 983.
18. Alamán, *Historia de Méjico*, II, p. 381. Véase también: Guzmán Pérez, *La Junta de Zitacuaro*, pp. 67-70.

nas.[19] Las autoridades, por ejemplo, descubrieron conspiraciones en la capital en abril y agosto de 1811; la primera proponía la formación de una junta de gobierno en la ciudad de México, mientras que la segunda pretendía unir sus fuerzas a los insurgentes. Personas notables mantenían vínculos con los rebeldes; los terratenientes les proporcionaban suministros y los empresarios ricos financiaban algunas de sus operaciones. Los grupos clandestinos, entre ellos Los Guadalupes, operaban en la capital y en los centros de provincia, y proporcionaban a los insurgentes información crucial sobre las actividades realistas.[20]

Rayón, quien se denominaba a sí mismo, presidente de la Suprema Junta y Ministro Universal de la Nación, intentó coordinar las actividades insurgentes con resultados fluctuantes. Por su parte, Morelos, que comenzaba a destacar como el insurgente más importante, daba su apoyo a la Suprema Junta, pero –según Alamán– consideraba que sus pretensiones eran excesivas y cuestionaba la necesidad de invocar el nombre de Fernando VII para justificar el movimiento. Los tres miembros de la junta –Rayón, Verduzco y Liceaga– le respondieron que "con esta política hemos conseguido que muchas de las tropas de los Europeos desertandose se hayan reunido a las nuestras; y al mismo tiempo que algunos americanos vacilantes por el vano temor de ir contra el Rey, sean los mas decididos partidarios que tenemos". Aunque sus "planes en efecto son de independencia", esto no era relevante, ya que "en efecto no hacemos guerra contra el Rey".[21] Muchos historiadores han interpretado esta carta como la aceptación de que el nombre del rey se usaba únicamente como una máscara que cubría las verdaderas intenciones de los insurgentes. Sin embargo, las razones que aduce la misiva resultan coherentes con la posición de aquellos autonomistas como el padre Mier, que sostenían que Nueva España sólo

19. Al parecer, Benito José Guerra, un abogado de la ciudad de México que conocía a Rayón de la Universidad, inició relaciones con la Suprema Junta Nacional. Guedea, *En busca de un gobierno alterno*, pp. 59-61.
20. Guedea, "The Conspiracies of 1811: How the Criollos Learned to Organize in Secret", pp. 85-105; Virginia Guedea, "Las sociedades secretas durante el movimiento de independencia", en Jaime E. Rodríguez O. (ed.), *The Independence of Mexico and the Creation of the New Nation* (Los Ángeles: UCLA Latin American Center, 1989), pp. 45-62; Guedea, *En busca de un gobierno alterno*, pp. 59-125; Virginia Guedea, "Una nueva forma de organización política: La sociedad secreta de Jalapa, 1812", en Amaya Garritz (ed.), *Un hombre entre Europa y América: Homenaje a Juan Antonio Ortega y Medina* (México: UNAM, 1993), pp. 185-208; y Virginia Guedea, "Ignacio Adalid, un *equilibrista* novohispano", en Jaime E. Rodríguez O. (ed.), *Mexico in the Age of Democratic Revolutions: 1750-1850* (Boulder: Lynne Rienner, 1994), pp. 71-96.
21. Ignacio Rayón, José Sixto Verduzco, José María Liceaga a José María Morelos, Palacio Nacional de Zitácuaro (4 de septiembre de 1811), en Hernández y Dávalos, *Colección de documentos para la historia de la guerra*, I, p. 874.

tenía vínculos con el monarca, mas no con España. Por ende, la separación respecto de la península no significaba el rechazo al monarca. Esta interpretación se torna más probable si se considera que Rayón reafirmó dicha postura en noviembre de 1813, cuando escribió al Congreso de Anáhuac.[22] Al parecer, Morelos aceptó su explicación, pues su proceder durante el periodo de 1811 a 1812 y una parte de 1813 indica que compartía esta opinión.

El virrey Francisco Javier Venegas optó por una política de dos filos respecto de la insurgencia: las acciones militares y la negociación. En agosto de 1811, Venegas contactó en secreto a Manuel Ignacio González del Campillo, el criollo obispo de Puebla, para sugerir que el prelado actuase como un intermediario encargado de convencer a los insurgentes de aceptar un indulto. Por medio de una extensa correspondencia, el obispo González del Campillo consiguió salvoconductos para sacerdotes de ambos bandos a fin de que éstos actuaran como emisarios de los líderes insurgentes. El 15 de septiembre, González del Campillo emitió un manifiesto en el que declaraba: "Como obispo, mis labios no deben moverse, sino para anunciar la verdad: como vuestro compatriota, debéis estar seguro de mi imparcialidad". El obispo de Puebla sostenía que la insurgencia no había logrado nada positivo, sino que había derivado en muerte, destrucción y desesperanza; asimismo señalaba que si el movimiento inicial encabezado por Hidalgo y sus compañeros, compuesto, según afirmaba, por 100 000 hombres, y que había tomado ciudades importantes como Valladolid, Guanajuato, Zacatecas y Guadalajara, no había sido capaz de derrotar "el ejército pequeño del rey", "¿como podéis prometeros un éxito feliz ahora que no tenéis los recursos de aquellos?". Además, el obispo se preguntaba: ¿acaso era el objetivo del movimiento "separar este reino de la Metrópoli y hacerlo independiente"? En tal caso, los insurgentes debían entender que "los americanos no están por hacerse independientes por unos medios tan detestables, como los que han practicado hasta ahora. Son cristianos y leales, saben las obligaciones que la religión les impone con

22. Alamán se refiere así a la declaración de Morelos: "no era razon engañar a las gentes haciendo una cosa y siendo otra, es decir pelear por la independencia y suponer que se hacia por Fernando VII", *Historia de Méjico*, II, p. 381. Sin embargo, dicha declaración fue hecha el 22 de noviembre de 1815, después de ser capturado. No queda claro si Morelos opinaba esto en 1811. Véase también: Landavazo, *La máscara de Fernando VII*, pp. 174-179. "Opinión del Sr. Rayón sobre la publicación del acta de independencia en Chilpancingo", en Hernández y Dávalos, *Colección de documentos para la historia de la guerra*, I, pp. 875-877.

respecto a sus Reyes".[23] González del Campillo, como los autonomistas de 1808, los conspiradores de 1809, los insurgentes de 1810 y la Suprema Junta insurgente, recalcaba la importancia de mantener la sagrada fe y la lealtad al rey. Para finalizar, el obispo sugería que si deponían las armas y apoyaban al gobierno legítimo, él obtendría indultos para todos los rebeldes. Además, daba instrucciones a los sacerdotes en su diócesis para informar a los insurgentes que serían perdonados si dejaban las armas.[24]

Los insurgentes rechazaron la propuesta del obispo. Su alto estatus contribuyó en parte a la respuesta de los rebeldes. Además del manifiesto, González del Campillo, un príncipe de la Iglesia, dirigió una carta sumamente crítica a Morelos, el antiguo cura párroco. En la misiva declaraba: "su conducta no es ciertamente de un sacerdote del Nuevo Testamento. Usted no conduce las almas al cielo, sino a millares las envía al infierno". Morelos respondió respetuosa, pero firmemente. Este último criticaba a los peninsulares por haberse doblegado ante los franceses y afirmaba: "la España perdió; y las Américas se perderían sin remedio, en manos de los europeos si no hubieramos tomado las armas". De esta manera, Morelos reiteraba la creencia, ampliamente difundida, de que los españoles europeos estaban listos para entregar a la patria a los ateos franceses. El líder insurgente también solicitaba al obispo que autorizara a los sacerdotes para administrar los sacramentos a la población de las regiones que controlaba su movimiento. Finalmente, Morelos indicaba que la junta de Zitácuaro respondería más ampliamente al obispo.

El representante de González del Campillo se reunió con la Suprema Junta Nacional en Zitácuaro. Rayón, Liceaga y Verduzco rechazaron la propuesta del obispo aduciendo que hacía suposiciones incorrectas y que el prelado "ignora la realidad y estado de la nación". En cambio, propusieron la instauración de un congreso, independiente de España, pero encabezado por Fernando VII. Este organismo estaría compuesto por representantes de las provincias, pero no incluiría a los europeos. Rayón declaró que: "No hay medio entre admitir esta clase de gobierno o sufrir los estragos de la más sangrienta guerra". Él mismo urgió al obispo a unirse a su causa, que protegería las vidas y la propiedad de los peninsulares. El gobierno americano también

23. Citado en Gómez Álvarez, *El alto clero poblano*, pp. 75-76.

24. *Ibid.*, pp. 72-79, 83, nota 31.

resguardaría la sagrada fe y se mantendría fiel al rey.[25] Una vez más, los insurgentes hacían eco de las propuestas autonomistas planteadas desde 1808.

El obispo González del Campillo también invitó a otros insurgentes notables a aceptar el indulto. Escribió, por ejemplo, a José Francisco Osorno, un importante líder en el norte de la Sierra de Puebla; a Mariano Tapia, un cura que dominaba la región de Tlapa; y a Miguel Bravo, un destacado comandante de las fuerzas de Morelos. Aunque todos rechazaron su propuesta, Bravo escribió al obispo solicitándole que enviara sacerdotes a la región ubicada al sur de su diócesis, que se hallaba controlada por los insurgentes. Estos sacerdotes eran requeridos para administrar los sacramentos a los fieles y no era necesario que apoyaran la causa insurgente; el obispo denegó la solicitud de Bravo, argumentando que los sacerdotes debían predicar el Evangelio, que condenaba la insurgencia; sin embargo, exhortaba a Bravo y a su familia, a la que respetaba, a aceptar sus planteamientos.[26] Desde su punto de vista, atacar a la monarquía equivalía a atacar a la Iglesia. Por su parte, los insurgentes, algunos de ellos sacerdotes, creían que Dios estaba de su parte.

Frente a la intransigencia mostrada por los líderes insurgentes, el virrey Venegas ordenó al general Calleja que atacara Zitácuaro de inmediato. Los rebeldes no sólo habían rechazado la propuesta del indulto sino que habían reanudado las ejecuciones de realistas capturados, ya fuesen europeos o americanos. Calleja, que se hallaba entonces en Acámbaro, Guanajuato, marchó hacia el sur con un ejército de cerca de 5 000 hombres. Para llegar a Zitácuaro, el ejército debía atravesar terrenos montañosos sin caminos para el tránsito de ruedas. En ocasiones, las fuerzas de Calleja debieron atravesar bosques tan densos que en algunos lugares tardaron días en avanzar unos cuantos kilómetros con la artillería y los carros.

> Las dificultades naturales del terreno se hallaban aumentadas con zanjas, derrumbes de árboles y peñascos y otros obstáculos del arte, que hacia mayores del continuo llover y nevar, propio de la estacion en aquellas montañas. La caballería padecía de escasez de forrajes, pero la tropa disfrutaba abundancia de mantenimientos,

25. *Ibid.*, pp. 79-81.
26. Manuel Ignacio, obispo de Puebla a Miguel Bravo, Puebla, 26 de octubre de 1811, y Miguel Bravo al obispo de Puebla, doctor Don Manuel Ignacio González del Campillo, Tlapa, 20 de diciembre de 1811, en Hernández y Dávalos, *Colección de documentos para la historia de la guerra*, III, pp. 492-504.

> no obstante haber sido retirados o destruidos los víveres en muchas leguas a la redonda, porque Calleja, cuidadoso siempre de la manutención del soldado, habia hecho conducir todo lo necesario para alimentarse bien y abundantemente, en mil trescientas mulas de carga que seguian al ejército, y cuya custodia era objeto de no pequeño cuidado y embarazo.[27]

Calleja apostó a sus fuerzas en las afueras de Zitácuaro el 1 de enero de 1812.

La Suprema Junta Nacional parecía lista para defenderse; sus posiciones estaban rodeadas de zanjas profundas y otros obstáculos que dificultarían el avance del enemigo, de manera que la artillería, bien apostada, podría infligir daño severo a los atacantes. Dos intentos previos por parte de las fuerzas realistas por tomar el cuartel insurgente habían fracasado. Los espías realistas informaban que los insurgentes contaban con 36 cañones de grueso calibre y más de 5 000 fusiles, así como grandes cantidades de municiones. Más adelante, Calleja informó que el número de insurgentes ascendía a 35 000; 12 000 de caballería, sin duda una cifra exagerada.[28] Pese a su poderío, había disensión entre las fuerzas insurgentes en Zitácuaro; durante algún tiempo, las tensiones "bastante fuertes" entre indígenas y castas se habían acrecentado; además, una unidad de varios cientos de indígenas se rehusaba a seguir las órdenes una vez comenzado el ataque y prefería seguir su propia estrategia. Los defensores también esperaban la ayuda de otros líderes insurgentes. Sin embargo, Morelos, quien había declarado antes que estaba "resuelto a perder la vida por sostener la autoridad y Existencia de la Suprema Junta", decidió ir a Taxco en lugar de auxiliar a dicho organismo.[29]

El ataque comenzó a las 11 a.m. del 2 de enero de 1812. Calleja, que había hecho un reconocimiento el día anterior, fingió un asalto frontal al tiempo que lanzaba un verdadero ataque desde la parte posterior de la fortaleza. Tras una media hora de intenso fuego por parte de ambos bandos, las

27. Alamán, *Historia de Méjico*, II, pp. 452-453.
28. *Ibid.*, II, pp. 452-455.
29. José María Morelos a (...) Quartel General en el Veladero, 23 de octubre de 1811, en Hernández y Dávalos, *Colección de documentos para la historia de la guerra*, III, p. 405; José María Liceaga a Morelos, Palacio Nacional de Zitácuaro, 8 de noviembre de 1811, en Carlos Herrejón Peredo (ed.), *Morelos. Documentos inéditos de su vida revolucionaria* (Zamora: El Colegio de Michoacán, 1987), p. 169; y Alamán, *Historia de Méjico*, II, p. 453.

DON ANDRÉS QUINTANA ROO

fuerzas insurgentes comenzaron a vacilar. El coronel Alejo García Conde y sus hombres cruzaron entonces la zanja sobre puentes colgantes construidos por los realistas. Otras unidades atacaron simultáneamente desde los flancos y la parte posterior. Aunque muchos hombres y algunas mujeres insurgentes pelearon con valor, otros no lo hicieron. Tras un intenso intercambio de fuego, muchas unidades rebeldes huyeron, al igual que los miembros de la Suprema Junta Nacional. La batalla terminó cerca de las dos de la tarde. Calleja, enfurecido al ver las cabezas de importantes oficiales realistas capturados en asaltos anteriores colocadas en los lugares principales del pueblo, ordenó la ejecución del subdelegado y de 18 insurgentes capturados en Zitácuaro. El 5 de enero ordenó a todos los habitantes de la región retirarse en seis días llevando consigo sólo las posesiones que pudieran transportar. Entonces, se destruyó y se prendió fuego a la villa de Zitácuaro. El mismo castigo fue inflingido a los pueblos indígenas aledaños, que habían apoyado a los insurgentes.[30]

Los vocales de la Suprema Junta lograron escapar gracias a la protección del ejército liderado por el cura José Manuel Correa, el único líder insurgente que había acudido en su auxilio. Tras varias semanas, el organismo se estableció en Sultepec, que estaba lo suficientemente lejos de la ciudad de México para ser bastante seguro y cerca de la zona principal de actividad insurgente, que pretendía coordinar la junta. En Sultepec, la Suprema Junta se granjeó el apoyo de un grupo de intelectuales, entre los que se contaban José María Cos, Andrés Quintana Roo y Francisco Velasco. Cos y Quintana Roo editaban periódicos y más tarde se convertirían en los ideólogos más destacados del movimiento. El caso de Cos ilustra las motivaciones diversas que llevaban a los individuos a unirse a la insurgencia: nativo de Zacatecas, había representado a su ciudad en las pláticas con los insurgentes en 1810; tras la derrota de Hidalgo y Allende, se sospechó que albergaba simpatía hacia los rebeldes y fue detenido por las autoridades reales en Querétaro, durante meses. Cuando apeló al virrey Venegas para que su caso fuese resuelto, se le llamó a la ciudad de México; sus explicaciones resultaron satisfactorias para las autoridades y se ordenó su regreso inmediato a su curato en Zacatecas. Cos replicó que los caminos estaban infestados con "multitudes de cuadrillas de insurgentes", pero aún así, dejó la capital. Dos días más tarde fue dete-

30. Alamán, *Historia de Méjico*, II, pp. 455-460.

nido por seguidores del cura Correa, quienes lo llevaron a Zitácuaro; ahí se le consideró espía del virrey y se le retuvo. Más adelante Cos decidió que si algún día escapaba o era liberado, las autoridades reales no creerían que había permanecido en Zitácuaro contra su voluntad. En consecuencia, optó por colaborar con los insurgentes. Como señalara Alamán, la falta de confianza realista "precipitó a la revolución a un hombre de gran talento".[31]

El 16 de marzo de 1812 Cos publicó el *Manifiesto de la Nación Americana a los europeos que habitan en este continente (Plan de Paz y Plan de Guerra)*, un documento que expresaba los puntos de vista de la Suprema Junta Nacional. En él se reiteraban y redefinían los argumentos defendidos por los autonomistas desde 1808. El "Plan de Paz" proponía los siguientes "Principios naturales y legales en que se funda:"

1. La soberanía reside en la masa de la nación.
2. España y América son partes integrantes de la monarquía sujeta al rey, pero iguales entre sí, y sin dependencia, o subordinación de la una respecto de la otra.
3. Más derecho tiene la América fiel para convocar Cortes y llamar representantes de los pocos patriotas de España, que está contagiada de infidencia, que para llamar de las Américas diputados, por medio de los cuales nunca podemos estar dignamente representados.
4. Ausente el Soberano, ningún derecho tienen los habitantes de la Península, para apropiarse de la suprema potestad, y representar la real persona en estos dominios.
5. Todas las autoridades dimanadas de este origen son nulas.

A partir de éstos y otros "principios", Cos llegaba a las siguientes conclusiones:

1. Que los europeos resignen el mando y la fuerza armada a un Congreso Nacional e independiente de España, representativo de Fernando VII, que afiance sus derechos en estos dominios.
2. Que los europeos queden en clase de ciudadanos, viviendo bajo la protección de las leyes, sin ser perjudicados en sus personas, familias ni haciendas.
3. Que los europeos actualmente empleados, queden con los honores, fueros y privilegios, y con alguna parte de las rentas de sus respectivos destinos, pero sin el ejercicio de ellos.

31. *Ibid.*, II, pp. 445-446. Una experiencia comparable de un joven trabajador pobre en la Nueva España rural puede encontrarse en: Virginia Guedea, "José Nemesio Vázquez: Un correo insurgente", en *De la historia: Homenaje a Jorge Gurría Lacroix* (México: UNAM, 1985), pp. 287-289.

4. Que declarada y sancionada la independencia, se echen en olvido de una y otra parte todos los agravios, y acontecimientos pasados, tomándose a este fin las providencia más activas, y todos los habitantes de este suelo, así criollos como europeos, constituyen indistintamente una nación de ciudadanos americanos, vasallos de Fernando VII, empeñados en promover la felicidad pública.

Otros artículos ofrecían asistir a aquellos peninsulares que deseaban regresar a casa a pelear contra los franceses. La segunda parte del texto, el "Plan de Guerra", proponía que la lucha entre europeos y americanos no fuese "más cruel que entre naciones extranjeras". En esencia, esta parte llamaba a hacer una guerra justa entre ambos bandos, los cuales –se señalaba– reconocían a Fernando VII como su rey.[32]

El *Manifiesto* representa en términos generales la postura de Rayón. En él se mantienen los argumentos defendidos por los autonomistas de la ciudad de México en 1808. No obstante, este documento hace mayor hincapié en la separación respecto de España y, al tiempo que reconoce los derechos de ciudadanos de los europeos, también los excluye del gobierno. Aún así, reafirma la lealtad al rey Fernando VII. El *Manifiesto* de Cos fue rechazado por las autoridades reales; Venegas ordenó que los ejemplares del documento fuesen quemados en la Plaza Mayor el 7 de abril de 1812.[33] Además, el *Manifiesto* apareció en mal momento, pues recientemente se había proclamado la Constitución de Cádiz, que ofrecía a los autonomistas y a otros grupos urbanos insatisfechos el gobierno propio y un medio pacífico para obtenerlo.

La insurgencia en el sur

José María Morelos, quien se consolidó como uno de los más importantes líderes insurgentes, era hijo de un artesano mestizo y una criolla; había pasado su juventud trabajando en la hacienda de su tío, cerca de Apatzingán, y como arriero, así que conocía bien el sur. Estudió con Hidalgo en el Colegio de San Nicolás en Valladolid. Aunque el padre Morelos no ascendió rápidamente

32. José María Cos, "Manifiesto de la Nación Americana a los europeos que habitan en este continente (Plan de Paz y Plan de Guerra)", en Ernesto Lemoine Villicaña (comp.), *José María Cos: Escritos políticos* (México: UNAM, 1996), pp. 15-28. Véase también: José María Cos a Francisco Xavier Venegas, Sultepec, 16 de marzo de 1812, en *ibid.*, pp. 29-30.
33. Alamán, *Historia de Méjico*, II, pp. 560-561.

dentro de la Iglesia –pasó once años en la pequeña parroquia de Carácuaro, en Tierra Caliente– se las arregló para acumular algunas propiedades, un pequeño rancho y una casa de gran tamaño para su hermana en Valladolid. Era un cura estricto pero noble que se había ganado el respecto de sus parroquianos y de las autoridades eclesiásticas. No existe evidencia alguna de que, durante sus días como cura, haya expresado opiniones radicales o revolucionarias. En 1808 se contaba entre aquellos que respondieron al llamado para hacer contribuciones en apoyo a la corona.[34] Todo esto cambió cuando se reunió con su antiguo profesor, Hidalgo, el 20 de octubre de 1810 en Charo-Indaparapeo, cerca de Valladolid. A diferencia de Hidalgo, Morelos no era versado en política en aquel entonces. Nada comprueba que hubiera meditado sobre la relevancia de la crisis social y política que enfrentaba Nueva España. Cuando su profesor le pidió llevar la insurgencia al sur, Morelos aceptó porque aquél le aseguró que se trataba de una causa justa. Al día siguiente Morelos se dirigió a la Mitra, donde dejó un mensaje solicitando "que se me ponga coadjutor que administre mi curato (...) sirva Ud. Despachar el que halle oportuno advirtiendole me ha de contribuir con la tercia parte de obvenciones"; dejó esta solicitud, según dijo, porque el secretario no estaba ahí y porque era "preciso no perder minuto". Ahora debía "con violencia a correr las tierras calientes del Sud [...p]or comisión del Excmo. Sr. D. Miguel Hidalgo".[35] Morelos era lo suficientemente astuto para darse cuenta de que el nombre de Hidalgo era importante en Valladolid en ese momento. Sin embargo, solicitar una porción de su salario mientras se dedicaba a encabezar fuerzas insurgentes resultaba ingenuo. En cualquier caso, Morelos creía aparentemente que tan pronto terminara la contienda, él regresaría a su parroquia.

Rápidamente Morelos se enteró de la compleja situación en Nueva España y aprendió a ser un líder insurgente exitoso. En un principio, a diferencia de Hidalgo, Morelos rechazó la violencia sin sentido y la anarquía como instrumentos de guerra. En lugar de ello insistió en la disciplina estricta y prohibió la brutalidad indiscriminada que, desde su perspectiva,

34. El mejor estudio sobre los primeros años de Morelos es: Carlos Herrejón Peredo, "Estudio introductorio", en Carlos Herrejón Peredo (comp.), *Morelos. Vida preinsurgente y lecturas* (Zamora: El Colegio de Michoacán, 1984), pp. 19-76. Véase también: Taylor, *Magistrates of the Sacred*, pp. 463-465.

35. José María Morelos al Sr. Srio. D. Ramón de Aguilar, Valladolid, 21 de octubre de 1810, en Lemoine, *Morelos. Su vida revolucionaria*, p. 157.

sería la causa de su ruina espiritual y temporal. Uno de sus primeros decretos establecía la igualdad de todos; en él declaraba que todos los habitantes "de esta América", excepción hecha de los europeos, "no se nombrarán en calidad de indios, mulatos ni otras castas, sino todos generalmente *americanos*. Nadie pagará tributo, ni habrá esclavos".[36] Tras un año de experiencia en la lucha, Morelos decretó: "Que nuestro sistema solo se encamina a que el gobierno político y militar que reside en los europeos, recaiga en los criollos, quienes guardarán mejor los derechos del Sr. D. Fernando VII". Así, reafirmaba la postura autonomista. Además, en el sur, una región con gran población de indígenas y castas, exhortó a sus hombres a dejar atrás los antagonismos de clase y raza. Les recordó que "siendo los blancos los primeros representantes del Reino, y los que primero tomaron las armas en defensa de los naturales de los pueblos y demás castas, uniformandose con ellos, deben ser los blancos por este mérito el objeto de nuestra gratitud y no del odio que se quiere formar contra ellos". Además, argumentaba que

> no siendo como no es nuestro sistema proceder contra los ricos por razón de ser tales, ni menos contra los ricos criollos, ninguno se atreverá a echar mano de sus bienes, por muy rico que sea, por ser contra todo derecho semejante acción, principalmente contra la ley divina... Que aun siendo culpados algunos ricos, europeos o criollos, no se eche mano a sus bienes, sino con orden expresa del superior de la expedición.[37]

El bando fue publicado no sólo para refrenar a sus hombres sino también para granjearse el apoyo de la elite criolla y de los europeos que favorecían la causa americana, asegurándoles que sus intereses no se verían afectados.

Morelos se concentró en construir un ejército pequeño y bien entrenado, capaz de desafiar a las fuerzas realistas. Su movimiento floreció no sólo gracias a la destreza de su líder, sino también porque éste encontró comandantes capaces y estuvo dispuesto a delegar autoridad en individuos que demostraban iniciativa, habilidad o talento. Hermenegildo Galeana, Miguel Bravo, Manuel

36. "Bando de Morelos", Cuartel General del Aguacatillo, 17 de noviembre de 1810, en Lemoine, *Morelos. Su vida revolucionaria*, pp. 161-162. (Las cursivas son del original.)

37. "Morelos frena cualquier tipo de guerra de castas y fija las reglas que habrán de normar las confiscaciones de bienes del enemigo. Es fecho en la Ciudad de Nuestra Señora de Techan, a 13 de octubre de 1811", en Lemoine, *Morelos. Su vida revolucionaria*, pp. 182-183.

JOSÉ MARÍA MORELOS Y PAVÓN

Félix Fernández –mejor conocido como Guadalupe Victoria– y Vicente Guerrero, por ejemplo, eran miembros de familias terratenientes de rango medio o menor que, como Morelos, conocían el territorio y a sus habitantes. Aunque el líder insurgente y sus hombres fueron incapaces de capturar el fuerte de San Diego en Acapulco, la experiencia resultó muy útil, les permitió ampliar sus fuerzas y les aseguró recursos financieros y armamentísticos importantes cuando ocuparon grandes territorios al este y al sur.[38]

Puebla y Cuautla

La zona ubicada al sureste de la ciudad de México, la región de Puebla y Tlaxcala, era un importante centro de la industria textil. Los Llanos de Apan y la sierra adyacente de Puebla y Veracruz eran productores importantes de pulque y otros productos agrícolas que proveían a la capital. Además, el camino real a la ciudad porteña de Veracruz atravesaba la región. Por todo ello, cualquier alteración en el área resultaba de gran relevancia para el gobierno real en la ciudad de México.

En noviembre de 1811, Morelos lanzó su segunda campaña, que pretendía tomar Puebla, suspender las comunicaciones entre la ciudad de México y la costa Este, y finalmente tomar la capital. A finales del mes, Morelos tomó la localidad de Tlapa; de ahí marchó hacia el norte, hacia Puebla. En el pueblo de Chiutla, los insurgentes derrotaron al comandante realista Mateo Musitu, quien supuestamente odiaba tanto a Morelos que nombró a uno de sus cañones "Mata-Morelos". Pese a su anterior llamado a prohibir la brutalidad indiscriminada, Morelos, igual que los comandantes realistas, se lanzó a una violenta guerra de guerrilla. Musitu fue fusilado, aun cuando ofreciera 50 000 pesos por su vida. Los demás españoles tuvieron el mismo destino.[39] La mayoría de los soldados realistas nacidos en la región se unió a las fuerzas de Morelos; entonces, el líder insurgente organizó su ejército en tres divisiones: una comandada por Miguel Bravo marchó hacia el sureste, hacia Oaxaca; otra, al mando de Hermenegildo Galeana, recibió órdenes de tomar

38. El mejor relato sobre las primeras campañas de Morelos se encuentra en Alamán, *Historia de Méjico*, II, pp. 313-344.
39. *Ibid.*, pp. 428-431.

Taxco al tiempo que Morelos avanzaba hacia Izúcar. Durante estas campañas Morelos se granjeó más seguidores; dos de los más importantes eran el cura José Manuel de Herrera, quien se convirtió en confidente del líder rebelde, y el cura Mariano Matamoros, quien sería uno de sus comandantes más eficaces. La campaña de Morelos triunfó porque muchos habitantes de los pueblos apoyaban con entusiasmo la insurgencia. Brian Hamnett sostiene que los habitantes de la zona, cansados de "demandas costosas y conflictos de larga data con las plantaciones azucareras y los molinos vecinos" tomaron "la ley en sus propias manos" para resolver sus inquietudes.[40] Es posible. Sin embargo, esto contradice los estudios de William Taylor y Manuel Miño Grijalva sobre los conflictos de esta clase en otras zonas.

Para mediados de diciembre, sólo la importante localidad de Atlixco separaba al ejército de Morelos de la ciudad de Puebla. Las autoridades reales estaban desesperadas porque la capital de la provincia, la ciudad de Puebla, carecía de defensas naturales. El comandante de más alto rango, el mariscal de Campo José Dávila, se enfrentó al ayuntamiento por el tema de los costos de defensa sin lograr mucho. El segundo al mando, el coronel Ciriaco de Llano, se mostró más eficiente en la organización de las defensas de la región: envió a una división liderada por Miguel del Soto y Maceda para atacar a Morelos, que se hallaba apostado en Izúcar. El 10 de diciembre de 1811, tras un acalorado combate en el que Soto y Maceda resultó herido de muerte, las fuerzas realistas se retiraron a la ciudad de Puebla. Una vez ahí intentaron reforzar las defensas con la esperanza de resistir el ataque insurgente. Sin embargo, Morelos no aprovechó su ventaja táctica. En lugar de tomar Atlixco, lo que le permitiría realizar un asalto final sobre Puebla, dejó a 200 hombres en Izúcar al mando del capitán Sánchez y de Vicente Guerrero, y regresó hacia el sur. No está clara la razón por la que Morelos decidió no tomar Puebla con su ejército, superior en poderío. No resulta convincente la aseveración de Alamán, según la cual "Morelos prefirió no dejar enemigos a la espalda y volver a la tierra caliente, para hacerse enteramente dueño de ella".[41] Otros, como Hamnett, creen que Morelos perdió "la oportunidad de hacerse del más importante objetivo insurgente desde la entrada de Hidalgo en Guadalajara, en diciem-

40. Hamnett no proporciona evidencias que respalden esta suposición: *Roots of Insurgency*, p. 154.
41. Alamán, *Historia de Méjico*, II, p. 454.

bre de 1810".[42] Además, su decisión dejó a los insurgentes expuestos a los ataques de las fuerzas realistas.

Alamán presenta una valoración exagerada de los logros de Morelos durante los últimos meses de 1811:

> En esta campaña de dos meses que terminó el año, Morelos habia desbaratado todas fuerzas realistas que se le habian opuesto: habia hecho fusilar a dos de sus principales jefes, y otro habia muerto de heridas que recibió batiéndose; se habia apoderado de todo el país hasta la cumbre de la sierra que divide la tierra caliente del Sur del valle de Méjico y sus avanzadas se extendian a este, pues aunque entonces no entró en Cuernavaca, lo hizo cuando volvió del valle de Toluca (...).[43]

Alamán está en lo correcto en lo referente a las victorias individuales de Morelos. Sin embargo, este último no controlaba la zona, pues varios ejércitos reales importantes operaban en la región y el mejor general del reino, Calleja, no había sido derrotado y no tardaría en cerrar efectivamente el camino a la ciudad de México.

Morelos entró a Taxco, que había sido tomada previamente por Galeana, el 1 de enero de 1812, el mismo día en que Calleja acampara en las afueras de Zitácuaro. Mientras el comandante realista se ocupaba de tomar este poblado, Morelos y otros líderes insurgentes se involucraron en una serie de escaramuzas con otras fuerzas realistas. Sus acciones no estaban coordinadas. El 17 de enero, Hermenegildo Galeana fue derrotado en las barrancas de Tecualoya, pero logró escapar. Morelos y Galeana procedieron a avanzar hacia el norte, a Tenancingo, donde libraron una batalla de tres días. Aunque el 23 de enero tomaron el pueblo, las fuerzas realistas pudieron escapar; desde ahí, Morelos avanzó hacia Cuernavaca, que tomó el día 4 de febrero. Sin embargo, el ejército de Calleja, ya descansado, tras recibir honores y ascensos en la ciudad de México, se dispuso a bloquear cualquier ataque insurgente a la capital. Morelos y sus hombres se retiraron a Cuautla. Matamoros y Leonardo Bravo llegaron a dicho poblado el 7 de febrero, Morelos el día 9 y Galeana la noche de 15 al 16 de febrero.[44]

42. Hamnett, *Roots of Insurgency*, p. 157. Hamnett también cree que el hecho de que Morelos no tomara "Puebla, puede ser visto sin duda como un hito en la segunda fase de la rebelión".
43. Alamán, *Historia de Méjico*, II, p. 437.
44. *Ibid.*, II, pp. 437-482. Véase también: Venegas a Calleja, México, 8 de febrero de 1812, en *ibid.*, pp. 483-489.

Cuautla Amilpas, localizado en el territorio actual del estado de Morelos, era un pueblo pequeño que albergaba un curato y estaba situado en una ondulada planicie rodeada por tupidas arboledas cercanas a las edificaciones, con el fin de proteger a los residentes del viento. Cuautla estaba bien ubicado para la defensa, ya que se hallaba en un punto elevado que dominaba la planicie. Un ancho acueducto que terminaba en la hacienda productora de azúcar de Buenavista protegía el lado oeste del poblado. En el lado este estaban las lomas de Zacatepec: entre éstas y Cuautla corría un amplio y veloz río que proporcionaba abundante agua para el pueblo y el molino en Buenavista. Los conventos de San Diego y Santo Domingo, dentro del pueblo, eran aptos para fortificarse. Leonardo Bravo, quien permaneciera en Cuautla mientras otros marchaban hacia Taxco, había comenzado a fortificar el pueblo, un proyecto que continuó con rapidez una vez que Morelos decidió ubicar ahí su defensa. Según Morelos, las fuerzas insurgentes estaban compuestas por alrededor de 5 000 hombres. La mayoría era de "negros y mulatos de la costa, hombres de resolucion y fuerza, armados con fusiles y diestros en su manejo, a quienes habia ensorberbesido una serie casi no interrumpida de sucesos felices, y mandados por hombres de honor y de corazon, tales como los Bravos y Galiana".[45] Cerca de mil eran campesinos indígenas de las comunidades locales que no tenían experiencia en el combate y que no estaban acostumbrados al uso de armas modernas; empero, eran hábiles lanzando piedras con hondas que podían herir a los soldados realistas, pero que rara vez los incapacitaban. Los insurgentes también poseían 30 piezas de artillería de varios calibres que utilizaban con destreza.

Aunque reducidos grupos de fuerzas realistas libraron escaramuzas con los insurgentes cuando reconocían el área, Calleja y su ejército no arribaron al lugar sino hasta el 17 de febrero. Calleja acampó en Pasulco, cerca de Cuautla. Tras una cuidadosa inspección de la zona, se dio cuenta de que no había un buen lugar para organizar un ataque. Puesto que no había elevaciones que dominaran el pueblo, la artillería de Calleja resultaba prácticamente inútil; además, las condiciones –gruesas arboledas cercanas a los edificios y ningún espacio abierto– hacían que la caballería resultara también inservible. Por ende, Calleja decidió lanzar ataques de infantería. En la mañana del 19 de

45. Alamán, *Historia de Méjico*, II, pp. 289-294, la cita se halla en la página 291.

febrero, el ejército realista avanzó en formación de cuatro columnas. Morelos se había preparado bien. Hermenegildo Galeana defendía San Diego, el punto más peligroso; Leonardo Bravo estaba encargado de Santo Domingo, y Víctor Bravo y Matamoros estaban apostados en la hacienda de Buenavista. Los decididos ataques realistas no penetraron las defensas insurgentes. Tras seis horas de combate furioso, las municiones a punto de terminarse y con varios de los principales altos mandos muertos, como por ejemplo el conde de Casa Rul, coronel del Regimiento de Guanajuato, Calleja se retiró consciente de que no podría tomar Cuautla por medio de un ataque de infantería.

La opción realista fue un sitio, un asunto difícil, largo y costoso. Como Calleja informó al virrey Venegas:

> Cuautla está situada, fortificada, guarnecida y defendida de un modo, que no es empresa de pocas horas, de poca gente y de pocos auxilios: exije un sitio de seis ú ocho dias, con tropas suficientes para dirijir tres ataques y circunvalar (...) [Cuautla.] Estas tropas necesitan acopios de subsistencias, forajes, algunos morteros, artillería de mas calibre, un hospital de sangre en el mismo paraje en que lo están las provisiones y forrajes, y de quinientos a seiscientos trabajadores (...).[46]

Calleja se equivocaba; sería un sitio más largo. El virrey Venegas aceptó las solicitudes de Calleja. Envió la artillería y dos batallones españoles, generalmente llamados expedicionarios, que recién habían llegado al Nuevo Mundo: el de Lobera y el de Asturias, al mando del brigadier Llano.[47] Ambos bandos –los insurgentes y los realistas– se prepararon con cuidado. Las descargas de artillería comenzaron el 10 de marzo; después de cuatro días, Calleja se dio cuenta de que se enfrentaba a un enemigo valiente y decidido que no cedería con facilidad. Los insurgentes poseían municiones, alimentos y agua suficientes para resistir largo tiempo. El comandante realista, en consecuencia, solicitó que se enviara artillería pesada desde Perote de inmediato. Las descargas de artillería y los ataques continuaron durante el siguiente mes. Ambos bandos comenzaron a padecer a mediados de abril.

46. *Ibid.*, II, pp. 489-498, la cita se halla en las páginas 497-498.
47. Véase el cuadro I, que menciona los regimientos expedicionarios de infantería, en Archer, "Peanes e himnos de victoria", p. 235.

Los insurgentes se enfrentaban a la escasez de comida y los pozos del pueblo comenzaban a secarse. El agua podía conseguirse cerca, y los dos ejércitos luchaban por controlar el acceso al vital líquido. Para finales de abril, los insurgentes padecían hambre y enfermedades, y estaban heridos. Los realistas también pasaron por privaciones: la artillería pesada nunca llegó; tanto las tropas como su comandante soportaron fiebres intermitentes y otras enfermedades. En un esfuerzo desesperado por introducir suministros a Cuautla, el 21 de abril Morelos ordenó a Matamoros liderar a cien hombres para introducir un convoy al pueblo. Aunque sufrió muchas bajas, Matamoros llegó a Tlayacac, un importante bastión insurgente, donde, con el apoyo de Miguel Bravo, organizó un convoy de suministros. Con el respaldo de insurgentes locales, Matamoros intentó sin éxito entrar a Cuautla la noche de 26 de abril. En las primeras horas de la mañana siguiente, los realistas atacaron y, después de tres días de lucha, capturaron el convoy.

Morelos y sus hombres no tenían esperanzas de obtener ayuda y bienes del exterior. Debido a los desacuerdos con el propio Morelos, era poco probable que Rayón, quien comandaba la única otra fuerza importante de los insurgentes, los auxiliara. El 1 de mayo de 1812 Calleja ofreció a los rebeldes el indulto concedido por las Cortes si deponían sus armas y reconocían la autoridad del nuevo gobierno constitucional. El general realista también suspendió el fuego, como lo hicieron los insurgentes, que según los informes habían recibido el documento "con regocijo". Empero, Morelos y sus oficiales decidieron evacuar Cuautla esa noche mientras durara el alto a fuego. A las dos de la mañana del día dos, los insurgentes comenzaron a desalojar el pueblo sigilosamente. Galeana encabezaba la vanguardia de la mejor infantería armada con fusiles, seguido por Morelos y los Bravo con caballería, "una muchedumbre de gente de todo sexo y edad", dos piezas de artillería y una retaguardia de infantería armada con fusiles. Los insurgentes cruzaron el río en silencio hasta que un grupo de 60 granaderos que defendían esa zona, los divisó. Tal como se les había ordenado en caso de un ataque, los granaderos se retiraron a una posición fortificada y abrieron fuego. De inmediato Calleja ordenó a la caballería que persiguiera a los insurgentes y a otras tropas les dio instrucciones de ocupar el pueblo. La caballería realista dispersó con facilidad a la retaguardia y a los habitantes que huían de Cuautla junto con los rebeldes. La caballería insurgente y la vanguardia de infantería pelearon fieramente por más de una hora mientras los líderes huían. Morelos se rompió dos costillas al caer su caballo en una barranca. Casi toda su escolta se sacrificó para permitir el escape del líder insurgente. Leonardo Bravo fue capturado y más tarde ejecutado. Un sinnúmero de civiles, atrapados en medio del conflicto, murió.

Calleja informó a Venegas que 816 insurgentes fueron muertos en los alrededores del primer puesto, y que otros cuerpos estaban dispersos en las siete leguas a lo largo de las cuales persiguieron los realistas a los rebeldes. La mayoría de estos últimos era de "costeños, pintos, negros y hombres [y mujeres y niños] decentes". Calleja calculaba que los insurgentes habían perdido 4 000 hombres, sin duda una exageración. Morelos, por su parte, subestimó sus bajas, declarando más adelante que durante el sitio no habían muerto más de 50 hombres en batalla ni más de 150 por enfermedad; también indicó que sus oficiales le informaron que 147 hombres habían muerto durante la huida. Cuando entraron en Cuautla, los realistas encontraron hombres, mujeres y niños desfalleciendo de hambre y enfermos de peste. Más adelante, Cuautla, como Zitácuaro, fue quemado y destruido. La situación en el bando realista también era horrenda. Nadie pasó hambre, pero muchos estaban enfermos, incluido el mismo Calleja, quien escribió a Venegas: "Conviene mucho que el ejército salga de este infernal pais lo mas pronto posible, y por lo que respecta a mi salud, se halla en tal estado de decadencia, que si no acudo en el corto término que ella puede darme, llegarán tarde los auxilios".[48]

Cuautla constituyó una derrota tanto para los insurgentes como para los realistas. Pese a la larga lucha, el mejor comandante realista no había sido capaz de capturar o matar a Morelos. La escasez de comida y las enfermedades habían expulsado a los insurgentes, poniendo así fin a la sucesión de sus victorias. Ambos bandos habían sufrido y ambos se recuperarían; no obstante, el desastre de Cuautla afectó profundamente a Morelos, que nunca recuperaría la sólida posición que detentaba en Puebla cuando su victoria en Izúcar le brindó la oportunidad de tomar la capital de la provincia. Morelos también perdió a su principal asistente, Leonardo Bravo, y a varios otros oficiales y efectivos disciplinados y con experiencia.

48. El mejor recuento de la lucha se encuentra en Alamán, *Historia de Méjico*, II, pp. 495-525, la cita se halla en la página 525.

El gobierno de la nación

Poco después del sitio, el 8 de febrero de 1812, Morelos hizo una proclama en la que exponía las razones de su causa:

> Americanos. Es ya tiempo de decir la verdad conforme en sí misma. Los gachupines son naturalmente impostores y con sus sofismas se empeñan en alucinaros para que no sigáis este partido. Nuestra causa no se dirige a otra cosa, sino a representar la América por nosotros mismos en una Junta de personas escogidas de todas las provincias, que en la *ausencia y cautividad del Sr. D. Fernando VII de Borbón*, depositen la soberanía, que dicten leyes suaves y acomodadas para nuestro gobierno, y que fomentando y protegiendo la religión cristiana en que vivimos, nos conserven los derechos de hombres libres, avivando las artes que socorren a la sociedad, poniéndonos a cubierto de las convulsiones interiores de los malos y libertándonos de la devastación y acechanzas de los que nos persiguen.[49]

Hay varios aspectos importantes que se deben considerar en esta proclama. En primer lugar, está escrita en un tono religioso que identifica a los buenos, los americanos, y a los malvados, los gachupines. En segundo lugar repite, con escasas variaciones, el argumento tradicional hispánico según el cual, en ausencia del rey la soberanía recae en el pueblo, y que había sido utilizado en la península y por los novohispanos autonomistas desde 1808. En tercer lugar, la proclama no rechaza vínculos con el rey. De hecho, excepto por el tono, difiere muy poco de la anterior proclama escrita por Cos.

En abril de 1812, Rayón envió a Morelos un ejemplar de sus *Elementos constitucionales*, compuestos por 38 artículos. Aunque Rayón le solicitó a Morelos sus comentarios, este último ignoró el documento y, cuando se le preguntó al respecto, dijo que nunca lo había recibido. Morelos no comentó el texto sino hasta noviembre. El documento es una mezcla de conceptos tradicionales y modernos en torno al gobierno. El primer artículo establece que "La Religión Católica será la única sin tolerancia de otra". El artículo 2º confirma a los entonces "Ministros" de la Iglesia, mientras que el 3º restaura el "Tribunal de la fe, que los liberales en Cádiz habían abolido. Los artículos 4º y 5º decretaban:

49. "Proclama expedida por José María Morelos en Cuautla, el 8 de febrero de 1812", en Lemoine Villicaña, *Morelos. Su vida revolucionaria*, pp. 190-193. (Las cursivas son mías.)

4. La América es libre e independiente de toda otra nación.
5. La soberanía dimana inmediamente del pueblo, *reside en la persona del señor don Fernando VII* y su ejercicio en el Supremo Congreso Nacional Americano.

Estos artículos llaman al establecimiento de una monarquía constitucional. Sin embargo, puesto que el artículo 5° declara que la *soberanía*, posesión del *pueblo*, residía en la persona del *rey*, guardaba un tono menos revolucionario que el del sistema constitucional hispánico, que hacía de la legislatura el depositario, así como el agente, de la soberanía del pueblo. Cuando Morelos finalmente respondió a Rayón, el 7 de noviembre de 1812, su principal observación se refería al artículo 5°: "Al número 4 [*sic* por número 5:] La proposición del Sr. D. Fernando VII es hipotética". En una carta distinta fechada el mismo día, Morelos abunda sobre el punto así: "En cuanto al punto 5° de nuestra Constitución, por lo respectivo a la soberanía del Sr. D. Fernando VII, como es tan pública y notoria la suerte que le ha caido a este grandísimo hombre, es necesario excluirlo para dar al público la Constitución".[50] Aunque prefería eliminar la referencia al rey, Morelos aún lo trataba con respeto, llamándolo "este grandísimo hombre". Su otra sugerencia se refería a asuntos de procedimiento y estructura. El artículo 7° estipulaba:

> El Supremo Congreso constará de cinco vocales nombrados por las representaciones de las Provincias; más por ahora se complementará al número de vocales por los tres que existen en virtud de comunicación irrevocable de la potestad que tienen, y cumplimiento del pacto convencional celebrado por la Nación en 21 de agosto de 1811.[51]

La redacción de este artículo tenía la finalidad de proteger el estatus de Ignacio Rayón, José María Liceaga y José Sixto Verduzco. Sus posiciones también estaban reforzadas en el artículo 38, que los nombraba capitanes generales del ejército. Los demás artículos se referían a la estructura del gobierno, la abolición de la esclavitud, la prohibición de la tortura y la protección ante inspecciones no autorizadas, el establecimiento de la libertad de prensa y la exclusión de los europeos de cargos políticos y puestos oficiales.

50. "Reflexiones que hace el Señor Capitán General D. José María Morelos, vocal posteriormente nombrado, Tehuacan, 1812", en Lemoine Villicana, *Morelos. Su vida revolucionaria*, pp. 226-227.
51. "Elementos constitucionales", en Tena Ramírez, *Leyes fundamentales de México*, pp. 24-25.

Pese al acuerdo ideológico que existía en términos generales entre Morelos y la Suprema Junta Nacional, y pese a las declaraciones de apoyo, entre el líder insurgente del sur y Rayón iba creciendo una animosidad personal. Morelos mostraba recelo ante los intentos de Rayón por incrementar su poder y controlar las campañas militares del cura. Es probable que la relación de Morelos con Rayón influyera sobre la decisión del primero de no hacer un esfuerzo especial por salvar a la Suprema Junta a principios del año, cuando Calleja atacó Zitácuaro. Más adelante, ni Rayón como líder ni la Suprema Junta como corporación, auxiliaron a Morelos en Cuautla. Naturalmente, las tensiones se incrementaron entre los dos insurgentes y el conflicto amenazaba con echar abajo los esfuerzos de Morelos y la Suprema Junta por retomar el control de las regiones que habían perdido a manos de los realistas. Los insurgentes tuvieron algunas victorias en la toma de pueblos y en incursiones a los territorios enemigos. Sin embargo, no contaban con un nuevo plan de acción.

Hacia principios de junio los vocales de la Suprema Junta reconocieron que sería necesario un vínculo más estrecho con Morelos para revitalizar el movimiento, y que la junta debía reorganizarse para ampliar sus capacidades de control y coordinación entre los diversos grupos insurgentes. El 12 de junio de 1812, los miembros de la junta votaron por otorgar a Morelos un ascenso del rango de teniente general al de capitán general. Al siguiente día lo nombraron cuarto vocal de la Suprema Junta.[52] Sin duda, la acción constituía un mecanismo para vincularlo al cuerpo de gobierno. El nombramiento no afectaría significativamente a la junta, ya que Morelos estaba demasiado preocupado por el combate como para interferir con las actividades diarias de dicho organismo, dominado por Rayón.

Poco después de elegir a Morelos como cuarto vocal, la Suprema Junta dividió Nueva España en cuatro regiones y sus miembros se nombraron a sí mismos capitanes generales con autoridad total sobre sus dominios. Sin embargo, los innumerables guerrilleros que operaban a lo largo y ancho del territorio, a menudo no se reportaban ni obedecían a la Suprema Junta. Los vocales de este organismo segmentaron el territorio no sólo porque querían establecer una insurgencia coordinada sino también porque estaban dividi-

52. Carlos Herrejón Peredo, "Morelos y la crisis de la Junta Suprema Nacional", en Carlos Herrejón Peredo, *Morelos. Documentos inéditos de vida revolucionaria* (Zamora: El Colegio de Michoacán, 1987), pp. 35-37.

dos por resentimientos. Morelos recibió el Sur, Liceaga el Norte, Verduzco el Oeste y Rayón el Este. No obstante, puesto que Morelos y sus lugartenientes ya tenían presencia en Puebla y Veracruz, Rayón permaneció en el centro para acudir "a donde lo demandasen las circunstancias".[53] Aunque no era explícito, el acuerdo de dividir el territorio entre los cuatro vocales significaba que Rayón no era superior a ninguno de los otros y que no podría retener el título de presidente y ministro universal que había detentado anteriormente. Este tema más adelante causaría conflictos dentro de la Suprema Junta.

Como otros documentos insurgentes, el acta de la Suprema Junta en la que los vocales acordaban separarse incorpora conceptos tradicionales y modernos. En ella se explicaba: "Convencida la suprema junta nacional que a *nombre del rey nuestro Sr. D. Fernando VII* gobierna estos dominios, de que la autoridad que la nacion ha depositado en sus manos es provisional y representativa de la soberanía y no la soberanía misma" se podría separar sin dividir la soberanía, que es indivisible.[54]

El régimen insurgente en Oaxaca

Tras escapar de Cuautla en mayo, Morelos, que había resultado herido, se recuperó en Izúcar. Sus fuerzas continuaron lanzando ataques de guerrilla. A principios de junio, Morelos inició una nueva campaña. Mariano Matamoros había reemplazado a Leonardo Bravo como su asistente principal. Cuando se hizo imposible reestablecer una posición de mando en el sur de Puebla, Morelos, Miguel Bravo y Galeana dieron vuelta hacia el sur, entrando al oeste de Oaxaca con el objetivo de ayudar a Valerio Trujillo, quien se hallaba sitiado en Huajuapan. Tras devolver a manos insurgentes el control del pueblo, el 24 de julio de 1812 Morelos se enfiló hacia el oeste, hacia Tehuacán, un punto estratégico en dos rutas comerciales importantes: de Puebla a Oaxaca y a Veracruz por Orizaba. Morelos llegó a Tehuacán el 10 de agosto y utilizó el enclave como su base de operaciones hasta noviembre. Los insurgentes obtuvieron algunas victorias en Veracruz y Jalapa; por ejemplo,

53. Herrejón Peredo, "Morelos y la crisis de la Junta Suprema Nacional", pp. 36-43.
54. "Acta de la junta, para que separen los vocales", en Hernández y Dávalos, *Colección de documentos para la historia de la guerra*, IV, pp. 230-231.

el 25 de agosto, Nicolás Bravo derrotó al regimiento de Campeche encabezado por Juan Labaqui en Puente Rey. Ahí capturó e hizo prisioneros a 300 efectivos realistas. Sin embargo, Morelos no pudo tomar Orizaba el 29 de octubre de 1812. Las fuerzas realistas, incluidos 800 soldados del regimiento de Castilla, expulsaron a los insurgentes. Para principios de noviembre estaba claro que estos últimos habían fracasado en sus intentos por cerrar el paso de Puebla a Veracruz y por abrir un corredor entre sus fuerzas y los insurgentes que operaban en la región de Jalapa y el Golfo.

En noviembre Morelos decidió ir al sur, hacia la capital de Oaxaca. Su decisión daría tiempo a los realistas para reforzar su posición en la región de Puebla-Veracruz. Éstos retomaron Tehuacán y otras áreas dominadas anteriormente por los insurgentes. Aunque los grupos rebeldes siguieron atacando convoyes, asaltando las haciendas y a los habitantes, las autoridades reales lograron reestablecer el orden, aunque no la seguridad, por ejemplo, el camino de Veracruz a Puebla aún era inseguro, pero la ciudad de México no estaba totalmente aislada del puerto más importante de Nueva España. De manera intermitente, los insurgentes pudieron cerrar partes de este vital camino, e impedir la comunicación entre Veracruz y la capital durante varios lapsos de tiempo, uno de ellos de unos cuantos meses. En consecuencia, las comunicaciones con España se retrasaron por largos periodos.

Antes de abandonar Tehuacán, Morelos formó en secreto un ejército de 5 000 hombres bien entrenados y equipados, al frente del cual estaban sus comandantes más experimentados: Mariano Matamoros, Hermenegildo Galeana, Miguel Bravo y Manuel Félix Fernández, quien más adelante asumiría el nombre de Guadalupe Victoria. Este ejército inició su marcha el 10 de noviembre, y llegó a las afueras de Antequera el 24 de noviembre de 1812. Los hombres avanzaron lentamente debido a la dificultad que comportaba transportar la artillería y los suministros sobre terreno montañoso y sin caminos, así como cruzar los ríos desbordados durante la estación de lluvias. Los insurgentes tuvieron suerte en no encontrar ejércitos realistas poderosos hasta llegar a las afueras de la ciudad. En la mañana del día 25 Morelos ordenó que la urbe se rindiera en un lapso de tres horas; cuando los realistas se negaron a ello, dividió sus fuerzas entre aquellos responsables de tomar Antequera y aquellos encargados de impedir la posibilidad de una huida hacia Guatemala. Varias columnas asaltaron la ciudad al tiempo que la artillería al mando de Manuel Mier y Terán destruía las entradas. El comandante de la brigada de Oaxaca, Bernardino Bonavía, nombró a José María Régules Villasante comandante de las fuerzas reales. Tras algunas horas de batalla, la ciudad cayó en manos de los insurgentes, que la saquearon. Entraron a las casas y tiendas de los españoles, tomaron lo que deseaban y destruyeron el resto. Muchas mujeres y muchos españoles se habían refugiado en los conventos llevando consigo su dinero, sus joyas y otros objetos de valor. Morelos evitó que sus fuerzas saquearan estos conventos, pero ordenó que las propiedades de los españoles refugiados ahí le fueran entregadas para pagar el costo de la batalla. Puesto que las autoridades reales habían colocado visiblemente las cabezas de dos líderes insurgentes –el coronel José Armenta y el teniente coronel Miguel López– a la entrada de la ciudad, Morelos ordenó la ejecución del general Antonio González Sarabia, un apreciado funcionario oriundo de Guatemala, así como del coronel Bonavía y otros dos oficiales españoles.[55]

El 13 de diciembre, cuando la ciudad de Antequera ya había tenido tiempo de recuperarse de la destrucción y el saqueo de la conquista insurgente, Morelos organizó una ceremonia formal en la catedral, donde las autoridades civiles y eclesiásticas juraron lealtad a la Suprema Junta. Una por una estas personas posaron su mano sobre la Biblia y, ante la imagen de Cristo, prestaron juramento a una fórmula preparada por Morelos:

> ¿Reconocéis la Soberanía de la Nación Americana, representada por la Suprema Junta Nacional de estos Dominios? ¿Juráis obedecer los decretos, leyes y Constitución que se establezca, según los santos fines porque ha resuelto armarse y mandar observarlos y hacerlos ejecutar? ¿Conservar la Independencia y Libertad de la América? ¿La religión Católica, Apostólica Romana? ¿Y el Gobierno de la Suprema Junta Nacional de la América? ¿Reestablecer al trono a nuestro amado Rey, Fernando VII? ¿Mirar en todo por el bien del Estado y particularmente esta provincia? Si así lo hiciéreis, Dios os ayude, y si no, seréis responsables a Dios y a la Nacion (...)[56]

La ceremonia concluyó con una misa y un *Te Deum*.

55. Morelos al Venerable Sr. Deán y Cabildo, Antequera, 29 y 30 de noviembre de 1812, en Lemoine Villicaña, *Morelos. Su vida revolucionaria*, pp. 233-234. Alamán, *Historia de Méjico*, III, pp. 319-325.
56. "Formalismo estipulado para el juramento a la Junta Gubernativa en Oaxaca", en Lemoine Villicaña, *Morelos. Su vida revolucionaria*, pp. 236-237.

Antequera era la capital de una provincia notable y la ciudad más importante que Morelos había tomado. En las zonas aledañas no había ejércitos realistas; así que el líder insurgente tenía la oportunidad de establecer su gobierno sin ninguna interferencia. No obstante, en la ceremonia de juramento Morelos incluyó un requisito para que la gente de Oaxaca ayudara a restaurar al trono a "nuestro amado Rey, Fernando VII". Además, a las cuatro de la tarde del mismo día, el ayuntamiento, "acompañado de los principales vecinos de la nobleza de este vecindario" se reunió en las casas consistoriales y de ahí se trasladó a la casa del alférez real José Mariano Magro, donde el pendón real colgaba de un balcón. Entonces, los presentes se dirigieron al centro de la plaza, donde colocaron el estandarte real en un elegante tablado bajo la imagen de Fernando VII. Los mariscales de campo Mariano Matamoros y Hermenegildo Galeana, vestidos en elegantes uniformes, sirvieron como padrinos del alférez real, quien cargó el pendón mientras cada uno de los líderes insurgentes sostenía "una borla y un cordon de su bandera". Llevaron el estandarte a cada esquina de la plaza, donde el alférez real gritaba a voz en cuello: "Antequera de estos reinos y demás pertenecen a los dominios de la América Septentrional por la Suprema Junta Nacional de estos dominios como depositaria de los derechos de nuestro cautivo soberano, el Sr. D. Fernando VII, que dios guarde muchos años". Entonces, "todo el pueblo lleno de júbilo [replicaba] con una horrorosa gritería, que en ella no se oyó más que un continuado viva". La ceremonia terminó con salvas de artillería, disparos de cañón y un desfile formal alrededor de la ciudad.[57]

Resulta difícil comprender el paseo de pendón organizado por Morelos, pues aquél era un símbolo odiado de la conquista y la dominación españolas en Antequera. En 1812 los diputados americanos en las Cortes de Cádiz habían cabildeado con éxito para su eliminación. El virrey Venegas anunció en agosto que "ante la majestuosa idea de la perfecta igualdad, el

57. "Reseña de las fiestas presididas por Morelos en la ciudad de Oaxaca, con motivo del desfile de las banderas y de la jura a la Junta Gubernativa, todavía a nombre de Fernando VII", en Lemoine Villicaña, *Morelos. Su vida revolucionaria*, pp. 237-239. Véase también Ana Carolina Ibarra, "Reconocer la soberanía de la nación americana, conservar la independencia de América y restablecer en el trono a Fernando VII: la ciudad de Oaxaca durante la ocupación insurgente (1812-1814)", en Ana Carolina Ibarra, *La independencia del sur de México* (México: UNAM, 2004), pp. 249-254.

recíproco amor, y de la unión de [los] intereses [de América] con los de la península (...) queda abolido desde ahora el paseo del Estandarte Real que acostumbraba hacerse anualmente, en las ciudades de América, como testimonio de lealtad, y un monumento de la conquista".[58] Ernesto Lemoine sostiene que Oaxaca no sólo era la ciudad más importante que Morelos había capturado, sino que era la "mas española". De ahí que "los cortejó tanto y trató de hacer hasta lo imposible para ganarlos a su causa".[59] Quizá la ciudad y la provincia fueran conservadoras y tal vez fuera poco probable que apoyaran la independencia; sin embargo, este argumento ignora el hecho de que Morelos se rehusó a perdonar a algunos oficiales españoles y los ejecutó pese a las protestas de la elite de Antequera, incluido el clero. Además, retiró de sus cargos a todos los españoles y expropió sus propiedades; es más probable que todavía no haya rechazado la monarquía.

La victoria insurgente en Oaxaca influyó profundamente en la política de la provincia. Los principales realistas, como el obispo Antonio Bergoza y Jordán, huyeron mientras los insurgentes capturaban, juzgaban y ejecutaban a los oficiales de alto rango del ejército real.[60] Aunque la Constitución hispánica había reemplazado a las elites hereditarias –que hasta ahora habían controlado los ayuntamientos– por funcionarios electos popularmente, la ocupación insurgente de Oaxaca evitó que se llevaran a cabo elecciones populares en la provincia. En lugar de ello, tras recibir los juramentos de lealtad por parte de las instituciones establecidas, como el cabildo eclesiástico, el ayuntamiento y los gremios, Morelos mantuvo las viejas estructuras corporativas, pero designó a los criollos a los puestos de gobierno. Morelos nombró al eminente hacendado José María Murguía y Galardi como intendente y nombró también a un nuevo ayuntamiento para Antequera, compuesto por criollos en su totalidad. Los americanos también fueron asignados a todos los puestos de gobierno anteriormente ocupados por peninsulares, incluido el de subdelegado.[61] Aunque los cambios eliminaron a los españoles europeos

58. Citado en Laura Giraudo, "¿Un monumento de la conquista? El paseo del real pendón en Nueva España: entre *vacatio regis* e independencia", en Ivana Frasquet (coord.), *Bastillas, cetros y blasones. La independencia en Iberoamérica* (Madrid: Instituto de Cultura/Fundación Mapfre, 2006), pp. 221-222.
59. Lemoine, *Morelos y la revolución*, p. 218.
60. Alamán, *Historia de Méjico*, III, pp. 318-327.
61. *Ibid.*, III, pp. 327-330.

de todos los cargos, la acción no constituyó una revolución social, pues los americanos recién nombrados, como sus predecesores, eran miembros de la elite social y económica de la provincia.[62]

Las extraordinarias circunstancias de la época influyeron sobre la política en Antequera y la hicieron más compleja. Numerosos individuos y grupos de Oaxaca y otras zonas de Nueva España se habían opuesto a los insurgentes, particularmente en un principio porque los consideraban violentos, desordenados y destructivos. Incluso aquellos que se mostraban reacios a las autoridades reales existentes desconfiaban de los insurgentes. Los líderes rebeldes apaciguaron estos temores en 1811 cuando decidieron institucionalizar el movimiento. Después de una extensa consulta, los insurgentes establecieron la Suprema Junta Nacional Americana como "un centro de autoridad de quien todos los jefes [insurgentes] dependiesen y que pudiese dirigir uniforme y acertadamente todos los movimientos [insurgentes]".[63] Cuando se registró la ocupación de Antequera, la Suprema Junta estaba compuesta por cuatro miembros: Ignacio Rayón, José María Liceaga, José Sixto Verduzco y José María Morelos; otros más serían elegidos conforme más provincias de Nueva España pasaran al control insurgente.

A principios de 1812 algunos grupos en la ciudad de México y otras localidades comenzaron a apoyar secretamente a los insurgentes, en particular a Morelos, quien se había consolidado como el líder más importante. Incluso al mismo tiempo que ganaban las elecciones constitucionales hispánicas de 1812-1813, estos grupos descontentos de la ciudad de México, que intentaban obtener la autonomía por cualquier medio, mantuvieron vínculos con los insurgentes y consideraron la opción de lograr sus metas reconociendo al movimiento rebelde. Algunos, como Carlos María de Bustamante, abogado y periodista oaxaqueño que había vivido en la capital virreinal durante casi una década y que había resultado seleccionado como elector de parroquia en noviembre de 1812, huyó de la ciudad de México en diciembre y se unió

62. Como señaló Lucas Alamán, "todos estos nombramientos recayeron en sugetos de gran mérito". *Ibid.*, III, pp. 329-330. Véase también el texto de Silke Hensel, quien indica que Morelos no nombró en ningún cargo a nadie que perteneciera a las clases media o baja.
63. Alamán, *Historia de Méjico*, II, pp. 378-379.

a los insurgentes en Oaxaca porque sus artículos incendiarios habían inflamado la ira de las autoridades.[64]

La ocupación de Oaxaca brindó las condiciones para elegir a un quinto miembro a la Suprema Junta Nacional Americana. El 30 de abril de 1813, Morelos, quien se hallaba a la sazón en Acapulco, envió al ayuntamiento y al cabildo eclesiástico de Antequera de Oaxaca la convocatoria para elegir a un nuevo miembro. El proceso electoral era una extraña mezcla de prácticas tradicionales corporativas y de los nuevos procedimientos introducidos por las Cortes de Cádiz: "Debían reunirse en 'Junta General Provincial' los principales sujetos, tanto seculares como eclesiásticos, exceptuados los regulares, 'todos criollos y adictos a la causa', junto con los oficiales de plana mayor para elegir en una terna el quinto vocal".[65]

La elección del quinto miembro proporcionó a las elites de Oaxaca la oportunidad de jugar un papel importante en la reestructuración del gobierno insurgente. Al recibir la convocatoria, el gobernador de la diócesis, el doctor Antonio José Ibáñez y Corbera, y el intendente José María Murguía y Galardi, convocaron a una junta del cabildo eclesiástico y el ayuntamiento para el día 22 de mayo de 1813. Los 16 miembros de las dos corporaciones que se reunieron ese día acordaron llevar a cabo la elección. Después, Carlos María de Bustamente, quien había llegado a su pueblo natal de Antequera como inspector general de Caballería, propuso al gobernador militar de la ciudad, Benito Rocha, que Oaxaca solicitara la convocatoria a un congreso insurgente, quien estuvo de acuerdo y llamó a "una junta solemne y general a la que debían concurrir los cabildos secular y eclesiástico, los prelados de las religiones, los jefes militares, otros funcionarios y las personas principales y de distinción".[66]

El 31 de mayo, 69 hombres se reunieron en la catedral. Carlos María de Bustamante urgió a los presentes a firmar una representación dirigida a Morelos, en tanto individuos y en tanto representantes de sus corporaciones, así como en tanto vecinos de la ciudad, para solicitar la convocatoria a un congreso. Bustamante sostenía que "un Cuerpo Augusto depositario de su Soberanía" debía constituirse para ejercer la autoridad en América. Un

64. Guedea, *En busca de un gobierno*, pp. 67-151.
65. Virginia Guedea, "Los procesos electorales insurgentes", en *Estudios de Historia Novohispana*, 11 (1991), p. 214.
66. *Ibid.*, p. 215.

cuerpo tal requería "un crecido número de individuos que, aunque suplentes, representen los derechos de sus provincias".[67] Además, proponía que Antequera fuese la sede del nuevo congreso insurgente.

De esta manera, Bustamante, quien había participado en las elecciones constitucionales de la ciudad de México y había asumido el título de "Elector del Pueblo [de la Ciudad] de México", enunció dos principios importantes establecidos por la revolución hispánica: los conceptos de que la soberanía recaía en un congreso de diputados de la nación y de que esos individuos representaban "los derechos de sus provincias". Tales principios encarnaban dos posturas antagónicas en torno a la naturaleza de la soberanía: el primero sostenía que el pueblo era soberano. El Congreso, en tanto representante del pueblo, encarnaba la soberanía nacional, de ahí que sólo dicho Congreso tuviera derecho a organizar y administrar la nación. Esa había sido la posición asumida por las Cortes de Cádiz. El segundo principio mantenía que la soberanía radicaba en las provincias, y una porción de ellas era cedida colectivamente con el fin de conformar un gobierno nacional. Empero, las provincias, en tanto dueñas originales de la soberanía, podían reclamar lo que habían cedido. Este último principio contenía en germen el futuro confederalismo que surgiría en México después de la independencia.

El debate que tuvo la lugar en la catedral en torno a la propuesta de Bustamante reveló divisiones entre la elite de Oaxaca en lo referente a la insurgencia. El clero, que incluía a españoles europeos, se opuso a los insurgentes y no quería que los organismos presentes contribuyeran a la legitimación del movimiento. Sin embargo, sus integrantes se sintieron compelidos a favorecer la organización de elecciones para el quinto miembro a la Suprema Junta porque Morelos les había advertido que no criticaran al movimiento insurgente.[68] El ayuntamiento, aunque enteramente compuesto por ame-

67. "D. Carlos de Bustamante presenta una Representación para que se forme un congreso", en Hernández y Dávalos, *Colección de documentos para la historia*, VI, pp. 468-469.

68. Morelos se quejó de que los miembros del clero eran "unos declamadores perpetuos del gobierno Americano" y advertía que tomaría acciones para detener esto. Morelos también advertía al cabildo eclesiástico que "es necesario que entienda que los derechos de la patria... son mas sagrados que los de qualquiera individuo o corporación". "Orden del Sr. Morelos, fecha 5 de Julio de 1813, previniendo al Cabildo Eclesiástico que se abstenga de hablar en contra del gobierno independiente", en Hernández y Dávalos, *Colección de documentos para la historia*, VI, p. 480.

ricanos, también guardaba sus reservas ante el movimiento insurgente; no obstante, los representantes de la insurgencia militar, naturalmente favorecían el reforzamiento de su gobierno. Después de discutir, el cabildo eclesiástico, con excepción hecha del canon doctor José de San Martín, votó por organizar la elección para el quinto miembro y por considerar la propuesta de Bustamante de manera independiente. "De este modo [argumentaba la castigada corporación,] el Cavildo no influirá ni directa ni indirectamente en materias de Gobierno, a quien privativamente toca el arreglo en lo político y a esta Corporacion Eclesiástica el obedecer con toda deferencia".[69] El ayuntamiento, con excepción hecha de dos de sus miembros, estuvo de acuerdo. Los militares preferían tanto la elección del quinto miembro como "que se estableciese un Congreso Nacional compuesto de los representantes de las Provincias del Reino de Nueva España".[70] Triunfaron aquellos que preferían sólo la elección del quinto vocal.

Tras una amplia consulta sobre los procedimientos, la elección final tuvo lugar en la catedral el día 3 de agosto de 1813; los 85 participantes representaban al cabildo eclesiástico, el ayuntamiento, los comerciantes, los funcionarios, las órdenes religiosas, los oficiales de plana mayor, los vecinos principales y los electores de los ocho cuarteles de Antequera y los cinco partidos, tres doctrinas y 17 subdelegaciones de la provincia. El procedimiento autorizado por Morelos combinaba las nuevas prácticas liberales con las prácticas tradicionales; todo comenzó como una terna tradicional –los electores colocaban sus votos en "tres vasos de cristal con los rótulos 1, 2 y 3"– pero terminaba con un nuevo estilo al otorgar el cargo a José María Murguía y Galardi, el individuo que había obtenido la mayoría de los votos.[71]

Aun cuando los insurgentes controlaron Oaxaca hasta marzo de 1814, Morelos partió hacia Acapulco el 9 de enero de 1813, pues creía que la insurgencia contaba con bases sólidas en Oaxaca, a la que llamaba "el pie de la conquista del reino". El líder insurgente dejó una guarnición en la ciudad y marchó con un ejército de cerca de 3 000 hombres así como sus principales

69. "Votos sobre la proposición de Bustamante", en Hernández y Dávalos, *Colección de documentos para la historia*, VI, p. 470.

70. *Ibid.*

71. Citado en Guedea, "Los procesos electorales insurgentes", pp. 220-221.

comandantes, Matamoros, los Bravo, Galeana y Guerrero. Morelos explicó su decisión a Ignacio Ayala de la siguiente manera: "Acapulco es una de las puertas que debemos adquirir y cuidar como segunda despues de Veracruz".[72] El puerto estaba bien defendido. Acapulco estaba situado del lado oeste del puerto. Una fortaleza principal y dos fuertes más pequeños se levantaban al este como defensas principales de la ciudad. Morelos dio inicio al ataque el 6 de abril y en una semana sus fuerzas rodearon la ciudad por tierra; les tomó un mes de combate que la ciudad de Acapulco cayera en manos insurgentes. Entonces, las fuerzas de Morelos sitiaron la fortaleza de San Diego. Fue un proceso largo y difícil, ya que los defensores tenían acceso a comida y agua y contaban con artillería de calibre pesado. Tras meses de sitio y ya con escasos alimentos y suministros, el comandante del fuerte, Pedro Antonio Vélez, un criollo de Córdoba, no pudo contener a las fuerzas insurgentes que tomaron el castillo por asalto. Vélez se rindió el 19 de agosto de 1813. Si bien había logrado su meta, Morelos había desperdiciado hombres, recursos y tiempo en el sitio, y mientras él se ocupaba en dominar a unos cuantos hombres durante el sitio de una fortaleza lejos del centro del reino, los realistas emprendían su propia ofensiva en el sur de Puebla y otras regiones.[73]

La caída de la Suprema Junta

Después de que los tres integrantes originales de la Suprema Junta se separaran en junio de 1812, cada uno de ellos defendió celosamente su territorio. Aunque sus integrantes se comunicaban entre sí para tratar varios temas, la junta como un cuerpo unitario había cesado de existir. El resentimiento de Verduzco y Liceaga frente a Rayón se incrementó desde que éste insistiera en que era el presidente y ministro universal de la junta porque Hidalgo

72. Morelos a Ignacio Ayala, Cuartel general en Yanhuitlan, 17 de febrero de 1813, en Hernández y Dávalos, *Colección de documentos para la historia*, VI, pp. 859-860.
73. Según Alamán: "Indeciso entre (...) diversos planes, acabó por adoptar otro enteramente diverso y que no podia producirle ventaja alguna, abandonando el teatro de sus recientes triunfos para trasladarse al punto mas remoto y por entonces ménos importante del vasto territorio que dominaba, con el fin de proseguir por sí mismo el sitio de Acapulco; empresa lenta, de dudoso éxito y que aun obtenido el resultado que proponia, en nada o en muy poco contribuia al objeto importante de sus miras, no pudiendo de ningun modo compensar la adquisición de aquel puerto, el tiempo que era menester perder para lograrla, dando a su enemigo el que necesitaba para reunir fuerzas y combinar mejor sus planes para la siguiente campaña", *Historia de Méjico*, III, p. 339.

y Allende lo habían nombrado para dicho puesto antes de ser capturados. Como consecuencia de la discordia, la influencia de Rayón declinó rápidamente. Cuando este hombre intentó obligar a los Villagranes a reconocer su autoridad, "los perversos Villagranes (...) declarándose abiertamente por la anarquía, desconociendo (...) la legítima autoridad" asaltaron al representante de Rayón quien apenas escapó con vida de Zacatlán, donde lo habían confrontado.[74] Con el tiempo, estos esfuerzos por afirmar su autoridad llevaron a Rayón a enfrentarse con sus compañeros vocales de la junta. El 17 de marzo de 1813, Verduzco lo acusó de violar su autoridad y de interferir en su territorio cuando Rayón trató de arrestar a uno de los intendentes de Verduzco con el cargo de traición. De ahí en adelante Liceaga se unió a Verduzco declarando que Rayón había sido depuesto en tanto presidente de la junta debido a numerosos actos de despotismo. Cos intentó mediar y propuso que la junta declarara la igualdad y la inviolabilidad de cada vocal, que estableciera quién debía juzgar a un vocal acusado de delincuencia, que estableciera jurisdicciones claras en materia política, económica y militar para cada vocal, y que olvidara los recientes actos y declaraciones hechos por los vocales y sus subordinados. Verduzco y Liceaga estuvieron de acuerdo con la propuesta, pero Rayón la rechazó porque eliminaba lo que él creía era la superioridad irrevocable que le había sido concedida por Hidalgo y Allende.[75]

Como cuarto vocal que no estaba involucrado en el conflicto, Morelos se encontró a sí mismo en una posición determinante para el futuro del gobierno insurgente. Aun cuando él y Rayón habían reñido en torno a temas diversos –por ejemplo, la interferencia de este último en los territorios comandados por Morelos, el envío de inspectores para supervisar las actividades militares del líder sureño y los reiterados intentos por imponer su predominio sobre los demás miembros de la Junta– Morelos había reconocido públicamente la autoridad de la junta. Tras ser nombrado como cuarto vocal, el líder insurgente había insistido en la elección de un quinto miembro de la junta. Morelos había

74. "Diario de gobierno y operaciones militares de la secretaría y ejército al mando del Exmo. Sr. presidente de la suprema junta y ministro universal de la nacion, Lic. D. Ignacio López Rayón", en Hernández y Dávalos, *Colección de documentos para la historia*, V, p. 629.
75. Anna Macías, "The Genesis of Constitutional Government in Mexico, 1808-1820" (Tesis de doctorado: University of Columbia, 1965), pp. 49-52.

enviado a Rayón numerosas sugerencias de personas dignas de ser consideradas para dicho cargo. Dado que Rayón ignoró estas recomendaciones, Morelos, sin consultarlo, había organizado una elección en Oaxaca para elegir al quinto miembro de la junta. Sin embargo, Murguía y Galardi aún no había sido reconocido por los demás como quinto vocal. Cuando estalló el conflicto entre Rayón y los otros dos miembros originales de la junta, Morelos los exhortó a resolver sus diferencias. Pero nunca lo hicieron; lejos de ello, el conflicto continuó públicamente.[76] En tales circunstancias, el 18 de mayo de 1813 propuso que los vocales de la junta se reunieran en algún punto conveniente para discutir sus diferencias. Considerando el contexto, Morelos sugirió que cada uno de los cuatro integrantes llevara consigo una guardia de honor para asegurar su tranquilidad, y que el quinto vocal electo en Oaxaca asistiera a la reunión, entonces podrían establecer la manera en que los miembros de la Junta habrían de ser relevados y removidos de dicho organismo; finalmente, sugería que el mejor lugar para que todos ellos convinieran era el pueblo de Chilpancingo, y que la reunión podría tener lugar el 8 de septiembre de 1813.[77]

Esta reunión no se realizó porque Rayón se las arregló para arrestar a Liceaga en junio. Verduzco buscó entonces asilo en los territorios controlados por Morelos. El líder del sur escribió a Rayón una lacónica carta el 7 de junio en la que afirmaba: "He tenido la noticia de la prisión de Liceaga y acaso la de Verduzco. Recuerdo a vuestra excelencia los artículos 7 y 12 de nuestra Constitución, que hacen inviolables las personas de los vocales". Tres semanas más tarde, tras consultar a sus consejeros, Morelos fijó un *ultimátum*: "He resuelto hacer un Congreso General en Chilpancingo el 8 de septiembre, para ocurrir nuestras discordias. De las provincias de mi mando concurrirán los diputados y jefes principales. Si vuestra excelencia no concurriere con sus compañeros, me veré compelido a formar un gobierno provisional".[78]

76. *Ibid.*, pp. 63-72. Véase también: Herrejón Peredo, "Morelos y la crisis de la Junta Suprema Nacional, *Morelos. Documentos inéditos de vida revolucionaria*, pp. 39-61.
77. Morelos a Rayón, Acapulco, 18 de mayo de 1813, en Hernández y Dávalos, *Colección de documentos para la historia*, IV, p. 925.
78. Morelos a Rayón, 7 y 28 de junio de 1813, en Herrejón Peredo, *Morelos. Documentos inéditos de vida revolucionaria*, pp. 316-317.

Los conspiradores urbanos

Los autonomistas urbanos, en particular los radicados en la ciudad de México, habían urgido a Morelos a convocar a un congreso nacional desde que el líder llamara su atención en 1812: "Para ellos la formación de un órgano que se ocupase del gobierno insurgente, aunque fuera tan sólo en la zona dominada por el movimiento, venía a satisfacer uno de sus más caros anhelos: la posibilidad de contar con un gobierno alterno en el que pudieran hacer sentir su influjo".[79] Desde el derrocamiento de Iturrigaray, estos individuos se habían involucrado en actividades secretas para obtener el gobierno local. Sus actividades clandestinas no están documentadas, y esto hace necesaria la reconstrucción de sus esfuerzos a partir de evidencias indirectas. Es preciso juzgar el papel que desempeñaron con base en sus acciones pasadas y en los resultados posteriores, ya que los miembros del grupo se mostraron extremadamente reacios a discutir sus esfuerzos una vez obtenida la independencia. Los Guadalupes, una gran sociedad secreta, eran quizá los más activos. Tenemos noticia de sus primeras actividades tan sólo porque las autoridades incautaron parte de su correspondencia cuando capturaron a ciertos insurgentes y gracias a los procesos judiciales que se emprendieron contra algunos miembros del grupo.

Dado que el régimen virreinal utilizaba sus poderes coercitivos contra ellos, los autonomistas desarrollaron un patrón de política basado en coaliciones mudables formadas para alcanzar fines específicos. Unidos por lazos de familia, profesión, intereses y casualidades, los autonomistas hicieron planes y tomaron decisiones en reuniones informales y secretas organizadas en sus casas, en reuniones de organizaciones profesionales, como el colegio de abogados, y en eventos sociales como las tertulias. La composición de estos grupos encubiertos cambiaba, dependiendo de la época y del tema en cuestión. De ahí que fuera difícil y tal vez imposible identificar a todos los participantes y de ahí que resulte inútil asignarles un papel político consistente. Cuando los intereses de estos individuos divergían, se retiraban del grupo.[80]

79. Guedea, *En busca de un gobierno alterno*, p. 238.

80. Sobre el papel de los grupos clandestinos, en particular los Guadalupes, véase: Guedea, *En busca de un gobierno alterno*, pp. 67-286.

Aunque es imposible identificar con precisión a los autonomistas clandestinos, resulta evidente a partir de sus actividades, que estos individuos poseían numerosos contactos y redes de comunicación. Félix María Calleja, el defensor más hábil del régimen, los describía como: "condes, marqueses, oidores, regidores y otros individuos como doctores, licenciados y comerciantes", caracterizando su estructura como "una especie de francmasonismo (...) que los pone a seguro de toda averiguación en tratándose de asuntos de infidencia. Todos están unidos, caminan a un fin; obran por iguales principios y no se descubren jamás".[81] No obstante, según indicaba Calleja, operaban de manera laxa:

> no tienen necesidad de acordarse ni convenirse; obra cada uno a favor del proyecto universal, según sus posibilidades y arbitrios: el juez y sus subalternos, cubriendo y disimulando los delitos: el eclesiástico persuadiendo la justicia de la insurrección en el confesionario, y no pocas veces en el púlpito: los escritores corrompiendo la opinión: las mugéres seduciendo con sus atractivos, hasta el extremo de prostituirse a las tropas del gobierno, porque se pasen a los rebeldes: el empleado paralizando y revelando las providencias de la superioridad: el jóven tomando las armas: el viejo dando noticias y conduciendo correos: el rico franqueando auxilios: el literato dando consejos y dirección: las corporaciones influyendo con su ejemplo de eterna división con los europeos, de cuya clase no admiten uno en su seno y evitan que les alcance la elección popular; dificultando todo auxilio al gobierno; haciéndolo odioso (...) y todos en fin, barrenando el edificio del Estado.[82]

Aunque de manera un tanto exagerada –algunos sí "acordaron" y "convenieron", por ejemplo– Calleja describía con claridad las actividades de los autonomistas clandestinos. Los Guadalupes no sólo urgían a Morelos y a otros líderes insurgentes a convocar a un gobierno, sino que le informaban sobre sus actividades y lo asistían de varias maneras. Los autonomistas proporcionaban a Morelos información sobre las actividades militares y de gobierno, además de fondos e individuos de confianza, algunos de ellos abogados, quienes contribuían a la causa insurgente.

81. Félix María Calleja al Ministro de Gracia y Justicia, México, 30 de julio de 1814, en Ernesto de la Torre (ed.), *Los Guadalupes y la Independencia*, 2ª ed. (México: Porrúa, 1985), p. 104. Véase también: Guedea, *En busca de un gobierno alterno*, pp. 293-306, 310-311.
82. Citado en Alamán, *Historia de Méjico*, IV, p. 475.

Después de que la Constitución fuese promulgada en 1812, los autonomistas adoptaron una estrategia de doble filo. Se organizaron para controlar las nuevas instituciones constitucionales –los ayuntamientos constitucionales, las diputaciones provinciales y las Cortes– y también colaboraron con los insurgentes, en particular con Morelos, para convencerlos de establecer un gobierno nacional representativo alternativo a las Cortes. Aunque buscaban gobernar en su propia tierra, insistían en mantener los vínculos con la corona española. En este sentido, no veían un conflicto entre crear un gobierno autónomo y reconocer los derechos del rey.

El Congreso de Chilpancingo

Carlos María de Bustamante, quien había escapado de la capital con ayuda de Los Guadalupes, urgió repetidamente a Morelos para que éste convocara a un Congreso nacional. En mayo de 1813, cuando se eligió a un quinto miembro a la Suprema Junta, Bustamante también propuso convocar a un Soberano Congreso Nacional. Aunque la mayoría de los electores en Antequera no apoyaba su recomendación en ese momento, Bustamante, con el apoyo de Mariano Matamoros y otros hombres del ejército, propuso una vez más a Morelos que convocara al mentado congreso. La recomendación de Bustamante llegó poco después de que Morelos tuviera noticia de que Rayón había arrestado a Liceaga.[83] El líder insurgente aceptó la propuesta, pues se trataba de una solución a la crisis irresoluble de la Suprema Junta. Como señala Carlos Herrejón, la idea original de elegir a un congreso en lugar de ampliar la Suprema Junta fue de Bustamante. Hasta ese momento, Morelos había intentado salvaguardar al antiguo organismo. El líder insurgente decidió que Murguía y Galardi, quien había resultado electo como quinto vocal en Oaxaca, debía ser considerado ahora como representante de la provincia en el Congreso de Chilpancingo.

Morelos publicó las convocatorias para elecciones el 28 de junio, el 9 de julio y el 24 de julio de 1813 en los territorios controlados por los insurgentes: la provincia de Tecpan –que él mismo había formado en 1811 y que coincide más o menos con los límites actuales del Estado de Guerrero– así

83. Guedea, "Los procesos electorales insurgentes", pp. 222-249.

como partes de Puebla, Veracruz, Michoacán y México. Morelos dio instrucciones a los subdelegados y a los comandantes militares insurgentes en dichas provincias para convocar a los comicios. Tal como las elecciones organizadas conforme la Constitución de 1812, el proceso electoral insurgente era indirecto y se basaba en las fronteras de parroquia y de partido. Los electores debían ser seleccionados en los pueblos de las provincias, donde cada subdelegado, junto con el cura de la parroquia, debía convocar al clero, a los comandantes militares, a los gobernadores de las repúblicas de indios y a los vecinos principales. El elector debía ser un "Sugeto Americano, de providad y de conocidas luces, recomendable por su acendrado Patriotismo, y si posible es, nativo de la misma Provincia como que vá a ser Miembro del Congreso, Defensor y Padre de todos, y cada uno de los Pueblos de su Provincia para quienes debe solicitar todo vien [*sic*] y defenderlos de todo mal". Además, los electores debían ser eclesiásticos o juristas.[84] Las elecciones parecen haber sido llevadas a cabo en zonas de Puebla, Veracruz y Michoacán controladas por los insurgentes, en la provincia insurgente de Tecpan y secretamente en la ciudad de México así como tal vez en otros centros urbanos. En Oaxaca no se habían realizado nuevas elecciones desde que se eligiera previamente a José María Murguía y Galardi como vocal a la junta suprema, y ahora él sería su representante ante el Congreso.[85] Existe evidencia de que se llevaron a cabo 20 elecciones de partido en las zonas controladas por los insurgentes; de éstas, 13 tuvieron lugar en el área de Tecpan, controlada desde tiempo atrás por Morelos. La documentación más amplia se refiere al Partido de San Juan de Huetamo. Ahí, 29 pueblos, haciendas y ranchos, seleccionaron a sus representantes para la elección de partido llevada a cabo el 4 de agosto de 1813 en la cabecera del mencionado partido. Rayón se opuso al proceso electoral y dio instrucciones a sus seguidores en Apatzingán, Michoacán y Zacatlán, en Puebla, para que

84. "D. José María Morelos Capitan General de los Exercitos Americanos, y Vocal del Supremo Congreso Nacional &", en Hernández y Dávalos, *Colección de documentos para la historia*, V, pp. 133-134.

85. De acuerdo con Virginia Guedea: "Por la carta que el 5 de agosto de 1813 los Guadalupes dirigieran a Morelos, sabemos que por entonces trabajaban 'para ver qué sujetos puede ir de representante y suplente', porque el individuo que Morelos les mencionaba no era conveniente y porque en México había quienes podían desempeñar 'perfectamente la comisión y que satisfaciendo nuestras esperanzas darán el mayor contento a las ideas liberales de V. E., con la que labrarán con felicidad'. Además de ocuparse de quien, al parecer, debía representar a México en el congreso, también habían hecho llegar a Morelos su opinión sobre el órgano de gobierno con que debía contar la insurgencia". Guedea, "Los procesos electorales insurgentes", p. 257.

lo boicotearan. Esto podría explicar por qué existe tan poca documentación sobre las elecciones insurgentes para dichas provincias.[86]

A diferencia de las elecciones realizadas conforme la Constitución hispánica, las elecciones insurgentes eran menos inclusivas y pudieron haber sido manipuladas. Pese al gran número de individuos con derecho a votar, sólo uno de los ocho diputados al Congreso de Chilpancingo resultó efectivamente electo como resultado de las convocatorias expedidas por Morelos; esto se debió en parte a que, aun cuando algunas elecciones en las provincias de Veracruz, Puebla y México se organizaron en el ámbito parroquial, no se llevaron a término. Sólo se completaron las elecciones en la provincia de Tecpan. Al final, la mayor parte de los diputados no representaba a sus provincias natales; los ocho eran: Ignacio Rayón, de Tlalpujahua, Michoacán en representación de Guadalajara; José Sixto Verduzco, de Zamora en representación de Michoacán; José María Liceaga, de Silao en representación de Guanajuato; José Manuel de Herrera, de Huamantla, Tlaxcala en representación de Tecpan; José María Murguía y Galardi, de Oaxaca en representación de Oaxaca; Carlos María de Bustamante, de Oaxaca en representación de México; José María Cos, de Zacatecas en representación de Veracruz; y Andrés Quintana Roo, de Mérida en representación de Puebla.

Las elecciones fueron bien difundidas e involucraron a miles de personas. Los comicios representaron un paso adelante, si se considera que sólo trece personas participaron en las elecciones para la Junta Suprema en Zitácuaro. Sin embargo, este proceso palidece en comparación con las elecciones que se organizaron en Nueva España en la misma época conforme la Constitución de Cádiz, en las que cientos de miles de hombres acudieron a votar. Estos hombres eligieron a 41 diputados, en lugar del diputado único que resultó electo como resultado de las convocatorias de Morelos al Congreso de Chilpancingo. Además, en los comicios organizados durante la vigencia de la Carta gaditana, se establecieron cinco diputaciones provinciales y cerca de

86. Las actas para la elección se hallan en "Expediente sobre la reunión del Congreso en Chilpancingo el 8 de Septiembre [de 1813]", en Hernández y Dávalos, *Colección de documentos para la historia*, V, pp. 133-160. El mejor estudio sobre las elecciones es el de Guedea, "Los procesos electorales insurgentes", pp. 223-238. Véase también: Michael T. Ducey, "Elecciones constitucionales y ayuntamientos. Participación popular en las elecciones de la tierra caliente veracruzana, 1813-1815" en Ortiz Escamilla y Serrano Ortega, *Ayuntamientos y liberalismo gaditano en México*, pp. 182-186.

mil ayuntamientos constitucionales. Es probable, por ende, que las elecciones insurgentes tuvieran poco efecto sobre la población de Nueva España.[87]

Aun cuando Morelos convocó a un congreso, no tenía ninguna intención de darle a los legisladores la libertad para formar un gobierno que consideraran el mejor para el país. Esto a diferencia de las Cortes de Cádiz, donde los diputados tenían un poder casi ilimitado, restringido únicamente por los requerimientos de proteger la fe católica, mantener intacta la monarquía española y reconocer a Fernando VII como el rey, así como realizar los cambios legales necesarios para el bienestar de la nación. Morelos emitió un *Reglamento* de 59 puntos, que controlaba estrictamente las actividades de los miembros del Congreso de Chilpancingo. El *Reglamento* definía en detalle la manera en que funcionaría el parlamento, la manera en que estaría organizado internamente y la forma en que sus miembros debatirían y promulgarían las leyes, con qué frecuencia habrían de reunirse, cuánto tiempo permanecerían en sus puestos y qué salarios percibirían. Es evidente, por el tono del documento, que Morelos se consideraba a sí mismo como la autoridad suprema; por ejemplo, al determinar la manera en que se elegiría a los nuevos diputados de aquellas zonas que no pudieron organizar elecciones, el artículo 10º del *Reglamento* de Morelos estipulaba: "*señalaré* ciudadanos ilustrados, fieles y laboriosos" para esos cargos. Así pues, el jefe insurgente, y no el Congreso, determinaría quién podría resultar electo para unirse a dicho organismo. Una clara indicación de lo decidido que estaba Morelos a mandar puede encontrarse en el artículo 14: "El Ejecutivo lo consignará al general que resultase electo Generalísimo".[88] Morelos no dejó nada a la suerte en esta selección. El 8 de agosto, antes de que se reuniera el congreso, el líder insurgente expidió una Orden Circular en la que indicaba que una

87. Empero, algunos historiadores han sostenido que sin importar las fallas y la limitación de las elecciones, éstas constituyeron un paso adelante en el proceso democrático. Virginia Guedea afirma: "Independientemente de la forma en que se dieron estos procesos y de si hubo o no acuerdos previos para proponer candidatos o presiones y manipulaciones para ejercer el voto de determinada manera, la oportunidad de votar para elegir a quien debía representarlos estuvo abierta en todos los casos, si no de hecho, cuando menos como principio rector de todos estos procesos", *Ibid.*, pp. 238-239. Por su parte, Anna Macías declara: "Pese al hecho de que sólo 2 de los 18 delegados fueron electos, el Congreso de Chilpancingo (...) era mucho más representativo que su antecesor, la Junta de Zitácuaro", Macías, "The Genesis of Constitutional Government in Mexico", p. 80.

88. "Reglamento expedido por José María Morelos, 11 de septiembre de 1813", en Lemoine, *Morelos. Su vida revolucionaria*, pp. 355-363. (Las cursivas son mías.)

de las prerrogativas más importantes de la soberanía "es el Poder Ejecutivo o mando de las armas en toda su extensión". El individuo elegido "debe ser de la confianza de toda o la mayor parte de la Nación y miembros principales de los que generosamente se han alistado en las banderas de la libertad". Así pues, serían las fuerzas armadas, y no el congreso, quienes elegirían al ejecutivo; "votarán por escrito de coroneles para arriba, cuantos estén en servicio de las armas, de los cuatro generales conocidos hasta ahora, el que juzguen más idóneo y capaz de dar completo lleno al pesado y delicado cargo que va a ponerse en sus manos".[89] Sólo los cuatro generales –esto es, los capitanes generales– Rayón, Liceaga, Verduzco y Morelos eran elegibles. Considerando el declive de los tres primeros y el éxito y relevancia del último, es evidente que Morelos resultaría electo como generalísimo. La elección se llevó a cabo el 15 de septiembre, el día después de que el congreso se reuniera.

Dicho organismo convino el 14 de septiembre de 1813, con menos de la mitad de sus integrantes presentes. Rayón, Liceaga, Verduzco, Cos y Bustamante no estuvieron ahí. Se presentaron el capitán general Morelos, el teniente general Manuel Muñiz, tres vocales –Herrera, Murguía y Galardi, y Quintana Roo–, los electores de la provincia de Tecpan, "los oficiales más distinguidos del Ejército", así como "los vecinos de reputación de este contorno". Morelos dio un discurso elocuente, que había sido escrito por Carlos María de Bustamante, en el que expresaba el principio tradicional hispánico según el cual en ausencia del monarca la soberanía recae sobre el pueblo, su depositario original. En su discurso, Morelos recapitulaba la historia de la lucha comenzando por Hidalgo y Allende y llegando hasta el momento presente. El líder insurgente declaraba también que la nación necesitaba "un cuerpo de hombres sabios y amantes de su bien, que la rijan con leyes acertadas y den a su soberanía todo el aire de majestad que corresponde".[90]

Juan Nepomuceno Rosains, el secretario, leyó entonces a nombre de Morelos un documento titulado *Sentimientos de la Nación*, en el que se establecían los 21 principios que debían guiar al Congreso. El artículo 1° afirmaba: "Que la América es libre e independiente de España y de toda

89. "Orden Circular de José María Morelos, 8 de agosto de 1813", en Lemoine, *Morelos. Su vida revolucionaria*, pp. 348-349.
90. "Discurso pronunciado por Morelos en la apertura del Congreso de Chilpancingo", en *ibid.*, pp. 516-519.

otra nación, gobierno o monarquía, y que así se sancione dando al mundo las razones". Tras años de debate, esta es la primera declaración que defendía la ruptura con la monarquía española y el rey Fernando VII. El artículo 2º estipulaba que "la religion católica sea la única, sin tolerancia de otra". Esta declaración no difiere de los principios hispánicos anteriores, incluidas las Cortes de Cádiz y su Constitución de 1812. Otros artículos abolían la esclavitud, algo que no hizo la Constitución de Cádiz, y declaraba a todas las personas iguales ante la ley. Sin embargo, el clero y los militares conservaban sus fueros. La Carta de Cádiz, por su parte, abolió fueros y otorgó igualdad a todos excepto a las personas de ascendencia africana, quienes no recibieron derechos políticos. Los *Sentimientos de la Nación* afirmaban que sólo los americanos podrían tener "empleos"; sólo a los extranjeros que fueran católicos devotos se les permitiría entrar a México; la propiedad privada se respetaría y la tortura quedaría abolida. El artículo 19 estableció que el 12 de diciembre sería "dedicado a la Patrona de nuestra libertad, María Santísima de Guadalupe". El artículo 22 abolía el viejo sistema de impuestos, aduciendo que un impuesto del cinco por ciento sobre las ganancias, o algún otro impuesto de este tipo –con una buena administración y la confiscación de las propiedades del enemigo–, sería suficiente para gobernar. El artículo 23 establecía el 16 de septiembre como el aniversario de "la voz de la Independencia y nuestra santa libertad", iniciada por el "gran héroe, el Sr. D. Miguel Hidalgo y su compañero D. Ignacio Allende".[91] Tras completar la lectura, Rosains anunció los nombres de los vocales que habían resultado electos.

La mayor parte de las ideas expresadas en el *Reglamento* y en los *Sentimientos de la Nación* se había discutido ampliamente durante décadas en el mundo hispánico, Nueva España incluida. La gran diferencia en los *Sentimientos de la Nación* es, obviamente, la declaración de ruptura con la monarquía española y el rey, la exclusión de los españoles y de gran parte de los extranjeros de la participación en las actividades eclesiásticas, militares y políticas, y la abolición de la esclavitud. Que se salvaguardaran los privilegios del clero y los militares iba en contra de las prácticas liberales de Cádiz. Muchos artículos trataban sobre temas y prácticas estrictamente locales. Ambos documentos, preparados por intelectuales como Quintana Roo y Bustamante,

91. "Sentimientos de la Nación", en *Ibid.*, pp. 520-522.

reflejan la visión de Morelos en aquella época; juntos restringen seriamente al Congreso y lo reducen a un títere del ejecutivo. Queda claro que Morelos pretendía dominar la legislatura, una tendencia contraria a la de Cádiz, donde se hizo del legislativo el poder dominante y del ejecutivo un poder supeditado. Anna Macías sostiene que Morelos buscaba convertirse en un dictador militar.[92]

Con la mayor parte de sus miembros ausentes, el Congreso no podía hacer gran cosa. El 15 de septiembre, el día después de la inauguración de la legislatura, los congresistas, a los que recién se había sumado José Sixto Verduzco, se reunieron con Morelos, con el vicario general castrense, Francisco Lorenzo de Velasco, con "un número considerable de oficiales de los ejércitos de la nación", y con los electores de la Provincia de Tecpan para determinar quién había resultado electo como generalísimo. Habían llegado 68 votos, de los cuales 64 eran de militares –como lo requería la circular– y 55 eran de oficiales del Ejército del Sur –como era de esperarse–. Tres oficiales de la provincia de México y seis de Michoacán también votaron. Aun cuando sólo los militares habían sido invitados a participar, cuatro civiles emitieron un sufragio: José Mariano de Sardaneta y Llorente, Marqués de San Juan de Rayas –un importante autonomista de la ciudad de México desde 1808–; el prebendado José Manuel Sartorio, seleccionado como elector de parroquia en las elecciones de ayuntamiento de la ciudad de México en noviembre de 1812; el cura José María de la Llave –quien votó en su nombre y en nombre de su provincia, Puebla–; y el canónigo Mariano Escandón y Llera, conde de Sierra Gorda, procedente de Valladolid y quien había respaldado a Hidalgo y Morelos. Todos votaron por Morelos; hasta hoy no han aparecido boletas marcadas para Rayón, Liceaga o Verduzco.[93]

El Congreso declaró a Morelos electo por aclamación. El líder insurgente dijo no merecer tal honor y declinó ocupar el cargo; para sorpresa suya y para consternación de sus tropas, el diputado Andrés Quintana Roo afirmó que la renuncia de Morelos no podía ser aceptada o rechazada hasta que el Congreso –que representaba la soberanía nacional– lo discutiera. La legislatura no parecía inclinada a seguir el guión de Morelos. En un principio, los oficiales militares expresaron su desacuerdo a gritos, pero después aceptaron

92. Macías, "The Genesis of Constitutional Government in Mexico", pp. 90-93.

93. Guedea, "Los procesos electorales insurgentes", pp. 244-246.

que el Congreso debía discutir el tema. Dos horas más tarde, los miembros del Congreso llegaron a la conclusión de que la renuncia de Morelos no podría ser aceptada porque iba contra la voluntad del pueblo.[94]

Morelos accedió a servir siempre y cuando fueran aceptadas cuatro condiciones:

1. Que cuando vengan tropas auxiliares de otra potencia, no se han de acercar al lugar de residencia de la Suprema Junta.
2. Que por muerte del Generalísimo, ha de recaer el mando accidentalmente en el jefe militar que por graduación le corresponda, haciendo después la elección como la presente.
3. Que no le han de negar los auxilios de dinero y gente, sin que haya clases privilegiadas para el servicio.
4. Que por muerte del Generalísimo, se ha de mantener la unidad del ejército y de los habitantes, reconociendo a las autoridades establecidas.

El Congreso accedió a estas condiciones. Entonces, Morelos juró defender "la religion católica, la pureza de María Santísima, los derechos de la Nación Americana, y desempeñar lo mejor que pudiere en empleo que la Nación se había servido conferirle".[95] Lucas Alamán señaló que: "Así quedó vencido desde el primer dia el poder legislativo ante la fuerza militar". Carlos María de Bustamante creía que el declive de Morelos en tanto líder del movimiento comenzó en ese entonces.[96]

El Congreso, que no contó con una mayoría de miembros presentes sino hasta el 6 de noviembre de 1813, logró poco durante el primer mes. El diputado por Oaxaca, Murguía y Galardi, regresó a Antequera y fue sustituido por el suplente Manuel Sabino Crespo. El generalísimo Morelos expidió una declaración aboliendo la esclavitud el 5 de octubre de 1813. El 6 de noviembre, el Congreso aprobó una declaración de independencia escrita por Bustamante; este documento se refería al "Congreso de Anáhuac", un nombre para la nación que preferían individuos como Bustamante y Servando Teresa de Mier, y en el se mencionaba que el Congreso

94. "Nombramiento de Morelos como Generalísimo", en Ernesto Lemoine Villicaña, "Zitácuaro, Chilpancingo y Apatzingán: Tres grandes momentos de la insurgencia mexicana", en *Boletín del Archivo General de la Nación*, segunda serie, tomo IV, núm. 3 (julio, agosto, septiembre de 1963), pp. 523-525.
95. Lemoine Villicaña, "Zitácuaro, Chilpancingo y Apatzingán", p. 525.
96. Alamán, *Historia de Méjico*, III, 563; Bustamante, *Cuadro histórico*, I, pp. 617-619.

"ha recobrado el ejercicio de su soberanía usurpado [...por los españoles;] que no profesa ni reconoce otra religión más que de la católica, ni permitirá el uso público ni secreto de otra alguna". Además, se determinaba: "por reo de alta traición a todo que se oponga directa o indirectamente a su independencia". El Acta de Independencia está firmada por Andrés Quintana Roo, Ignacio Rayón, José Manuel de Herrera, Carlos María Bustamante, José Sixto Verduzco y José María Liceaga.[97]

Esta acta no tuvo efecto significativo sobre el reino. Aunque Rayón firmó los documentos, se opuso a la publicación de la declaratoria, pues creía que dañaría al movimiento independentista, ya que la mayoría de la gente, incluidos casi todos los insurgentes, veneraba al rey cautivo y no deseaba cortar por completo sus vínculos con España. Rayón tenía la esperanza de que un debate más amplio pudiera modificar el documento, pero a su llegada descubrió que el acta estaba ya impresa y lista para su distribución. Rayón temía que los habitantes del antiguo virreinato, en particular los indígenas, que respetaban al rey, se opusieran a la independencia y abandonaran el movimiento en grandes números.[98] En la capital, el virrey Calleja denunció la Declaración como evidencia de que los insurgentes habían mentido a la gente durante tres años, durante los cuales habían manifestado que sólo les interesaba proteger a Nueva España para el rey. Ahora que habían revelado sus verdaderas intenciones, Calleja pedía al público que los rechazara.[99] Empero, los integrantes de la sociedad secreta de Los Guadalupes estaban entusiasmados porque el Congreso de Chilpancingo se estuviese reuniendo en calidad de gobierno alternativo. Varios individuos dejaron la capital para unirse al Congreso y a las fuerzas insurgentes.[100] Sin embargo no existe evidencia alguna, de que un alto número de individuos sintiera rechazo o atracción por la causa debido a la Declaración de Independencia.

Tras la publicación del *Acta de Independencia*, Morelos pareció estar en la cima de su poder: dominaba a la mayor parte del sur y sus comandan-

97. "Acta solemne de la Declaración de la Independencia de la América Septentrional", en Lemoine Villicaña, "Zitácuaro, Chilpancingo y Apatzingán", pp. 541-542.
98. "Rayón se dirige al Congreso para objetar, por impolítico, el que se haya publicado el Acta de Declaración de Independencia", en *ibid.*, pp. 547-550.
99. Félix María Calleja, *El virrey de Nueva España... a sus habitantes* (México: J. M. de Benavente, 1814).
100. Guedea, *En busca de un gobierno alterno*, pp. 246-261.

tes controlaban Oaxaca, así como partes de Puebla y Veracruz; en octubre, Nicolás Bravo derrotó a las tropas expedicionarias enviadas desde España a Coscomatepec, Veracruz; Mariano Matamoros obtuvo una gran victoria en San Agustín del Palmar en Puebla. El Generalísimo Morelos, quien se había estado preparando durante algún tiempo para atacar Valladolid, mandó llamar de Chilpancingo a sus comandantes más importantes, Mariano Matamoros, Hermenegildo Galeana y Nicolás Bravo, con sus tropas, y partió con un ejército bien equipado de 5 700 hombres hacia Tierra Caliente, a su antigua parroquia de Carácuaro, donde pasó varios días. Llegó a las afueras de Valladolid el 22 de diciembre de 1813.

El capitán general y jefe político superior Calleja había sido informado sobre los planes de Morelos e inmediatamente ordenó al brigadier Ciriaco de Llano y al teniente coronel Agustín de Iturbide, nativo de Valladolid, marchar con premura hacia esa ciudad. Dos mil realistas llegaron a tiempo para defender la capital de Michoacán. Como no estaba preparado para esta nueva situación, Morelos ordenó rendirse a la ciudad, pero ésta no lo hizo; en lugar de ello, las fuerzas realistas repelieron el ataque insurgente; la caballería comandada por Iturbide llevó a las fuerzas de Bravo y Galeana a recular en desorden en dos encuentros fuera de Valladolid. Los insurgentes, que habían salido victoriosos en las batallas recientes, estaban impresionados. Se retiraron a la hacienda de Puruarán, donde Morelos dejó la defensa en manos de Matamoros. El 5 de enero de 1814, Iturbide demolió a las fuerzas insurgentes y capturó a Matamoros. El Generalísimo Morelos huyó con cerca de mil hombres; en Tlacotepec se enteró de que el 1 de marzo Matamoros había sido capturado y ajusticiado, en respuesta ordenó la ejecución de 203 europeos prisioneros en Tecpan y Zacatula.[101]

Durante su ausencia, el Congreso había asumido un papel más importante del que Morelos esperaba. Antes de partir hacia la toma de Valladolid,

101. "Causa formada al Señor Morelos", en Hernández y Dávalos, *Colección de Documentos para la historia*, VI, pp. 30-31. Alamán, *Historia de Méjico*, II, pp. 575-580; III, pp. 1-34. Según Marco Antonio Landavazo: "Las ejecuciones ordenadas por Morelos son particularmente interesantes. Muchas de ellas son similares al resto: tras una batalla exitosa aprehendía europeos y mandaba fusilarlos o degollarlos, a veces a todos, a veces sólo a algunos. Pero en otros casos, se observa con nitidez el factor venganza escondido en una suerte de derecho de represalia, como en el caso de los más de 200 ejecutados en Tecpan y Zacatula, con acuerdo del Congreso de Chilpancingo, tras la conocida derrota rebelde en Puruarán y la posterior captura y fusilamiento de Matamoros", "El asesinato de españoles en la guerra de independencia mexicana", p. 273.

el cura había dado instrucciones a la legislatura para redactar una Constitución basada en su *Reglamento* y en los *Sentimientos de la Nación*. Suponiendo de antemano que saldría victorioso, Morelos planeaba promulgar la Constitución de Valladolid. Sin embargo, a su partida, el Congreso comenzó a reafirmar su autoridad. Como las Cortes de Cádiz, la legislatura insistió en que, como representante del pueblo, sería soberana, por ende, aprobó leyes que le permitían recaudar fondos y formar tropas para su uso propio. También trabajó en un proyecto para hacer formalmente del Congreso el poder dominante, cuando supo de las acciones de la legislatura, Morelos escribió a Liceaga para insistir en que "no soy déspota" y solicitar al legislador que no abandonara el Congreso, como lo había propuesto, pues era necesario contar con un gobierno fuerte para evitar el regreso de la "espantosa anarquía" que dañaría al reino.[102] La legislatura interpretó los acontecimientos de manera distinta. Después del desastre en Puruarán, el Congreso asumió su poder para gobernar y depuso a Morelos el 1 de mayo de 1814, entonces el Parlamento declaró nulo el *Reglamento* de éste y estableció sus propias reglas, a la vez que se arrogó la autoridad para librar la guerra y negociar con las potencias extranjeras. En lo que sólo pudo ser un acto de hostilidad, el Congreso nombró a Rayón comandante de las fuerzas en Tecpan y Oaxaca. Este nuevo comandante, que tenía en poca estima al Congreso, se llevó consigo a los diputados Carlos María de Bustamante y Sabino Crespo, suplente de Oaxaca. Así, el Congreso perdió a tres de sus miembros. Finalmente, la legislatura abandonó Chilpancingo porque las fuerzas realistas se acercaban.[103]

Los integrantes que permanecieron en el Congreso huyeron a la población cercana de Tlacotepec. Ahí se encontraron con Morelos, quien también huía de los realistas. Los legisladores informaron al generalísimo que había sido depuesto, que ellos tomarían el control de todos los aspectos del gobierno y, lo que era más humillante, le notificaron que Rayón había recibido el mando de todas sus tropas en Tecpan y Oaxaca. Para su sorpresa, Morelos aceptó estas decisiones; el cura creía que sus recientes derrotas ameritaban su salida del cargo. No obstante, se opuso al nombramiento de Rayón y señaló correctamente que éste no conocía la zona. Aunque Cos hizo

102. Morelos a Liceaga, Puruarán, 3 de enero de 1814, en Lemoine, *Morelos. Su vida revolucionaria*, pp. 453-454.
103. Macías, "The Genesis of Constitutional Government in Mexico", pp. 99-100.

declaraciones en el sentido de que las derrotas en Valladolid y en Puruarán eran sólo un revés temporal, que Morelos aún era el generalísimo y que el Congreso estaba funcionando, muchos comandantes insurgentes se desilusionaron y dejaron de obedecer a la legislatura. Estos hombres formaron sus propios grupos insurgentes independientes.[104]

Dándose cuenta de que Rayón, Carlos María de Bustamante y Sabino Crespo no regresarían, el Congreso duplicó su tamaño. Nombró como nuevos integrantes a: "el Serenísimo Señor" José María Morelos, al licenciado Manuel de Alderete y Soría, a Cornelio Ortiz de Zárate, José María Ponce de León, José Sotero de Castañeda, al doctor de San Martín, al doctor Francisco Argandar y a Antonio Sesma. Con excepción hecha de Morelos, los nuevos miembros del congreso eran individuos que habían servido como funcionarios para la suprema junta o para Morelos. A excepción de Sesma, todos eran eclesiásticos o contaban con grados de doctor o eran abogados. Aun cuando carecían de experiencia legislativa previa, su formación legal o eclesiástica les proporcionaba un fuerte antecedente en materia de ley civil y canónica. El Congreso se vio forzado a trasladarse de lugar en lugar escapando de las fuerzas realistas. Durante estos viajes algunos diputados abandonaron la legislatura.[105]

El 14 de marzo de 1814, el Congreso decidió escribir una Constitución. Empero, el momento no era propicio, pues las fuerzas realistas estaban retomando las áreas que antes estuvieran en manos de los insurgentes en Veracruz, Puebla, Oaxaca y Tecpan. La mayor parte del tiempo, el Congreso se dedicaba a huir de las tropas reales. Sus miembros se retiraron a los pequeños pueblos de Tlalchapa, Huayameo, Huetamo, Tiripitio, Santa Marta y Apatzingán. Pasaron cerca de dos meses, abril y mayo, en Huetamo, donde quizás escribieron parte importante de la onstitución. En junio, el congreso huyó a Tiripitio, donde permaneció hasta agosto, cuando se vio forzado a trasladarse a la hacienda de Santa Efigenia. La Constitución se completó para finales de agosto, pero la falta de una imprenta demoró su publicación hasta el 22 de octubre de 1814, en el pueblo de Apatzingán.[106]

104. Alamán, *Historia de Méjico*, IV, pp. 17-34
105. Macías, "The Genesis of Constitutional Government in Mexico", pp. 119-127.
106. *Ibid.*, pp. 107-116.

Anna Macías, quien ha estudiado la cuestión con gran cuidado, concluye que Herrera, Quintana Roo, Castañeda, Alderete, Ponce y Zárate participaron en la redacción de la nueva carta magna. Al ser interrogado, Morelos declaró que Castañeda, Herrera y Quintana Roo habían sido miembros del comité constitucional. Sin embargo, Macías sostiene que los documentos indican que Herrera y Quintana Roo, quienes anteriormente habían editado periódicos de corte político y estaban interesados en la teoría y la práctica políticas, fueron los principales autores de la Constitución y que Castañeda contribuyó de manera significativa.[107]

El *Decreto Constitucional para la Libertad de la América Mexicana*, o la Constitución de Apatzingán, como fue conocido, consta de 24 artículos. El Artículo 1º declara que: "La religión católica, apostólica romana es la única que se debe profesar en el Estado". El Artículo 2° establece que la soberanía quiere decir la "facultad de dictar leyes y establecer la forma de gobierno, que más convenga a los intereses de la sociedad". Otros artículos amplían esta afirmación, así el Artículo 5° señala: "Por consiguiente, la soberanía reside originariamente en el pueblo, y su ejercicio en la representación nacional compuesta de diputados elegidos por los ciudadanos bajo la forma que prescriba la Constitución". Todos aquellos nacidos en "esta América" eran ciudadanos, así como los extranjeros "que profesaren la religion católica apostólica romana y no se opongan a la libertad de la nación (...) en virtud de *carta de naturaleza* que se les otorgará". Así, en contraste con todas las demás constituciones existentes en la época, incluida la de Cádiz, no se hacía distinción entre las personas de ascendencia africana y todos los demás. Todos los ciudadanos de la nación, "sin distinción de clases ni países" tenían el "derecho de sufragio". Aquí uno debe suponer que no se otorgaba el mismo privilegio a las mujeres. Los artículos 25 al 40 establecían los derechos de todos los ciudadanos a la "igualdad, seguridad, propiedad y libertad".

El gobierno nacional estaba dividido en tres poderes: el Supremo Congreso mexicano, el Supremo Gobierno y el Supremo Tribunal de Justicia. La legislatura se mencionaba en primer lugar porque ejercía la soberanía nacional y poseía el poder para nombrar a los miembros de las otras dos ramas de gobierno. El Congreso debía ser llamado "Majestad" y sus diputados

107. *Ibid.*, pp. 119-127.

"Excelencia". El Artículo 48 indicaba que el "supremo congreso se compondrá de diputados elegidos uno por cada provincia, e iguales en autoridad". No se hacía, por ende, ninguna distinción entre las provincias más o menos pobladas. El Artículo 42 enlistaba las provincias de la nación, pero excluía –quizás inadvertidamente– a Texas y las Californias. Asimismo, se instauraba el complejo proceso electoral de tres niveles propio de la Constitución de Cádiz, tal vez porque ya era bien conocido para 1814, pues en toda Nueva España se habían llevado a cabo más de mil elecciones con la nueva Carta gaditana. El ejecutivo, el Supremo Gobierno, estaría compuesto por tres individuos, "iguales en autoridad, alternando por cuatrimestres la presidencia". El Supremo Congreso elegiría a los vocales "en sesión secreta". Los miembros del ejecutivo habrían de subordinarse a un "juicio de la residencia".[108]

El decreto constitucional establecía un gobierno central en el que la legislatura era el poder dominante, y no proporcionaba un gobierno local. Por el contrario, señalaba que debían instaurarse intendencias de Hacienda en cada provincia para recolectar los impuestos, dotando así al gobierno nacional de mayor poder. Las dos otras ramas, el ejecutivo y el judicial, estaban subordinadas al Congreso. La Constitución de Apatzingán no establecía específicamente una república. En lugar de ello, declaraba a la nación independiente y establecía un gobierno sin monarca. No obstante, se refería al Congreso como "Su Magestad", un término que normalmente se reservaba al rey, y que las Cortes de Cádiz se habían arrogado para sí. El decreto constitucional incluía una mezcla de conceptos políticos modernos y tradicionales. Y aun cuando trataba a todos sus ciudadanos con equidad, requería el juicio de la residencia a los miembros del poder ejecutivo.

A diferencia de la Constitución de Cádiz o de la futura Constitución mexicana de 1824, la de Apatzingán no era resultado de una larga y extensa discusión entre gran número de diputados que representaban a todas las provincias –más de doscientos en Cádiz y más de cien en la ciudad de México en 1823-1824–. La Constitución de Apatzingán fue escrita por dos hombres, Quintana Roo y Herrera, con la ayuda de Castañeda. Es posible, y de hecho probable, que los otros tres vocales, quienes a menudo estaban con el comité

108. "Decreto Constitucional para la Libertad de la América Mexicana sancionado en Apatzingán el 22 de octubre de 1814", en Tena Ramírez, *Leyes fundamentales de México*, pp. 32-58.

constitucional, ofrecieran algunos comentarios. Sin embargo, el proceso no conllevó las largas y profundas discusiones que uno esperaría de una convención constitucional.

Las fuentes de la Constitución de Apatzingán han sido ampliamente discutidas. En la causa instituida por la Inquisición en noviembre de 1815, Morelos declaró que dicha Constitución había "tomado sus capitulos de la *Constitución Española* de las Cortes y de la *Constitución de los Estados Unidos*".[109] Sin embargo, Lucas Alamán asentó que

> los principios y definiciones generales con que comienza, son tomados de los escritores franceses del tiempo la revolución, la división de poderes, sus facultades, y el sistema de elecciones en tres grados de sufragios, es una imitación o copia de la Constitución de las Cortes de Cádiz; la administración de hacienda y juicios de residencia de funcionarios de la mas alta jerarquía, un recuerdo de las leyes de Indias.[110]

José Miranda aceptó que la Constitución de Estados Unidos no había ejercido influencia alguna, pero creía que las constituciones francesas, en particular las de 1793 y 1795, habían sido un gran modelo. Desde este punto de vista, de "la Constitución española de 1812 no se tomó gran cosa (...). El mayor préstamo tomado por la mexicana, de la española (...) fue el sistema electoral, que la Constitución gaditana sacó a su vez, de la francesa de 1791".[111] Empero, un siglo antes Karl Marx había afirmado que "si examinamos detenidamente la Constitución de 1812, llegamos a la conclusión de que, lejos de ser una imitación servil de la Constitución francesa de 1791, debe más bien ser considerada como una creación original del espíritu español, el cual reanimó las antiguas instituciones nacionales y realizó reformas reclamadas por los escritores y políticos más eminentes de España".[112] Anna Macías ha revisado y refinado estos argumentos; ella también acepta que la Constitución de Estados Unidos no ejerció influencia sobre la de Apatzingán, aunque fuese tan sólo porque los autores no conocían la lengua inglesa y porque no se han encontrado traduc-

109. "Segunda serie de descargos de Morelos, 1815, noviembre 25, México", en Carlos Herrejón Peredo, *Los procesos de Morelos* (Zamora: El Colegio de Michoacán, 1985), p. 344.
110. Alamán, *Historia de Méjico*, IV, pp. 172-173.
111. Miranda, *Las ideas y las instituciones políticas mexicanas*, pp. 362-363.
112. Karl Marx, *La Revolución española (1808-1814, 1820-1823 y 1840-1843)* (Madrid: Cenit, 1929), p. 165.

ciones de la época en el territorio de Nueva España. Macías identifica dos clases de fuentes, una confirmada y la otra probable. En la primera categoría, Macías incluye los artículos sobre teoría política escritos por Alberto Lista para el diario *El espectador sevillano*, que fue reimpreso en México en 1810, y la Constitución de Cádiz. De acuerdo con el testimonio de Morelos, fue él quien entregó a la comisión constitucional su copia de *El espectador sevillano* y de la Constitución de Cádiz. Macías hace hincapié en la influencia del "Discurso sobre los gobiernos representativos", de Lista, sobre los autores de la Constitución de Cádiz y de la Carta de Apatzingán. En la segunda categoría, Macías incluye la Declaración de los Derechos del Hombre, redactada en Francia en 1789, y las constituciones francesas de 1791, 1793 y 1795.[113]

Los análisis que comparan los documentos para determinar el origen de las ideas no sólo deben considerar la similitud entre los textos, sino determinar también si existían fuentes comunes antes de que fueran redactados. Tras abrogar la Constitución de Cádiz en 1814, Fernando VII y sus seguidores realistas adujeron que la Carta hispánica era meramente una copia de la Constitución francesa de 1791. Miranda y Macías están de acuerdo con esta valoración. Ambos señalan, por ejemplo, que el proceso electoral indirecto señalado en la Constitución de 1812 se basaba en la francesa de 1791. Mas no están en lo correcto; el sistema electoral hispánico se basaba en las reformas municipales que Carlos III había instrumentado en 1766. Puesto que las monarquías francesa y española compartían una cultura occidental común, poseían conceptos políticos y jurídicos similares. Como Mónica Quijada ha señalado, muchas ideas "modernas" sobre la soberanía popular y la representación aparecieron en fecha muy temprana en la monarquía española.[114] Así pues, la comparación de documentos no es suficiente para determinar los orígenes de las ideas en estos documentos.

Morelos indicaba que había dado a la comisión constitucional su copia de los artículos de Lista y de la Constitución de 1812, así que podemos suponer que esos textos ejercieron influencia sobre los autores de la Constitución de Apatzingán. Dichos autores no sólo poseían copias de las obras; es

113. Macías, "The Genesis of Constitutional Government in Mexico", pp. 135-175.
114. Rubio Fernández, *Elecciones en el Antiguo Régimen*, pp. 35-54; Quijada, "Las 'dos tradiciones'. Soberanía popular e imaginarios compartidos", pp. 61-86 y "Sobre 'Nación', 'Pueblo', 'Soberanía' y otros ejes de la modernidad en el mundo Hispánico".

evidente que acudieron a ellas; empero, no existen pruebas de que contaran con copias de los documentos franceses. Sin duda, Herrera y Quintana Roo habían tenido contacto con las ideas francesas. Herrera publicó traducciones de algunas obras francesas en su periódico y Quintana Roo recibió su educación en el Seminario Conciliar de San Ildefonso, donde el profesor de filosofía, Pablo Moreno, lo introdujo al pensamiento francés. No se ha demostrado que ambos autores poseyeran las traducciones de documentos franceses relevantes en el momento de escribir la Constitución insurgente, pero si los autores se habían formado en el derecho hispánico, contaban con bases adecuadas para defender sus posturas. La Constitución de Apatzingán era una amalgama de conceptos hispánicos tradicionales y modernos adaptados a las circunstancias de Nueva España en la época.

Aunque el *Decreto Constitucional para la Libertad de la América Mexicana* se completó a fines de agosto, no se promulgó sino hasta el 22 de octubre de 1814, pues el Congreso carecía de imprenta, y la única disponible para los insurgentes era la que había construido Cos, quien la llevaba consigo cuando se convirtió en comandante general de Michoacán y Guanajuato. Cos, aunque era miembro del Congreso, estaba más preocupado por su papel como comandante militar y no hizo de la publicación de la Carta una prioridad. El retraso resulta mucho más sorprendente porque las noticias de que Fernando VII había abrogado la Constitución de Cádiz llegaron a Nueva España en julio, y la Constitución de Apatzingán podría haber sido considerada como una alternativa viable para muchos novohispanos.

La publicación de la carta de Apatzingán preocupaba a las autoridades reales. Sin embargo, el documento casi no causó efecto en el virreinato de Nueva España. Las fuerzas realistas siguieron persiguiendo al Congreso y tomaron el control de muchos pueblos que estaban antes en manos de los insurgentes. En una reacción extrema, el 22 de noviembre de 1814, el Congreso ordenó una política de tierra quemada para evitar que los realistas se beneficiaran de sus victorias. Para marzo de 1815, más de doce pueblos y haciendas en Michoacán y Guanajuato habían sido quemados y, como era de esperarse, los habitantes locales se pusieron en contra del gobierno insurgente. Cuando el coronel realista Agustín de Iturbide respondió amenazando con quemar los pueblos insurgentes, el Congreso rescindió su decreto. La legislatura oculta se reunió el 14 de julio en la hacienda de Puruarán y decidió que sólo la ayuda extranjera salvaría su causa. Nombró entonces a Herrera como su enviado a Estados Unidos.[115]

Incapaz de granjearse el apoyo de los insurgentes locales en Michoacán, el Congreso decidió trasladarse a Tehuacán, donde el coronel Manuel de Mier y Terán, un antiguo oficial de artillería en el ejército de Morelos, había instalado una fortaleza. Antes de que los legisladores pudieran llegar, Cos acusó al Congreso de ser un organismo despótico que no había sido electo por el pueblo, que interfería en los asuntos eclesiásticos, que encarcelaba sacerdotes y que ejecutó al eclesiástico Luciano Navarrete. Cos concluía recomendando la eliminación del Supremo Gobierno, a excepción de Morelos. Al ver que no recibía ningún respaldo, el Congreso arrestó a Cos, lo sentenció a muerte por traición y finalmente conmutó la sentencia de muerte por prisión de por vida.[116]

El 29 de septiembre de 1815, el Congreso inició su traslado a Tehuacán, donde esperaba estar a salvo de Iturbide. Morelos, quien organizó la partida, urgió a los insurgentes a proteger al organismo en su paso por el territorio realista. Sólo unos cuantos de sus seguidores, como Bravo y Guerrero, consideraron su petición de ayuda; sin embargo, las autoridades reales se habían enterado del traslado y atacaron al Congreso el 5 de noviembre de 1815 en Temalaca, en la frontera de Puebla. Morelos ordenó a Bravo proteger al Congreso mientras él y algunas de sus fuerzas permanecían para enfrentarse a los realistas. Morelos libró una valiente acción de retaguardia que permitió escapar a la legislatura. Empero, el fue capturado y más tarde juzgado, encontrado culpable de lesa majestad y degradado del sacerdocio. El líder insurgente fue ejecutado el 22 de diciembre de 1815.

El 16 de noviembre, el coronel Mier y Terán recibió a lo que quedaba del Supremo Gobierno. Pese a todo, el organismo intentó de inmediato afirmar su autoridad en Tehuacan, ahí trató de expulsar a los frailes carmelitas argumentando que favorecían al bando realista. En unas cuantas semanas, el Congreso había despertado la furia de la mayor parte de los oficiales de Mier y Terán, que no aceptaban los intentos del organismo por controlarlos. Cuando el intendente de hacienda del congreso exigió inspeccionar las cuentas de Mier y Terán, sus oficiales lo buscaron el 15 de diciembre y lo convencieron de arrestar a los miembros del

115. Macías, "The Genesis of Constitutional Government in Mexico", pp. 176-185.
116. *Ibid.*, pp. 186-191.

Congreso. En lugar de ello, el coronel disolvió el organismo.[117] El experimento insurgente de autogobierno había fracasado después de 14 meses. Aunque se registraron intentos posteriores por crear juntas para coordinar la insurgencia, como las juntas de Jaujilla y Balsas, éstas, como el Congreso, fracasaron.[118] La Constitución de Apatzingán nunca fue instrumentada y ejerció poca influencia en el desarrollo constitucional subsiguiente en México.

La insurgencia que siguió

Cuando el virrey Félix María Calleja fue reemplazado en 1816 por Juan Ruiz de Apodaca, Alamán hizo un recuento de sus logros:

> Calleja, pues, dejaba a su sucesor la revolucion desacreditada, vencida y abatida, y aunque todavía quedasen puntos fortificados que tomar y reuniones que acabar de dispersar, le dejaba para ello un ejército numeroso y florido, compuesto de tropas acostumbradas a las incesantes fatigas de campaña y mas acostumbradas todavía a vencer; le dejaba una hacienda organizada y cuyos productos se habian aumentado con los nuevos impuestos; el trafico mercantil restablecido con los frecuentes convoyes que circulaban de una extremidad a otra del reino, y los correos en un giro regular, saliendo y recibiéndose semanariamente [...S]i España no hubiera perdido el dominio de estos paises por sucesos posteriores, Calleja debia ser reconocido como el reconquistador de la Nueva España, y el segundo Hernan Cortés.[119]

Si bien es cierto que los líderes de los principales centros de oposición, como los insurgentes indígenas de Isla Mezcala, en el Lago de Chapala, aceptaron una paz negociada, y que Osorno, el comandante del insurgente Departamento del Norte, en los Llanos de Apan en la Sierra de Puebla, aceptó un indulto en 1816, Lucas Alamán se equivocaba.[120] La insurgencia no quedó derrotada. La muerte de Morelos, como la pérdida de los líderes anteriores, no significó el fin de la oposición a los realistas. Aunque de cual-

117. *Ibid.*, pp. 191-193.
118. Guedea, "El proceso de independencia y las juntas de gobierno", pp. 215-228.
119. Alamán, *Historia de Méjico*, IV, pp. 476-477.
120. Christon I. Archer, "The Indian Insurgents of Mezcala Island on the Lake Chapala Front, 1812-1816", en Susan Schroeder (ed.), *Native Resistance and the* Pax Colonial *in New Spain* (Lincoln: University of Nebraska Press, 1998), pp. 84-128; Virginia Guedea, *La insurgencia en el Departamento del Norte. Los Llanos de Apan y la Sierra de Puebla, 1810-1816* (México: UNAM/Instituto José María Luis Mora, 1996).

quier forma, tras su muerte, la insurgencia perdió pronto toda pretensión de ser un movimiento coordinado. Durante los años que corrieron de 1816 a 1820, la insurgencia consistió en movimientos de guerrilla locales que, al tiempo que eran incapaces de derrocar al régimen realista, podían socavar la autoridad del gobierno y la moral del ejército real. Varios hombres continuaron en la insurgencia, entre ellos Vicente Guerrero y Ramón Sesma en la Mixteca, Manuel y Juan Mier y Terán en el área de Tehuacán, Guadalupe Victoria en Veracruz, José Francisco Osorno en los Llanos de Apan y la Sierra Norte de Puebla, y José Antonio Torres en las regiones de Guanajuato y Michoacán. Las fuerzas realistas lograron defender las capitales de provincia y reabrir los principales caminos, pero aún existían enclaves de resistencia en toda Nueva España y las guerrillas insurgentes eran capaces de atacar convoyes, saquear pueblos y entrar en las capitales provinciales antes de retirarse a sus posiciones. Unos cuantos líderes insurgentes, como Vicente Guerrero, permanecieron activos a todo lo largo de 1820 y en ocasiones pudieron derrotar a ejércitos realistas enviados con la intención de aniquilarlos. De hecho, la incapacidad de Iturbide para lidiar con Guerrero a finales de 1820 fue un factor importante en su decisión de adoptar el Plan de Iguala.[121]

En 1816, Calleja afirmaba haber reducido a los insurgentes a meros bandidos, pero Christon I. Archer no concuerda con esto. Él ha demostrado que, aun cuando Lucas Alamán y otros historiadores posteriores aceptaron los informes publicados en la *Gazeta de México* y las declaraciones públicas hechas por Calleja y por los oficiales reales, las autoridades deformaban la situación en la provincia. Importantes actividades insurgentes seguían en pie.[122]

La expedición del liberal español Xavier Mina a mediados de 1816 alarmó a las autoridades reales. La llegada de un distinguido oficial español con fuerzas internacionales podría haber unido a los insurgentes y avasallado a las autoridades, Aunque acompañado por Servando Teresa de Mier, Mina no pudo granjearse el suficiente apoyo insurgente como para consolidar su posición. Él y

121. Christon I. Archer, "Years of Decision: Félix Calleja and the Strategy to End the Revolution of New Spain", en Archer, *The Birth of Modern Mexico*, pp. 127-128. Véase también: Hamnett, *Roots of Insurgency*, 205-211. Sobre Vicente Guerrero, véase: Mario Salcedo Guerrero, "Vicente Guerrero's Struggle for Mexican Independence, 1820-1821" (Santa Barbara: University of California, tesis doctoral, 1978).
122. Christon I. Archer, "Years of Decisión: Félix Calleja and the Strategy to End the Revolution in New Spain," en Archer, *The Birth of Modern Mexico*, pp. 125-149.

VICENTE GUERRERO

sus hombres lucharon en el noreste de Nueva España durante un año; obtuvieron algunas victorias, pero no lograron escapar de las fuerzas realistas del coronel Francisco de Orrantia. Mina fue capturado el 27 de octubre de 1817 en el rancho El Venadito, propiedad de uno de sus seguidores, Mariano Herrera. El 11 de noviembre de 1817, el general Xavier Mina, el héroe de la lucha contra los franceses en Navarra, fue ejecutado. Un rey agradecido otorgó al virrey Ruiz de Apodaca el título de conde de Venadito y a Orrantia la Cruz de Guerra.[123]

El virrey Ruiz de Apodaca intentó pacificar Nueva España ofreciendo perdones a los insurgentes que reconocieran al rey y su gobierno. Muchos insurgentes capturados, como Manuel Mier y Terán, aceptaron los indultos. De ahí en adelante, Mier y Terán trabajó como escribano en Puebla. Por su parte, Nicolás Bravo, quien también fue capturado, permaneció en prisión hasta 1820, cuando las Cortes restauradas ofrecieron la amnistía a todos los insurgentes. Otros, como Vicente Guerrero, siguieron en la lucha. Guerrero, que se estableció en Tierra Caliente, siguió constituyendo una amenaza para el gobierno real hasta 1821. Aún otros, como Guadalupe Victoria, se vieron forzados a ocultarse de las fuerzas realistas. Según Alamán, uno de los oficiales de Victoria lo traicionó en diciembre de 1818 y el insurgente tuvo que huir: "Victoria desde entónces desapareció de la escena, ocultandose tan completamente que no se supo de él; contándose despues mil fábulas, como haber vivido en una cueva, expuesto a ser devorado por las fieras".[124]

Sin importar la determinación de las fuerzas realistas para perseguir y exterminar a los insurgentes, hasta 1821 éstos siguieron representando para el régimen una espina clavada. Ni la fuerza ni la amnistía terminaron con sus actividades. Para algunos, aún haría falta otra transformación política que pusiera fin a la lucha por el gobierno autónomo. Unos cuantos, como Vicente Guerrero, Guadalupe Victoria, Nicolás Bravo y Manuel Mier y Terán, tendrían importantes carreras políticas tras la independencia. Para otros, el pillaje y la violencia se convertirían en una forma de vida. Pero después de la independencia, cuando la nueva nación intentó recuperarse de los estragos de once años de insurgencia, sus actividades se volvieron un gran obstáculo.

123. Robinson, *Memorias de la revolución mexicana,* pp. 99-270; Harris Gaylord Warren, "Xavier Mina's Invasion of Mexico", en *Hispanic American Historical Review*, vol. 23, núm. 1 (febrero de 1943), pp. 52-76; y Ana Laura de la Torre Saavedra, *La expedición de Xavier Mina a Nueva España: una utopía liberal imperial* (México: Instituto José María Luis Mora, 1999).

124. Alamán, *Historia de Méjico*, IV, p. 641.

"Nosotros somos ahora los verdaderos españoles"
La transición de la Nueva España
de un reino de la monarquía española
a la Republica Federal Mexicana, 1808-1824
de Jaime E. Rodríguez O.,
se terminó de imprimir en el 28 de diciembre de 2009
en los talleres de:
Seprim
Cerrada de Técnicos y Manuales núm. 19-52
Col. Lomas Estrella
México, D.F.
La edición consta de 500 ejemplares.
Supervisión editorial:
Patricia Delgado González
Corrección:
Lurdes Asiain
Diagramación:
Quasar impresos, S.A. de C.V.
Portada:
Guadalupe Lemus Alfaro